KB181353

Acoustic Neuroma

청신경 종양

대한두개저외과학회
Korean Skull Base Society

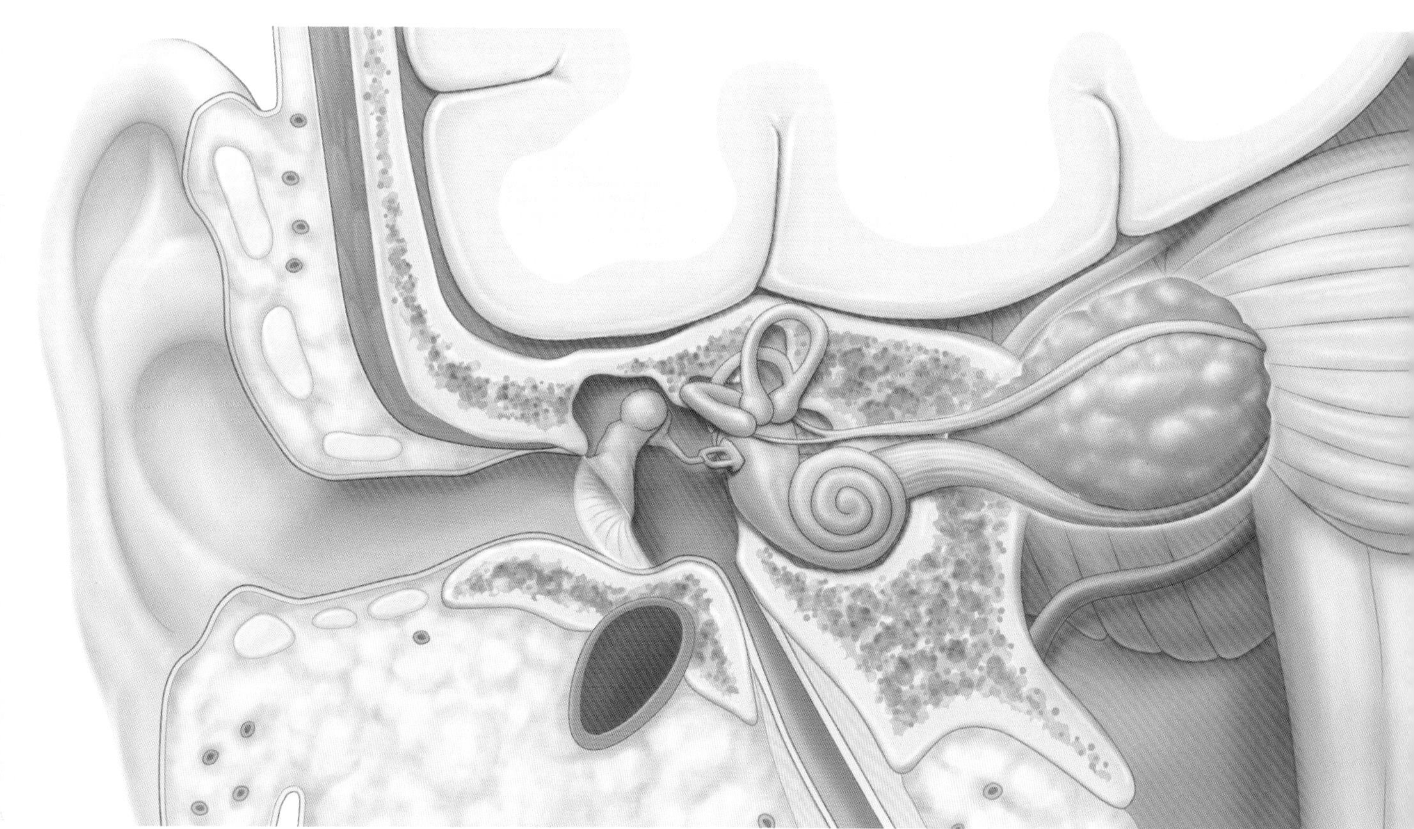

군자출판사

청신경 종양

Acoustic Neuroma

첫째판 1쇄 인쇄 | 2015년 11월 20일
첫째판 1쇄 발행 | 2015년 11월 25일

지 은 이 대한두개저외과학회
발 행 인 장주연
출판기획 이경헌
편집디자인 박선미
표지디자인 군자출판사
일러스트 문승호
발 행 처 군자출판사
등록 제4-139호(1991. 6. 24)
본사 (110-717) 서울특별시 종로구 창경궁로 117 (인의동 112-1) 동원빌딩 6층
전화 (02) 762-9194/5 팩스 (02) 764-0209
홈페이지 | www.koonja.co.kr

* 파본은 교환하여 드립니다.
* 검인은 저자와의 합의 하에 생략합니다.

ISBN 978-89-6278-582-1
정가 100,000원

두개저외과학 발전을 위해 헌신하셨던
故 이원상 교수님을 추모하며

집필진 (가나다순)

편찬위원장

장종희 연세대학교 의과대학 신경외과학교실

편찬위원

공두식 성균관대학교 의과대학 신경외과학교실
남성일 계명대학교 의과대학 이비인후과학교실
노태훈 연세대학교 의과대학 신경외과학교실
문인석 연세대학교 의과대학 이비인후과학교실
신승호 이화여자대학교 의과대학 이비인후과학교실
이기택 가천대학교 의과대학 신경외과학교실
이승환 경희대학교 의과대학 신경외과학교실
홍창기 연세대학교 의과대학 신경외과학교실

저자

권정택 중앙대학교 의과대학 신경외과학교실
김병준 서울대학교 의과대학 성형외과학교실
김선환 충남대학교 의과대학 신경외과학교실
김성권 서울대학교 의과대학 신경외과학교실
김세훈 연세대학교 의과대학 병리학교실
김승민 을지대학교 의과대학 신경외과학교실
김창진 울산대학교 의과대학 신경외과학교실
김한규 분당제생병원 신경외과
남성일 계명대학교 의과대학 이비인후과학교실
문인석 연세대학교 의과대학 이비인후과학교실
박봉진 경희대학교 의과대학 신경외과학교실
박순형 계명대학교 의과대학 이비인후과학교실
백선하 서울대학교 의과대학 신경외과학교실
신승호 이화여자대학교 의과대학 이비인후과학교실
이규성 연세대학교 의과대학 신경외과학교실
이기택 가천대학교 의과대학 신경외과학교실
이은정 울산대학교 의과대학 신경외과학교실
이종대 순천향대학교 의과대학 이비인후과학교실
이채혁 인제대학교 의과대학 신경외과학교실
임영진 경희대학교 의과대학 신경외과학교실
장 학 서울대학교 의과대학 성형외과학교실
장기홍 가톨릭대학교 의과대학 이비인후과학교실
장우열 전남대학교 의과대학 신경외과학교실
정 신 전남대학교 의과대학 신경외과학교실
정종우 울산대학교 의과대학 이비인후과학교실
조성진 순천향대학교 의과대학 신경외과학교실
조양선 성균관대학교 의과대학 이비인후과학교실
주원일 가톨릭대학교 의과대학 신경외과학교실
최길수 서울대학교 의과대학 신경외과학교실(명예교수)
최석근 경희대학교 의과대학 신경외과학교실
한영민 가톨릭대학교 의과대학 신경외과학교실
홍창기 연세대학교 의과대학 신경외과학교실

발간사

대한두개저외과학회는 1994년 창립된 학회로 올해 21주년을 맞게 되었습니다. 본 학회는 다양한 두개저 질환에 대한 치료를 위해 다학제 협동 학술 활동을 해온 역사와 전통을 자랑하는 학회입니다.

두개저 질환에 대한 수술은 해부학적 구조가 매우 복잡하고 숙련된 외과적 수기가 요구되기 때문에 수술 전 사체 해부 실습과 전문서적을 통한 간접 경험이 필요하다고 생각합니다. 학회 자체적으로 사체해부 실습을 위한 정기적인 교육 프로그램은 있지만 도움되는 관련 교과서는 주로 외국 서적에 의존도가 매우 높게 국내 두개저외과학이 발전을 해왔습니다.

두 차례의 두개저외과학 교과서가 학회 차원에서 이미 발간되었지만 단일 질환에 대한 전문 서적으로는 이번에 처음으로 편찬하게 되었습니다. 발생빈도가 비교적 많으나 수술의 난이도가 높고 수술 후 좋은 결과가 요구되는 청신경 종양에 대하여 해부, 진단, 자연경과, 다양한 수술 접근법과 방사선수술의 소개, 수술 후 안면신경마비의 치료와 난청, 어지러움증에 대한 치료에 관하여 심도 있게 본 책에서 다루었습니다. 또한 Part II에서는 수술 등 치료 경험이 많으신 교수들의 임상경험을 증례 중심으로 치료 전략에 관하여 집필하였습니다.

이제 본 교과서의 출간으로, 국내의 경험 많으신 집필진의 청신경 종양에 대한 풍부한 임상 경험을 바탕으로 쓰여졌기 때문에 이제 수술을 배우기 시작하는 젊은 신경외과 의사뿐만 아니라 청신경 종양에 대한 학문적 관심과 경험이 있는 분들께도 실질적인 지침 서적이 될 것으로 믿습니다. 다만, 처음 출간하는 청신경 종양 교과서가 완벽하지는 않을 것입니다. 부분적으로 미흡한 부분의 수정과 새로운 지식들에 대한 추가된 내용들은 향후 지속적으로 발간될 개정판에 포함될 것입니다.

어려운 여건 속에서도 책을 내는 데 도움을 주신 이기택, 장종희 두 분의 전임 · 현 편찬위원장의 노고에 감사드리고 모든 집필진 교수님들께 깊은 감사를 드립니다. 또한, 생전에 청신경 종양의 수술과 연구에 남다른 열정을 보여주신 고 이원상 교수님 영전에 이 책을 바칩니다.

마지막으로 국내판 청신경 종양 교과서를 대한두개저외과학회에서 출간하게 되는 기쁨을 전임 회장님들과 고문 교수님, 그리고 모든 회원님들과 함께 나누고자 합니다.

2015년 11월

대한두개저외과학회 회장 **정 신**

추모사

이비인후과학계와 이과학 분야, 특히 우리나라 두개저외과학의 巨木이시고 태두의 한 분이신 故 이원상 교수님께서 소천하신 지 어느덧 2년이 되었습니다. 아직도 선생님의 체온이 남아있는 듯한 이 시점에 대한두개저외과학회에서 청신경 종양 교과서를 발간하게 된 것은 참 뜻 깊은 일입니다. 더욱이 출판의 목적이 故 이원상 교수님을 기리며 선생님께 헌정하는 것이라 연세의대 이비인후과학교실과 교실원 그리고 유가족에게는 이 책의 출간이 선생님의 업적을 되새기게 하며, 선생님을 더욱 깊이 추모하게 합니다. 교실을 대표하여 감사드립니다.

선생님은 대한두개저외과학회의 창립에 크게 기여하셨고 우리나라의 두개저외과학의 발전을 위해 헌신하셨습니다. 매년 연말 저희 교실에서는 각 교수들의 자기 업적평가를 제출합니다. 故 이원상 선생님은 항상 두개저외과학 발전에 대한 기여와 대한두개저외과학회에 대한 공헌을 본인의 가장 큰 업적으로 여기셨습니다.

선생님은 개척자의 삶을 사셨습니다. 누구의 길을, 다른 사람이 만들어 놓은 길을 편하게 따라가시지 않았습니다. 뇌기저부의 수술은 누구도 접근할 수 없는 no man's land이었습니다만 선생님께서 한 부분, 한 부분 정복해 나가는 그 개척정신으로 인해 우리들은 그곳에 쉽고 안전하게 당도할 수 있었습니다. 수술의 금기들을 차례차례, 하나씩 하나씩 없애셨습니다. 그래서 남들이 고치지 못하는 환자들을 고치셨습니다.

또한, 선생님은 탐구자의 삶을 사셨습니다. 24시간 이상 걸리는 수술도 마다치 않으시고 넘치는 열정으로 꼿꼿한 자세로 수술을 끝까지 마치셨을 뿐 아니라, 이과학과 이비인후과학에 관련된 여러 분야의 초석을 다지시고 새로운 진리를 끊임없이 찾고자 하셨습니다.

그리고 선생님은 교육자의 삶을 사셨습니다. 전공의들에게, 강사들에게 수술을 가르쳐 주실 때마다 '내가 이거 어떻게 공부한 건데, 어떻게 안 건데, 내 오른팔이 떨어져 나가는 것 같아' 라고 말씀은 하셨지만 아낌없이 알고 있는 지식을 모두, 모든 후배들에게 가르쳐 주셨습니다. 가르쳐 주셔도 그걸 다 이해하지 못했고, 이끌어 주셔도 그 길을 따라가려는 이들이 많지 않아 안타까워 하셨지만 여일하게 30년 동안 가르치시는 것을 그만두시지 않았습니다. 선생님이 묵묵히 하시는 일이 그것 자체가, 그것을 옆에서 보는 그 일이 큰 가르침이었음을, 그것은 어디서도 배울 수 없는 교육이었습니다. 선생님은 학자의 표본이요 교수의 모범이었고, 의사의 전형이요 외과의사의 이상이었습니다.

대한두개저외과학회에서 발간하는 청신경 종양 교과서야말로 선생님의 이러한 삶의 태도와 바람을 가장 잘 반영한 노고의 산물이라고 할 수 있겠습니다. 선생님께서 제자들과 후학들의 수고를 흠향하셨으면 좋겠습니다. 다시 한 번 학회의 추모책자 발간에 감사드립니다.

2015년 11월

연세대학교 의과대학 이비인후과학교실 주임교수 **최은창**

머리말 '청신경 종양' 교과서 초판을 발행하며…

대한두개저외과학회는 어렵고 복잡한 위치에 발생하는 두개저 질환의 치료에 관여하는 여러 관련 과가 모여 다학제적 접근으로 회원들의 임상경험을 공유하고, 학문적 발전을 추구해 왔습니다. 그 동안 두 차례의 두개저외과학 교과서를 발행하였고, 작년 학회 창립 20주년 기념 사업의 일환으로 두개저의 대표적 질환 중 하나인 청신경 종양에 대한 교과서를 발행하기로 결정되었습니다. 그동안의 많은 노력의 결실로 이제 그 첫판을 발간하게 되었습니다.

청신경 종양 교과서는, 자주 접하기는 하지만, 또한 충분한 경험을 가지기 쉽지 않은 청신경 종양이라는 질환의 특성을 고려하여, 이제 막 청신경 종양 치료에 관심을 가지는 젊은 의사들뿐 아니라 실제로 치료를 담당하고 계신 각 분야 선생님들께도 실질적인 도움이 되는 훌륭한 지침서를 마련한다는 취지로 발간되었습니다. 이에 따라, Part I 총론에서는 청신경 종양의 해부, 자연경과, 임상증상 및 진단, 다양한 수술 접근법과 방사선수술 등의 치료, 수술 후 경과 및 합병증에 대한 치료 등 청신경 종양의 진단과 치료에 필요한 최신 정보를 자세하게 기술하였으며, Part II 치료 전략에서는 이 분야에서 경험이 많으신 저자들의 풍부한 임상경험을 바탕으로, 다양한 경우에서의 구체적인 치료 전략에 대한 전문적인 지식을 증례 중심으로 기술하였습니다.

교과서편찬위원으로 구성된 편찬위원회에서 집필된 원고의 내용과 형식을 일관성 있게 기술되도록 노력하였습니다. 특히, 용어는 독자들의 이해를 쉽게 하기 위해 실제 임상에서 많이 사용하는 표현대로 기술하고, 일부는 한글, 원어 표현을 병기하였으며, 교과서 앞에 약어표와 용어정리를 추가하였습니다. Part II에서는 가능한 증례를 많이 포함시키도록 하였고, 그림은 전문가에게 의뢰하여 저자의 의견과 내용에 적합하게 새롭게 도안하여 수록하였습니다. 이번에 발간되는 교과서가 부족한 면이 있을 수 있겠으나, 단일 질환에 대한 교과서를 학회 차원에서 처음 제작하였다는 데 의미가 있겠으며, 앞으로 판을 거듭하며 더욱 훌륭한 교과서가 될 것으로 믿습니다. 특히, 존경하는 故 이원상 교수님을 추모하는 의미의 교과서 제작이어서 개인적으로나 학회차원으로도 더욱 뜻 깊게 생각합니다.

교과서 발간을 위하여 소중한 원고를 집필하여 주시고 교정해 주신 저자들과 바쁜 일정에서도 많은 시간을 할애하여 여러 차례 검토를 해 주신 편찬위원들의 헌신적인 노력에 깊은 감사 말씀을 드립니다. 특히, 처음 편찬위원장을 맡아 교과서의 기본 윤곽을 마련하고 초고를 모으고 수정해 주셨던 이기택 전임 편찬위원장님, 20주년 기념 사업으로 청신경 종양 교과서 제작을 처음 결정하셨던 장기홍 전임 회장님, 그리고 어려운 여건에도 많은 지원과 격려, 조언을 주셨던 정신 회장님께 진심으로 감사의 말씀을 드리며, 끝으로 출판을 맡아 주신 군자출판사와 모든 관계자 분들께도 감사의 말씀을 드립니다.

2015년 11월

청신경 종양 교과서 편찬위원장 **장종희**

차례

PART 01 총론

PART 02 치료 전략

약어

Abbreviation	Terminology	Korean
AAO-HNS	American Academy of Otolaryngology-Head and Neck Surgery	미국 이비인후과학회
ABI	Auditory brainstem implant	청각 뇌간 이식
AEP	Auditory evoked potentials	청각유발전위
AICA	Anterior inferior cerebellar artery	전하소뇌동맥
AN	Acoustic neuroma	청신경 종양
AOICSBS	Asian-Oceanian International Congress on Skull Base Surgery	아시아-오세아니아 두개저외과학회
BAEP	Brainstem auditory evoked potentials	뇌간청각유발전위
CN	Cranial nerve	뇌신경
CNAP	Compound nerve action potential	복합신경활동전위
CPA	Cerebellopontine angle	소뇌교각
CSF	Cerebrospinal fluid	뇌척수액
CT	Computed tomography	컴퓨터단층촬영
DTI	Diffusion tensor imaging	확산텐서영상
EAC	External acoustic (auditory) canal	외이도
EEG	Electroencephalography	뇌파
EMG	Electromyography	근전도
EP	Evoked potentials	유발전위
FSRT	Fractionated stereotactic radiation therapy	분할방사선치료
GFAP	Glial fibrillary acidic protein	신경교원섬유산단백
GKS	Gamma Knife surgery	감마나이프방사선수술
GSPN	Greater superficial petrosal nerve	대천추체신경
IAC	Internal auditory canal	내이도
ICA	Internal carotid artery	내경동맥

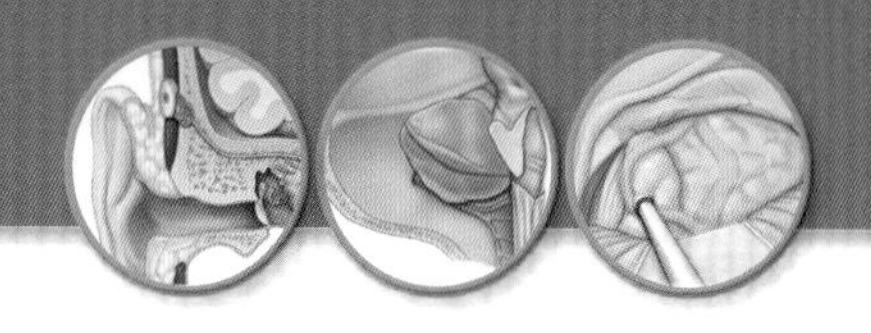

Abbreviation	Terminology	Korean
IMRT	Intensity modulated radiation therapy	세기조절방사선치료
IOM	Intraoperative monitoring	수술 중 감시
LSC	Lateral semicircular canal	외측반고리관
LINAC	Linear accelerator	선형가속기
LSPN	Lesser superficial petrosal nerve	소천추체신경
MCA	Middle cerebral artery	중대뇌동맥
MEP	Motor evoked potentials	운동유발전위
MMA	Middle meningeal artery	중경막동맥
MRI	Magnetic resonance image	자기공명영상
NF2	Neurofibromatosis type 2	신경섬유종증 2형
PICA	Posterior inferior cerebellar artery	후하소뇌동맥
RT	Radiation therapy	방사선치료
SCA	Superior cerebellar artery	상소뇌동맥
SCM	Sternocleidomastoid muscle	흉쇄유돌근
SPS	Superior petrosal sinus	상추체정맥동
SRS	Stereotactic radiosurgery	정위적 방사선수술
STA	Superficial temporal artery	천측두동맥
VEP	Visual evoked potentials	시각유발전위

용어정리

	영문	한글
A	Abducens nerve	외전신경
	Accessory nerve	더부신경
	Acoustic neuroma	청신경 종양
	Aditus ad antrum	유돌동구
	Ampulla	팽대
	Antebrachial cutaneous nerve	전완피신경
	Anterior inferior cerebellar artery	전하소뇌동맥
	Arcuate eminence	궁상융기
	Asterion	성상점
	Auditory brainstem implant	청각 뇌간 이식
	Auditory evoked potentials	청각유발전위
B	Basilar artery	기저동맥
	Bill's bar	수직능
	Blepharoplegia	안검마비
	Brainstem auditory evoked potentials	뇌간청각유발전위
	Brow ptosis	눈썹 하수
	Buccal branch	볼가지
C	Cerebellomedullary cistern	소뇌연수조
	Cerebellopontine angle	소뇌교각
	Cerebrospinal fluid	뇌척수액
	Cochlear implant	인공와우
	Cochlear nerve	청신경
	Common crus	공통각

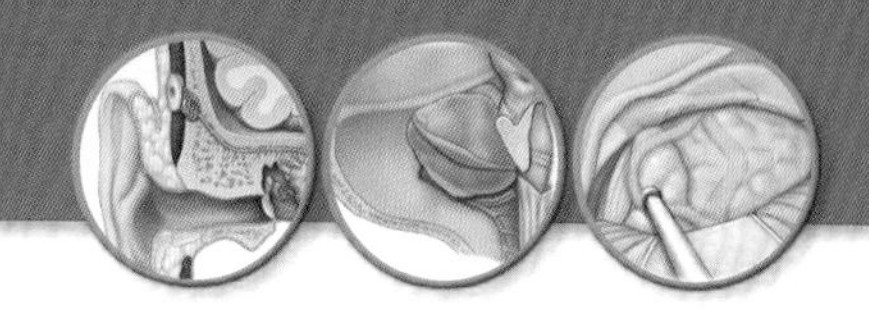

	영문	한글
	Compound nerve action potential	복합신경활동전위
	Computed tomography	컴퓨터단층촬영
	Cranial nerve	뇌신경
D	Depressor anguli oris muscle	입꼬리내림근
	Dermoid cyst	유피낭종
	Diffusion tensor imaging	확산텐서영상
	Dose selection	선량 선택
	Dural tail	경막 꼬리
E	Electroencephalography	뇌파
	Electromyography	근전도
	Endolymph	내림프
	Endolymphatic sac	내림프낭
	Epidermoid cyst	표피양낭종
	Epiphora	유루증
	Evoked potentials	유발전위
	External acoustic (auditory) canal	외이도
F	Facial hiatus	대추체신경관열공
	Facial nerve	안면신경
	Flocculus	편엽
	Foramen magnum	대후두공
	Foramen of Luschka	루시카공
	Foramen spinosum	극공

	영문	한글
	Fovea	오목
	Fractionated stereotactic radiation therapy	분할방사선치료
	Frontalis muscle	전두근
	Fundus	기저
G	Gamma Knife surgery	감마나이프방사선수술
	Ganglion	신경절
	Gasserian ganglion	갓세르 신경절
	Geniculate ganglion	슬신경절
	Glial fibrillary acidic protein	신경교원섬유산단백
	Glossopharyngeal nerve	설인신경
	Greater superficial petrosal nerve	대천추체신경
H	Hair cell	털세포
	Head impulse test	두부충동검사
	Hyperchromasia	과염색증
	Hypoglossal canal	설하신경관
	Hypoglossal nerve	설하신경
I	Incus	침골
	Inferior colliculus	하구
	Inferior vestibular nerve	하전정신경
	Intensity modulated radiation therapy	세기조절방사선치료
	Internal auditory canal	내이도
	Internal carotid artery	내경동맥
	Intraoperative monitoring	수술 중 감시

	영문	한글
J	Jugular bulb	경정맥구
	Jugular foramen	경정맥공
L	Labyrinth	미로
	Labyrinthectomy	미로절제술
	Lagophthalmos	토안증
	Lateral lemniscus	외측모대
	Lateral recess	가쪽 오목
	Lateral semicircular canal	외측반고리관
	Lesser superficial petrosal nerve	소천추체신경
	Levator alaeque nasi muscle	상순비익거근
	Linear accelerator	선형가속기
	Lower cranial nerves	하부뇌신경
M	Magnetic resonance image	자기공명영상
	Malleus	추골
	Mastoid air cells	유돌봉소
	Mastoidectomy	유양돌기 절제술
	Medial geniculate body	내측 슬상체
	Meningioma	수막종
	Middle cerebral artery	중대뇌동맥
	Middle fossa approach	중두개와 접근법
	Middle meningeal artery	중경막동맥
	Motor evoked potentials	운동유발전위
N	Neurofibromatosis type 2	신경섬유종증 2형

	영문	한글
O	Occipital condyle	후두 관절구
	Orbicularis oculi muscle	눈둘레근
P	Paraganglioma	부신경절종
	Perilymph	외림프
	Perineurium	신경외막
	Petrosal vein	추체정맥
	Pilocytic astrocytoma	털모양별세포종
	Posterior inferior cerebellar artery	후하소뇌동맥
	Prone position	복와위
	Pure tone audiometry	순음청력검사
R	Radiation therapy	방사선치료
	Retrosigmoid approach	후S자 정맥동 접근법
	Rotational chair test	회전의자검사
S	Saccule	구형낭
	Semicircular canals	반고리관
	Sigmoid sinus	S자 정맥동
	Sinodural angle	동경막각
	Splenius capitis	두판상근
	Stapes	등골
	Stereotactic radiosurgery	정위적 방사선수술
	Sternocleidomastoid muscle	흉쇄유돌근
	Stylomastoid foramen	경유돌공
	Superficial temporal artery	천측두동맥

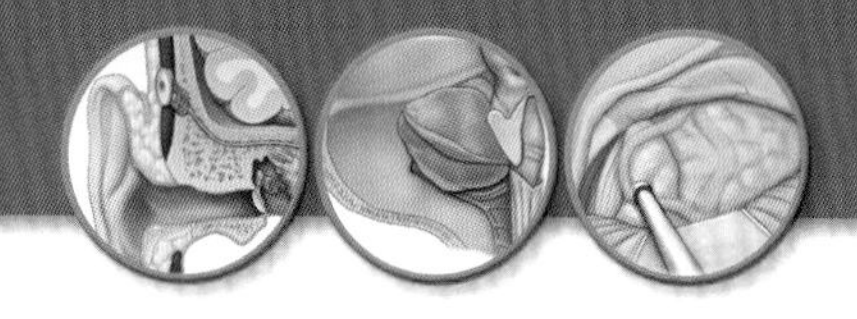

	영문	한글
	Superficial temporal fascia	측두근막의 얕은층
	Superior cerebellar artery	상소뇌동맥
	Superior nuchal line	상항선
	Superior petrosal sinus	상추체정맥동
	Supine position	앙와위
	Sural nerve graft	비복신경이식
T	Tarsorrhaphy	검판봉합술
	Tegmen tympani	고실천장
	Transverse crest	가로능선
	Trapezius	승모근
	Trapezoid body	능형체
	Trigeminal nerve	삼차신경
	Trochlear nerve	활차신경
	Tumor control rate	종양제어율
U	Utricle	난형낭
V	Vertebral artery	추골동맥
	Vertigo	현훈
	Vestibule	전정
	Visual evoked potentials	시각유발전위
Z	Zygoma	관골
	Zygomatic arch	관골궁

PART   Acoustic Neuroma 청·신·경·종·양

01 총론

General principles

CONTENTS

CHAPTER 01

청신경 종양 수술의 역사

History of acoustic neuroma surgery

김선환

청신경 종양 수술은 불과 1세기 전만 하더라도 70~80%의 높은 사망률과 100%에 가까운 안면신경 손상 등으로 비록 양성이지만 그 수술 및 예후와 관련하여 많은 도전을 주는 뇌종양이었다. 그러나 최근 30여 년간의 미세 수술 해부에 대한 이해의 증가와 수술 현미경의 사용, 신경마취와 신경감시의 발달 그리고 표준적 수술 기법의 개발 등으로 인하여 치료의 예후는 비약의 발전을 이루게 되었다. 이러한 청신경 종양 수술의 역사를 되짚어 봄으로써 현재의 수술 기법 발달 과정과 지난 100여 년간의 청신경 종양 수술과 관련한 발걸음을 알아보고자 한다.

청신경 종양 수술에 대한 초기 접근

청신경 종양에 대하여 문헌상으로 처음 알려진 것은 1777년 네덜란드의 Sandifort라는 병리학자에 의하여서다. 그는 사후 부검에서 8번 신경으로부터 발생된 것으로 추정되는 작은 크기의 종양에 대하여 기록을 남겼다.[1] 그로부터 33년 후인 1810년, Leveque-Lasource는 청신경 종양의 증상에 대하여 처음으로 기술을 하였다. 구토와 두통, 시력소실, 이명, 청각소실, 사지의 감각이상, 구음장애 및 혀의 전위 등의 증상이 그것이었는데 사후 부검에서 청신경 종양이 발견되었음을 보고하였다.

청신경 종양의 최초 수술적 제거는 영국의 신경외과 의사인 Sir Charles Ballance(1856~1936)[2]에 의해 이루어졌다. Ballance는 1890년에 중이염 치료로서 radical mastoidectomy를 소개하였고 petrosal lateral, cavernous sinus의 infectious thrombophlebitis에 대하여 cranial base approach를 처음 소개하였었다. 1894년, 49세의 여성에 대하여[3] stage operation으로 right posterior fossa craniectomy를 진행하였고, 환자는 수술로부터 회복하였으나 5번, 7번 신경 손상에 의한 후유증이 남았다. 당시 Ballance는 '종양은 solid tumor로서 petrous bone dura에 유착되어 보였고 어느 정도 단단하게 붙어 있고, 종양을 제거하기 위하여 손가락을 pons와 종양 사이에 넣어 시행하였다'고 서술하였다. 수술 후 조직검사 소견은 fibrosarcoma로 나왔으나 청신경 종양의 초기 조직학적 진단이 fibrosarcoma나 gliosarcoma로 종종 잘못 진단되었던 점과 수술 후 18년까지 추적 관찰한 기록을 남긴 것으로 보아 최초의 청신경 종양 수술로 추정된다.[2] 하지만 몇몇 저자들은 그가 meningioma를 수술하였던 것으로 추정하였었다. 1894년 Ballance는 temporal bone내에서 facial nerve의 직접 연결을 시도하였고, 1895년에 spinal accessory nerve-facial nerve anastomosis를 하였다. 1903년에는 hypoglossal nerve-facial nerve anastomosis를 시행했고 이는 accessory nerve를 이용한 결과보다 좀 더 좋은 예후를 보였다. 1913년에는 tongue의 atrophy를 줄이기 위하여 좀 더 distal hypoglossal nerve를 이용한 anastomosis를 소개하기도 하였다.

1905년 London National Hospital에서 Horsley

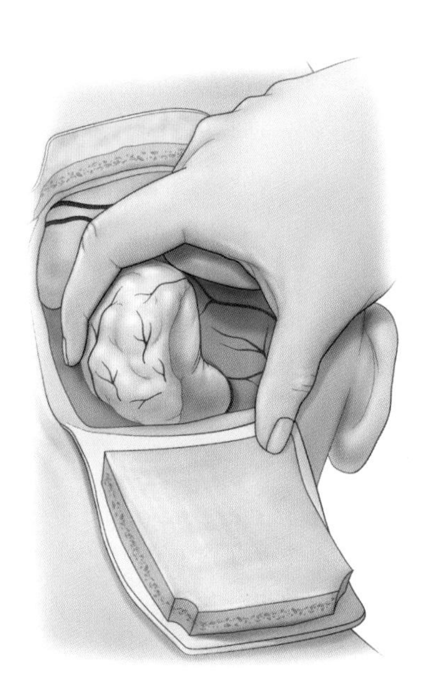

그림 1-1 19세기말 초기 청신경 종양의 수술은 손가락을 이용하여 제거하였다. (from 'The History of Otology', Albert Mudry, Wayenborgh, 2010)

는 acoustic neuroma의 total removal을 이루어냈으나 AICA손상에 따른 brain stem injury가 초래되어 심각한 장애를 남겼다. 같은 해에 Borchardt는 처음으로 trans-sigmoidal approach를 이용하여 종양을 제거하였고, 1906년 13례의 사망을 포함한 18례의 CPA tumor 수술 결과를 보고하였다.[4]

Fedor Krause(1857~1937)는 neurosurgery atlas를 통하여 posterior fossa disease치료에 대한 수술 기법을 자세히 기술하였다. 1898년 그는 suboccipital osteoplastic craniotomy를 이용하여 8번 신경을 잘라 Meniere syndrome을 치료하였다. 다른 논문을 통하여는 CPA tumor의 손가락을 이용한 종양제거 기법을 기술하였으나 31례의 수술 가운데 26례가 사망하였다.[1]

Thierry de Martel(1875~1940)은 프랑스 신경외과의 pioneer로 sitting position을 이용한 posterior fossa surgery를 처음 소개했다. 그는 Joseph Babinski와 함께 수술 후 빠르게 회복된 acoustic neuroma 사례를 보고하기도 했다.[5]

1916년 Henschen은 245례의 unilateral acoustic neuroma와 19례의 neurofibromatosis환자의 사례를 보고하였고, autopsy를 통하여 acoustic neuroma가 porus

그림 1-2 신경외과의 아버지, Harvey Cushing(1869~1939)

acusticus 부위의 vestibular portion nerve에서 발생함을 밝혔다.[1]

Harvey Cushing(1869~1939)은 미국 신경외과의사의 아버지로 뇌수술중 생체신호 모니터링을 통한 마취기술 발전에도 큰 기여를 하였고 수술 중 지혈을 위한 silver clip과 electrocautery를 소개하기도 하였다. Cushing은 1917년 30례의 acoustic neuroma를 정리한 'Tumors of the Nervus Acusticus and the Syndrome of the Cerebellopontine Angle'라는 저서를 발표했다. 그는 brainstem으로부터 종양을 박리하는 것 보다는 intracapsular removal이 보다 더 안전한 수술임을 소개하고 이러한 기법을 통하여 수술 사망률을 10~15% 정도로 낮추었음을 보고하였으나 5년 후 재발로 인한 사망률은 54%였다.[6]

Walter E. Dandy(1886~1946)는 Cushing이 발표한 높은 재발률을 인정하지 않았다. Cushing이 주장한 simple intracapsular mass removal보다는 세밀한 capsular dissection이 필요함을 주장하였고, 1922년 이러한 내용을 발표하였다. 1925년 Dandy는 5례의 환자에서 bilateral suboccipital craniectomy를 통한 완전 제거사례를 발표하였고 후에 이를 수정하여 unilateral suboccipital craniectomy를 이용한 수술 방법을 소개하였다. 1941년 Dandy는 46례의 완전절제사례에서 10.87%의 낮은 수술 사망률을 보고하였다. 하지만 안면신경은 단 1례에서만 보존하였다.[4]

Vilhelm Magnus(1871~1929)는 1921년, 삼차신경

통 치료를 위해pons에서 신경을 절제한 31례의 환자 사례를 보고하였다. 그는 1925년 스칸디나비안 외과학술대회에서 이전 여러 외과의사들의 청신경 종양 수술에 대한 80%가 넘는 높은 사망률을 비판하면서, 일반외과로부터 전문적인 뇌수술 전문분야로의 분과 필요성을 제의 하였다. 1926년도에 Magnus는 161례의 천막상부 종양 수술에서 8%의 사망률을, 55례의 천막하부 종양 수술에서 17%의 사망률을 보고하였고 청신경 종양은 14례 가운데 1례만의 수술사망례가 있었음을 발표하였다.[4]

1935년 Norman Dott는 청신경 종양 수술 후 안면신경의 long graft 성공 사례를 보고하였다. 1949년 Horrax와 Poppen은 Dandy의 수술방식을 지지하면서 완전절제의 장점을 보고하였다. 그들은 이전의 intracapsular decompression에 따른 54%의 사망률에 비교하여 12.7%의 낮은 5년 사망률을 발표하였다.[7]

Herbert Olivecrona(1891~1980)은 1939년 청신경 종양 수술시의 안면신경 보존에 대한 설명과 함께 당시로는 매우 높은 65%의 안면신경 보존율을 발표하였다. 이후 그는 300례의 치료 결과를 소개하였는데 148례에서 완전절제를, 69례의 환자에서 안면신경 보존을 보고하였다. 사망률은 29% 이하로 밝혔다. 하지만 나중의 장기간 추적검사 결과를 보면 환자 중 절반은 재발하였거나 사망하였다.[8]

1960년대까지의 청신경 종양 수술은 대부분 suboccipital approach를 통하여 이루어졌고 이때부터 뇌수술에서 뇌부종의 감소를 위하여 steroid가 처음 소개되었다.[3]

청신경 종양 수술에서의 미세 수술기법 발달

1904년 Panse는 translabyrinthine approach를 처음 소개하였으나 이후 60년 동안 이용되지 않았다.[4] 1960년대 William House(1923~2012)[9]는 middle fossa approach를 개발하여 청신경 종양과 다른 내이도 질환의 치료에 활용하였다. 하지만 좁은 수술시야의 한계로 고민하던 가운데 다른 이비인후과 수술에서 수술현미경을 사용하는 것에 힌트를 얻어 translabyrinthine approach 때 수술 현미경을 이용하기 시작했고, 당시로서는 획기적수준으로 높은 안면신경 보존과 함께 낮은 수술 사망률을 보고하였다. 2차 세계대전 이후 이비인후과에서 처음으로 수술 현미경을 사용한 이래, 안과, 혈관외과, 성형외과 등으로 수술 현미경의 이용이 넓어졌다. 1957년 University of Southern California의 Theodore Kurze는 신경외과 영역에서 처음으로 수술현미경을 사용하였다. Kurze은 5세된 환자의 안면신경에 있는 신경초종을 수술 현미경을 이용하여 수술하였고, 그 후 두개저 수술랩(cranial base microsurgical laboratory)을 만들어 미세 수술 이해에 이바지하였다.[10]

1965년 Rand와 Kurze는 suboccipital transmeatal approach를 통하여 종양의 완전 절제와 안면신경 및 청신경의 보존을 이루었다. 이 접근을 통하여 translabyrinthine을 통하여 제거 시 잃을 수밖에 없었던 청력의 보존이 가능하게 되었다.[11]

Lars Leksell(1907~1986)[12]은 stereotactic radiosurgery의 원리에 대하여 1951년 처음 소개하였다. 이후 1967년 감마나이프를 첫 치료가 이루어졌다. 1969년에는 G.Noren과 함께 청신경 종양에 대한 첫 감마나이프 시술을 시행하였다. 이를 통하여 좋은 치료 성공률과 함께 안면신경과 청력의 기능을 잘 보존할 수 있게 되었다.[13]

Mahmut Gazi Yasargil은 1967년 첫 STA-MCA anastomosis를 하였고, 청신경 종양 수술을 포함한 뇌종양 및 뇌혈관 질환 치료에서 좋은 결과를 보여 주었다. 그는 특히 floating microscopy, self-retaining adjustable retractor, 다양한 microsurgical instrument 등의 발명을 통하여 현대 신경외과수술의 근간이 되는 미세수술 발달에 많은 공헌을 하였다.[14] Majid Samii는 1997년에 보고한 1000례의 청신경 종양 수술 결과에서93%의 해부학적 안면신경 보존과 39~47%의 청력보존 및 1% 이하의 사망률을 보고하였다. 이후의 보고에서는 좀 더 높은 청력 보존(54%)과 안면신경보존(97~100%)을 보고하였다.[15,16]

한국 청신경 종양 수술의 역사

1935년 5월호 조선의보에 조선의사협회 제2회 학술연설회 초록을 통하여 세브란스의전 이중철 교수가 '뇌종양에 대하여'라는 논문을 발표하였다고 되어 있으며 이것이 기록된 뇌종양에 대한 최초의 기록으로 추정된다. 국내 뇌종양 수술에 대하여는 해방 전후 이주걸 교수가 서울 여의전에서 수례의 표재성 뇌수막종양을 제거하였다고 알려졌고, 6·25전쟁 중에는 부산뇌신경외과센터에서 여러 군의관들에 의해 뇌종양 수술이 이루어진 것으로 알려졌으나 청신경 종양 수술 여부에 대한 내용은 불분명하다.[17]

심보성 교수는 1957년 10×5×5 cm크기의 우측 측두부 수막종에 대한 개두술을 시행하였고 1958년 종합의학에 'brain tumor'라는 제목의 논문을 발표하였다. 그는 1961년 54세 남성에 대하여 청신경 종양의 후두하 접근법을 통한 종양 제거를 하였다.

한국전쟁 중 군의관으로 뇌수술에 관심을 가졌던 이헌재 교수는 미국에서 신경외과 전문의자격을 취득한후 1959년 귀국하여 뇌종양에 대한 관심을 가지고 활발한 뇌종양 관련 수술과 많은 연구성과를 남겼다. 그는 1972년 한국의과학지에 'microneurosurgery'라는 논문을 통하여 뇌종양 수술 특히 뇌하수체 종양과 청신경 종양 수술에서 미세 수술 기법의 중요성을 기술하였다.

최길수 교수는 1971년 신시내티에서 열린 제1회 미세신경외과 심포지엄에 참석한 것이 계기가 되어 미세현미경 수술을 국내 최초로 도입해 뇌수술에 일대 전환기를 마련하였다.

한국의 청신경 종양 수술도 지난 40여 년 동안 여러 영상 기술과 감시장치의 도입으로 비약적발전이 이루어졌다. 1977년 세브란스와 경희의대 병원에서 CT가 설치되어 뇌종양 진단과 수술에 이용할 수 있었다. 1990년 서울 아산병원에서는 감마나이프를 아시아최초로 도입하여 청신경 종양에 대한 방사선수술이 처음으로 시작되었고, 1990년 서울대에서는 수술 중 안면신경 감시 장치를 사용하여 translabyrinthine approach를 통한 청신경 종양을 수술하였다. 1995년에는 서울 아산병원에 neuronavigation (viewing wand)이 비치되어 수술 중 해부학적 이해와 감시에 큰 도움이 되었다.[17]

대한두개저외과학회의 시작

신경외과뿐만 아니라 이비인후과 등 여러 과에서 미세 수술이 도입되고 재건술이 발전하게 됨에 따라 수술 후 환자의 생존과 삶의 질 향상에 큰 기여를 하게 되었다. 세계적으로 두개저 질환에 대한 다학제적 접근과 협력이 절실히 요구되는 상황에서 1979년 international skull base surgery group이 만들어져 국제적인 교류의 장이 만들어졌다. 그뒤 1988년 international skull base society의 창립, 1989년 North American Skull Base Society의 창립과 아울러 1992년에는 국제두개저외과학회(International Federation of Skull Base Society)가 창립되어 Madjid Samii가 초대회장이 되었다. 이후 한국의 최길수 교수, 일본의 Kintomo Takakura, 중국의 Ya Du Zhao 등이 주축이 되어 아시아-오세아니아 두개저외과학회(AOICSBS)를 만들었다.

이후 청신경 종양과 같은 두개저부 질환 수술에 대한 국내 다학제 모임인 대한두개저외과학회가 황충진 교수를 초대회장으로, 최길수 교수를 명예회장으로 하여 1994년 창립되었다. 1997년 두개저외과학회가 주관한 두개저 수술 해부 워크샵이 Rhoton 교수의 도움으로 처음으로 개최되었다. 이후 매년 두개저 수술 해부 워크샵이 이루어 졌고 2001년부터는 3-D를 통한 입체 영상을 통한 두개저 해부 강의가 시작되어 많은 호평과 함께 청신경 종양 수술을 포함한 두개저부 수술의 발달에 기여하고 있다.[18]

■ 참고문헌

1. Ahn MS, Jackler RK, Lustig LR. The early history of the neurofibromatosis. Evolution of the concept of neurofibromatosis type 2. Arch Otolaryngol Head Neck Surg. Nov 1996;122(11):1240-1249
2. Stone JL. Sir Charles Ballance: pioneer british neurological surgeon. Neurosurgery. 1999;44(3):610-631
3. Ausman JI. Achievements of the last century in neurosurgery and a view to the 21st century. Surg Neurol. Apr 2000;53(4):301-302
4. Koerbel A, Gharabaghi A, Safavi-Abbasi S, Tatagiba M, Samii M. Evolution of vestibular schwannoma surgery: the long journey to current success. Neurosurgical focus. 2005;18(4):1-6
5. Goodrich JT. A millennium review of skull base surgery. Childs Nerv Syst. Nov 2000;16(10-11):669-685
6. Long DM. Harvey Cushing at Johns Hopkins. Neurosurgery. Nov 1999;45(5):983-989
7. May M, Schaitkin BM. History of facial nerve surgery. Facial Plast Surg. 2000;16(4):301-307
8. Ljunggren B. Herbert Olivecrona: founder of Swedish neurosurgery. J Neurosurg. Jan 1993;78(1):142-149
9. House WF. Middle Cranial Fossa Approach to the Petrous Pyramid. Report of 50 Cases. Arch Otolaryngol. Oct 1963;78:460-469

10. Kriss TC, Kriss VM. History of the operating microscope: from magnifying glass to microneurosurgery. Neurosurgery. Apr 1998;42(4):899-907; discussion 907-898
11. Rand RW, Kurze T. Preservation of vestibular, cochlear, and facial nerves during microsurgical removal of acoustic tumors. Report of two cases. J Neurosurg. Feb 1968;28(2):158-161
12. Leksell L. The stereotaxic method and radiosurgery of the brain. Acta Chir Scand. Dec 13 1951;102(4):316-319
13. Kondziolka D, Lunsford LD, McLaughlin MR, Flickinger JC. Long-term outcomes after radiosurgery for acoustic neuromas. N Engl J Med. Nov 12 1998;339(20):1426-1433
14. Tew JM, Jr. M. Gazi Yasargil: Neurosurgery's man of the century. Neurosurgery. Nov 1999;45(5):1010-1014
15. Matthies C, Samii M. Management of 1000 vestibular schwannomas (acoustic neuromas): clinical presentation. Neurosurgery. Jan 1997;40(1):1-9; discussion 9-10
16. Samii M, Matthies C. Management of 1000 vestibular schwannomas (acoustic neuromas): the facial nerve--preservation and restitution of function. Neurosurgery. Apr 1997;40(4):684-694; discussion 694-685
17. 대한뇌종양학회. 대한뇌종양학회 창립 20주년 탄생과 성장의 길 1991-2011. 2011 ed: 대한뇌종양학회; 2011
18. 두개저외과학회. 두개저외과학: 두개저외과학회; 2012

나의 청신경 종양 수술

서울대학교 명예교수, 대한두개저외과학회 명예회장 **최길수**

1971년 미국 Ohio주의 Cincinnati에서 개최된 제1회 Microneurosurgery 심포지움에 미네소타대학의 Long 교수와 함께 참석하게 되었는데 이것이 우리나라에서는 최초로 미세신경외과 분야의 개척에 나의 평생을 바치게 된 계기가 되었다. 이 심포지움에서 나는 Malis 교수를 처음으로 만나게 되었다. Malis 교수는 1955년에 Malis bipolar coagulator를 발명하였고, microneurosurgery와 skull base surgery를 개척한 pioneer들 중 한 분으로 평생 동안 cerebellopontine angle tumor 수술에 헌신한 master surgeon이다. 그는 1967년부터 1987년까지 20년 동안 580례의 cerebellopontine angle tumor를 수술하였고, 그 중에 청신경 종양은 435례였으며, 수막종은 81례였다. 그는 언제나 수술현미경을 사용하여 청신경 종양의 완전적출을 시도하였고, 종양의 완전 적출률은 매우 높았으며, 안면신경 보존률도 매우 높았다. 특히, 재발한 청신경 종양에 대한 종양적출술의 수기는 신기에 가까웠다. 수술현미경을 사용한 그의 청신경 종양수술에 깊은 감동을 받아 장차 기회가 되면 Malis 교수의 지도 하에 미세신경외과 분야의 공부를 하고 싶다는 뜻을 전하였다.

1972년 미국 유학에서 귀국하여 수술현미경을 사용한 신경외과의 미세수술 분야를 개척하기 시작하였다. 1973년 초에 우리나라에서는 최초로 신경외과 분야에서 수술현미경을 사용한 경수종양 수술에 성공하여 우리나라에서의 미세신경외과 시대를 열게 되었다.

그로부터 3년이 지난 1976년에 Malis 교수의 초청을 받아 뉴욕의 Mount Sinai Hospital에서 Malis 교수의 지도 하에 microneurosurgery를 공부하게 되었고, Malis 교수의 청신경 종양 수술법을 배우게 되었다. 1977년 귀국하여 우리나라에서는 최초로 신경외과 분야에서 수술현미경을 사용한 청신경 종양의 완전적출에 성공하였다.

오늘날 CT 와 MRI era에는 청신경 종양의 수술을 언제 시행하는 것이 좋은가라는 timing of surgery가 큰 issue가 되고 있다. 그러나 대체로 청신경 종양 수술의 예후는 종양의 크기와 매우 밀접한 관계가 있기 때문에 early surgery가 이상적 이라는 데에는 이견이 없다. 하지만, CT era 이전에는 종양의 성장 속도를 알 길이 없어 진단과 동시에 종양을 적출하였다. 왜냐하면 종양이 커지면 그만큼 수술의 morbidity가 커지고, 결과적으로 환자의 quality of life에 영향을 미치기 때문이다. 그러나, CT era 이후에는 종양의 조기 발견과 조기 수술로 수술의 morbidity가 현저히 떨어졌다.

MRI era 이후에는 치료하지 않은 작은 종양(small tumor)의 50%에서는 종양이 자라지 않는다는 사실을 알게 되어 수술 대신 expectant policy를 적용하고 있다. Small tumor는 종양이 자라기 시작할 때까지는 보존적 치료를 하고 수술을 하지 않는다. 그러나 처음부터 보존적 치료를 하는 경우에는 매 6개월 간격으로 MRI 촬영을 하여 종양의 성장 여부를 추적하는 것이 바람직하다. 만일 처음 1년 간의 관찰 중에 종양이 자라나는 경향을 보이게 되면 수술을 하는 것이 좋다. 젊은 환자에서는 대체로 종양의 성장 속도가 빠르기 때문에 보존적 치료는 현명하지 않다. 종양의 크기가 2 cm 이상이면 expectant policy는 좋지 않다. 왜냐하면 수술 후 morbidity가 커지기 때문이다.

다음 10년 혹은 20년은 청신경 종양 수술의 신기술의 개발, stereotactic radiosurgery의 발전, 그리고 molecular genetics의 이해로 청신경 종양의 진단과 치료에 보다 더 획기적인 발전이 있을 것으로 기대된다.

CHAPTER 02

청신경 종양 수술을 위한 미세 수술 해부

Microsurgical anatomy for the acoustic neuroma surgery

주원일

청신경 종양(Acoustic neuroma)은 내이도에서 발생하여 종양이 자라면서 내이도를 확장시키고, 소뇌교각부(cerebellopontine angle, CPA)를 채우면서 주변의 뇌신경, 뇌혈관, 뇌간 등을 전위, 압박한다. 따라서 이 종양을 수술적으로 제거하기 위해서는 주변의 뇌신경, 뇌혈관, 그리고 뇌간과의 해부학적 상관관계에 대하여 정확한 이해가 필요하며, 또한 합병증을 최소화하기 위해서는 위에서 기술한 중요구조물들과 종양 사이에 있는 arachnoid plane에 대한 이해가 필요하다. CPA와 내이도에 있는 종양의 크기, 위치에 따라서 retrosigmoid approach, translabyrinthine approach, 그리고 middle fossa approach 등의 접근법이 있으며 종양을 성공적으로 제거하기 위해서는 각각의 접근법에 대한 해부학적 이해가 반드시 필요하다.

소뇌교각부(Cerebellopontine angle, CPA) 구조물

CPA는 cerebellum의 petrosal surface가 뒤에서 pons와 middle cerebellar peduncle을 감싸면서 발생하며 superior & inferior cerebellopontine fissure에 의해서 형성된다(그림 2-1A, B). 이 두 개의 fissure 사이에는 middle cerebellar peduncle 이 위치하고 fissure는 lateral apex에서 만나서 V-shape이 형성된다. Superior fissure는 trigeminal root의 상부를 지나면서 cerebellomesencephalic fissure와 만나고 inferior fissure는 flocculus와 lower cranial nerves의 하부를 지나면서 cerebellomedullary fissure와 만난다(그림 2-1A, E, F). Lateral recess와 foramen Luschka는 inferior fissure의 medial side에서 CPA로 open한다(그림 2-1B). Trigeminal nerve부터 accessory nerve까지 뇌신경들은 CPA에서 기원하며 따라서 acoustic neuroma를 수술할 때 만날 수 있는 뇌신경들이다. Trochlear nerve는 CPA에서 기원하지는 않지만 trigeminal nerve의 상부를 지나가기 때문에 CPA 수술 시 종종 관찰되는 뇌신경이다(그림 2-1C).

삼차신경(Trigeminal nerve)

Trigeminal nerve는 large sensory root와 small motor root로 구성되어 있다. Large sensory root는 middle cerebellar peduncle의 내측, mid-pons의 외측에서 기원하며 ophthalmic division (V1)이 가장 아래쪽에, mandibular division (V3)이 가장 위에 위치하고 root가 전방으로 진행하면서 외측으로 약 180도 회전을 한다고 보고되었다.[1,2] 그러나 Rhoton 등은 mandibular division은 trigeminal root의 외측하면을, ophthalmic division은 내측상면, 그리고 maxillary division (V2)은 그 중간을 유지하면서 pons부터 gasserian ganglion까지 주행한다고 하였다(그림 2-1A, C).[3] Trigeminal root가 pons로 들어가는 위치는 수술적 관점에서 볼 때 중요한

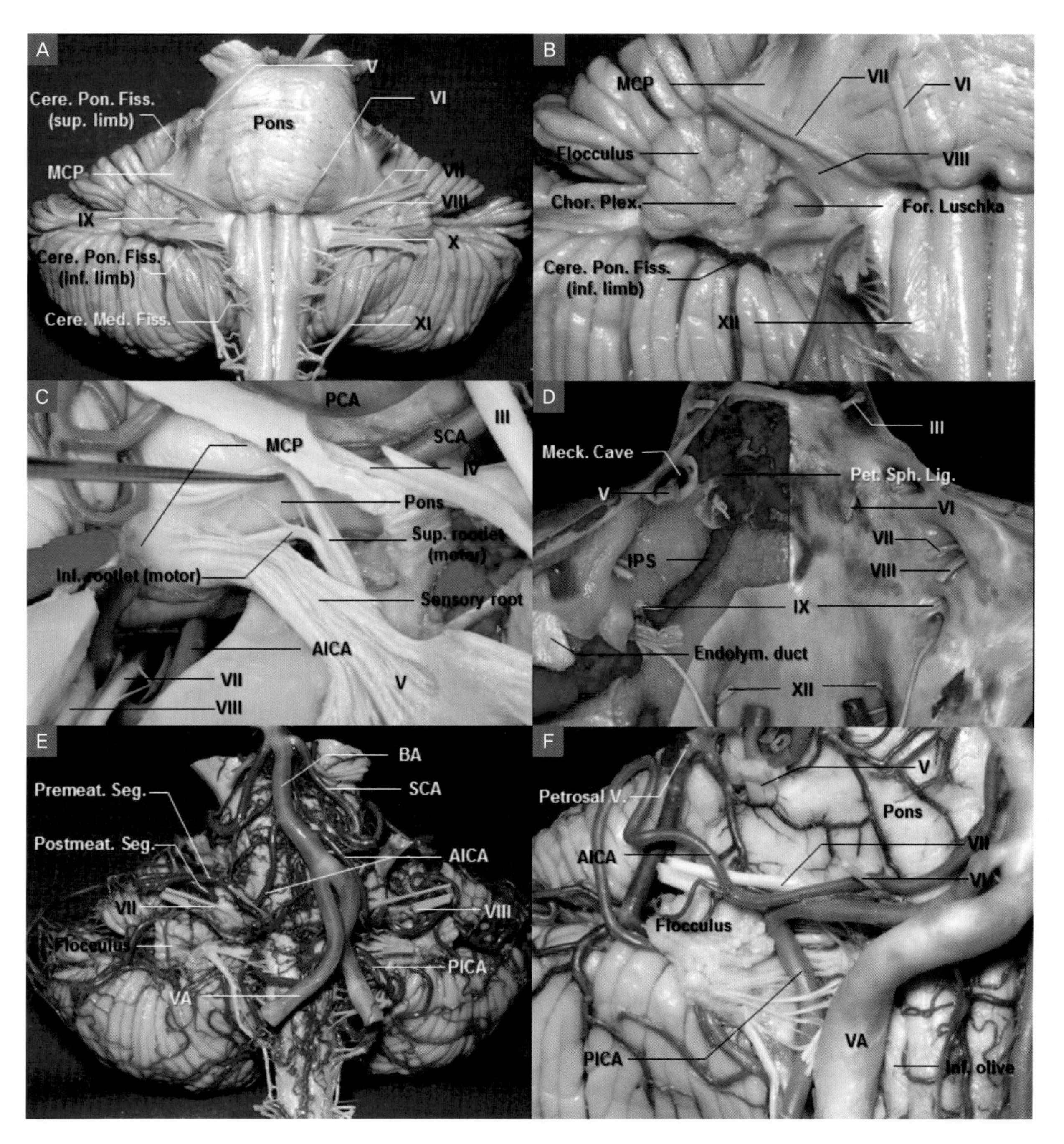

그림 2-1 A. 소뇌의 추체면(petrosal surface)은 측두골(temporal bone)의 후방을 향하고 있으며 이 면은 소뇌교각부(cerebellopontine angle)를 노출하기 위해서 견인되는 부분이다. Cere. Med. Fiss, cerebellomedullary fissure; Cere. Pon. Fiss., cerebellopontine fissure; MCP., middle cerebellar peduncle; V., trigeminal nerve; VI., abducens nerve; VII., facial nerve; VIII., vestibulocochlear nerve; IX., glossopharyngeal nerve; X., vagus nerve; XI., accessory nerve. B. 소뇌교각부를 확대한 사진으로 lower cranial nerve를 내 측방으로 견인하여 foramen Luschka를 노출하였다. Chor. Plex., choroid plexus; For., foramen. C. 삼차신경의 측방사진으로 삼차신경의 운동분지를 견인하였다. AICA., anterior inferior cerebellar artery; III., oculomotor nerve; Inf., inferior; PCA., posterior cerebral artery; SCA., superior cerebellar artery; Sup., supterior. D. 뇌간을 제거하고 사대와 측두골의 추체면을 노출하였다. Endolym., endolymphatic; IPS., inferior petrosal sinus; Meck., Meckel's; Pet. Sph. Lig., petrosphenoid ligament. E. 뇌간과 소뇌의 전방 사진. BA., basilar artery; PICA., posterior inferior cerebellar artery; Premeat. Seg., premeatal segment; Postmeat. Seg., postmeatal segment; VA., vertebral artery. F. 우측 소뇌교각부의 확대된 사진이며 AICA는 7,8번 뇌신경과 관련되어 있다.

의미를 가지고 있는데 이 root를 기준으로 medial part가 pons이며 lateral part는 middle cerebellar peduncle이다(그림 2-1A). Trigeminal root는 전방으로 주행하여 prepontine cistern을 지나서 tentorial edge와 superior petrosal sinus 밑을 지나 middle fossa의 periosteal layer와 meningeal layer 사이로 Meckel's cave로 들어간다(그림 2-1C, D, 2-2A).

motor root

Small motor root는 large sensory root의 entry 위치의 anterosuperomedial side에서 기원한다.[4,5] 이 motor root는 다시 primary superior rootlet과 secondary inferior rootlet으로 나눠지며 서로 연결되어 있다. Superior rootlet은 motor fiber이며 sensory root와 구별된다. 하지만 inferior root는 superior root를 견인해야 관찰되며 motor fiber 이외에 proprioceptive fiber도 포함하고 있다고 알려져 있다(그림 2-1C).[6] Acoustic neuroma가 자라면서 trigeminal nerve와 petrosal vein은 상부로 전위되어 주로 종양의 upper pole에서 발견된다.[7]

안면신경(Facial nerve)

Facial nerve는 일반적으로 cisternal, meatal, labyrinthine, tympanic, mastoid, 그리고 extracranial segment 등 6개의 segment로 나눌 수 있다. 이 중에서 extracranial segment을 제외하고는 모두 acoustic neuroma의 approach 방법과 연관이 있으므로 facial nerve의 분절에 따른 주변 구조물과 위치를 정확하게 알고 있어야 한다. Facial nerve의 cisternal segment는 pontomedullary sulcus의 외측(vestibulocochlear nerve가 brainstem으로 들어가는 곳의 ventromedial side)에서 기원하며 anterior, lateral, superior 방향으로 vestibulocochlear nerve와 함께 내이도를 향해서 주행한다(그림 2-1A, B, 2-2A). Brain stem에서 7, 8번 nerve complex는 flocculus와 choroid plexus의 anterior, superior side에 위치하고 glossopharyngeal nerve의 superior에 위치한다(그림 2-1B, F, 2-2C). Facial nerve는 내이도로 들어가면서 meatal segment가 되고 내이도의 anterior, superior portion에 있는 facial canal로 주행하고 anterior inferior portion은 cochlear nerve, posterior superior portion은 superior vestibular nerve, 그리고 posterior inferior portion에는 inferior vestibular nerve가 주행한다(그림 2-2B). 내이도의 fundus에서 facial nerve와 superior vestibular nerve는 transverse crest에 의해서 cochlear nerve와 inferior vestibular nerve로 분리되며, Bill's bar에 의해서 facial nerve와 superior vestibular nerve가 분리된다(그림 2-2B, E, F).

내이도의 facial canal의 직경은 약 0.68 mm 정도 이며 labyrinthine segment는 가장 가늘고(<0.7 mm), 짧다(3~5 mm).[8] 이 segment는 내측으로 cochlea의 apical turn과, 후 측방으로 lateral semicircular canal (SCCs)의 ampulla와 밀접한 관계가 있으며 geniculate ganglion에서 끝난다. Geniculate ganglion은 facial canal이 약간 확장되는 곳에 위치하면서 nervus intermedius가 끝나게 되고 geniculate ganglion에서 greater superficial petrosal nerve (GSPN)이 기원한다. GSPN은 geniculate ganglion에서 기원할 때 arcuate eminence의 내측에 위치하며 petrous carotid의 horizontal segment의 바로 위, 전 측방에 위치한다(그림 2-2D, E, F).

Facial nerve의 tympanic segment (7~12 mm)는 geniculate ganglion에서 출발하여 lateral SCC의 아래를 지나서 stapes 부위에서 끝나는데 distal tympanic segment는 incus의 short process의 바로 아래를 지나면서 주행방향을 아래로 바꾸면서 mastoid segment가 된다(그림 2-3A, B, D).[9] Mastoidectomy를 하는 과정에서 incus의 short process가 노출되는데 facial canal 내에 있는 facial nerve는 이 process가 가리키는 방향에 위치한다. 따라서 incus의 short process는 facial nerve를 찾는 중요한 landmark이다(그림 2-3F).

Acoustic neuroma 수술 중 술자는 반드시 facial nerve의 위치와 주행방향을 확인하면서 종양을 제거해야 한다. Facial nerve의 위치는 종양의 크기, 원발 장소, 주변 조직과의 유착의 정도 등에 따라 다양하다. 일반적으로 3 cm 이상의 종양에서 사용하는 retrosigmoid approach의 경우 종양을 제거하면서 안면신경을 찾기는 쉽지 않기 때문에 종양을 기준으로 근위부(brain stem side)와 원위부(internal acoustic canal side)에서 안면신경을 찾는 게 비교적 수월하며, 특히 내이도 부위 보

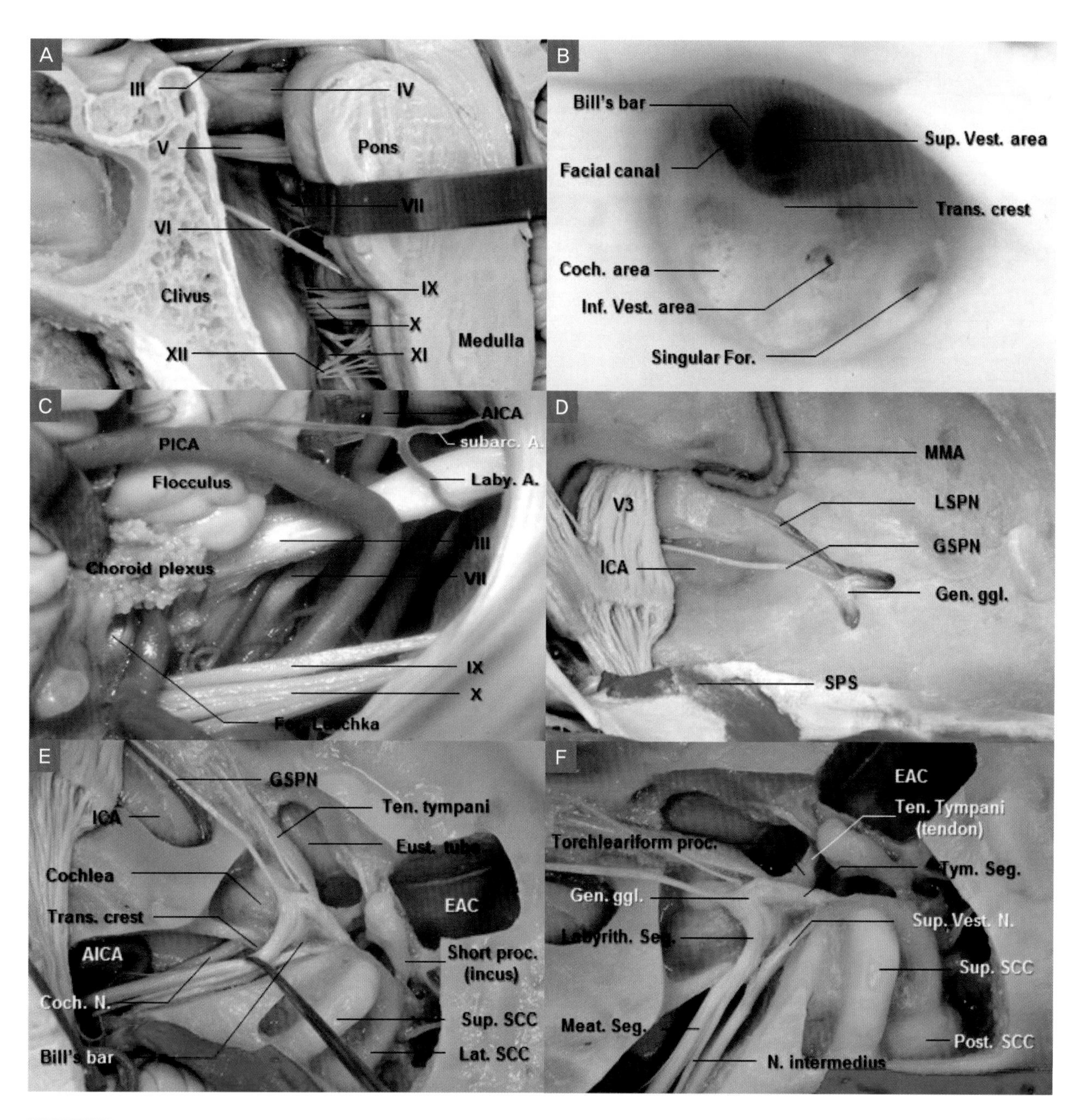

그림 2-2 A. 뇌신경이 노출된 뇌간의 시상면(sagittal) 사진으로 뇌신경의 주행방향이 관찰된다. 7,8번 신경은 뇌간에서 기원하여 전방, 측방, 상방으로 주행하여 내이도로 들어간다. B. 우측 내이도의 확대된 사진. Coch., cochlear; Trans., transverse; Vest., vestibular. C. 소뇌를 견인하여 우측 소뇌교각부를 노출하였다. Laby. A., labyrinthine artery; Subarc. A., subarcuate artery; D. 상 외측방향에서 바라본 사진으로 측두엽과 경막을 제거하여 중두개저에서 GSPN을 노출하였다. GSPN., great superficial petrosal nerve; Gen. ggl., geniculate ganglion; ICA., internal carotid artery; LSPN., lesser superficial petrosal nerve; MMA., middle meningeal artery; SPS., superior petrosal sinus; V3., mandibular nerve. E. 내이도와 cochlea 를 노출하였다. 7번 신경의 meatal segment는 후방으로 견인하여 cochlear nerve를 노출하였다. Coch. N., cochlear nerve; EAC., external acoustic canal; Eust. Tube., eusthachian tube; Proc., process; SCC., semicircular canal; Ten. Tympani., tensor tympani muscle. F. 그림 E의 확대된 사진. Meat. Seg., meatal segment; N., nerve; Tym. Seg., tympanic segment of the facial nerve; Post., posterior.

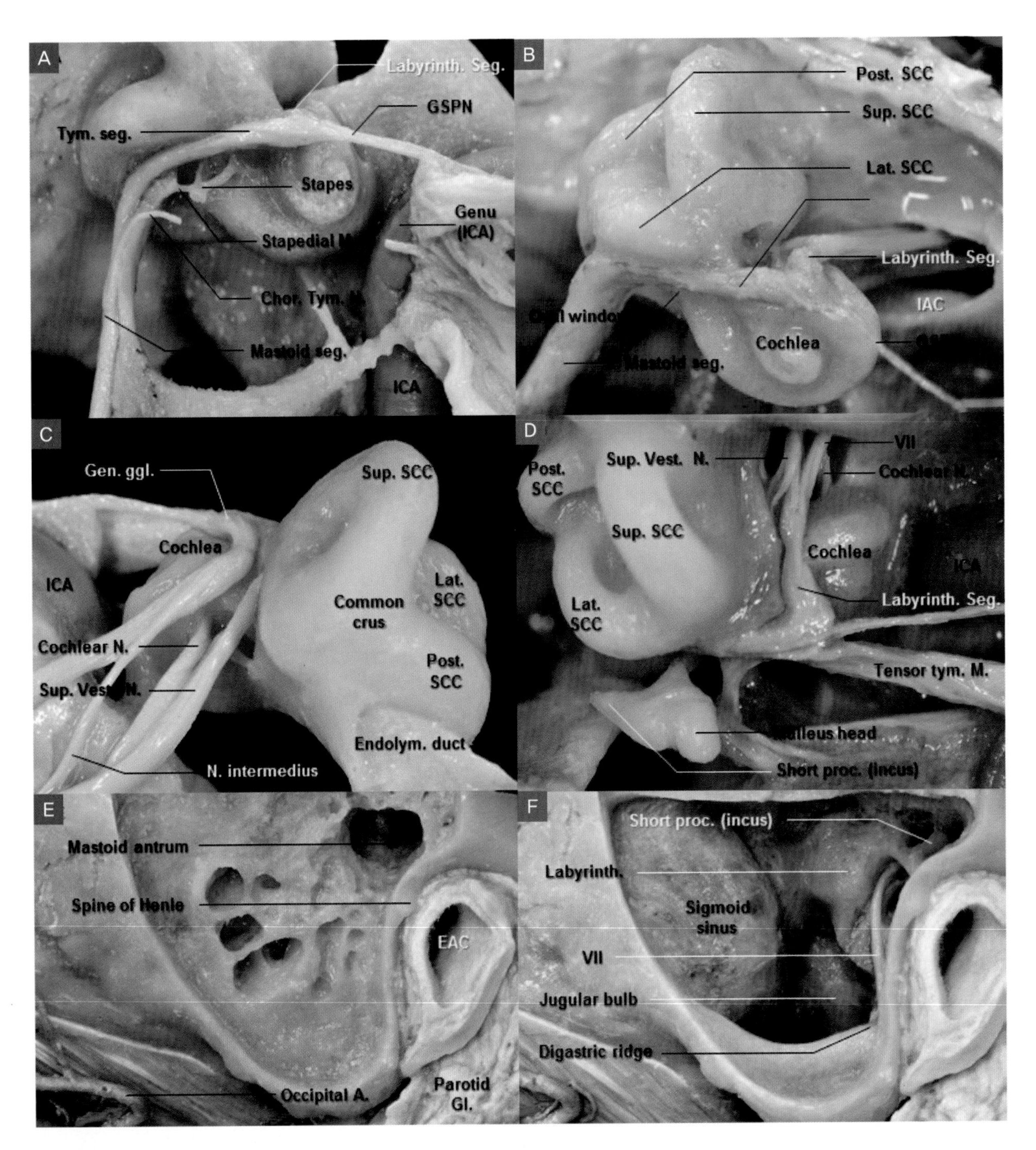

그림 2-3 A. 우측 미로의 측방 사진. 내경동맥(petrous carotid)의 lateral genu는 cochlea의 내측 하방에 위치한다. Chor. Tym. N., chorda tympani nerve; M., muscle. B. 우측 미로의 상 측방 사진. C. 우측 미로의 후방 사진. D. 우측 미로의 상방 사진. E. 측두골의 mastoid part의 일부를 제거하고 antrum과 air cell을 노출하였다. 외이도의 후방과 상방의 경계 부위 위치한 spine of Henle는 안면신경의 tympanic segment와 lateral semicircular canal의 표층부에 위치한다. F. mastoidectomy를 시행하고 미로와 안면신경의 mastoid segment를 노출하였다. Stylomastoid foramen은 측두골의 mastoid part의 내측에 위치한 digastric groove의 전방 끝에 위치한다. Digastric ridge는 안면신경을 확인하는 landmark이다.

다는 brain stem쪽에서 안면신경을 찾는 게 용이하다.[3] 최근에 영상기술이 많이 발전하였지만 수술 전 facial nerve의 위치를 확인하기는 어려우며 신경을 확인하는 가장 유용하고 확실한 방법은 수술 중 현미경하에서 안면신경의 반복적인 자극에 의해 그 위치를 확인하는 것이다. 일반적으로 종양이 1.5 cm 이하일 경우 facial nerve는 대부분 acoustic neuroma의 anterior, center에 위치하지만 종양이 커지면서 facial nerve는 종양의 anterior, center에서 많은 경우 anterior, rostral 방향으로 그리고 일부에서는 anterior, caudal 방향으로 전위되는 경향이 있다고 알려져 있다.[10] 종양이 커질수록 facial nerve 는 유착이 심하며 특히 3 cm 이상 종양이 커지면서 facial nerve는 얇아지고 tumor capsule에 심하게 유착된다. facial nerve의 주행 중 가장 유착이 심한 곳은 facial nerve가 내이도로 들어가는 부위이다.

청신경(Vestibulocochlear nerve)

Vestibulocochlear nerve는 pontomedullary sulcus의 외측 끝에서 flocculus 주변에 위치한 foramen Luschka의 rostral, ventral side에서 brain stem으로 들어간다. Brain stem 으로 들어가는 부위에서 cochlear component는 뒤쪽, 아래에 그리고 vestibular component는 앞쪽, 위에 위치한다.[11] 하지만 vestibulocochlear nerve가 facial nerve와 함께 내이도를 향하여 주행하면서 cochlear component가 회전하여 vestibular component의 ventral side에 위치하게 되어 따라서 vestibular component에서 발생하는 acoustic neuroma는 facial nerve 뿐 아니라 cochlear nerve도 주로 전방으로 전위시킨다(그림 2-1A, B, 2-2C). Cochlear nerve의 근위부는 대부분 종양의 하부(lower pole) 바로 전방에 위치하는데 facial nerve과 같이 종양에 의해서 압박되어 얇아져 있다.[7] Cochlear nerve는 내이도의 끝에서 cochlea로 들어갈 때 여러 개의 미세한 신경섬유로 나누어지는데 cochlear nerve가 외측에서 내측으로 견인되면 이 신경섬유가 손상될 수 있기 때문에 내측에서 외측 방향으로 cochlear nerve를 종양에서 박리하여야 cochlear nerve를 보존할 수 있다. Vestibulocochlear nerve는 facial nerve가 brain stem에서 나오는 exit zone 후방 1~2 mm에서 brain stem으로 들어가며 이 간격은 pontomedullary sulcus에서 가장 넓다(그림 2-1A, B, 2-2C)[3].

하부뇌신경(Low cranial nerves, IX, X, XI, XII)

Cranial nerve (CN) IX와 X는 inferior olive 상방 1/3의 posterior edge (post-olivary sulcus)를 따라서 brain stem에서 기원하며, hypoglossal nerve는 medullary pyramid와 inferior olive의 하방 2/3 부위 사이의 pre-olivary sulcus에서 기원하여 occipital condyle에 위치한 hypoglossal canal로 들어간다. Spinal accessory nerve는 olive 하방 2/3의 post-olivary sulcus와 cervical spinal cord에서 기원하여 CN IX, X nerves와 함께 jugular foramen을 통과한다(그림 2-1A, B, F, 2-2A, 2-5B).

Glossopharyngeal nerve는 한 개 또는 두 개의 rootlet으로 facial nerve의 바로 하방에서 기원하여 foramen Luschka에서 돌출된 choroid plexus의 ventral side로 주행한다(그림 2-1A, B, F, 2-5B). 감각을 담당하는 large dorsal root와 운동을 담당하는 small ventral root가 brain stem에서 관찰되기도 한다.[12,13] Vagus nerve는 glossopharyngeal nerve의 아래에서 2~5.5 mm에 걸쳐서 여러 개의 rootlet로 post-olivary sulcus에서 기원하며 glossopharyngeal nerve와 같이 주행한다(그림 2-1A, 2-5B).[3]

Spinal accessory nerve는 medulla에서 cervical spinal cord에 이르기까지 비교적 넓은 부위에서 기원하는데 cranial rootlet은 vagus nerve의 바로 아래에서 0.1~1 mm 이내에서 위치하기 때문에 구별하기가 쉽지 않다(그림 2-5B, C).[3] Spinal rootlet은 ventral spinal root와 dorsal root 사이에서 기원하여 뇌신경 중에 유일하게 foramen magnum을 통과하여 superolateral 방향으로 주행하여 jugular foramen으로 향한다. Vagus nerve와 spinal accessory nerve는 jugular foramen의 vagal meatus를 통과한다.

Hypoglossal nerve는 pre-olivary sulcus에서 기원하여 anterolateral 방향으로 주행하여 vertebral artery의 후방을 지나 jugular foramen 아래에 있는 hypoglossal canal을 통과한다(그림 2-1A, 2-2A, 2-5B). 만약에 vertebral artery가 tortuous하면 hypoglossal nerve는 후방으로 전위되며, 드물지만 vertebral artery

가 hypoglossal rootlets 사이를 통과하는 경우도 있다.[14] Hypoglossal nerve는 hypoglossal canal을 통과하기 전에 두 개의 bundle로 합쳐져서 canal을 통과하며 canal을 나오면서 한 개의 nerve로 합쳐져서 internal jugular vein, IX, X, XI nerve의 medial side로 주행한다.[3] 대부분의 acoustic neuroma는 vestibular nerve에서 발생하기 때문에 많은 경우에서 facial nerve와 cochlear nerve를 전방으로 전위시키는 반면, low cranial nerves는 하방으로 전위시킨다.

미로(Labyrinth)

일반적으로 청력이 보존되어 있는 경우 시행하는 retrosigmoid approach와 middle fossa approach 과정에서는 labyrinth가 노출되지 않지만 수술 전 청력소실이 있는 경우 시행하는 translabyrinthine approach는 labyrinth를 통해서 종양에 접근하는 방법이기 때문에 labyrinth와 facial nerve 위치를 잘 알고 있어야 한다. Bony labyrinth는 vestibule, semicircular canals (SCCs), 그리고 cochlea로 구성되어 있다.

Vestibule은 bony labyrinth의 중앙부에 위치하고 있으며 semicircular canals (SCCs)이 모여서 형성되는 작은 공간의 구조물로서 meatal fundus의 외측에, tympanic cavity의 내측에, cochlea의 후방에, 그리고 jugular bulb의 상부에 위치한다(그림 2-2E, F, 2-3). Vestibule의 floor는 jugular bulb와 평균 6 mm (4~10 mm) 정도 떨어져 있는데, 이 거리가 translabyrinthine approach에서 노출의 정도를 결정하기 때문에 상당히 중요하다(그림 2-3F).[15,16] Jugular bulb의 위치가 높을 경우 내이도를 노출하는 과정에서 많은 출혈과 색전증을 유발할 수 있으며, 이는 retrosigmoid approach에서 내이도를 drill 하는 과정에서도 발생할 수 있기 때문에 수술 전 반드시 jugular bulb의 위치를 확인해야 한다.

Semicircular canals (SCCs)은 vestibule의 posterosuperior에 위치한다(그림 2-2E, F, 2-3A~D). Lateral SCC의 anterior part 바로 아래로 facial nerve의 tympanic segment가 지나가므로 facial nerve를 찾는 중요한 landmark가 된다(그림 2-3A). Superior SCC은 middle fossa floor로 향하는데 floor 에서 관찰되는 arcuate eminence와 밀접한 연관이 있다고 알려져 있다. 하지만 최근 연구에 의하면 surface landmark인 arcuate eminence는 상당히 variation이 많으며 더욱이 superior SCC의 위치와 정확하게 일치하지는 않는다고 보고되고 있다(그림 2-2D~F).[17] Middle fossa approach를 통해서 내이도를 접근할 경우 superior SCC의 손상이 일어날 수 있기 때문에 유의하여야 한다. Posterior SCC은 petrous bone의 posterior surface와 평행하고 가깝게 위치하며 내이도의 fundus의 외측, 바로 후방에 위치하며 따라서 retrosigmoid approach에서 내이도를 drill 할 경우 손상의 위험성이 있다(그림 2-2F, 2-5A).

각각의 SCC은 vestibule로 연결되는 ampulla end와 non-ampulla end를 가지고 있다. Lateral SCC와 superior SCC의 anterior end와 posterior SCC의 inferior end는 ampulla가 있으며 vestibular nerve에 의해서 지배받는다. Superior SCC의 ampullated end의 위치는 superior vestibular nerve가 내이도에서 빠져 나오는 곳이며, 또한 facial nerve의 labyrinthine segment에 매우 가깝게 위치한다(그림 2-4A, B, C). Posterior SCC의 ampullated end는 내이도의 아래쪽 경계의 중요한 landmark이며, inferior vesibular nerve의 singular branch가 내이도를 빠져 나오는 곳이다(그림 2-4A~D). Superior SCC의 posterior end, 즉 ampulla end의 반대쪽에서는 posterior SCC의 superior end와 만나서 common crus를 형성하고 vestibule과 연결된다(그림 2-4A). Superior vestibular nerve는 lateral SCC와 superior SCC의 ampulla를 지배하고 inferior vestibular nerve는 posterior SCC의 ampulla를 지배한다. Vestibular nerve는 vestibule 안에 위치한 utricle과 saccule로 branch를 분지한다.

Cochlea는 facial nerve의 labyrinth segment와 GSPN 사이에 위치하며, geniculate ganglion의 바로 내측, 내이도 fundus의 전방, 그리고 petrous carotid artery (ICA) lateral genu의 후 상방에 존재한다. ICA와 cochlea 사이는 약 2.1 mm 두께의 bone으로 분리되어 있다(그림 2-2E, F, 2-3A~D).[9]

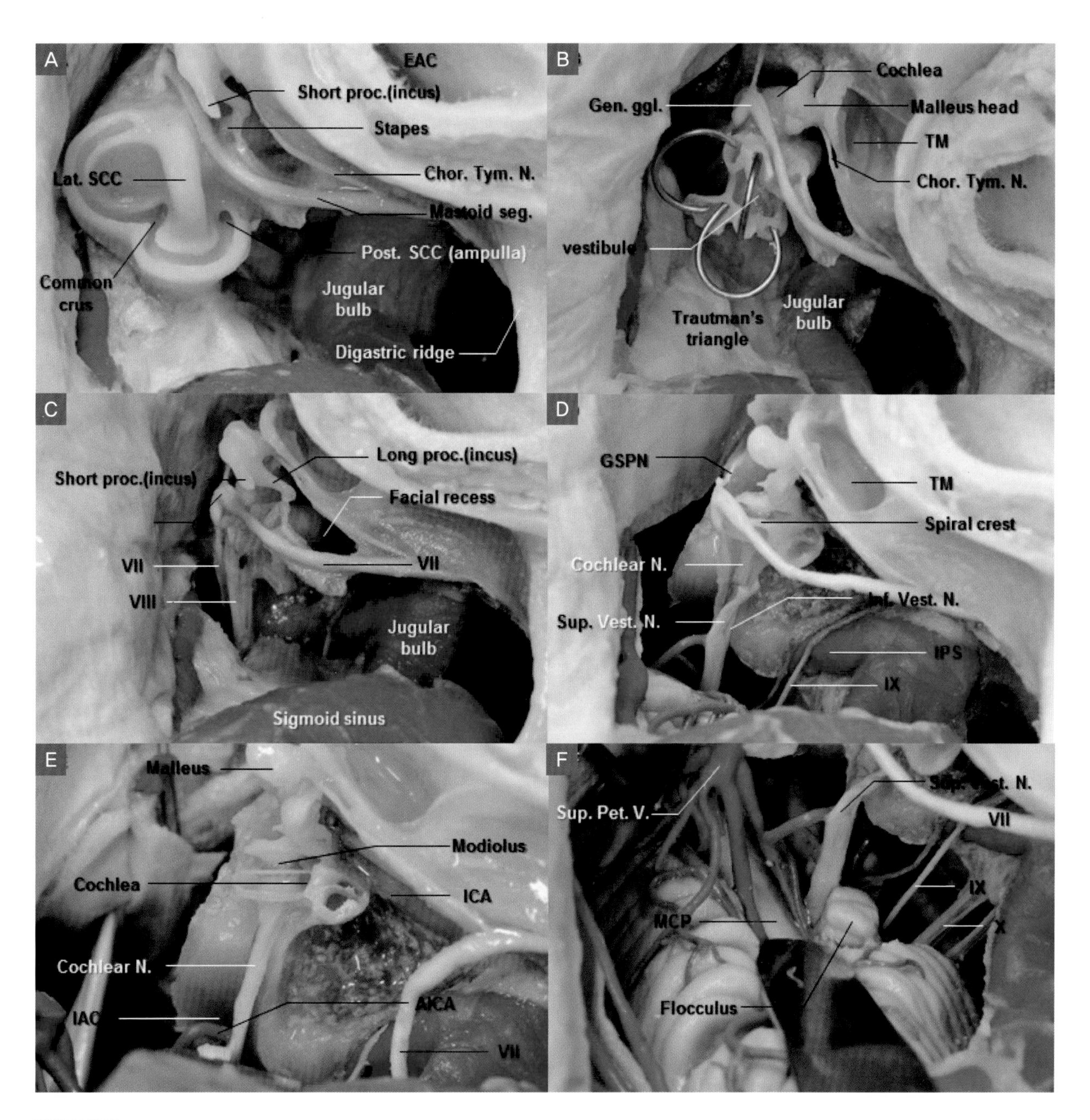

그림 2-4 A. Translabyrinthine approach. Mastoidectomy를 시행하였으며 superior petrosal sinus, sigmoid sinus, 그리고 jugular bulb를 노출하였다. Sigmoid sinus, superior petrosal sinus, labyrinth, 그리고 jugular bulb 사이에 있는 소뇌교각부와 닿아 있는 부분을 Trautman's triangle이라고 한다. B. Semicircular canal을 metal ring으로 대체하였고 내이도를 노출하였다. TM., tympanic membrane. C. Vestibule과 metal ring을 제거하고 7,8번 뇌신경을 노출하였다. D. Vestibular nerve를 절단하였다. E. Vestibular nerve와 facial nerve를 견인하고 cochlear nerve를 확인하였다. F. Cochlea와 petrous apex를 제거하면 뇌간의 전, 측방을 노출할 수 있다.

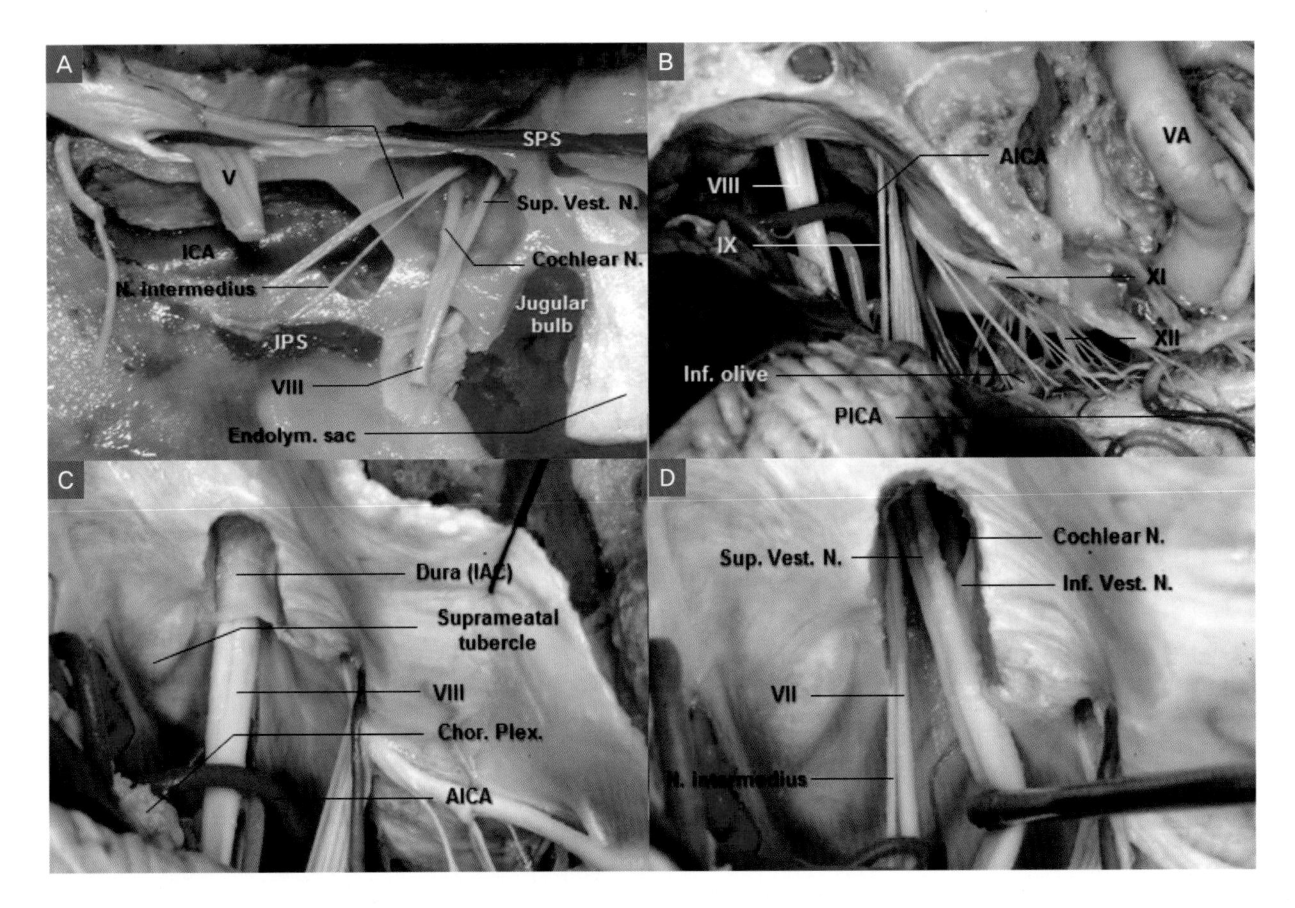

그림 2-5 A. 내이도의 내측에 있는 petrous apex를 제거하면 petrous carotid가 노출된다. Jugular bulb가 내이도의 후방벽 근처에 있는 vestibule과 superior semicircular canal쪽으로 상방까지 올라와 있다. B. Retrosigmoid approach를 통하여 lower cranial nerve를 노출하였다. C. 내이도의 후방벽을 제거하고 내이도를 감싸고 있는 경막을 노출하였다. D. 7,8번 신경을 싸고 있는 경막을 제거하고 8번 신경을 하방으로 견인하면 안면신경이 노출된다.

동맥혈관과의 관계(Arterial relationship)

Posterior fossa를 지나가는 혈관 중에서 anterior inferior cerebellar artery (AICA)가 7,8번 nerve와 밀접한 관계가 있다. AICA는 basilar artery에서 기원하여 6,7,8번 뇌신경 주변에서 pons를 감싸면서 주행하고 middle cerebellar peduncle와 flocculus를 지나서 cerebellum의 petrosal surface에 위치한다. AICA나 또는 AICA의 branch들은 내이도의 입구에서 loop를 형성하여 주변 경막과 유착되어 있을 수 있고 일부 내이도 속으로 들어가는 경우도 약 54% 정도에서 관찰된다고 보고되고 있다(그림 2-1E, F, 그림 2-2C).[18]

Basilar artery에서 기원하여 7,8번 신경을 지나 내이도의 anterior margin까지 premeatal segment라고 하며 많은 경우 1개(88%) 내지 2개(12%)의 trunk로 이루어져있고 7,8번 신경의 anteroinferior side(82%)에 위치한다.[3] 내이도에 가깝게 위치하는 meatal segment는 loop를 형성하고 약 반수에서 내이도의 내측에 위치하고 나머지에서는 내이도 입구에 유착되어 있거나 내이도 속으로 일부 들어간다.[19] Postmeatal segment는 meatal segment 이후에 내측으로 brainstem과 cerebellum을 향해서 주행하며 대부분 7,8번 신경 사이나 후방에 위치한다(그림 2-1E, F, 2-2C, 2-5B~D).

Acoustic neuroma가 커지면서 superior cerebellar artery (SCA)는 상부로 전위되고 posterior inferior cerebellar artery (PICA)는 하방으로 전위되는데 AICA는 많은 경우에 종양의 lower pole 쪽으로 이동하여 premeatal segment는 종양의 anteroinferior side에 위치하고 postmeatal segment는 종양의 posteroinferior side에 존재한다. 만약에 AICA가 7,8번 신경 사이로 지나가는 경우에 premeatal segment와 postmeatal segment가 종양의 앞쪽에 위치하게 된다.[18]

■ 참고문헌

1. Jannetta PJ. Trigeminal neuralgia: Treatment by Microvascular Decompression. In: Wilkins RH, Rengachary SS, eds. Neurosurgery. Vol Vol. 3 2nd Ed. ed. New York: McGraw-Hill; 1996:3961-3968
2. Shankland WE, 2nd. The trigeminal nerve. Part I: An overview. Cranio : the journal of craniomandibular practice. 2000;18(4):238-248
3. Rhoton AL, Jr. The cerebellopontine angle and posterior fossa cranial nerves by the retrosigmoid approach. Neurosurgery. 2000;47(3 Suppl):S93-129
4. Lang J. [Neuroanatomy of the optic, trigeminal, facial, glossopharyngeal, vagus, accessory and hypoglossal nerves (author's transl)]. Archives of oto-rhino-laryngology. 1981;231(1):1-69
5. Saunders RL, Sachs E, Jr. Relation of the accessory rootlets of the trigeminal nerve to its motor root. A microsurgical autopsy study. Journal of neurosurgery. 1970;33(3):317-324
6. Pelletier VA, Poulos DA, Lende RA. Functional localization in the trigeminal root. Journal of neurosurgery. 1974;40(4):504-513
7. Wanibuchi M, Fukushima T, Friedman AH, et al. Hearing preservation surgery for vestibular schwannomas via the retrosigmoid transmeatal approach: surgical tips. Neurosurgical review. 2014;37(3):431-444; discussion 444
8. Proctor B. The anatomy of the facial nerve. Otolaryngologic clinics of North America. 1991;24(3):479-504
9. Tanriover N, Sanus GZ, Ulu MO, et al. Middle fossa approach: microsurgical anatomy and surgical technique from the neurosurgical perspective. Surgical neurology. 2009;71(5):586-596; discussion 596
10. Sameshima T, Morita A, Tanikawa R, et al. Evaluation of variation in the course of the facial nerve, nerve adhesion to tumors, and postoperative facial palsy in acoustic neuroma. Journal of neurological surgery. Part B, Skull base. 2013;74(1):39-43
11. Abe H, Rhoton AL, Jr. Microsurgical anatomy of the cochlear nuclei. Neurosurgery. 2006;58(4):728-739; discussion 728-739
12. Rhoton AL, Jr., Buza R. Microsurgical anatomy of the jugular foramen. Journal of neurosurgery. 1975;42(5):541-550
13. Katsuta T, Rhoton AL, Jr., Matsushima T. The jugular foramen: microsurgical anatomy and operative approaches. Neurosurgery. 1997;41(1):149-201; discussion 201-142
14. Lister JR, Rhoton AL, Jr., Matsushima T, Peace DA. Microsurgical anatomy of the posterior inferior cerebellar artery. Neurosurgery. 1982;10(2):170-199
15. Tedeschi H, Rhoton AL, Jr. Lateral approaches to the petroclival region. Surgical neurology. 1994;41(3):180-216
16. Rhoton AL, Jr. The temporal bone and transtemporal approaches. Neurosurgery. 2000;47(3 Suppl):S211-265
17. Seo Y, Ito T, Sasaki T, Nakagawara J, Nakamura H. Assessment of the anatomical relationship between the arcuate eminence and superior semicircular canal by computed tomography. Neurologia medico-chirurgica. 2007;47(8):335-339; discussion 339-340
18. Martin RG, Grant JL, Peace D, Theiss C, Rhoton AL, Jr. Microsurgical relationships of the anterior inferior cerebellar artery and the facial-vestibulocochlear nerve complex. Neurosurgery. 1980;6(5):483-507
19. Mazzoni A. Internal auditory canal arterial relations at the porus acusticus. The Annals of otology, rhinology, and laryngology. 1969;78(4):797-814

CHAPTER 03

청신경 종양의 병리

Pathology of acoustic neuroma

김세훈

서론

청신경 종양(acoustic neuroma)은 조직학적으로는 schwannoma이다. Schwannoma는 schwann cell로부터 유래한 종양으로 신경축(neuroaxis) 어느 곳에서도 발생할 수 있다. 비록 아주 어린 나이에는 드물지만, 거의 모든 연령대에서 발생하는 것으로 알려져 있다. 신경섬유종증 2형(neurofibromatosis type 2)과 관련 없이 발생하는 경우 거의 대부분 단독으로 발생하나, 관련이 있는 경우 양측성으로 발생하기도 한다.

두개내에서 발생하는 청신경 종양은 대부분 8번 뇌신경의 vestibular 분지에서 발생하기 때문에 정확히 말하자면 acoustic schwannoma가 아니라 vestibular schwannoma라고 불러야 하나, 관습적으로 acoustic neuroma라고 부르는 경우가 많다. 드물지만 5번이나 7번 뇌신경에서도 발생할 수 있다.

병리학적 소견

육안적 소견

거의 대부분 둥근 모양의 경계가 좋은 종양이다. 바깥 경계 부위에 콜라젠성 섬유피막에 둘러싸여 있는 경우가 있으며, 육안적으로 cystic change를 보이는 경우가 흔하다. 그러나 실제적으로 종양을 제거하는 과정에서 조각으로 부서지는 경우가 많아 육안적으로 cystic change를 관찰하기는 쉽지 않다. 지방의 축적으로 절단면이 노란색으로 보이는 경우가 있으며, 간혹 calcification을 동반하기도 한다(그림 3-1).

현미경적 소견

전형적인 schwannoma의 경우 종양세포가 치밀하게 존재하여 세포밀도가 높은 Antoni A부위와 종양세포가 느슨하게 배열되어 있어 세포밀도가 낮은 Antoni B부위가 서로 혼재되어 있다(그림 3-2). Antoni B부위에서는 이차적인 degenerative change 및 cystic change가 흔히 동반된다. 종양세포밀도가 높은 Antoni A부위에는 세포질이 spindle shape의 종양세포가 다발을 이루어 존재하여 세포질과 세포질의 경계는 불분명한 경우가 많다. 종양세포의 핵은 방추형 혹은 시가(Cigar) 모양이다(그림 3-2).

특히 종양세포밀도가 높은 Antoni A부위에서 종양세포의 핵이 모여있게 되면, 핵이 없는 긴 세포질의 부위도 서로 모여있는 부위가 관찰되어 울타리모양(palisading)을 취하게 되는데, 이러한 소견을 Verocay body라고 부른다(그림 3-2D, 3-3A). 이러한 Verocay body는 청신경 종양의 특징적 소견이나, 모든 종양에서 관찰되지는 않는다.

세포밀도가 낮은 Antoni B부위에서는 염증세포의 침윤, 특히 macrophage의 침윤과 cystic change가 잘 동

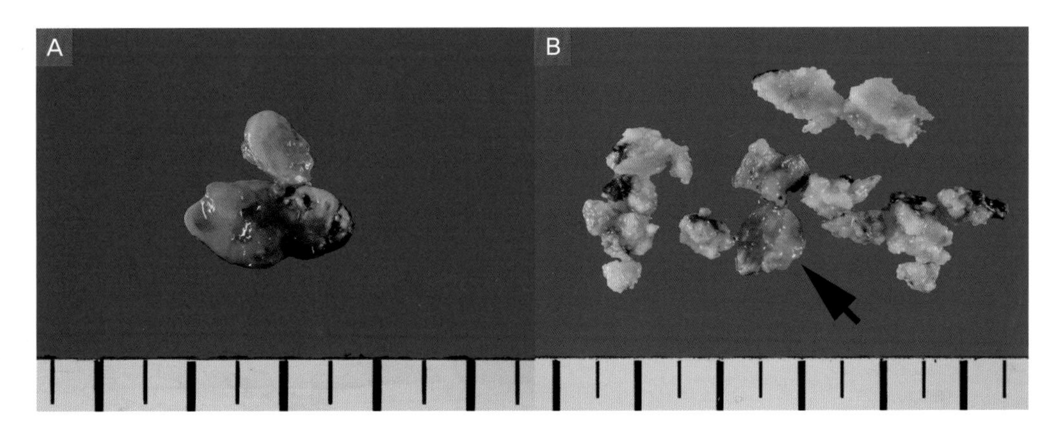

그림 3-1 청신경 종양의 육안적 소견. 육안적으로 청신경 종양은 피막으로 둘러싸인 경계가 좋은 고형성 종양이며 노란색 점액성 절단면을 보인다(A). 그리고 부분적으로 낭성변화를 보일 수도 있다(B).

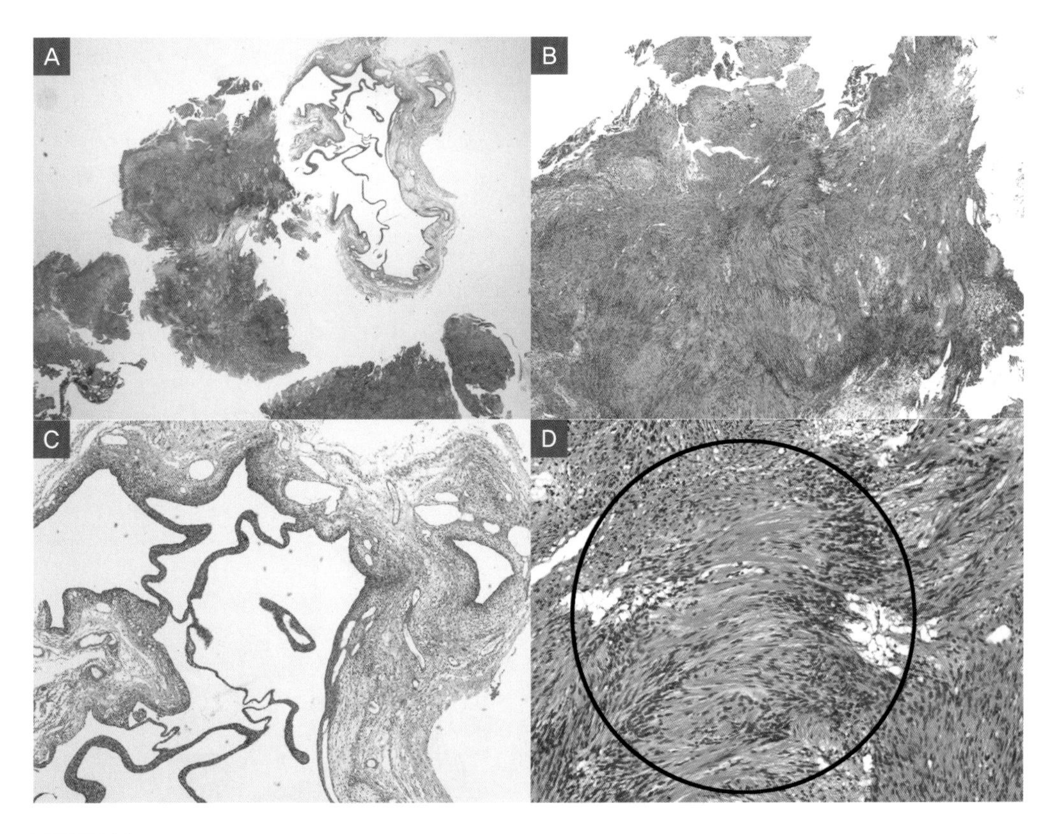

그림 3-2 청신경 종양의 현미경 소견. 저배율에서 고형성 종괴이며 부분적으로 낭성변화를 보인다(A, H-E x12). 종양의 고형성 부위는 세포밀도가 높으며(안토니 A)(B, H-E x40), 낭성 부위는 세포밀도가 낮고 치밀하지 않다(안토니 B)(C, H-E x40). 안토니 A부위에는 종양세포 핵이 울타리 형태를 보이며 이 부위를 베로케이체(Verocay Body)라고 부른다(D, H-E x200)(원형 부위).

반되기도 한다. 간혹 큰 cyst의 내강은 pseudoepithelial cell이 관찰되기도 하며, 종양 내 많은 혈관주변에서 두꺼운 유리질화(hyalinization)가 관찰되기도 한다(그림 3-3).

또한 소위 ancient schwannoma에서는 종양세포의 증식 없이 종양세포의 핵의 이형성(nuclear pleomorphism) 및 과염색상(hyperchromasia) 등이 관찰되기도 한다.

감별진단

조직학적으로 감별해야 할 가장 중요한 질환은 meningioma이다. Meningioma는 그 기원이 arachnoid로 schwannoma와는 다르지만, 특히 청신경 종양이 잘 발생하는 부위인 Cerebellopontine Angle (CPA) 부위에서 발생하는 meningioma의 경우, 세포가 길고 콜라젠 섬유침착이 두드러진 fibrous meningioma가 많

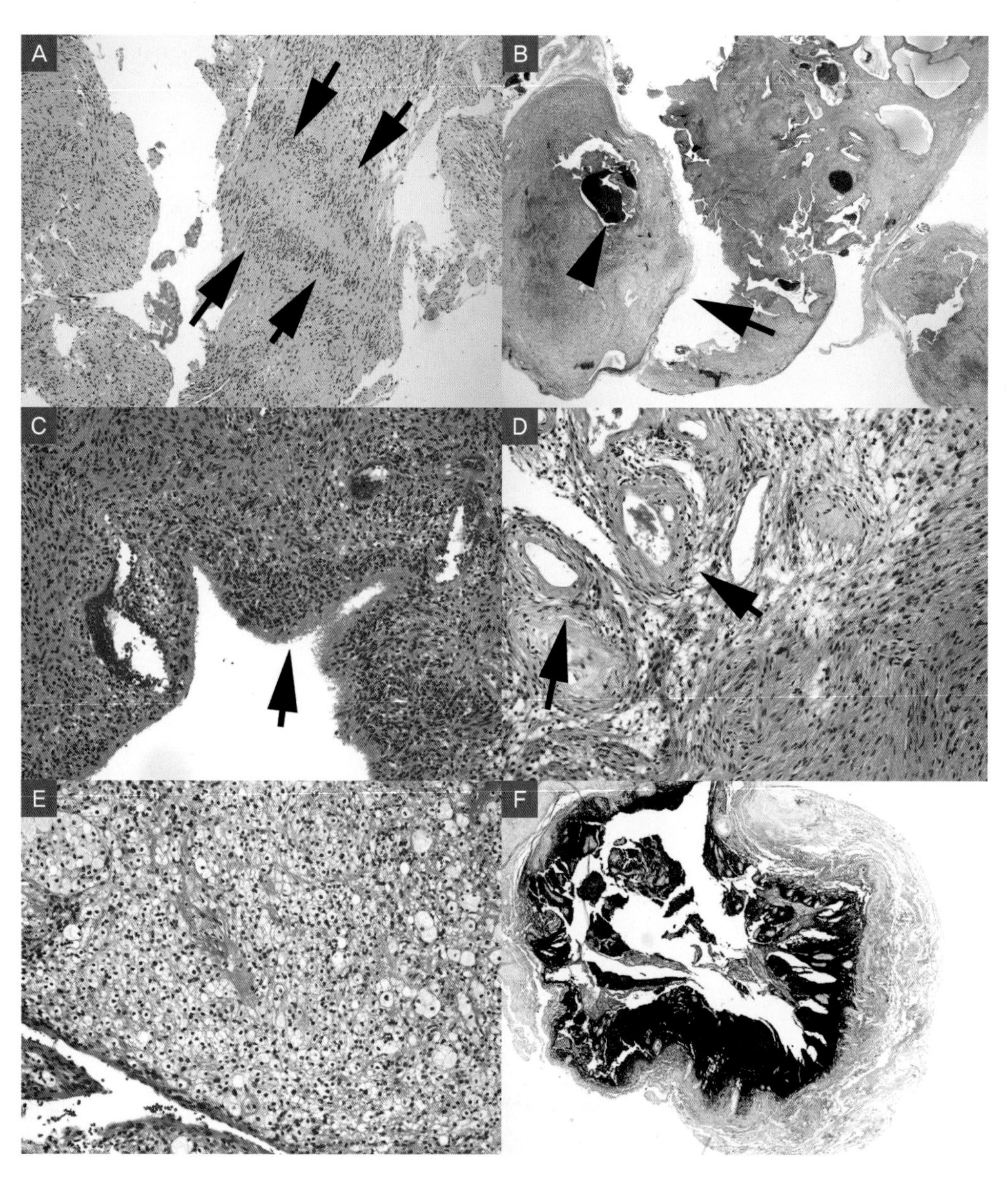

그림 3-3 **청신경 종양의 다른 조직학적 소견 및 면역조직화학 소견.** 다른 베로케이체(A, H-E x40 화살표), 석회화(B, H-E x12 화살표), 거짓상피세포모양 낭성변화(C, H-E x200 화살표), 혈관주변 유리질화(D, H-E x200 화살표) 및 대식세포 침윤(E, H-E x100)등이 관찰될 수 있다. 청신경 종양은 면역조직화학염색에서 강한 S-100 발현을 보인다(F, S-100 x40).

아 감별이 어려운 경우가 많다. 또한 신경섬유종증 2형(neurofibromatosis type 2)의 경우, 청신경 종양 이외에 meningioma도 흔히 동반하므로 감별이 더욱 쉽지 않다. 특히 조직의 크기가 매우 작은 생검의 경우나 수술 시에 frozen section을 시행할 때 감별하기 어려운 경우가 많다. 이러한 경우에, 청신경 종양의 경우 S-100 단백에 양성 반응을 보이는 반면에 meningioma는 EMA (epithelial membrane antigen)에 양성반응을 보이는 점이 감별점이다. 그러나 간혹 청신경 종양에서도 EMA가 세포막이 아닌 세포질에 발현되는 경우가 있을 수 있다. 최근에는 Claudin-1이라는 단백질도 meningioma에 발현하여 청신경 종양의 감별에 이용할 수 있다(그림 3-4).

그 밖에 생검의 경우, pilocytic astrocytoma와의 감

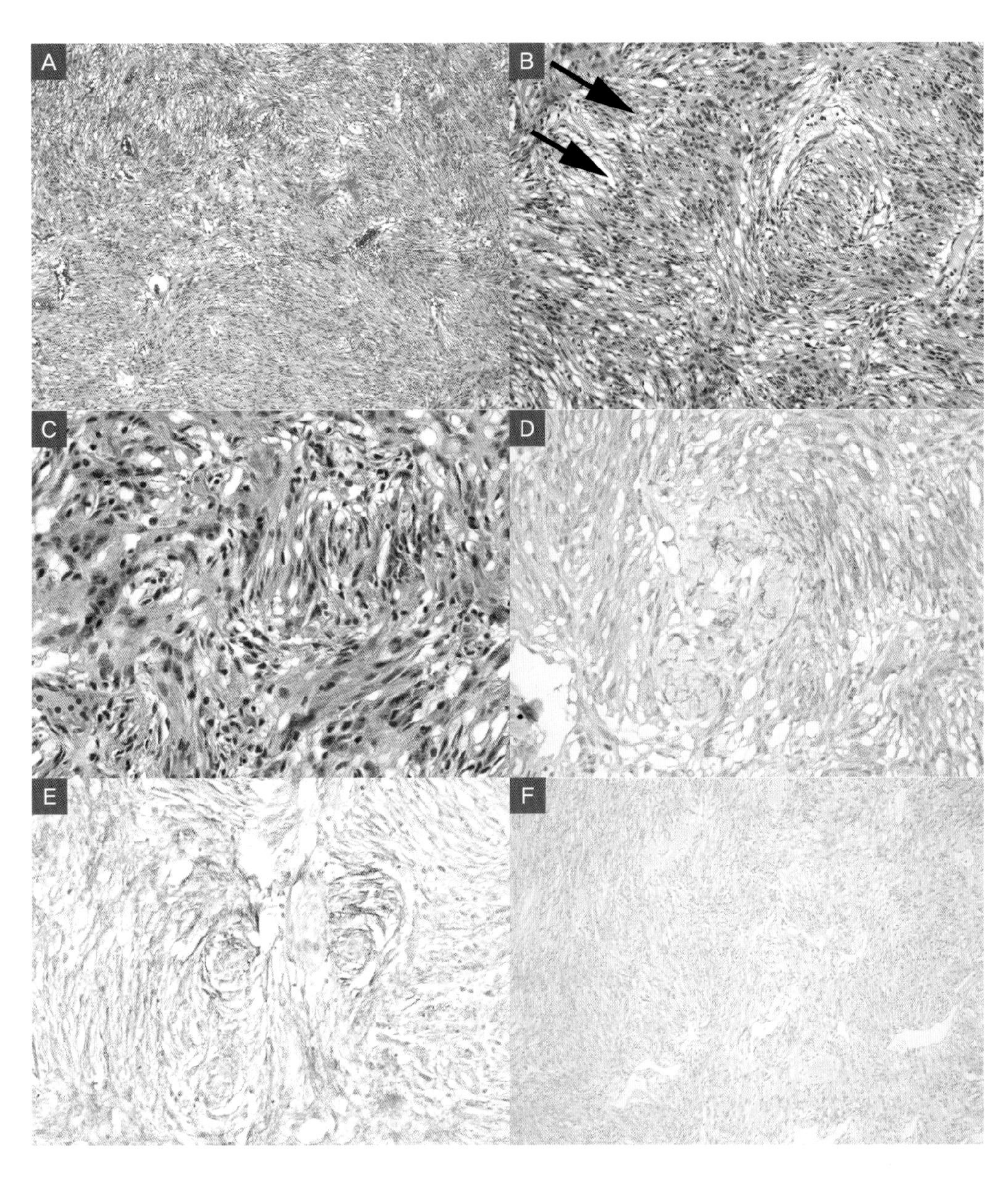

그림 3-4 **청신경 종양과 비슷한 모양을 보일 수 있는 섬유성수막종과의 조직학적 면역조직화학염색 감별.** 섬유성수막종에서도 청신경 종양과 비슷한 방추형 종양세포(A, H-E x100, C, H-E, x400) 및 베로케이체와 유사한 구조(B, H-E x200 화살표)가 보일 수 있다. 섬유성수막종에서는 EMA (D, EMA x200), Claudin-1 (E, Claudin01 x200)에 양성이며, S-100 (F, S-100 x100)에는 음성이다.
(그림 3-4E의 Claudin-1 면역염색 사진은 한림대 평촌성심병원 권미정 교수님이 제공해주신 것입니다.)

별이 필요할 때가 있다. 이 경우에는 다른 형태학적 소견 이외에 pilocytic astrocytoma에서 GFAP가 발현된다는 점이 감별에 도움을 준다. 또한 드물게 소뇌다리 부위에 발생하는 Hemangiopericytoma/solitary fibrous tumor도 긴 종양세포에 콜라젠 침착이 동반될 수 있어 형태학적으로만 감별하기 쉽지 않은 경우가 있다. 이 종양의 경우, CD34와 CD99에 발현되는 점이 특징이며, 최근에는 NAB–STAT6 유전자의 translocation이 알려져서 이를 확인한 수 있는 STAT6 면역염색이 감별진단에 도움을 줄 수 있다(그림 3–5).

분자병리학적 측면

대부분의 청신경 종양의 경우, *NF-2*의 biallelic inactivation mutation 및 염색체 22q12부위에 존재하는 유전자 산물인 Merlin (Schwannomin)의 불활성화가 잘 동반된다. Merlin (schwannomin)은 70KDa 가량으로 ezrin/radixin/moesin family (ERM–protein)에 속하는 단백질이다. 이 단백질은 anti–proliferative 기능을 갖는데, 부분적으로 NF–κB와 cyclin D1을 억제하는 것으로 알려져 있다. 청신경 종양에서는 Merlin 단백질은 발현되지 않는다. 또한 EGF, IGF–2, PDGR 및 FGF–2와 같은 성장인자 및 그와 관련된 Ras/Raf/MEK1/2/ERK,

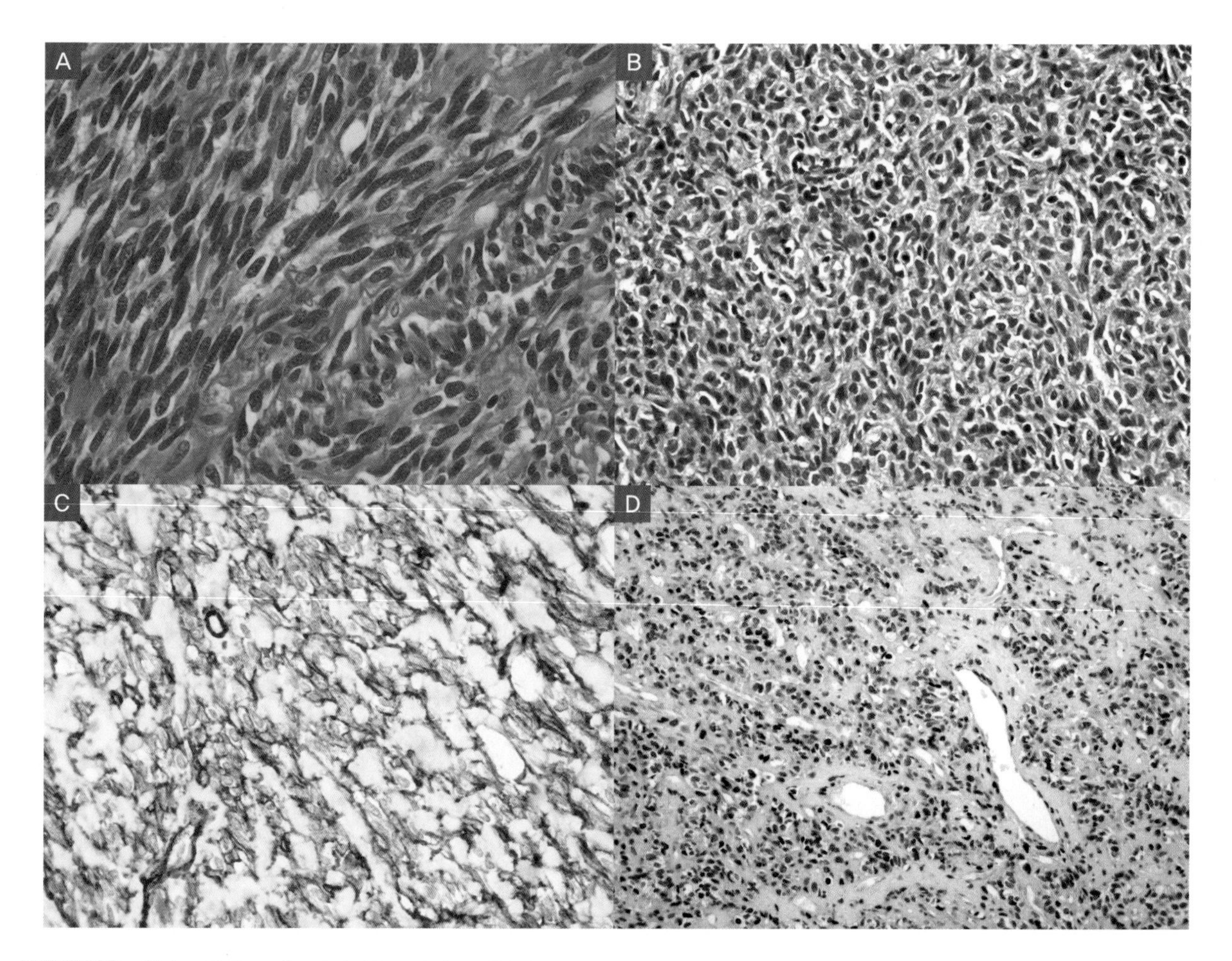

그림 3–5 **혈관주위세포종/고립성섬유종양의 조직학적 그리고 면역조직화학염색 소견.** 고립성섬유종양은 방추형 종양세포의 증식과 함께 광범위한 콜라젠의 침착이 관찰된다(A, H–E x400). 그리고 혈관주위세포종은 짧은 방추형 종양세포로 이루어져 있으나 기질은 거의 관찰되지 않는다(B, H–E x400). 혈관주위세포종/고립성섬유종양은 면역조직화학염색에서 CD34 (C, CD34 x400)은 종양세포막에 양성이며 STAT6는 종양세포의 핵에 발현한다(D, STAT6 x200).

PI3-K/AKT, p38 MAPK, Jun, 그리고 NGF와 NGF-receptor p75가 청신경 종양의 발생에 관여하는 것으로 알려져 있다.

악성 변화(Malignant transformation)

악성 변화는 흔하지는 않으나 몇몇 증례 형태로 보고되어 있으며, 특이하게도 방사선 치료 10~15년 후에 악성 변화한 증례도 보고되어 있다.[5-7] 이러한 악성 변화 혹은 다른 원발성 종양 발생의 경우 sporadic보다는 Neurofibromatosis type 2환자에서 더 흔한 것으로 되어 있다.[6,7]

■ 참고문헌

1. Burger PC, Scheithauer BW. Tumors of the Central Nervous System. AFIP Atlas of Tumor Pathology Series 4. Washington, DC: Armed Forces Institute of Pathology; 2007
2. Kleihues P, Cavenee WK. Pathology of Genetics Tumours of the Nervous System. Lyon: IARC Press; 2000
3. Evans, DGR. Neurofibromatosis 2 [Bilateral acoustic neurofibromatosis, central neurofibromatosis, NF2 , neurofibromatosis type II]. Genetics in Medicine 2009;11:599-610
4. Klenke C, Widera D, Sepehrnia A, Moffat DA, Kaltschmidt C, Kaltschmidt et al. Clinical and biological behavior of vestibular schwannoma: signaling cascades involves in vestibular schwannoma resemble molecular and cellular mechamisms of injury-induced Schwann cell dedifferentiation. Head & Neck Oncology 2013;16:20-7
5. Baser ME, Evans DGR, Jackler RK, Sujansky E, Rubenstein A. Malignant peripheral nerve sheath tumors, radiotherapy, and neurofibromatosis 2. Br J Cancer 2000;82:998
6. Evans DGR, Birch JM, Ramsden RT, Sharif S, Baser ME. Malignant transformation and new primary tumours after therapeutic radiation for benign disease: substantial risks in certain tumour-prone syndromes. J Med Genet 2006;43:289 -294
7. Balasubramaniam A, Shannon P, Hodaie M, Laperriere N, Michaels H, Guha A. Glioblastoma multiforme after stereotactic radiotherapy for acoustic neuroma: case report and review of the literature. Neuro Oncol 2007;9: 447–453

CHAPTER 04 청신경 종양의 임상 양상과 진단

Clinical manifestation and diagnosis of acoustic neuroma

권정택

임상 양상(Clinical manifestation)

주로 40~50대에 발생하는 성인 종양이며 전체 뇌종양의 10%를 차지한다. 소아에서는 뇌종양 중 0.1%를 차지하고 대부분은 neurofibromatosis type 2와 동반하는 경우이다(그림 4-1). MRI가 발달함에 따라 청신경 종양의 발생률은 점점 증가하고 있고 최근에는 매년 백만 명 당 20명의 비율로 진단이 되고 검사상 우연하게 발견되는 발생률은 0.02~0.07%이다.[1] 우연히 발견되는 청신경 종양은 주로 크기가 작으며 증상이 없는 경우가 많다(그림 4-2).

청신경 종양은 축외 종양으로, 신경에서 멀어지는 방향으로 자라게 되어 신경을 침범하기 보다는 신경을 압박하게 된다. 소뇌교각부 신경종양은 운동신경보다는 감

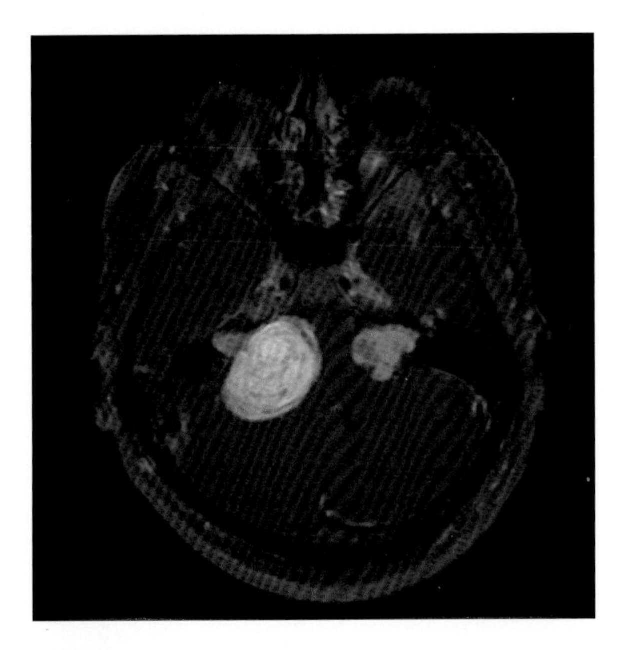

그림 4-1 22세 남자 환자로 촬영한 MRI상 양측성 청신경 종양이 관찰된다.

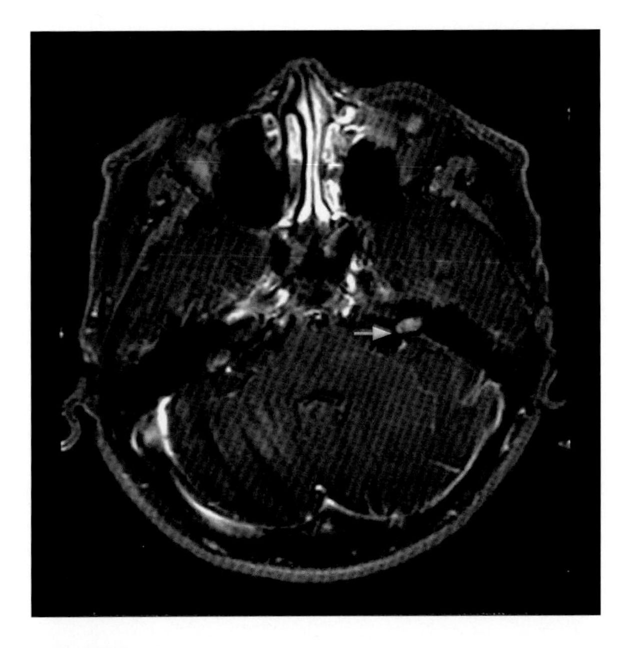

그림 4-2 33세 남자 환자로 건강 검진에서 시행한 MRI에서 좌측 내이도에 위치하는 작은 13 × 5 mm 크기의 청신경 종양이 관찰된다.

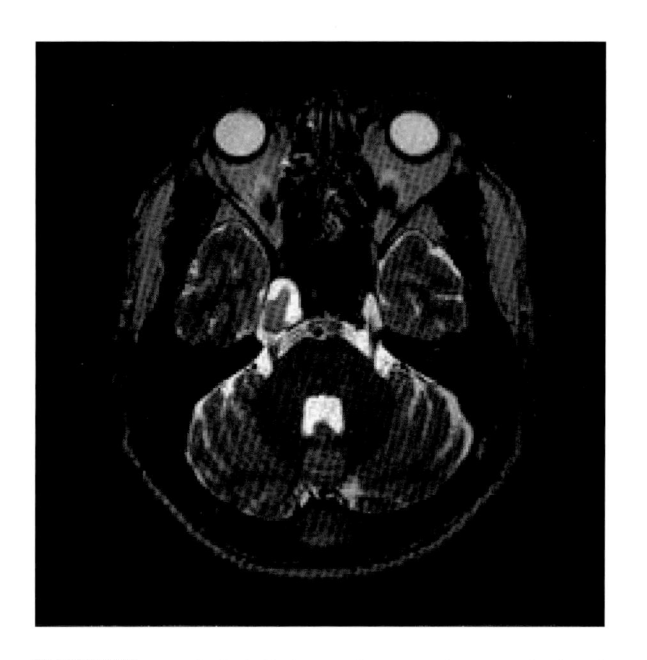

그림 4-3 53세 남자 환자로 우측 Meckel's cave의 확장된 소견 및 삼차신경에서 발생한 삼차신경초종이 관찰된다.

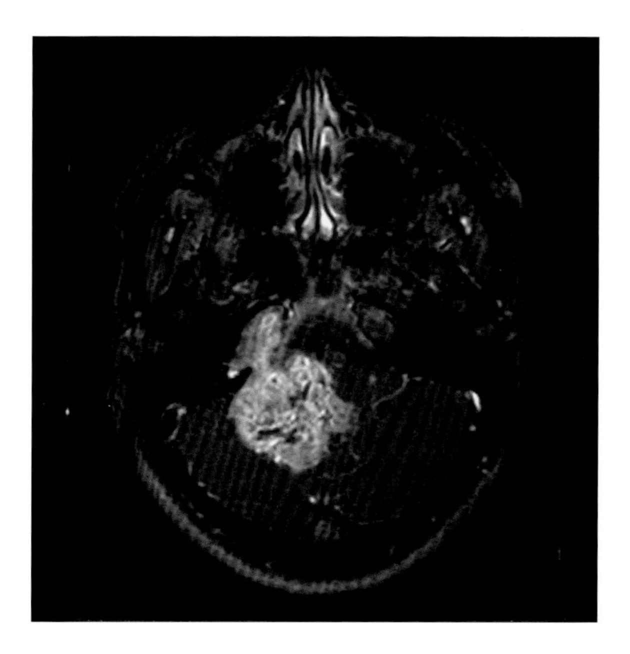

그림 4-4 22세 여자 환자로 소뇌교각부 종양이 자라 뇌간 및 소뇌를 압박하는 소견이 관찰된다.

각신경을 더욱 잘 침범하는 특성이 있다. 가장 흔하게 침범되는 신경은 제8뇌신경이고 다음으로 제5 및 제7뇌신경의 순서로 나타난다(그림 4-3). 그래서 청신경 종양의 가장 흔한 임상 증상은 청력 기능 저하(95%), 전정 기능 저하(이명, 보행 장애)(61%), 삼차 신경 증상(9%)과 얼굴신경 증상(6%)이다. 평균 청력 소실의 기간은 3.7년, 전정 기능 장애는 2.1년과 삼차 신경 기능 저하는 1.3년이었다.[2] 청신경 종양은 30%에서 90%까지 자란다고 보고 있고 지속적으로 자랄 수 있고 특정한 크기로만 커진 후 다시 작아지기도 한다.[3,4] 만약 소뇌교각부에서 종양이 지속적으로 증가 한다면 궁극적으로 뇌간이나 소뇌를 압박하고 제4뇌실의 막힘 증상이 올 수 있다. 뇌간 압박 시에는 두통, 시야 손상, 저린감이나 운동 실조 증상이 더 악화될 수 있고 9, 10번 뇌신경 압박 시 연하 곤란, 흡인과 쉰 소리를 일으킬 수 있다(그림 4-4). 청신경 종양의 자라는 속도는 아직 분명히 밝혀져 있지 않지만 검사 상 종양의 크기가 매년 2.5 mm보다 빨리 자라게 된다면 수술이나 방사선 치료 같은 적극적인 치료가 필요하다.[5] 최근 보고에서, 남자가 여자보다 종양의 크기가 컸으며 여자보다 2배 가량 청력을 잃게 되며 어지러움을 덜 호소한다고 한다. 또한 종양의 크기가 1 mm 커질 때마다 14.7%의 청력 감소, 2.8%의 어지러움을 환자들이 호소하였다.[6]

진단(Diagnosis)

청신경 종양의 확진은 조영 증강 MRI이며 MRI의 민감도와 특이도는 거의 100%이다.[7] T1 weighted image에서 isointense, T2 weighted image에서 iso- 또는 hyperintense, 조영 증강 T1 weighted image에서 강한 조영증강이 된다(그림 4-5). 작은 종양에서는 비교적 균질한 조영증강이 되나 큰 종양에서는 낭종성, 황색종성 변성 또는 세포의 저밀도 부위로 인해 비균질한 조영증강이 관찰된다. 청신경 종양은 내이도 내의 종양보다 소뇌교각부 뇌수조(Cerebellopontine angle cistern) 내의 종양이 더 커서 아이스크림콘 모양을 보인다.

최근 들어서는 Diffusion tensor imaging (DTI)을 사용하여 뇌신경 주행을 3D로 복원하여 수술 전에 확인하여 수술 시 도움을 받거나 방사선 치료 시 삼차, 안면/전정 뇌신경의 기능 손상을 최소화 할 수 있도록 도움을 준다(그림 4-6).[8]

CT는 MRI의 발달함에 따라 진단하는데 많이 사용되지 않으며 조영 전 영상에서 주로 약간의 hypodensity이나 isodensity으로 보이나 다양한 밀도로도 관찰되며 잘 안 보일 때도 많다. 내이도의 입구가 넓어진 소견(Trumpeted internal auditory canal)을 관찰할 수 있

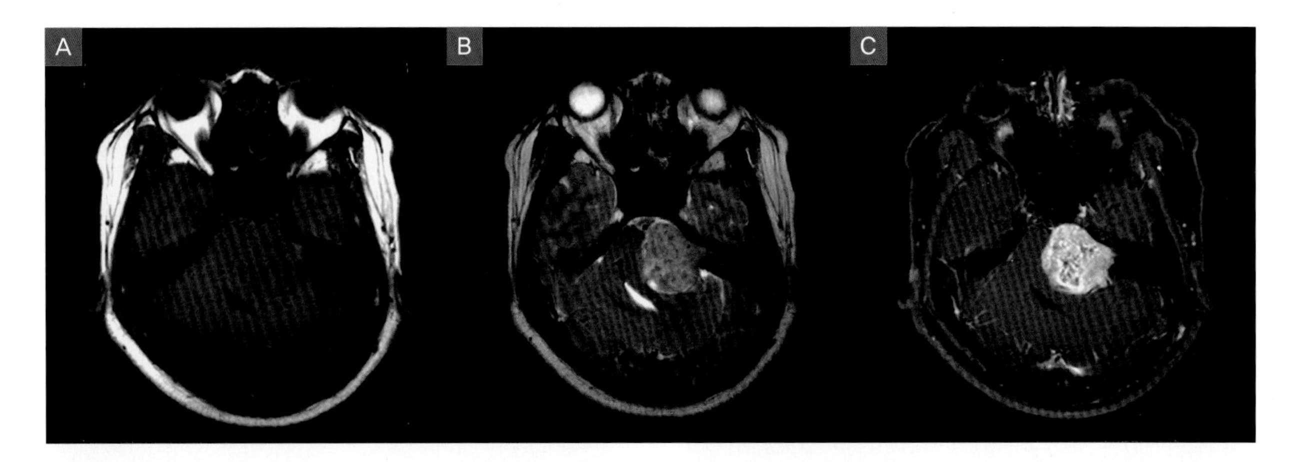

그림 4-5 25세 남자 환자로 T1 weighted image상 isointense (A), T2 weighted image 상 iso-, hyperintense 신호가 섞여 있으며 (B), 조영 증강 T1 weighted image 상 비교적 균질하게 조영이 되는 것을 확인할 수 있다(C).

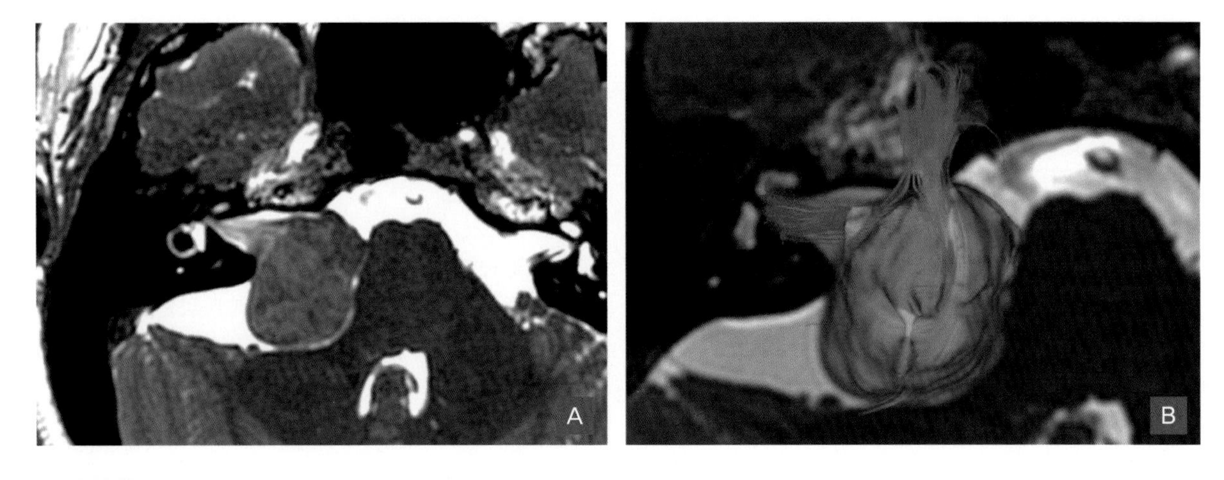

그림 4-6 Diffuse tensor imaging을 통해 청신경 종양은 초록색, 삼차 신경은 파랑색, 얼굴/전정 신경은 빨강색으로 나타내어 뇌신경이 종양 주위로 주행하는 경로를 알 수 있다.[1]

으며 골 파괴 정도를 평가할 수 있다(그림 4-7). 청신경 종양에서 석회화는 잘 관찰되지 않는다. 또한 Petrous bone의 streak artifact 효과로 인해 진단을 내리는데 제한이 있다. X-ray 검사는 비특이적이며 청신경 종양의 크기가 클 때만 관찰될 수 있어 진단하는데 크게 도움이 되지 않는다. 혈관 조영술은 청신경 종양을 진단하는데 사용되지 않으나 검사 상 주로 hypovascular 양상으로 나타나 경정맥와에 발생한 부신경절종과 감별하는데 도움이 될 수 있다.

청신경 종양은 수막종(Meningioma), 부신경절종(Paraganglioma), 전이암, 흑색종(Melanoma), 표피양 낭종(Epidermoid cyst), 유피 낭종(Dermoid cyst) 등과 감별이 필요하며 특히 소뇌교뇌각 수막종과의 감별이 중요하다. 수막종은 청신경 종양에 비하여 MRI 상 조금 더 homogenous하게 나타나며 "Dural tail"이 관찰되며 petrous bone과 넓은 토대를 가진다. 또한 아이스크림 콘 모양의 내이도가 보이지 않으며 석회화가 더 흔하다(그림 4-8). 청신경 종양에서는 수막종에 비하여 낭종성, 출혈성 부분이 더 잘 관찰된다.

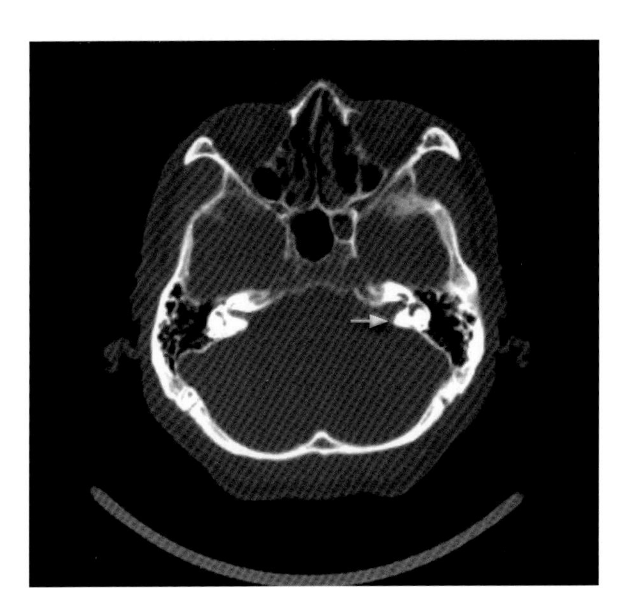

그림 4-7 71세 남자 환자로 우측에 비교하여 좌측 내이도의 입구가 커진 소견을 관찰할 수 있다.

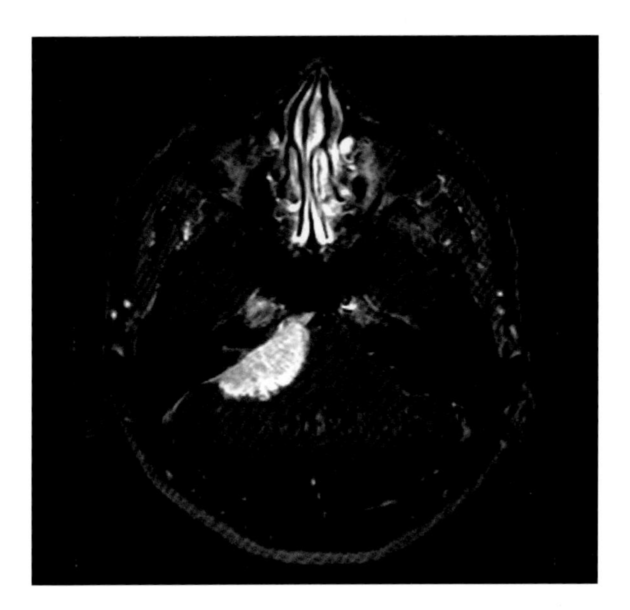

그림 4-8 45세 여자 환자로 수막종에서 petrous bone에의 넓은 토대와 "Dural tail"이 관찰된다. 또한 청신경 종양에서 관찰되는 내이도의 확장 소견은 수막종에서 관찰되지 않는다.

■ 참고문헌

1. Schmidt RF, Boghani Z, Choudhry OJ, Eloy JA, Jyung RW, Liu JK: Incidental vestibular schwannomas: a review of prevalence, growth rate, and management challenges. Neurosurg Focus 33: E4, 2012
2. Matthies C, Samii M: Management of 1000 vestibular schwannomas (acoustic neuromas): clinical presentation. Neurosurgery 40: 1-10, 1997
3. Stangerup S-E, Caye-Thomasen P: Epidemiology and natural history of vestibular schwannomas. Otolaryngol Clin North Am 45: 257-268, 2012
4. Stangerup S-E, Caye-Thomasen P, Tos M, Thomsen J: The natural history of vestibular schwannoma. Otol Neurotol 27: 547-552, 2006
5. Sughrue ME, Yang I, Aranda D, Lobo K, Pitts LH, Cheung SW, et al.: The natural history of untreated sporadic vestibular schwannomas: a comprehensive review of hearing outcomes: Clinical article. J neurosurg 112: 163-167, 2010
6. Harun A, Agrawal Y, Tan M, Niparko JK, Francis HW: Sex and age associations with vestibular schwannoma size and presenting symptoms. Otol Neurotol 33: 1604-1610, 2012
7. House JW, Bassim MK, Schwartz M: False-positive magnetic resonance imaging in the diagnosis of vestibular schwannoma. Otol Neurotol 29: 1176-1178, 2008
8. Chen DQ, Quan J, Guha A, Tymianski M, Mikulis D, Hodaie M: Three-dimensional in vivo modeling of vestibular schwannomas and surrounding cranial nerves with diffusion imaging tractography. Neurosurgery 68: 1077-1083, 2011

청신경 종양의 수술 중 신경계 감시

Intraoperative monitoring and preservation of cranial nerve function

조성진

청신경 종양(acoustic neuroma)의 수술 중 신경계 감시(intraoperative neuromonitoring: IOM)은 수술 중 안면신경(facial nerve), 청신경(acoustic nerve) 및 뇌간(brainstem)의 손상을 조기에 알려주어 수술 합병증을 줄이며, 청신경 종양의 크기가 큰 고위험군 수술을 보다 안전하게 할 수 있게 도움을 주는 꼭 필요한 감시 장치이다.[1,2,3,4]

IOM의 시작은 1930년대 말 Penfield와 Jasper가 간질 수술에서 두개골을 열고 뇌파를 기록한 것이 최초라고 할 수 있다. 그 후 과학기술의 발전으로 디지털화된 뇌파 및 유발전위가 1980년대부터 본격적으로 임상 수술에 도입이 되어 현재에는 다양한 중추신경계 수술에 이용되고 있다. 신경계의 IOM의 방법으로는 크게 뇌파검사(electroencephalography: EEG), 유발전위검사(Evoked potentials: EP), 근전도검사(electromyography: EMG) 및 신경전도검사(nerve conduction study: NCS) 등이 있다. 이중 유발전위 검사는 시각유발전위(visual evoked potentials: VEP), 청각유발전위(auditory evoked potentials: AEP), 전정근유발전위(vestibular myogenic evoked potentials: VMEP), 체성감각유발전위(somatosensory evoked potentials: SEP), 운동유발전위(motor evoked potentials: MEP) 등으로 나눌 수 있다.[1,3]

이러한 IOM 중 청신경 종양의 수술에 흔히 사용되는 신경계 감시는 청신경과 안면신경 그리고 뇌간 기능의 감시가 모두 포함된다. 따라서 수술 중에 BAEP, 안면신경 EMG로 추적감시를 할 수 있다. 최근에는 노출된 감각신경인 청신경에 대해 CNAP (compound nerve action potential)를 기록하는 방법이 도입되었고, 안면신경을 보존하기 위해 facial MEP를 시행하고 있다.[4]

안면신경에 대한 신경감시

안면근육 근전도 감시(Facial EMG monitoring)

근전도 감시는 수술 중 신경계 감시에 매우 중요한 방법 중의 하나이나 마취 심도에 따라 근전도 반응은 감소될 수 있으므로 수술 중 근육이완제 투약 여부를 면밀히 파악하고 있어야 한다. 따라서 실제 근전도 감시를 잘 유지하려면 마취과의 협조가 절대적으로 필요하다. 근전도 감시는 자발 근전도(free-running EMG)와 유발근전도(triggered EMG)로 나뉘는데 자발근전도는 수술 중 신경손상에 의해 발생하는 운동단위전위(motor unit potentials: MUP)를 기록하는 방법으로 추적감시에 유용하며, 유발근전도는 직접 신경을 자극하여 이상유무를 확인하는 방법으로 기능평가에 유용하며 실제로 청신경 종양의 수술 시에 안면신경의 위치를 파악하는데 유용하다.[1,3-5]

안면근육에 대한 근전도 감시는 후두와 종양제거술, 반측안면연축에 대한 미세혈관감압술에서 주로 사용된다. 안면신경의 위치를 확인하기 위해 안면신경이 지배

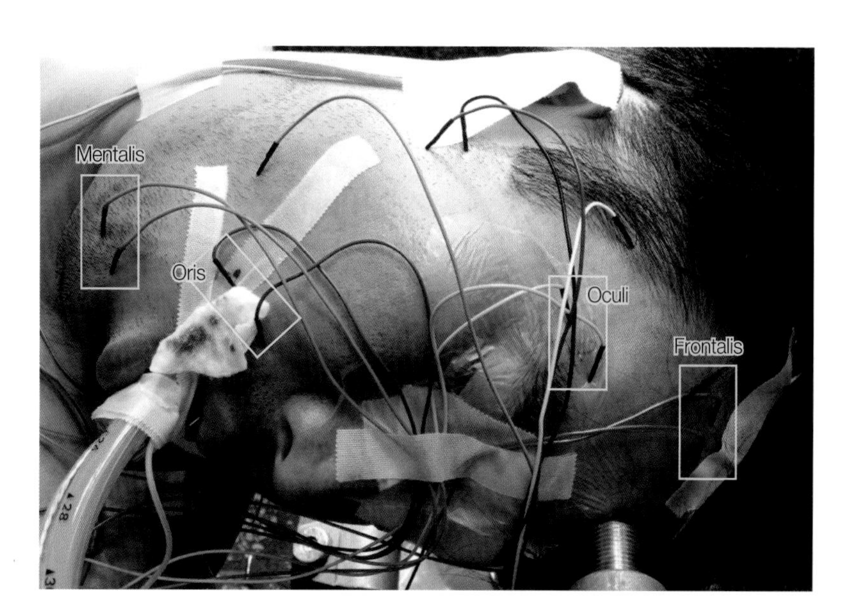

그림 5-1 안면근육 근전도 감시를 위한 근전도 바늘의 삽입 예

하는 4개의 안면근인 눈둘레근(orbicularis oculi), 입둘레근(orbicularis oris), 턱끝근(mentalis), 그리고 전두근(frontalis)에서 근전도 기록을 하여 종양에 의해 납작하게 눌린 안면신경이 수술 중 손상 받지 않도록 감시한다.[1]

수술 중 안면신경에 자극이 가해지면 일시적인 근전도 반응(위상성 반응: phasic EMG activities)이 나타나는데, 이러한 wave는 종양과 신경을 박리하는 과정이나, brain self retractor에 의해 안면신경이 눌린 경우나 또는 안면신경이 손상을 받은 경우에 나타나게 된다. 특히 수술 중 안면신경의 부분적 손상이 발생한 경우에는 지속적인 근전도 반응(긴장성 반응: tonic discharges)이 나타나게 된다.[3,5]

그림 5-2에서 나타나는 위상성 변화는 안면신경을 건드리거나 당길 때 나타나는 것으로 짧은 비동기적 다상성(short asynchronous polyphasic) 형태를 나타내며, 안면신경의 영구적 손상과는 무관하다. 긴장성 변화는 수분 또는 수시간 동안 지속되는 연속적 동기적(synchronous) 형태로 안면신경이 손상된 것을 의미하므로 수술 중 안면신경의 손상을 막기 위해 안면신경 주변의 종양제거를 신속하게 멈추는 조치가 필요하다. 이러한 변화는 파형의 관찰 이외에도 소리로 구분할 수 있는데, 위상성 변화는 불규칙적 일시적.고음으로 들리지만, 긴장성 변화는 규칙적으로 반복되는 낮은 음으로 들려 쉽게 감별이 가능하다.[5]

실제 청신경 종양 수술 시 유발근전도를 시행하여 안면신경의 위치를 찾을 때 stimulator probe를 사용하는데, 뇌간 근처의 안면신경을 자극하는 것이 좋다. 만약 내이도 주변의 말단 부위에서 안면신경을 자극하게 되면 안면신경이 청신경 종양이 존재하는 cisternal portion에서 절단되거나 손상되었을 경우더라도 정상적인 근전도가 나타날 수 있기 때문이다. 종양을 제거하면서 수술시야에서 안면신경이 보이지 않는 경우 안면신경을 찾기 위해 유발근전도를 위해 자극을 주는데 처음 엔 자극의 세기를 3~5V로 3~5초 동안 자극하여 안면근육에 반응이 나타나는 지를 확인한다. 종양을 어느 정도 제거한 후에는 자극세기를 점차 줄여가며 검사를 실시한다.[1-3]

지속적 안면신경 운동유발전위

(Continuous intraoperative facial motor evoked potentials)

청신경 종양의 수술 후 안면신경의 기능을 보존하기 위해선 안면신경의 손상을 즉각적으로 감지하는 것이 매우 중요하다. 자발 근전도(free-running EMG)도 연속적인 안면근육의 근전도 검사가 가능하나 안면신경 손상을 즉각적으로 알려주지는 못한다. 지속적인 안면신경 운동유발전위(continuous facial MEP) 감시는 이러한 단점을 보완하기 위해 개발되었고, 경두개 전기자극(transcranial electrical stimulation)을 통해 지속적인 안면신

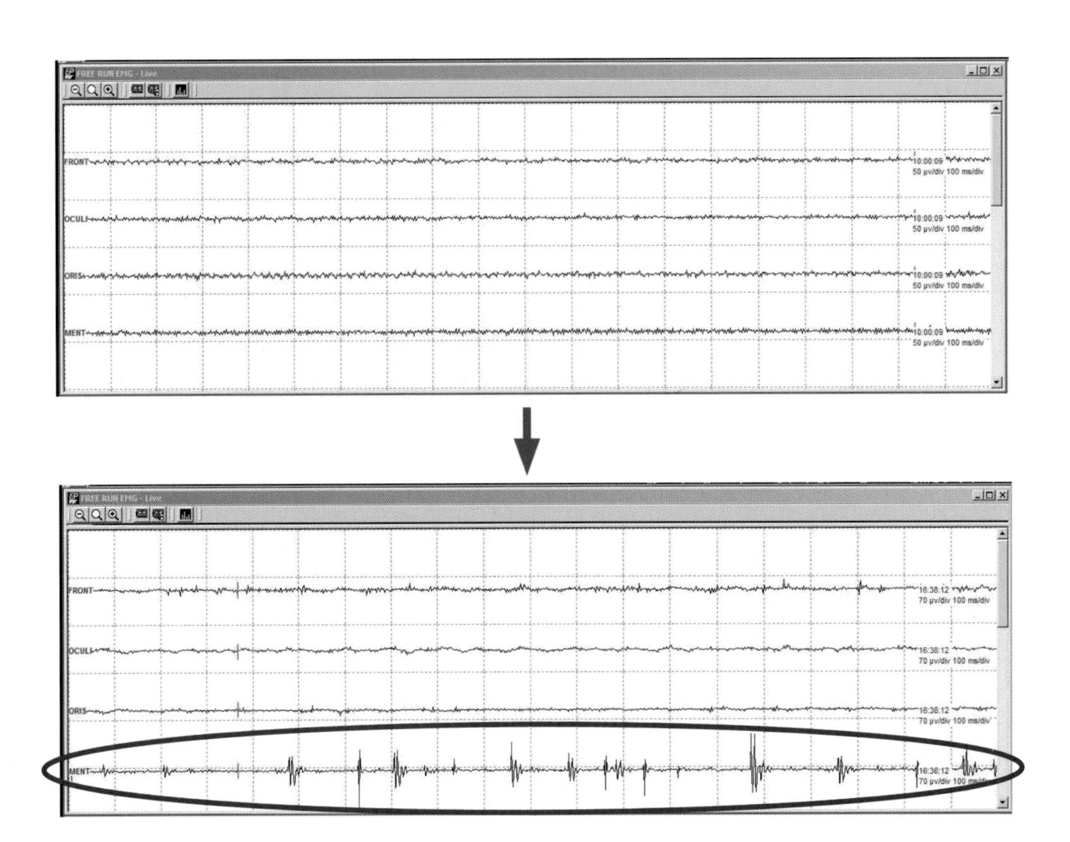

그림 5-2 수술 중 종양과 신경을 박리하는 과정에서 나타나는 일시적인 위상성 근전도 반응(phasic EMG activities–빨간색 테두리내의 파형)

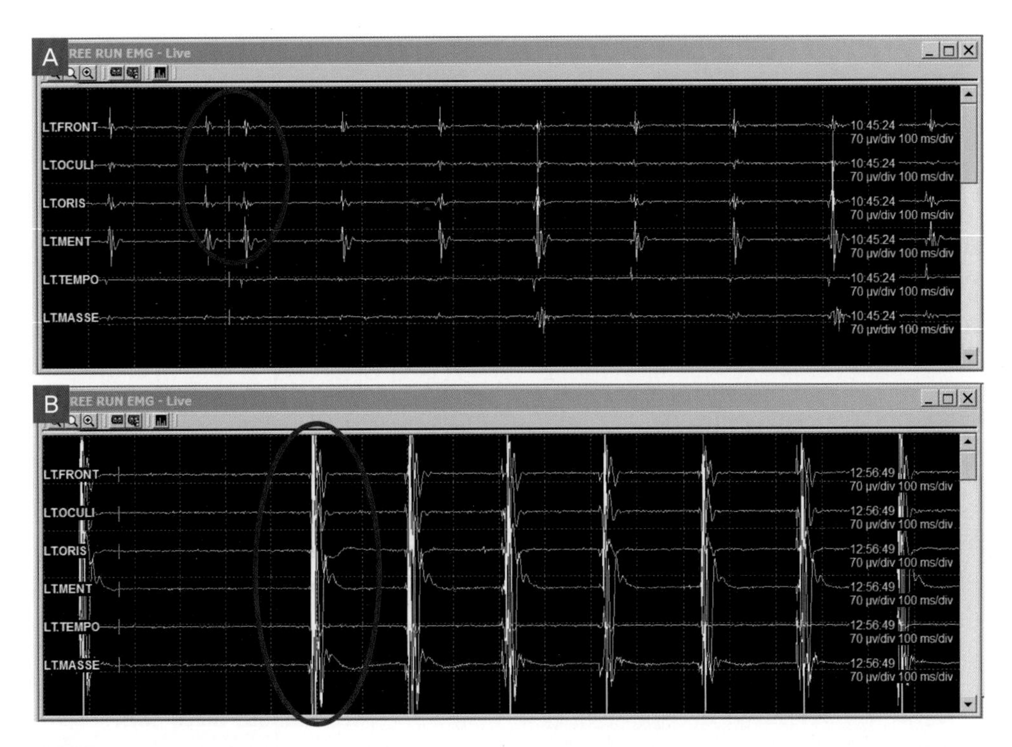

그림 5-3 A. 청신경 종양을 제거하기 전 direct nerve stimulation(DNS)로 자극을 주었을 때 EMG 반응이 작은 것으로 보아 자극한 부위 주변에 안면신경이 존재한다. B. 같은 자극을 주었을 때 EMG 반응이 크게 나타난 것으로 보아 안면신경이 바로 인접하거나 안면신경을 자극한 것으로 보여진다.

경 감시가 가능하게 되어 수술 후 안면신경 기능을 예측할 수 있게 되었다.[6]

Facial MEP를 위해서 양극을 vertex에 위치하는 중심부(Cz)에 위치하고 음극을 안면 운동 중추(facial motor cortex)에 삽입한다. 안면 운동 중추는 navigation system을 이용하면 정확히 알 수 있다.[7]

청각유발전위(Auditory evoked potentials: AEP)

청각의 해부학적 경로를 알아보면 다음과 같다. 음파가 고막에 전달되면서 이 압력에 의해 고막의 위치가 변하면서 난원창에까지 전달되고 이로 인해 외림프액(perilymph)과 내림프액(endolymph)의 움직임이 생긴다. 내림프액을 담고 있는 spiral organ 내부에는 청각 수용체인 hair cell이 들어있어 내림프액의 흐름에 따라 청각 수용체 전위가 발생되고 이 수용체 전위는 신경전달물질을 유리 시켜 청신경의 구심성 신경섬유를 탈분극 시킨다. 청신경핵은 연수를 거쳐 동측 또는 반대측 능형체(마름섬유체, trapezoid body)로 이차 신경섬유를 보내고 삼차 신경섬유는 연수와 중뇌를 따라 가쪽섬유띠(외측모대, lateral lemniscus)로 상행하여 일부는 inferior colliculus을 경유하여 안쪽무릎체(내측슬상체, medial geniculate body)에 연접한다. Medial geniculate body의 신경원은 청각 방사로를 이루며 일차 청각 피질인 Heschl's gyrus로 투사된다.[8]

청각유발전위의 각 파형들은 위의 신경해부학적 경로와 순차적으로 연관이 되어 있을 것으로 추정하여 Wave I은 제 8번 뇌신경의 말단, Wave II는 8번 뇌신경의 두개 내 부분 혹은 청신경 핵, Wave III는 상올리브체 혹은 하부 뇌교, Wave IV는 가측섬유띠, 그리고 Wave V는 하부둔덕에서 생성될 것이라는 주장이 많았으나 아직도 확실한 것은 없다.[3,8,9]

Wave VI과 VII은 청각 피질의 피질하 구조에 의해 발생되는 것으로 추측되나 반응이 일정치 않아서 임상적으로 활용되지는 않는다.

성별에 따라 BAEP의 차이가 있는데 일반적으로 여성이 남성보다 진폭이 크고 latency가 짧은데, 이것은 여성의 두개골이 얇고 중심체온이 높기 때문이라고 한다. 또한 체온이 떨어질수록 latency가 길어지는데 1℃ 변화에 따라 약 7% 정도 진폭이 낮아진다. 체온이 20℃ 이하로 떨어지게 되면 파형은 소실된다.

청각유발전위는 진폭과 잠복기 변화가 적은 10msec 이내의 짧은 잠복기 청각유발전위(short latency auditory evoked potentials)를 이용하며, 이는 뇌간청각유발전위(brainstem auditory evoked potentials: BAEP)와 같은 동일한 검사방법이다.

청각자극은 tubal insert phone (TIP)를 사용하여 수술 시야에 방해되지 않도록 하고, 자극의 극성은 교환전위(alternating polarity)로 한다. 청각자극은 100 dB의 클릭음을 주고 반대편 귀에 방해음(masking sound)를 준다. 양쪽 귀 볼에 설치한 A1, A2 전극을 기준 전극(reference)로 하고 두정(vertex) 부위에 설치한 Cz 전극을 활동전극(active)로 하여 파형을 기록한다(그림 5-4).

수술 중에는 주로 I, III, V를 감시하는데 제1 파형과 제V 파형이 주요 관찰대상이다.

Wave I-III Latency는 Cochlea nerve function을 의미하고, Wave III-V Latency는 Brainstem function을 의미한다.[3]

정상 성인의 BAEP에서 소리가 외이, 내이를 통하여 전달되는 속도를 감안하면 Wave I은 대개 1.4 msec 이후에 나오게 되는데 특히 1.2 msec 이전의 파형은 cochlear에서 나오는 전위이므로 Wave I 과 혼동하여서는 안 된다. 정점간 latency를 구하기 위해서는 Wave I을 정확히 구하는 것이 중요하다. Wave V는 6 -6.5 msec 이전에 나타나며 진폭은 Wave I 보다 높으며 깊은 골이 연이어진다. Wave I과 Wave V의 진폭의 비율을 구하여 뇌간의 이상을 추정하는데 이용하기도 한다. Wave IV와 V는 흔히 합쳐져서 나오며 하나의 파형으로 나오는 경우도 1/3가량의 경우에서 보인다.

수술 도중 뇌간에 손상 또는 허혈 상태가 발생할 경우 파형의 진폭이 감소하고 잠복기가 증가하게 된다. 파형의 진폭이 50% 이상 감소하고 절대 잠복기가 1 msec 이상 연장될 때 이상이 있는 것으로 판단하고 감시자는 집도의에게 즉시 알려 필요한 조치를 취할 수 있도록 해야 한다(그림 5-5).

청신경 종양의 경우 크기가 크면 대부분 청력소실이 수술 전부터 존재하게 되므로 BAEP 상에서 이미 정상적인 파형을 나타내지 않게 된다. 따라서 청력이 이미 상실된 경우에 BAEP는 수술 중 뇌간의 손상여부를 판단하는데 유용하게 사용되고 있다.

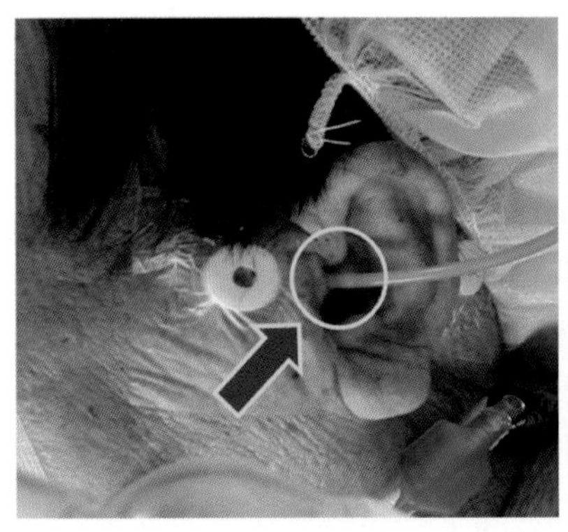
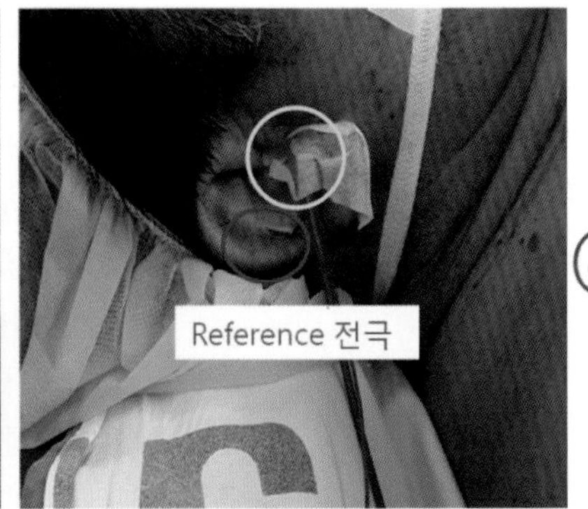

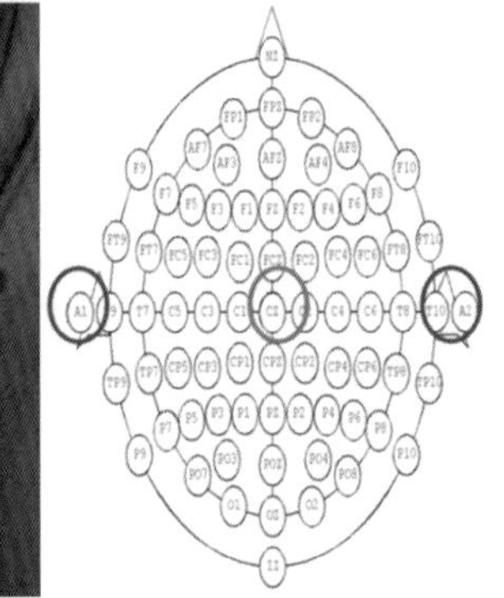
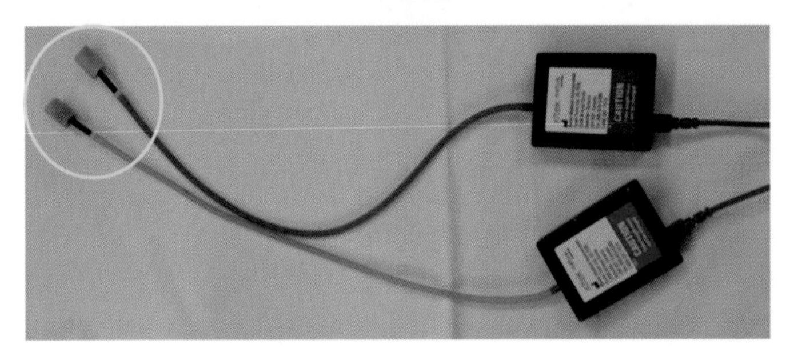

그림 5-4 **청각유발전위 감시 장치를 장착할 때에 수술시야에 지장이 없도록 tubal insert phone (TIP)을 양쪽 외이도에 삽입한 모습.** 양쪽 귀 볼에 설치한 A1, A2 전극을 기준 전극(reference)으로 하고 두정(vertex) 부위에 설치한 Cz 전극을 활동전극(active)으로 하여 파형을 기록한다.

청신경 종양의 수술 중 신경감시의 의의

뇌신경들은 말초신경과 달리 central myelin으로 포장되어 있어 perineurium과 같은 두꺼운 층의 보호구조가 없기 때문에 수술 중에 발생하는 외상에 대하여 손상을 받을 가능성이 높다. 따라서 청신경 종양의 수술 중에 내이도의 drilling을 할 때나, 신경을 견인할 때 혹은 종양을 제거하면서 신경을 자극하게 되는 외상에 의해 안면신경과 청신경이 뇌신경에 대한 직접적인 손상이 발생할 수 있다. 또한 청신경에 대한 허혈성 손상도 발생할 수 있는데, 이는 Internal auditory artery의 폐색, 파열 및 혈관연축에 의해 발생할 수 있으며 그 결과 수술 후 청력 상실이 발생하게 된다.[3,10,11]

수술 중 신경계 감시 장치의 사용은 청신경 종양의 수술 후 발생하는 뇌신경 손상의 합병증을 현저하게 줄이게 되었으며, 특히 안면신경의 보존율이 EMG 감시장치의 사용으로 매우 높아지게 되었다. Sughrue 등[12]의 보고에 의하면 신경감시 장치를 사용하였을 때에는 안면신경의 보존율이 76%로 사용하지 않았던 경우인 71%보다 높았다고 보고하여($P < 0.001$) 신경감시 장치의 중요함을 강조하였다. 그러나 청신경은 여러 가지의 신경감시 장치의 사용에도 불구하고 안면신경 보존율에 비해 많이 떨어지고 있다.

종양의 크기는 수술 후 안면신경의 기능적 보존에 가장 큰 영향을 미친다. Sughrue 등[13]은 총 25,000명의 수술을 포함한 296개의 논문을 검토하였는데, 이 보고에 의하면 종양의 크기가 20 mm 이하인 경우에 90%의 안면신경 보존율을 보인 만면, 20 mm 이상일 경우는 67%로 적었다고 하였다($P < 0.0001$). 수술적 방법에 따른 안면신경의 보존율은 일반적으로 경미로 접근법(translabyrinthine approach)이 가장 좋다고 알려져 있지만, 이 보고에서는 중두개와 접근법(middle cranial fossa approach)가 85%로 가장 좋았고, 경미로 접근법이 81%, 그리고 후두하접근법(suboccipital approach)이 78% 순의 결과를 보였다. 그러나 이 결과는 종양의 크기가 큰 경우에 대부분 후두하접근법으로 시행하기 때문에 나타난 결과로 보여진다.

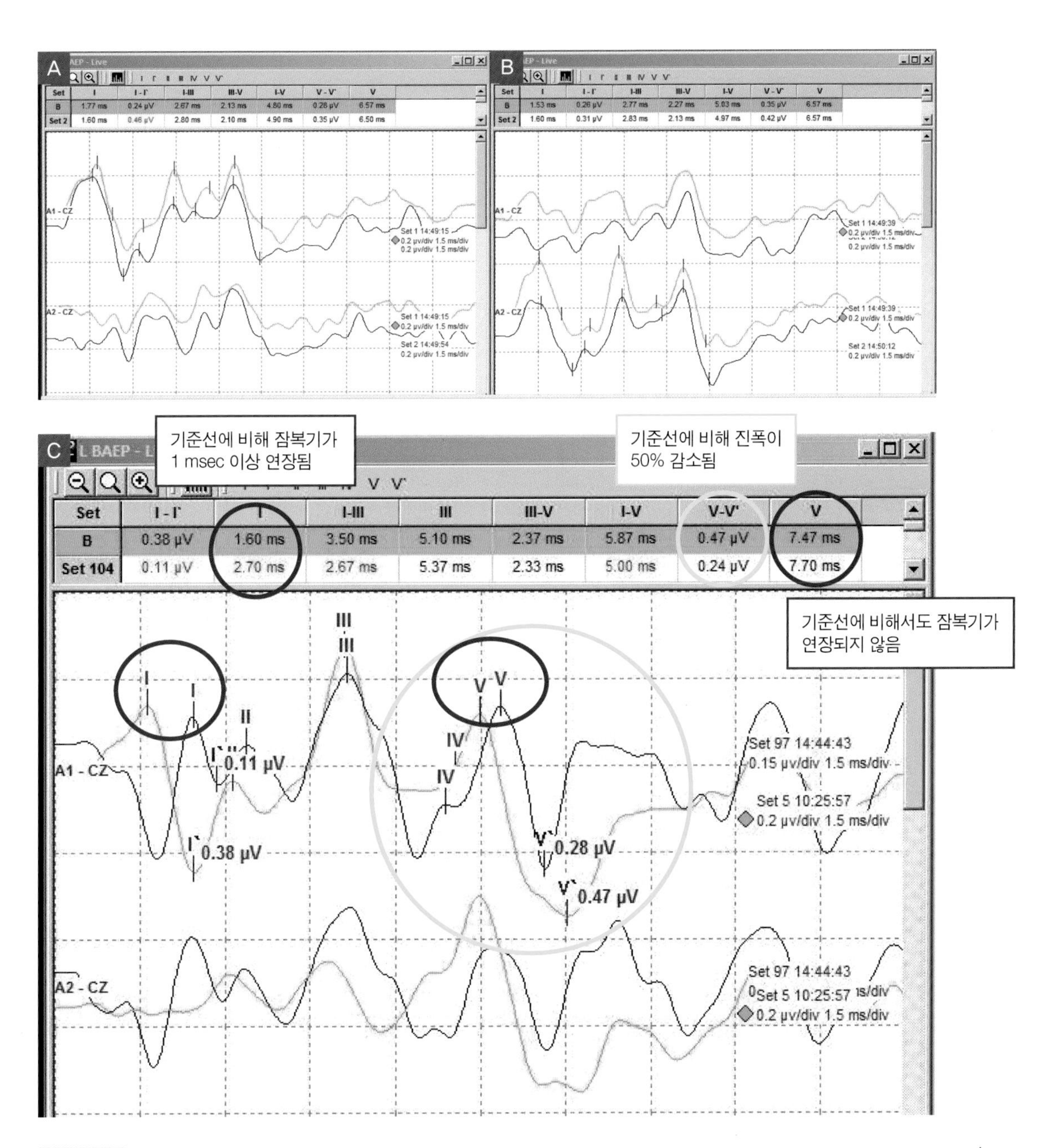

그림 5-5 수술 중 청각유발전위 추적감시(intraoperative monitoring with brainstem auditory evoked potentials). A. Left BAEP. 왼쪽 귀 자극에서 A1–Cz 채널에서 제 I, III, V 파형이 잘 관찰된다. B. Right BAEP. 오른 쪽 귀 자극에서는 A2–Cz 파형이 잘 관찰된다. 녹색선은 기초결과이며 검은선이 실제 파형이다. C. Left BAEP. 기준선인 녹색선에 비해 검은선의 파형이 1 msec 이상 연장되거나 파형의 진폭이 50% 이상 감소하면 이상이 있는 것으로 판단한다.

■ 참고문헌

1. Amano M, Kohno M, Nagata O, Taniguchi M, Sora S, Sato H: Intraoperative continuous monitoring of evoked facial nerve electromyograms in acoustic neuroma surgery. Acta neurochirurgica 153: 1059-1067; discussion 1067, 2011
2. Neff BA, Ting J, Dickinson SL, Welling DB: Facial nerve monitoring parameters as a predictor of postoperative facial nerve outcomes after vestibular schwannoma resection. Otology & neurotology : official publication of the American Otological Society, American Neurotology Society [and] European Academy of Otology and Neurotology 26: 728-732, 2005
3. Oh T, Nagasawa DT, Fong BM, Trang A, Gopen Q, Parsa AT, et al.: Intraoperative neuromonitoring techniques in the surgical management of acoustic neuromas. Neurosurgical focus 33: E6, 2012
4. Yamakami I, Yoshinori H, Saeki N, Wada M, Oka N: Hearing preservation and intraoperative auditory brainstem response and cochlear nerve compound action potential monitoring in the removal of small acoustic neurinoma via the retrosigmoid approach. Journal of neurology, neurosurgery, and psychiatry 80: 218-227, 2009
5. Ashram YA, Badr-El-Dine MM: Multichannel facial nerve monitoring: value in detection of mechanically elicited electromyographic activity and prediction of postoperative outcome. Otology & neurotology : official publication of the American Otological Society, American Neurotology Society [and] European Academy of Otology and Neurotology 35: 1290-1297, 2014
6. Prell J, Strauss C, Rachinger J, Alfieri A, Scheller C, Herfurth K, et al.: Facial nerve palsy after vestibular schwannoma surgery: dynamic risk-stratification based on continuous EMG-monitoring. Clinical neurophysiology : official journal of the International Federation of Clinical Neurophysiology 125: 415-421, 2014
7. Tokimura H, Sugata S, Yamahata H, Yunoue S, Hanaya R, Arita K: Intraoperative continuous monitoring of facial motor evoked potentials in acoustic neuroma surgery. Neurosurgical review 37: 669-676, 2014
8. Aihara N, Murakami S, Takahashi M, Yamada K: Preoperative characteristics of auditory brainstem response in acoustic neuroma with useful hearing: importance as a preliminary investigation for intraoperative monitoring. Neurologia medico-chirurgica 54: 267-271, 2014
9. Gouveris H, Mann W: Association between surgical steps and intraoperative auditory brainstem response and electrocochleography waveforms during hearing preservation vestibular schwannoma surgery. Eur Arch Otorhinolaryngol 266: 225-229, 2009
10. Bernat I, Grayeli AB, Esquia G, Zhang Z, Kalamarides M, Sterkers O: Intraoperative electromyography and surgical observations as predictive factors of facial nerve outcome in vestibular schwannoma surgery. Otology & neurotology : official publication of the American Otological Society, American Neurotology Society [and] European Academy of Otology and Neurotology 31: 306-312, 2010
11. Zhang Y, Chen Y, Zou Y, Zhang W, Zhang R, Liu X, et al.: Facial nerve preservation with preoperative identification and intraoperative monitoring in large vestibular schwannoma surgery. Acta neurochirurgica 155: 1857-1862, 2013
12. Sughrue ME, Kaur R, Kane AJ, Rutkowski MJ, Kaur G, Yang I, et al.: The value of intraoperative facial nerve electromyography in predicting facial nerve function after vestibular schwannoma surgery. Journal of clinical neuroscience : official journal of the Neurosurgical Society of Australasia 17: 849-852, 2010
13. Sughrue ME, Yang I, Rutkowski MJ, Aranda D, Parsa AT: Preservation of facial nerve function after resection of vestibular schwannoma. British journal of neurosurgery 24: 666-671, 2010

CHAPTER 06

청신경 종양의 자연경과

Natural history of acoustic neuroma

박봉진

자연경과(Natural history)

청신경 종양의 natural history를 쉽게 예단하는 것은 어렵지만, 종양의 성장과 관련하여 다양한 분류를 할 수 있다. 종양의 성장 속도에 따른 분류는, 첫째, 성장하지 않는 경우, 둘째, 영상 검사에서 직경이 2 mm/year 이하로 매우 천천히 성장하는 경우, 셋째, 영상 검사에서 직경이 8 mm/year 이상으로 빠른 성장을 보이는 경우이다.[1] 종양의 성장 패턴에 따라서 몇 가지 유형으로 분류할 수 있는데, Stangerup과 Caye-Thomasen[2]은 3가지 유형으로 분류하고 있다. 즉, 종양의 성장패턴에 따라 1) 종양이 지속적으로 성장하는 경우, 2) 어떤 크기까지만 성장한 후 종양의 성장이 멈추는 경우, 3) 드물지만 종양이 spontaneous shrinkage하는 경우이다. 청신경 종양으로 진단된 환자를 특별한 치료를 하지 않고 종양의 진행에 대한 경과 관찰(Observation)하면, 환자의 24%에서 3 mm 이상의 종양의 성장이 나타났고, 경과 관찰 중인 환자 중 disabling vertigo가 14%, 청력 저하와 같은 신경학적 증상은 38%에서 발생하였으며, 7.8%의 환자에서는 추후 종양의 성장으로 수술을 시행하였다.[3] Kondziolka 등[5]은 청신경 종양의 진단 후, 경과 관찰 중 종양의 성장을 보인 예가 5년 내 70%, 10년 내 95%로 보고하였다. 또한 Regis 등[4]의 보고에 의하면, 경과 관찰 중인 환자의 21%에서 종양은 더 이상 성장하지 않았고 77%에서는 종양이 성장하였으며, 2%에서는 종양이 감소하였다. 청신경 종양의 경과 관찰 기간 동안 종양의 성장률(tumor growth rate)과 관련된 남녀, 연령, 진단 당시 종양의 크기 등의 변수에서 통계적 유의성은 없었다.[2]

종양의 성장률

성장 패턴

Extracanalicular tumor가 intracanalicular tumor보다 성장이 빠르며, cystic tumor의 cystic component 조기 성장이 종종 보고되고 있다.[5] 또한, 종양 내 출혈에 의해 종양의 크기가 급격히 변화되기도 하고 cystic tumor가 빠르게 성장한다고도 알려져 있다.[1,6] Martin 등[6]은 intracanalicular tumor 또는 2 cm 이하의 작은 종양을 경과 관찰하였더니, 22%에서 종양의 성장이 관찰되었고 90%에서 3년 내 종양이 커진다는 것을 보고하였다. 평균 경과 관찰 기간이 3.6년인 또 다른 연구에서는 intracanalicular tumor의 40%에서 종양이 2 mm 이상 성장하였고, 51%에서는 성장하지 않았고, 9%에서는 종양이 감소하였다고 보고 하였다.[7] Sughrue 등[2]은 intrameatal tumor가 경과 관찰 기간 동안 intrameatal tumor로 남아있는 경우는 83%였고, 17%는 extrameatal tumor로 성장하였다고 보고하였다. 그들의 연구에서, 종양의 성장이 확인된 경우 64%가 첫 1년 내, 23%가 2년 내, 5%가 3년 내, 8%가 4년 내 발생되었으며, 5년 후에 성장하는 종양은 없다고 하였고, extrameatal tumor는 경과 관찰 기간 동안 29%가 성장하였고, 70%가 변화 없었고, 1%가 감소되었으며, 종양의 성장이 확인된 경우 62%가 첫 1년 내, 26%가 2년 내, 10%가 3년 내, 2%가 4년 내 발생되었고, 5년 후 성장하는 종양은 없었으며, 성장한 종양에서 평균 연간 성장률(mean annual growth rate)은 경과 관찰 첫 1년 내에서 상대적으로 높았다.

성장 속도

종양의 성장을 측정하는 방법은 영상 검사를 통해 직경의 증가를 측정하는 방법과 tumor doubling time을 측정하는 방법 등이 있는데, Varughese 등[8]은 종양의 doubling time 측정이 종양의 성장을 평가하는데, 평균 직경 증가 측정보다 적절하다고 하였고, tumor doubling time을 4.4년으로 보고하여 다른 연구자들이 보고해 온 1.65~2.3년에 비해 성장이 늦다고 하였다. 종양 성장 속도를 매우 짧게 보고한 연구 중 tumor doubling time이 12개월 이내인 경우도 있었다.[1] Tumor doubling time에 대한 또 다른 연구에서는 1년 이내가 31%, 1~3년이 51%, 3년 이상이 17%인 보고도 있었다.[4] Hajioff 등[5]의 10년 동안 경과 관찰을 했던 연구에 의하면, 영상 검사에서 적어도 1 plane에서 종양의 성장이 관찰된 경우, median tumor diameter growth rate는 1~3 mm/year이었으며 종양의 성장이 1 mm/year 이상인 경우가 40%로 이는 소뇌교각부 종양의 50%, intracanalicular tumor의 6%에 해당되었고, 38%에서는 1 mm/year 이하의 종양 성장을 보였으며, 22%에서는 종양의 변화가 없었다고 한다. Stangerup 등[2]은 intrameatal tumor가 경과 관찰 기간 동안 첫해에 종양이 성장하였던 64%에서 mean annual growth rate는 10.3 mm/year였으며, 4년 동안 성장률은 0.9 mm/year라고 보고하였다. 일반적으로 Extracanalicular tumor의 성장이 intracanalicular tumor보다 더 빠른 것으로 알려져 있는데, 이는 아마도 큰 종양에서 volumetric change가 쉽게 확인되기 때문인 것으로 볼 수 있다.[5] Shirato 등[9]은 mean tumor growth rate를 3.87 mm/year로 보고하였고, 또 다른 보고에 의하면 annual tumor growth rate는 1 mm/year 이하의 성장이 59%, 1~3 mm/year의 성장이 29%, 3 mm/year 이상이 12%였다.[3] Martin 등[6]은 평균 annual growth rate는 4 mm/year로 이 중, 65%에서 0.5~5 mm/year의 성장하며, 35%에서 5~17 mm/year 이상 성장한다고 보고하였다. Sughrue 등[10]은, mean tumor growth rate는 2.9 mm/year이고, 2.5 mm/year 이하의 성장을 보이는 종양에서 청력 보존율이 높다고 하였다.

청력 보존(Hearing preservation)

많은 환자들이 경과 관찰 기간에 종양 크기의 변화가 없는데도 불구하고 청력의 저하 또는 갑작스런 청력 소실을 경험하였거나, tinnitus, vertigo, 또는 disequilibrium 등의 증상을 경험하였다.[8] Hajioff 등[5]은 80개월 동안 진행한 Audiometric follow up을 통해 대부분의 환자에서 종양의 성장과 관계없이 speech discrimination score에서 평균 40% 이상의 저하를 경험하였다고 보고하였다. Regis 등[4]은, 경과 관찰 기간 중에 wait and scan 군의 청력 보존율(Hearing preservation rate)은 1년에 78%, 2년에 43%, 5년에 14%였고, Useful hearing preservation rate는 3년에 75%, 4년에 52%, 5년에 41%로 보고하였다. 또한, Shirato 등[9]은 Gardner-Robertson class hearing rate의 보존율은 3년에 61%, 5년에 31%라고 하였다. 경과 관찰 군에서 청력의 악화는 종양 성장과 무관하며, 5년 내에 이들 환자의 절반에서 청력을 상실하였다는 보고도 있었다.[11] Pennings 등[7]은 모든 환자에서 경과 관찰 기간 중 청력 저하를 경험하였으며, 특히, 진단 당시 mean pure tone audiometry가 37.5 dB이었으나 마지막 검사 결과에서는 50.9 dB로 악화되었고, Speech discrimination score는 66.2%에서 54.5%로 저하되었다고 보고하였다. 따라서 Sughrue 등[10]은 초기 종양 직경(initial tumor diameter)보다는 청력 손실 또는 청력 저하(hearing loss)가 종양 성장률을 예측하는 중요한 요인이라고 하였다.

치료 방법

경과 관찰 전략(Observation strategy)은 청신경 종양이 작은 경우 여러 치료 방법 중에 좋은 방법일 수 있다.[8] 특히 고령이거나 심각한 내과적 문제를 가지고 있으며 종양의 성장과 증상의 발현 기간보다 적은 여명을 가진 환자에게는 좋은 전략일 수 있다.[12] 이와 같은 치료 방법은 환자의 증상을 주기적으로 평가하면서, 추적 MRI 검사를 시행하여 종양 성장을 지속적으로 관찰하는 것으로 [13] Hajioff 등[5]은, 경과 관찰 전략에 실패하는 경우는 35%였으며, 진단 후 첫 5년 동안에 실패한 경우가 75%였다고 보고하였다. 또 다른 견해로는 편측 청력 저하, 이명, 또는 vestibular disorder를 가지고 있는 환자에서는 minimal invasive procedure를 포함한 early intervention이 경과 관찰에 비해 청력 보존율이 높았으며, 경과 관찰을 시행하였던 환자 중 74%에서 종양의 성장이나 청력 저하가 관찰되어 치료 실패로 판정된 보고도 있었다.[4] Shirato 등[9]은 경과 관찰 군의 41%에서 21개월 이후에 salvage therapy가 필요하였으며, 26%가 수술, 15%가 방사선수술을 시행하였다고 보고하였다.

제2형 신경 섬유종증
(Neurofibromatosis Type 2)

Neurofibromatosis Type 2 (NF2)는 매우 드문 질환으로 natural history에 대한 data는 매우 제한적이며, 27%의 환자에서 가족력을 가지고 있다.[14] NF2에서 발생되는 청신경 종양의 tumor progression rate는 1년에 31%, 2년에 64%, 3년에 79%이며, tumor progression의 median time은 14개월이며, 청력 저하율은 1년에 5%, 2년에 13%, 3년에 16%이며, 청력 저하의 median time은 62개월로 보고되고 있다.[14] volumetric analysis에서 종양의 자발적 감소는 19%로 sporadic tumor보다는 높다고 알려져 있다.[14] Dirks 등[15]은 NF2에서 청신경 종양의 성장 패턴을 linear growth pattern, exponential growth pattern 그리고 saltatory growth pattern (alternating periods of growth and quiescence)으로 분류하였다. 성장 유형 중 saltatory growth pattern이 46.7%로 가장 많다고 보고하였고, 경과 관찰 기간 중에 종양의 성장은 100%에서 관찰되었는데, mean growth rate는 0.6±0.9 cm^3/year로 보고하였다. 또한, 청신경 종양의 성장률과 성장 패턴은 환자의 factors, disease severity markers 또는 tumor imaging characteristics와는 관련성이 없었다고 하였다.[15] Peyre 등[16]은 mean tumor growth rate는 1.8 mm/year였고, 경과 관찰 기간 중에 37%에서 종양이 성장되어 수술을 시행하였고, 5년간 surgery-free rate는 88%로 보고하였는데, serviceable hearing이 한쪽이라도 유지된 경우가 85%, 마지막 추적 검사에서 한쪽이 유지된 경우가 74%, 양측 모두 유지된 경우는 66%였다고 하였다. 종양의 성장과 청력의 유지는 관련성이 없으며, 종양의 성장률과 연령은 반비례하였다.[16]

■ 참고문헌

1. Kondziolka D, Mousavi SH, Kano H, Flickinger JC, Lunsford LD : The newly diagnosed vestibular schwannoma:radiosurgery, resection, or observation? Neurosurg Focus 2012;33:1-9
2. Stangerup S, Caye-Thomasen p : Epidermiology and natural history of vestibular schwannomas. Otolaryngol Clin N Am 2012 ;45:257-2687
3. Bakkouri WE, Kania RE, Guichard JP, Lot G, Herman P, Huy PT : Conservative management of 386 cases of unilateral vestibular schwannoma: tumor growth and consequences for treatment. J Neurosurg 2009;110:662-669
4. Regis J, Carron R, Park MC, Soumare O, Delsanti C, Thomassin JM, et al : Wait-and-see strategy compared with proactive Gamma Knife surgery in patients with intracanalicular vestibular schwannomas. J Neurosurg 2010;113:105-111
5. Hajioff D, Raut VV, Walsh RM, Bath AP, Bance ML, Guha A, et al : Conservative management of vestibular schwannomas : third review of a 10-year prospective study. Clin Otolaryngol 2008;33:255-259
6. Martin TP, Senthil L, Chavda SV, Walsh R, Irving RM : A protocol for the conservative management of vestibular schwannomas. Otol Neurotol 2009;30:381-385
7. Pennings RJ, Morris DP, Clarke L, Allen S, Walling S, Bance ML : Natural history of hearing deterioration in intracanalicular vestibular schwannoma. Neurosurgery 2011;68:68-77
8. Varughese JK, Breivik CN, Wentzel-Larsen T, Lund-Johansen M : Growth of untreated vestibular schwannoma: a prospective study. J Neurosurg 2012;116:706-712
9. Shirato H, Sakamoto T, Sawamura Y, Kagei K, Isu T, Kato T, et al : Comparison between observation policy and fractionated stereotactic radiotherapy as an initial management for vestibular schwannoma. Int J Radiat Oncol Biol Phys 1999;44:545-550
10. Sughrue ME, Yang I, Aranda D, Lobo K, Pitts LH, Cheung SW, et al : The natural history of untreated sporadic vestibular schwannoma. J Neurosurg 2010;112:163-167
11. Rasmussen R, Claesson M, Stangerup S, Roed H, Christensen IJ, Caye-Thomasen P, et al : Fractionated stereotactic radiotherapy of vestibular schwannomas accelerates hearing loss. Int J Radiat Oncol Biol Phys 2012;83:607-611
12. Holistad DL, Melnik G, mamikoglu B, Battista R, O'Connor CA, Wiet RJ : Update on conservative management of acoustic neuroma. OtolNeurotol 2001;22:682-685
13. Suh JH, Barnett GH, Sohn JW, Kupelian PA, Cohen BH : Results of linear accelerator-based stereotactic radiosurgery for recurrent and newly diagnosed acoustic neuroma. Int J Cancer 2000;90:145-151

14. Plotkin SR, Merker VL, Muzikansky A, Barker II FG, Slattery III W : Natural history of vestibular schwannoma growth and hearing decline in newly diagnosed neurofibromatosis type 2 patients. Otology & Neurootology 2013;35:50-56
15. Dirks MS, Butman JA, Kim HJ, Wu T, Morgan K, Tran AP, et al : Long-term natural history of neurofibromatosis type 2-associated intracranial tumors. J Neurosurg 2012;117:109-117
16. Peyre M, Goutagny S, Bah A, Bernardeschi D, Larroque B, Sterkers O, et al : Conservative manegement of bilateral vestibular schwannomas in neurofibromatosis type 2 patients : Hearing and tumor growth results. Neurosurgery 2013;72:907-914

CHAPTER 07

청신경 종양의 약물치료

Medical treatment of acoustic neuroma

• 이종대

서론

청신경 종양은 8번 전정신경에서 발생한 양성종양으로 소뇌교각에서 발생하는 가장 흔한 종양이다. 현재 정립된 청신경 종양의 치료로는 경과관찰, 수술적 치료, 감마나이프를 포함한 방사선 치료 등이 있으며 종양의 특성과 환자의 상태를 기준으로 치료방침을 정한다. 최근 청신경 종양의 성장에 관여하는 분자생물학적 기전에 관한 연구들이 다양하게 밝혀지면서 청신경 종양세포를 이용한 다양한 약물이 억제실험에 사용되고 있으며 청신경 종양을 가진 일부 환자에서는 약물치료가 시행되고 있다.[1,2]

청신경 종양의 약물치료

청신경 종양의 분자생물학

청신경 종양은 22번 염색체의 장완(22q12.2)에 위치하는 merlin 단백질로 알려진 NF2 유전자의 기능이상으로 발생하는 데 이것은 상염색체 우성으로 유전되는 제 2형 신경섬유종증(neurofibromatosis type 2; NF2)과 편측에 발생하는 청신경 종양 모두에게 해당된다. 국내에서 시행한 연구에서도 30명의 편측 청신경 종양환자중에 53%(16/30)환자에서 다양한 유전자의 이상이 관찰되었다.[3] NF2 유전자의 기능이상은 위와 같은 유전적인 요소 외에도 후생유전학적 요인에 의해서도 발생할 수 있다.[4,5]

청신경 종양이 성장하는 기전을 간략히 요약하면 종양억제 유전자인 merlin 단백질의 이상으로 ErbB, PDGF, VEGF, C-kit 등의 receptor tyrosine kinase 등이 활성화되고 하위경로인 PI3K/AKT/mTOR 신호나 MEK-ERK1/2 신호가 활성화되어 종양이 성장하고 분화되는 것으로 알려져 있다(그림 7-1).[6,7]

청신경 종양의 분자표적치료

청신경 종양의 성장에 관여하는 분자생물학적 기전이 밝혀짐에 따라 주로 다양한 암환자에게 사용되고 있는 분자표적치료(molecular targeted therapy)가 청신경 종양 환자에게도 적용되고 있다. 이러한 분자표적치료는 실험실(in vitro)에서 다양한 약물이 시도되고 있으며 임상적으로는 주로 NF2 환자들에게만 임상시험 목적으로 사용되고 있다. 억제하는 기전으로는 다양한 receptor tyrosine kinase를 차단하거나 세포내 신호에 관여하는 물질을 억제하는 경우이다.[6,7] 현재 임상에서 사용되고 있거나 사용했던 약물과 실험실에서 연구 중인 임상전 약물로 크게 나누어서 정리해 보고자 한다.

임상(Clinical) 약물

Bevacizumab (Avastin®)

Bevacizumab은 anti-VEGF monoclonal 항체로 다양한 악성종양에 쓰이고 있으며, 현재 임상적으로 청신

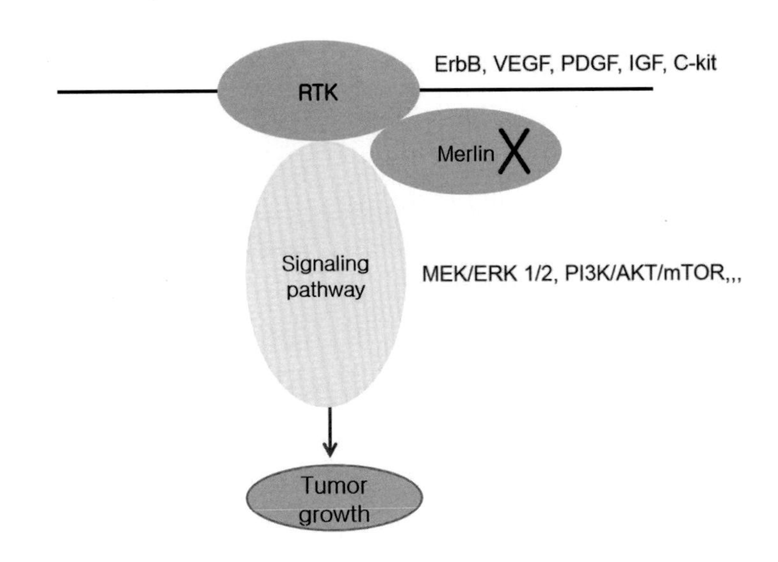

그림 7-1 청신경 종양 성장의 분자 생물학적 기전 모식도. RTK; receptor tyrosine kinase

경 종양에서 가장 많이 쓰이고 있는 약제로 주로 2~3주에 한번씩 정맥투여한다. 청신경 종양조직에서 VEGF와 VEGF receptor가 발현된다는 연구에서 기초하여 Plotkin 등은 10명의 NF2환자에서 2주에 한 번씩 5 mg/kg 용량으로 평균 1년 동안 투여했을 때 9명이 약물 투여 후 종양의 감소(20% 이상의 종양크기의 축소)를 보였으며 그 중에서도 일부 환자(4/7명)에서 청력의 개선을 보이는 경우도 있다고 보고하였다.[8,9]

Erlotinib (Tarceva®)

Erlotinib은 경구용 HER-1/EGFR tyrosine kinase inhibitor로 폐암과 췌장암 치료로 승인된 약제로 청신경 종양 세포뿐 아니라 이종이식(xenograft) 동물모델에서 종양의 성장을 억제한다고 알려졌다.[10] 하지만 11명의 NF2 환자에게 성인기준으로 150 mg씩 4주 동안 투여한 후 의미있는 종양의 감소나 청력의 개선은 보고되지 않았다.[11]

Lapatinb (Tykerb®)

Lapatinib은 경구용 HER-1 (EGFR)/HER-2 (ErbB2) tyrosine kinase inhibitor로 유방암 등에 승인되어 사용되고 있는 약제이다. 청신경 종양 환자조직에서 EGFR과 ErB2가 발현된다는 연구에서 기초하여 현재 NF2 환자를 대상으로 임상시험중인 약제이다.[12] Karajannis (neurooncol, 2012) 등은 17명의 NF2 환자에서 성인기준으로 하루에 1500 mg씩 4주 동안 투여한 후 종양을 관찰했을 때 23.5%에서 종양의 감소(15% 이상의 종양크기의 축소)를 보였으며 31%에서 청력의 개선을 보였다고 보고하였다.[13]

Everolimus (Afinitor®)

Everolimus는 RAD001로 알려진 mTOR 신호를 억제하는 약물로 유방암, 췌장암 등에 표적치료로 승인된 약제이다. 청신경 종양 세포에서 mTOR 신호가 종양의 성장에 관여한다고 알려졌지만, 9명의 NF2 환자에서 성인기준으로 10 mg씩 4주 동안 투여한 후 종양을 관찰하였을 때 모든 환자에서 개선되는 임상지표가 없다고 보고되었다.[14,15]

기타 약물들

결과가 발표되지 않았지만 임상시험을 시행했거나 현재 임상시험 중인 약제로는 Bcr-Abl inhibitor인 Nilotinib (Tasigna®), anti-angiogenesis인 endostatin, multi-tyrosine kinase inhibitor인 Axitinib (Inlyta®)과 Sorafenib(Nexavar®), m-TOR inhibitor인 Temsirolimus (Torisel®) 등이 있다.[7]

연구중인(preclinical) 약물

Imatinib (Gleevec®), Nilotinib (Tasigna®)

Imatinib은 백혈병 치료제로 잘 알려진 약으로 청신경 종양 환자조직에서 c-kit, PDGFR 등이 발현되고 청신경 종양 세포에서도 C-kit, PDGFR을 표적으로 종양을 억제한다고 보고되었다.[16] Nilotinib도 백혈병 치료제로 승인된 약으로 청신경 종양 세포에서 PDGFR을 표적으로 종양을 억제한다고 보고되었다.[17]

AR42

Histone deacetylase inhibitor로 개발된 약으로 청신경 종양 세포에서 세포사멸(apoptosis)을 일으키고 Akt 신호를 억제하여 종양을 억제하고 동물모델에서도 종양의 성장을 억제한다고 보고되었다.[18,19]

NXD30001

HSP 90 (heat shock protein 90) 억제제로 개발된 약으로 청신경 종양 세포주에서 multi-tyrosine kinase 억제를 통해 종양을 억제하고 동물모델에서도 종양의 성장을 억제한다고 보고되었다.[20]

Natural products

청신경 종양 약물로 사용되고 있는 약물들이 기존에 항암제로 쓰이거나 개발된 약으로 비용, 독성 등을 고려할 때 장애요인이 있을 수 있다. 기존 약물에 대한 대안으로 Lee 등은 후박나무에서 추출한 Honokiol이 청신경 종양 세포주에서 Erk 신호를 억제하여 종양을 억제한다고 보고하였다.[21] 그 이후로 다른 천연물들인 Cucurbitacin D와 Goyazensolide 등이 AKT 신호를 억제하여 종양을 억제한다고 보고되었다.[22]

Aspirin

Kandathil 등이 후향적으로 분석한 연구에서 아스피린을 복용하고 있는 청신경 종양 환자에서 복용하지 않는 군에 비해 종양이 성장하는 비율이 의의있게 적다고 보고하였다.[23] 하지만 아스피린이 종양억제에 효과가 있다고 증명하기 위해서는 실험실에서 뒷받침할 수 있는 근거자료와 더불어 향후 환자들을 대상으로 한 전향적인 임상연구가 필요할 것으로 사료된다.

결론

최근 청신경 종양에 대한 활발하고 지속적인 기초연구가 기반이 되어 다양한 약물들이 연구 또는 개발되고 있다. 현재까지는 주로 NF2형 환자를 대상으로 임상이 진행되고 있지만 NF2형 종양과 편측 청신경 종양과의 분자생물학 기전이 유사하므로 향후 비용, 독성 등을 고려하여 편측 청신경 종양환자에도 적용할 수 있는 더 나은 약물이 개발되어질 것으로 기대된다. 또한 종양의 억제뿐 아니라 청력악화에 대한 기초연구도 진행되고 있어 향후에는 청력을 보존할 수 있는 약물의 개발까지도 가능할 것으로 보인다.

참고문헌

1. Terry AR, Plotkin SR. Chemotherapy: present and future. Otolaryngol Clin North Am. 2012;45:471-86
2. Neff BA, Welling DB, Akhmametyeva E, Chang LS. The molecular biology of vestibular schwannomas: dissecting the pathogenic process at the molecular level. Otol Neurotol. 2006;27:197-208
3. Lee JD, Kwon TJ, Kim UK, Lee WS. Genetic and epigenetic alterations of the NF2 gene in sporadic vestibular schwannomas. PLoS One. 2012;7:e30418
4. Roche PH, Bouvier C, Chinot O, Figarella-Branger D. Genesis and biology of vestibular schwannomas. Prog Neurol Surg. 2008;21:24-31
5. Chen M, Zhang L. Epigenetic mechanisms in developmental programming of adult disease. Drug Discov Today. 2011;16:1007-18
6. Ammoun S, Hanemann CO. Emerging therapeutic targets in schwannomas and other merlin-deficient tumors. Nat Rev Neurol. 2011;7:392-9
7. Lim SH, Ardern-Holmes S, McCowage G, de Souza P. Systemic therapy in neurofibromatosis type 2. Cancer Treat Rev. 2014;40:857-61
8. Koutsimpelas D, Stripf T, Heinrich UR, Mann WJ, Brieger J. Expression of vascular endothelial growth factor and basic fibroblast growth factor in sporadic vestibular schwannomas correlates to growth characteristics. Otol Neurotol. 2007;28:1094-9
9. Plotkin SR, Stemmer-Rachamimov AO, Barker FG 2nd, Halpin C, Padera TP, Tyrrell A, et al. Hearing improvement after bevacizumab in patients with neurofibromatosis type 2. N Engl J Med. 2009;361:358-67
10. Clark JJ, Provenzano M, Diggelmann HR, Xu N, Hansen SS, Hansen MR. The ErbB inhibitors trastuzumab and erlotinib inhibit growth of vestibular schwannoma xenografts in nude mice: a preliminary study. Otol Neurotol. 2008;29:846-53
11. Plotkin SR, Halpin C, McKenna MJ, Loeffler JS, Batchelor TT, Barker FG 2nd. Erlotinib for progressive vestibular schwannoma in neurofibromatosis 2 patients. Otol Neurotol. 2010;31:1135-43
12. Ammoun S, Cunliffe CH, Allen JC, Chiriboga L, Giancotti FG, Zagzag D, et al. ErbB/HER receptor activation and preclinical efficacy of lapatinib in vestibular schwannoma. Neuro Oncol. 2010;12:834-43
13. Karajannis MA, Legault G, Hagiwara M, Ballas MS, Brown K, Nusbaum AO, et al. Phase II trial of lapatinib in adult and pediatric patients with neurofibromatosis type 2 and progressive vestibular schwannomas. Neuro Oncol. 2012;14:1163-70
14. James MF, Han S, Polizzano C, Plotkin SR, Manning BD, Stemmer-Rachamimov AO, et al. NF2/merlin is a novel negative

regulator of mTOR complex 1, and activation of mTORC1 is associated with meningioma and schwannoma growth. Mol Cell Biol. 2009;29:4250-61

15. Karajannis MA, Legault G, Hagiwara M, Giancotti FG, Filatov A, Derman A, et al. Phase II study of everolimus in children and adults with neurofibromatosis type 2 and progressive vestibular schwannomas. Neuro Oncol. 2014;16:292-7
16. Mukherjee J, Kamnasaran D, Balasubramaniam A, Radovanovic I, Zadeh G, Kiehl TR, et al. Human schwannomas express activated platelet-derived growth factor receptors and c-kit and are growth inhibited by Gleevec (Imatinib Mesylate). Cancer Res. 2009;69:5099-107
17. Sabha N, Au K, Agnihotri S, Singh S, Mangat R, Guha A, et al. Investigation of the in vitro therapeutic efficacy of nilotinib in immortalized human NF2-null vestibular schwannoma cells. PLoS One. 2012;7:e39412
18. Bush ML, Oblinger J, Brendel V, Santarelli G, Huang J, Akhmametyeva EM, et al. AR42, a novel histone deacetylase inhibitor, as a potential therapy for vestibular schwannomas and meningiomas. Neuro Oncol. 2011;13:983-99
19. Jacob A, Oblinger J, Bush ML, Brendel V, Santarelli G, Chaudhury AR, et al. Preclinical validation of AR42, a novel histone deacetylase inhibitor, as treatment for vestibular schwannomas. Laryngoscope. 2012;122:174-89
20. Tanaka K, Eskin A, Chareyre F, Jessen WJ, Manent J, Niwa-Kawakita M, et al. Therapeutic potential of HSP90 inhibition for neurofibromatosis type 2. Clin Cancer Res. 2013;19:3856-70
21. Lee JD, Lee JY, Baek BJ, Lee BD, Koh YW, Lee WS, et al. The inhibitory effect of honokiol, a natural plant product, on vestibular schwannoma cells. Laryngoscope. 2012;122:162-6
22. Spear SA, Burns SS, Oblinger JL, Ren Y, Pan L, Kinghorn AD, et al. Natural compounds as potential treatments of NF2-deficient schwannoma and meningioma: cucurbitacin D and goyazensolide. Otol Neurotol. 2013;34:1519-27
23. Kandathil CK, Dilwali S, Wu CC, Ibrahimov M, McKenna MJ, Lee H, et al. Aspirin intake correlates with halted growth of sporadic vestibular schwannoma in vivo. Otol Neurotol. 2014;35:353-7

CHAPTER 08

청신경 종양 제거를 위한 중두개와 접근법

Surgical treatment: Middle fossa approach

문인석

서론

중두개와 접근법이 가장 먼저 사용되어진 것은 1892년 이지만[1], 당시의 지식과 임상적인 문제로 인해 한동안 사용되어 지지 않았다. 이 방법이 본격적으로 사용되어 진 것은 1960년대 House가 수술현미경을 도입한 이후부터 이다. 내이도 접근이 필요한 전정신경, 안면신경의 수술 및 소뇌교각 종양의 치료에 있어서 사용되어 지고 발전 되어 왔다.[2,3] 청신경 종양의 수술에 있어서 과거에는 수술의 목적인 종양의 제거와 생명 보전이었으나, 최근 진단 기술의 발달로 인한 종양의 조기 발견으로 인하여 안면신경의 기능 뿐만 아니라 청각의 보존도 중요하게 생각되어지게 되었다. House가 청신경 종양 환자에서 처음으로 중두개와 접근법을 통한 청력보존술을 보고한 이후, 중두개와 접근법은 후두하 접근법과 더불어 청력을 보존할 수 있는 대표적인 접근법으로 현재까지 널리 사용되어지고 있다.[4-8]

청신경 종양에서의 중두개와 접근법

일반적인 중두개와 접근법은 주로 내이도에 국한된 종양에 접근하기 위해 사용되어졌으나, 내이도 주위의 뼈를 제거하여 소뇌교각 부위를 노출시키는 확장된 중두개와 접근법을 통하여 소뇌 교각을 최대 2~3 cm까지 노출시킬 수 있다.[9] 중두개와 접근법의 장점으로는 다른 접근법에 비해 가장 높은 청력 보존율을 보이고 있으며, 수술 후 두통의 빈도도 낮다. 또한 후두하 접근법에 비해 외측 내이도를 더 잘 노출시킬 수 있다. 그러나, 후두개와의 접근에는 한계가 있으며 크기가 큰 종양에는 적용하기 어렵고, 안면신경 마비가 발생할 확률이 경미로 접근법 보다는 높은 것으로 알려져 있다.[7] 청신경 종양 에 있어서 중두개와 접근법의 적용범위는 통상적으로 내이도에 국한되어 있거나 소뇌교각으로부터 1 cm 이내에 있는 종양까지 사용할 수 있으며 술자에 따라 소뇌교각의 2 cm 이하의 종양까지 적용하기도 한다.[10] 청신경 종양에서 중두개와 접근법을 사용함에 있어서 가장 중요하게 고려되어 져야 할 것은 환자의 청력이다. 청력의 기준은 술자마다 다른 기준을 적용하고 있으나 일반적으로 30 dB의 청력과 70%의 어음명료도 부터 50 dB의 청력과 50%의 어음명료도 까지의 청력을 적응증으로 생각한다. 수술 전 후에 환자의 청력을 평가하는 기준으로는 American Academy of Otolaryngology-Head and Neck surgery Foundation 이 제시한 방법이 가장 많이 사용되어져 왔다(표 8-1).[11] 그러나, 2003년에 이를 보완하여 순음청력을 20 dB단위로 분류하고 어음판별력에 더 비중을 둔 방법을 고안하여 이를 사용하기도 한다(그림 8-1).[12] 만성중이염 같은 측두골 염증이 있는 경우는 중두개와 접근법의 금기사항이며, 60세 이상의 환자에서는 경막이 약해서 박리가 힘들고, 수술 중 잘 찢어지거나 출혈로 인하여 두개 내 합병증이 생기기 쉬우므로 수술

표 8-1 AAO-HNS의 청신경 종양 환자에서의 청력 분류법

Class	Pure tone threshold (dB)	Speech discrimination (%)
A	≤30 dB	≥70
B	≤30 dB, ≤50 dB	≥50
C	>50 dB	≥50
D	Any level	<50

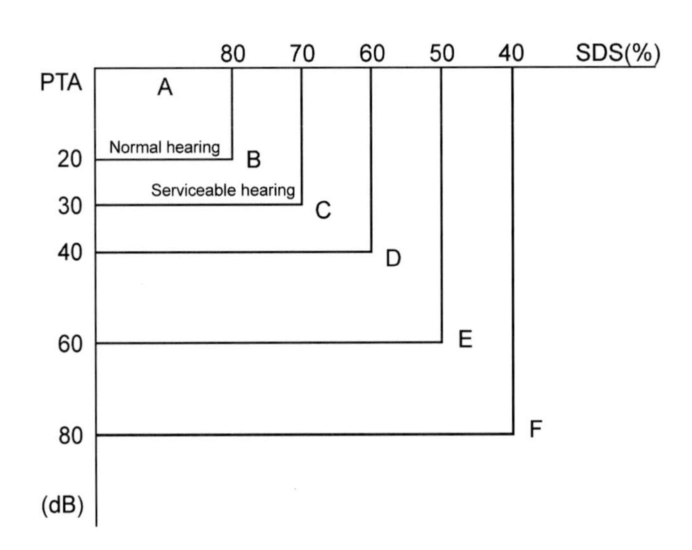

그림 8-1 청신경 종양 환자에서 청력에 대한 다른 분류법. 기존의 AAO-HNS분류법과 달리 PTA는 20 dB 단위로 어음판별력은 10% 단위로 분류하였으며 정상 청력을 첨가하였고, 사회생활이 가능한 청력을 30 dB, 70%로 정의하였다.

방법의 선택에 있어서 충분히 고려되어져야 한다.

중두개와 접근법의 술식

수술의 준비

수술 전 환자의 측두 부위에 면도를 시행하며 범위는 최소 이개 뒤로 9 cm, 위로 5 cm는 노출될 수 있도록 한다. 경우에 따라 반삭 혹은 모두 삭발을 시행하기도 한다. 환자는 앙와위의 자세에서 머리를 병변 반대측으로 돌린다. 술자의 위치는 환자의 머리 위에 위치하여 수술을 집도한다(그림 8-2). 마취를 시행한 후 수술 중 안면신경 감시를 위한 경피적 근전도 바늘을 삽입하고, 수술 중 청력 감시를 위해 청성뇌간 유발 반응이나 전기와우도 검사를 위한 전극을 부착하고 외이도에 insert phone을 위치시킨다. 수술 시 마취는 80~90 mmHg의 수축기압을 유지할 수 있도록 저혈압마취를 시행한다. 뇌압을 낮추기 위하여 과호흡을 시키고, 만니톨을 투여하며, 수술일과 술후 4일까지 dexamethasone을 매 8시간마다 4 mg씩 투여한다.

피부 절개

'ㄷ'자형 절개법

이개의 상부에서 뒤쪽으로 기저부를 둔 'ㄷ'자형 모양으로 6×8 cm크기의 피부 절개를 한다(그림 8-3A). 이 절

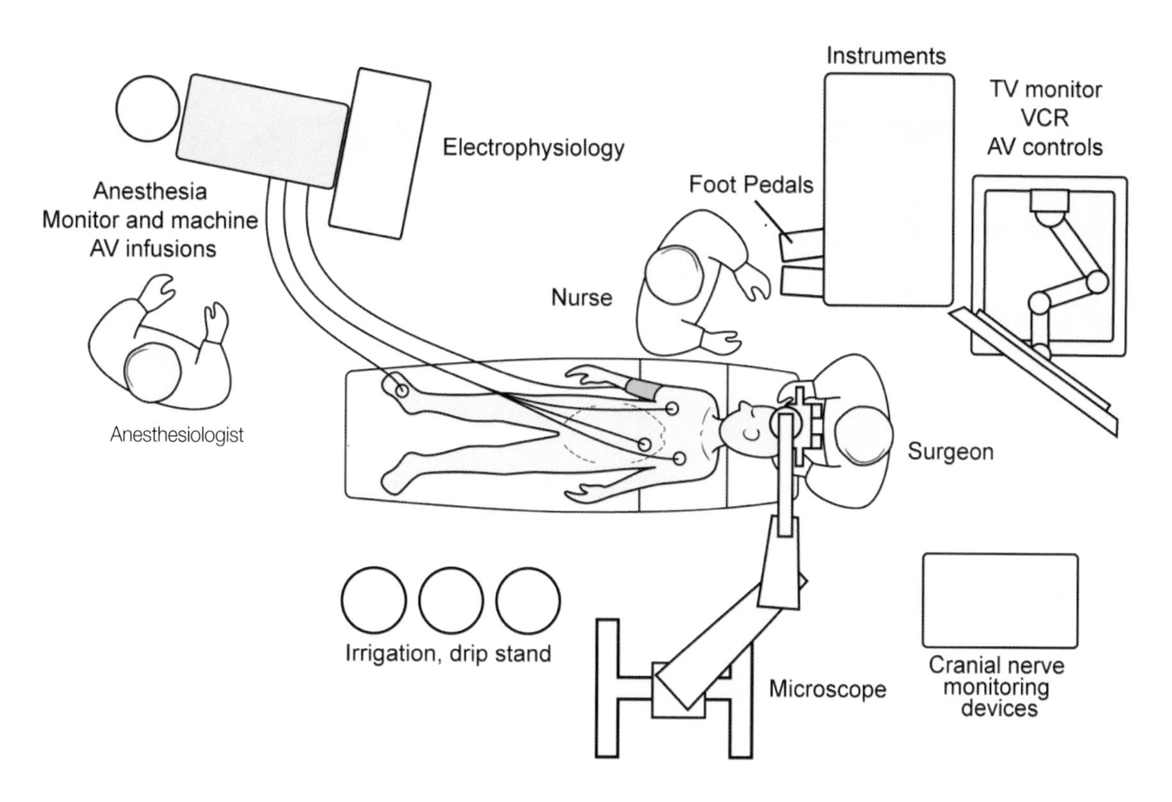

그림 8-2 중두개저 접근법을 시행하는 수술실의 도식화된 모습. 중두개와 접근법을 시행할 때 술자는 환자의 머리 위에 위치하여 수술을 집도한다.

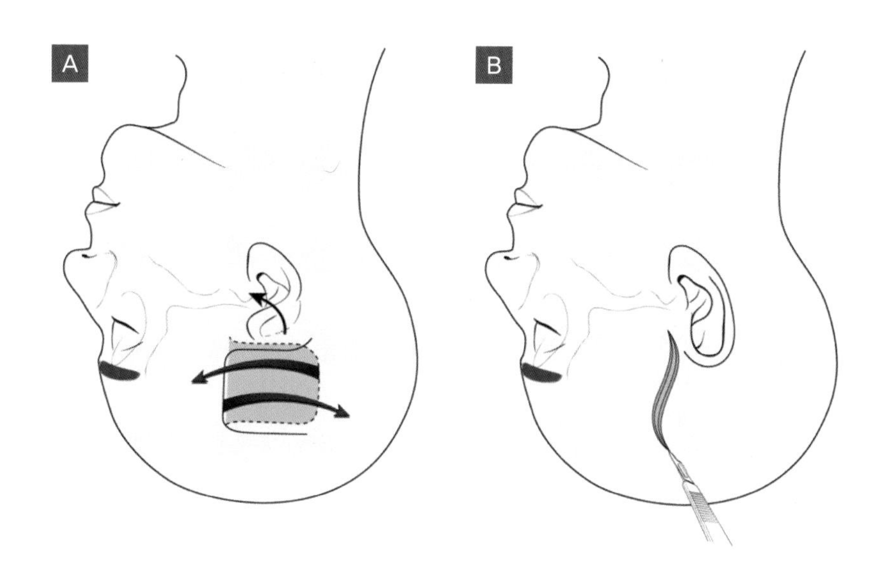

그림 8-3 중두개와 접근법에서의 피부 절개법. A. 후방기저부를 둔 'ㄷ'자형 피판. B. 완만한 'S'자형 피부절개

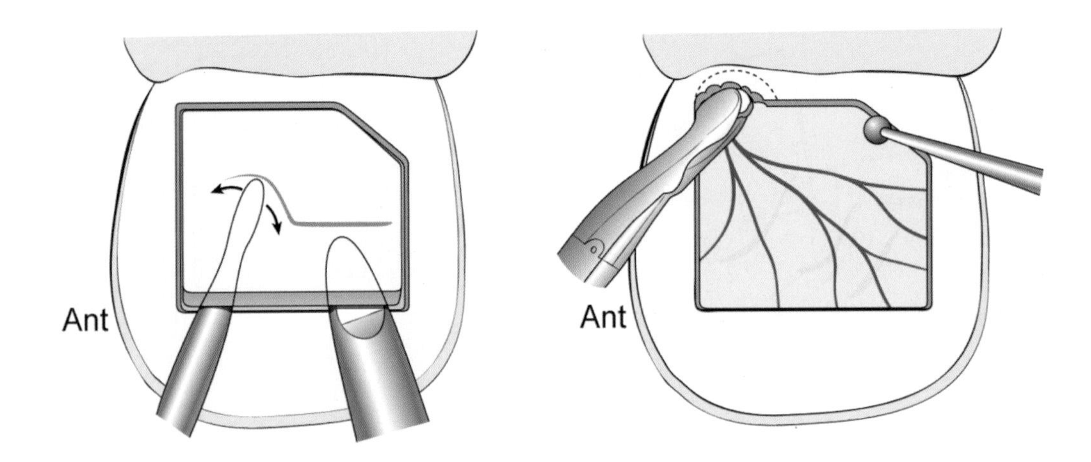

그림 8-4 **중두개와 접근법에서의 개두술.** A. 골편을 분리할 때는 골막 박리기를 이용하여 경막이 손상을 받지 않도록 조심스럽게 분리한다. B. 개두술이 높게 되었을 때는 드릴과 Bone rondeur을 이용하여 아래쪽으로 확장할 수 있다.

개법은 귀 앞쪽으로 절개선이 내려가지 않아 미용적으로도 우수하고, 과도한 견인을 하지 않을 수 있어 시야 확보에도 도움을 준다.

완만한 'S'자형 절개법

전이개 절개를 zygomatic root부터 시작해서 7~8 cm위로 올라가면서 약간 앞쪽이 굴곡이 생기도록 진행한다(그림 8-4B). 절개는 가능하면 모발 경계선 안쪽에서 시행하고 관골궁 아래쪽으로는 절개를 시행하지 않음으로써 안면신경의 전두가지의 손상을 피할 수 있다. 절개의 깊이는 측두근막까지 시행하며 절개 시 천측두동맥의 분지를 결찰하여 출혈을 막을 수 있다.

측두근 피판

피부절개 후 측두근막이 노출되면 손가락을 이용하여 피하층으로부터 근육을 박리한다. Bovie를 사용하여 측두근에 두개골의 깊이까지 절개를 하여 앞쪽에 기저부를 둔 근육 피판을 만들고, 골막과 함께 박리한다. 이때 절개는 피부절개선과 약간 어긋나게 절개를 시행하여 상처 봉합시 봉합선이 서로 만나지 않도록 한다. 측두골 인부(Temporal squama)는 관골근에서부터 parietosquamous suture까지 노출시켜 정확한 개두술을 시행할 수 있도록 할 수 있다.

개두술

일반적으로 4×4 cm 크기의 개두술을 시행하나, 청신경종양 제거를 위한 수술을 시행할 때는 더 크게 만드는 것이 좋다. 외이도를 기준으로 앞쪽으로 2/3, 뒤쪽으로 1/3 정도 열리게 하는 것이 좋으며 아래쪽 경계는 가능한 관골근 가까이에 위치하도록 하여야 측두엽의 견인으로 인한 손상을 최소화할 수 있다. 중두개와의 바닥은 보통 측두선과 같은 높이에 있다. 개두술을 가능한한 중두개와의 바닥에 가깝게 하는 것이 좋으나, 너무 낮게 할 경우 유양동이 개방되어 뇌척수액 누출의 원인이 될 수 있으므로 아래쪽 경계는 관골근을 확인하며 그 위쪽으로 유지하도록 한다. 개두술이 높게 되었을 경우에는 골편 제거 후 Bone rongeur이나 drill을 이용하여 아래쪽으로 개두술을 확장할 수 있다. 개두술은 cutting burr 혹은 craniotome을 이용하여 시행하며 골편을 분리할 때는 경막에 손상을 주지 않도록 골막 박리기를 이용하여 조심스럽게 진행한다(그림 8-4). 이때 중뇌막동맥의 분지로부터의 출혈에 유의하고, 출혈 시에는 bipolar bovie로 소작하여 지혈시킨다. 개두술의 경계 부위에 날카롭게 노출된 뼈가 있을 시에는 diamond burr를 이용하여 부드럽게 만들어 준다. 뼈에서 출혈이 있을 때는 bone wax를 이용하여 지혈하고, 뼈와 경막 사이의 소규모 출혈은 Surgicel®을 이용한다. 분리된 골편은 Ringer's solution에 보관해 둔다. 개두술이 낮게 되어 유양동의 함기세포가 노출되었을 때에는 bone wax를 이용하여 꼼꼼히 막아 주어 수술 후 뇌척수액 유출을 방지할 수 있도록 한다.

경막의 박리

경막을 박리하는 과정은 중두개와 접근법에서 가장 중요한 과정 중의 하나이다. 박리 과정에서 경막이 찢어질 경우 술 후 뇌척수액 유출이 발생할 수 있으며, 15%의 환자에서 geniculate ganglion이 노출되어 있어 구조물이 확실히 확인되지 않은 상태에서 과도한 박리 시 안면신경의 손상을 초래할 수도 있다. 또한 경막이 손상이 되었을 경우 뇌탈출증이 생겨 술 후 뇌부종이 발생될 수도 있다. 따라서 경막박리는 수술현미경 하에서 섬세하게 진행되어야 한다. Mannitol과 dexamethazone을 투여함으로써 뇌척수압을 떨어뜨릴 수 있으나, 충분히 뇌척수압이 떨어지지 않아 박리가 어려울 경우에는 hook과 11번 blade를 사용하여 뇌척수액을 흘러나오게 하여 압력을 줄일 수 있다. 경막 박리기를 이용하여 경막을 분리하고 견인기를 사용하는 방식으로 진행한다. 경막이 뼈에 강하게 부착되어 있는 혈관통로 부위나 추체인부봉합선 부위는 전기소작 후 미세가위를 사용하여 박리한다. 중두개와의 후방에는 중요한 구조물이 없을 뿐 아니라 뼈와 경막의 유착이 흔하지 않기 때문에 기본적으로 경막 박리는 뒤에서 앞으로 진행하는 것이 좋다. 앞쪽으로 충분히 경막의 박리를 시행했을 경우 GSPN (greater superficial petrosal nerve)을 발견할 수 있는데, 이는 중뇌막동맥의 내측에 존재하고, 추체첨부와 평행하게 주행하게 된다. 슬신경절이 안면신경관열공에서 노출되어 있는 경우에는 과도한 견인으로 안면신경에 손상을 줄 수 있으므로 세심한 주의가 필요하다. 박리 과정 중 뼈에서 발생하는 출혈은 diamond burr를 통하여 지혈할 수 있고, 경막 혈관으로부터 발생하는 삼출성 출혈은 수술을 진행하다 보면 자연적으로 멈출 수 있으나 필요시 Surgicel®을 cottonoid로 눌러서 지혈시킨다. 경막의 과도한 박리는 피하는 것이 좋은데 앞쪽으로 극공(foramen spinosum)에서 올라오는 중뇌막동맥이 있고, 이 주위에는 풍부한 혈관이 연결되어 있기 때문이다. 경막에 있는 중뇌막동맥의 가지는 가능한 잘 보존해야 하며, 충분히 물을 뿌리며 최소한의 강도로 전기 소작하여 경막이 찢어지는 것을 예방할 수 있도록 한다. 경막의 박리는 내측으로 상추체구(superior petrosal sulcus)까지 진행한다.

내이도의 노출

중두개와 접근법에서 내이도를 찾는 것은 가장 중요하고도 어려운 과정이며 이를 위해 다양한 방법들이 개발되어져 왔다. 기본적으로 중뇌막동맥(middle meningeal artery), 대천추체신경, 궁상융기(arcuate eminence)는 내이도에 접근하기 위한 중요한 지표가 된다. 외이도는 내이도와 관상면에서 거의 같은 선상에 존재하므로 좋은 수술적 지표가 될 수 있다. 초심자의 경우 수술 중 당황하지 않으려면 측두골 CT를 확인하여 상반고리관이나 내이도 윗부분의 함기화, 해부학적 변이를 미리 파악하여야 하고, 내이도를 찾는 다양한 방법들을 모두 숙지하여 상황에 따라 적용할 수 있어야 한다.

대천추체 신경을 이용하는 방법(House, 1961)[2]

대천추체 신경을 찾은 후 후방으로 이를 따라가면 안면신경관열공(facial hiatus)에 도달할 수 있고, 이 부위의 뼈를 diamond burr로 제거함으로써 슬신경절을 확인할 수 있고, 이로부터 안면신경의 미로분절을 따라가면 내이도에 도달할 수 있다. 이 방법은 내이도를 외측 fundus 부위에서 찾는 방법으로 이 부위에는 상반고리관의 팽배부 및 와우의 기저부가 매우 가까이 있으므로 드릴하는 과정에서 이 구조들과 안면신경의 미로분절이 손상 받지 않도록 세심한 주의가 필요하다(그림 8-5A).

상반고리관(superior semicircular canal)의 blue line을 이용하는 방법(Fisch,1970)[13]

이 방법에서는 궁상융기의 뒤쪽과 위쪽을 드릴하여 상반고리관을 먼저 찾는다. 궁상융기는 추체연(petrous margin)과 수직을 이루며 안면신경의 미로분절은 궁상융기와 평행하게 위치하여 있다. 일단 Blue line을 확인하게 되면 이를 박리의 후방 경계로 하여 앞쪽으로 60도 범위에서 내이도를 찾게 된다(그림 8-5B). 그러나, blue line과 내이도가 이루는 각은 항상 일정하지 않으며 blue line을 찾는 과정 중에 상반고리관에 손상을 줄 수 있는 단점을 가지고 있다.

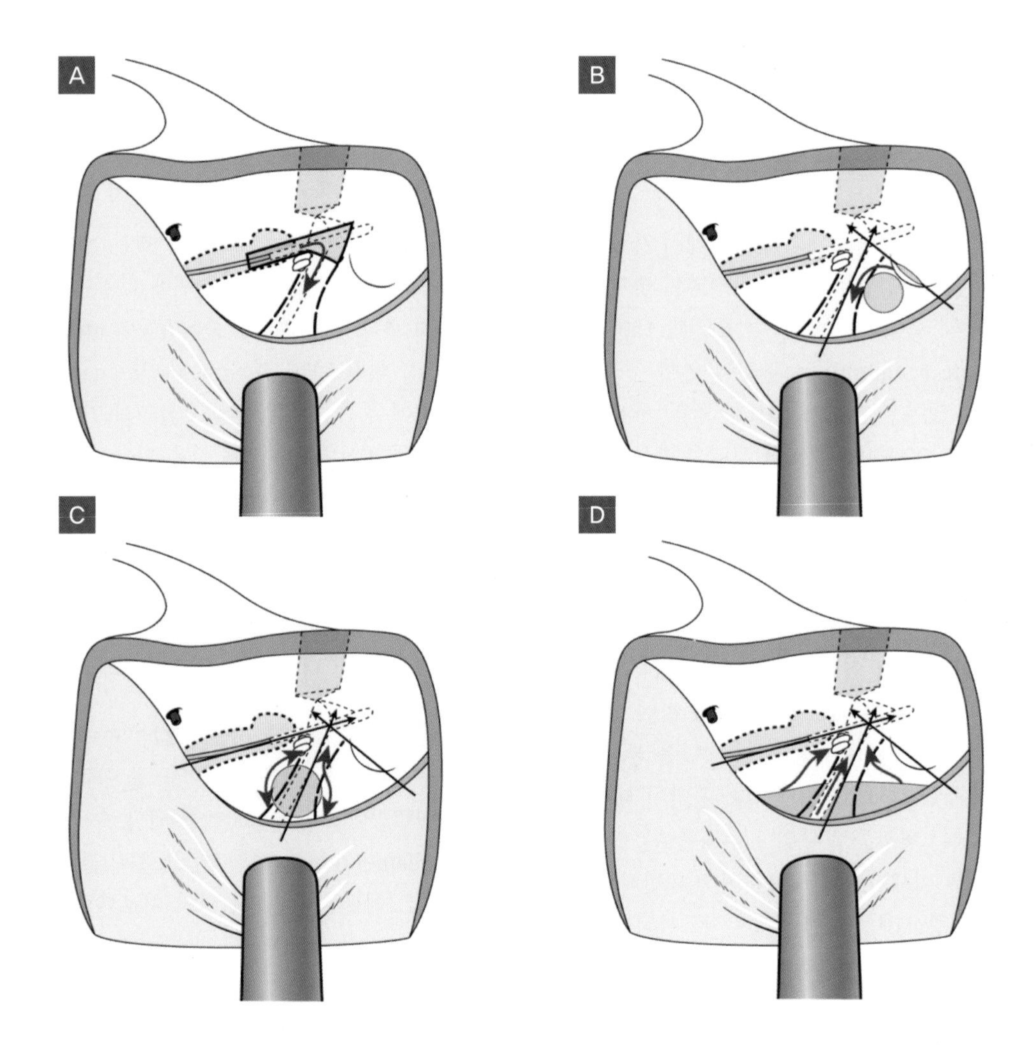

그림 8-5 **내이도를 찾는 방법.** A. 대천추체 신경을 이용하는 방법. B. 상반고리관을 이용하는 방법. C. 대천추체 신경과 상반고리관을 모두 이용하는 방법. D. 내측 외이도공에서 외측으로 드릴하면 더 안전하게 내이도를 찾을 수 있다.

대천추체 신경과 상반고리관을 모두 이용하는 방법
(Garcia Ibanez, 1980)[14]

대천추체 신경과 상반고리관을 먼저 찾은 다음, 이 두 구조가 이루는 각을 이등분하는 부분에 있는 중두개와 바닥을 드릴하여 내이도를 찾는 방법이다(그림 8-5C). 이 때 중요한 구조물이 없는 내측 외이도공에서 외측으로 드릴을 하면 더 안전하게 내이도를 찾을 수 있다(그림 8-5D).

이소골을 이용하는 방법(Catalano, 1993; Lee, 2003)[15,16]

수술 중 내이도를 찾는 지표를 찾기 어려운 경우는 고실천장(tegmen tympani)을 개방하여 이소골을 노출하여 안면신경의 고실분절이나 슬신경절을 찾는 방법을 사용할 수 있다. 관골근이 측두골에 부착하는 부위에서 내측으로 18 mm 되는 중두개와 바닥을 드릴하면 추골두(malleus head)가 노출되고, 추골두에서 전내측 23도 방향으로 약 7 mm 되는 지점을 diamond burr로 드릴하면 비교적 쉽게 슬신경절(geniculate ganglion)을 찾을 수 있다. 슬신경절을 확인한 후 안면신경의 미로분절(labyrinthine segment)을 따라 진행하면 내이도까지 도달할 수 있다(그림 8-6A). 이 방법을 사용했을 경우에는 수술을 끝내기 전에 개두술 골편을 이용하여 결손된 부위를 복구해 주어야 한다.

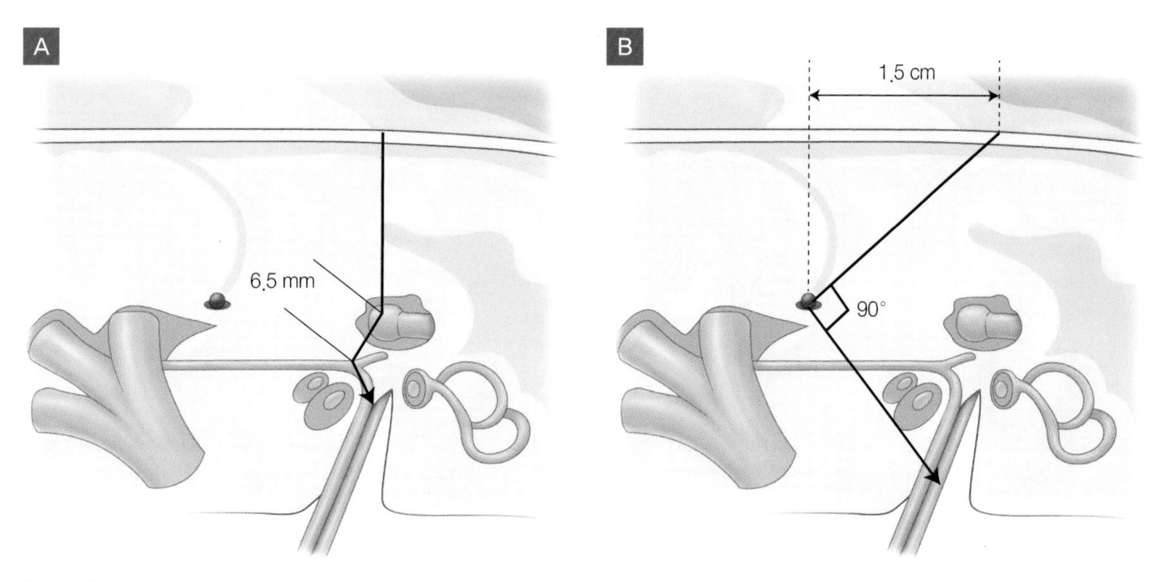

그림 8-6 A. 이소골을 이용하여 내이도를 찾는 방법. B. 극공을 이용하여 내이도를 찾는 방법

극공(foramen spinosum)을 이용하는 방법[17]

이 방법은 중두개와 접근법에서 비교적 쉽게 찾을 수 있는 중뇌막동맥이 나오는 극공을 이용하는 방법이다. 관골근(Zygomatic root)에서 극공까지 이르는 선에서 극공을 기준으로 후내측으로 90도를 이루는 가상선을 그으면 추체연을 만나게 되는데 그 지점의 아래쪽을 드릴하게 되면 내이도를 노출할 수 있다(그림 8-6B).

청신경 종양을 제거하기 위해서는 이상의 방법으로 내이도의 상부를 찾은 후 diamond burr를 이용하여 내이도 앞, 뒤와 아래쪽으로 약 270도까지 개방하여야 종양의 제거를 용이하게 할 수 있다. House법과 Fisch법, 이소골을 이용하는 방법은 내이도의 외측에서부터 찾아가는 방법으로 인접해 있는 상반고리관의 팽배부, 와우, 안면신경에 손상을 줄 위험성이 있으므로 세심한 주의가 필요하다. Garcia-Ibanez의 방법, 극공을 이용하는 방법을 통해 내이도공 가까이에서 드릴을 하게 되면 내이도 앞과 뒤에 상추체정맥동 외에 다른 중요한 구조물이 없으므로 비교적 안전하게 내이도를 찾을 수 있다.[18] 추체연의 뼈는 경막 내에 있는 상추체정맥동이 완전히 노출되도록 제거해야 한다. 외측으로 가면서 앞쪽으로는 슬신경절 아래에 안면신경과 접해 있는 와우, 뒤쪽으로는 상전정신경의 윗부분과 접해 있는 상반고리관의 팽배부가 있으므로 유의하여야 한다. 이때 diamond burr의 크기를 줄여서 내이도 상부 부위만 드릴하고 내이도의 경계를 벗어난 바깥 쪽은 드릴하지 않는다. 내이도를 둘러싸는 뼈는 안이 비춰보일 수 있을 정도로 얇게 남겨 놓는 것이 좋다. 내이도의 전반적인 윤곽이 드러나면 덮고 있는 얇은 뼈를 제거한다. 내이도 외측(fundus)부분을 가능한 작게 노출하고, 외측 끝은 90도 정도만 노출한다. 내이도 끝에서는 수직능(Bill's bar)을 확인할 수 있으며 이를 기준으로 앞쪽에는 안면신경의 미로분절, 뒤쪽으로는 상전정신경이 위치한다. Bill's bar를 확실히 확인할 때까지 내이도의 경막을 개방하지 않는 것이 좋다. 왜냐하면 뇌척수액은 경막에서 안면신경과 전정신경을 분리시켜 신경을 보호하는 역할을 하기 때문이다.

종양의 제거

청신경 종양 수술에서 중두개와 접근법은 청력을 보존하기 위한 수술이기 때문에 수술 중 청력의 감시는 필수적이다. 청성유발전위를 통하여 실시간으로 와우신경을 감시함으로써 청각을 보존하는 데 도움을 줄 수 있다.

내이도가 모두 열리게 되면 상전정신경 위에 있는 경막을 hook을 이용하여 개방한다(그림 8-7A). 수직능 앞쪽의 상전정신경을 확인 후 수직능보다 바깥 쪽 부위에서 상전정신경을 자른다. 하전정신경도 외측 부위에서 절단한다. 전정신경을 자를 때는 hook으로 잡아당기지

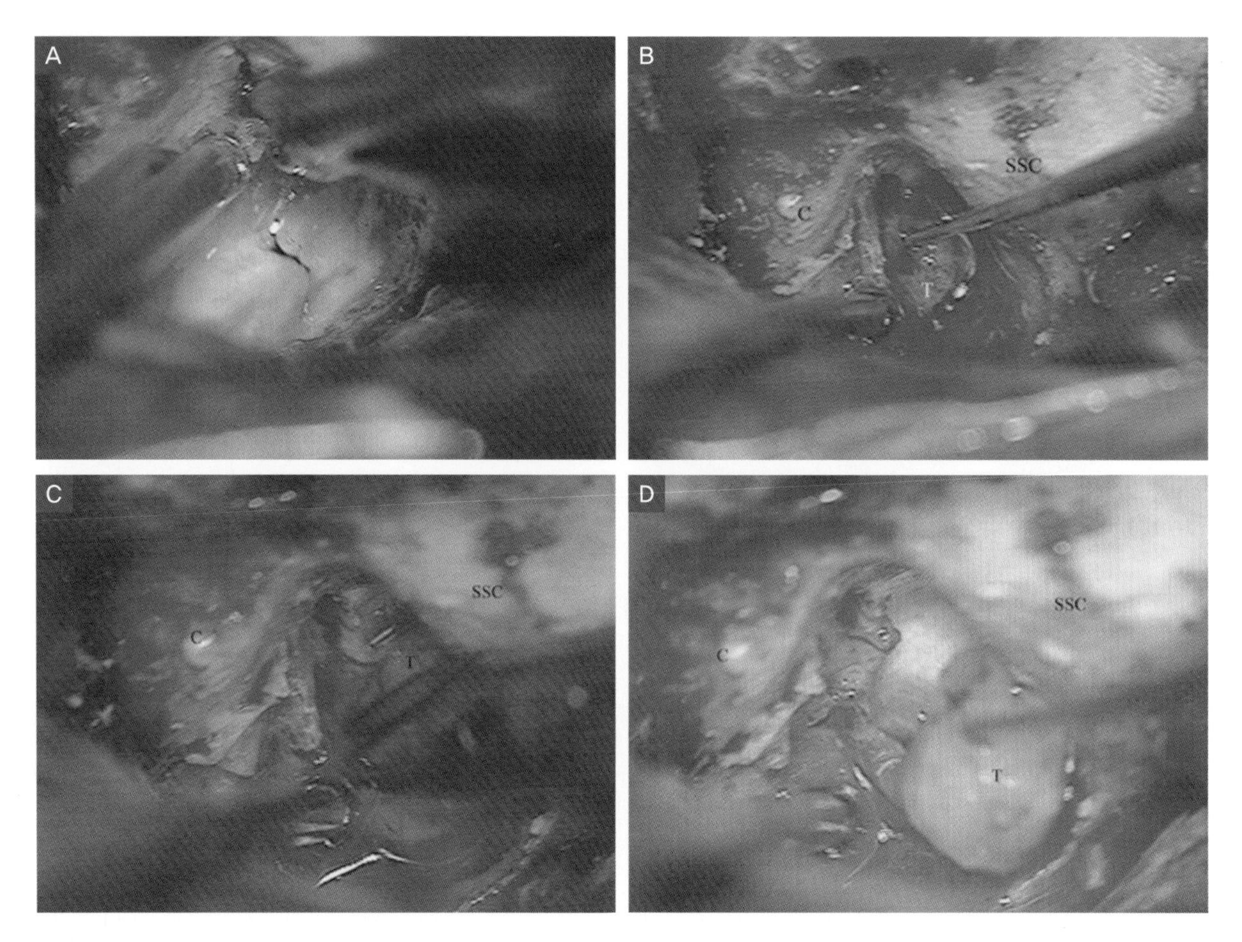

그림 8-7 **종양을 제거하는 모습.** A. 내이도 노출 후 경막을 개방한다. B. Hook과 흡인기를 이용하여 종양을 조심스럽게 분리한다. C. 유착이 있는 부위는 미세가위를 이용하여 분리한다. D. 종양을 분리하여 제거하는 모습

*Sanna et al. Atlas of IMicrosurgery of the lateral skull base surgey. Thieme, 2008

말고, 항상 신경절단용 칼이나 미세가위를 이용하여 와우신경의 손상을 최소로 하여야 한다. 전정신경의 불완전한 절단은 수술 후 불안정을 초래할 수 있으므로 완전히 잘라야 한다. 전정안면신경문합도 미세가위를 이용하여 절단한다.

종양을 안면신경으로부터 분리한 후 내이도 뒷부분에서 종양을 제거한다(그림 8-7B, C). 이때 안면신경의 손상을 최소로 하기 위하여 종양으로부터 안면신경을 분리하는 것이 아니라, 안면신경으로부터 종양을 분리하여 제거하여야 한다. 안면신경의 내이도 분절은 부분적으로 상전정신경의 위에 걸쳐 있는 경우도 있으므로 상반고리관 가까이에 있는 내이도 후방 윗부분을 적절하게 개방하여 안면신경과 상전정신경의 분리선을 확실히 확인하여야 한다. 이때 상반고리관의 blue line을 확인하여 박리의 후방 경계를 확인하는 것이 도움이 된다.

종양을 흡인기로 가볍게 고정하면서 hook을 이용하여 후방으로 움직인다. 이때 세척은 매우 유용한데 수술시야를 확보할 뿐 아니라 물이 흐르면서 종양과 신경이나 혈관 사이를 미세하게 분리하는 역할을 한다.

내이도의 바깥 부분을 채우고 있는 종양의 일부가 박리되면, 종양을 후방으로 재낀 다음 안면신경과 와우신경으로부터 종양을 조심스럽게 분리한다. 이때 전하소뇌동맥(anterior inferior cerebellar artery)의 가장 외측 부위가 소뇌교각이나 내이도 기저부에 어디에나 있을 수 있으므로 세심하게 찾아내어 종양으로부터 분리하여야 한다.

종양을 후방으로 움직이면서 관찰하였을 때 종양이 내이도공(porus)에 도달하지 않고 전정신경이 내이도의

내측 부위에서 관찰된다면 신경을 절단하고 종양을 겸자를 이용하여 제거한다. 만일 상전정신경에 국한된 종양이라면 와우로 가는 혈액순환 장애를 최소화하기 위하여 하전정신경은 보존하는 것이 좋다. 종양의 아랫부분의 경계가 불분명할 경우에는 종양의 윗부분을 먼저 제거하여 안면신경에 압력이 가해지지 않도록 한 후 나머지 아래 부분의 종양을 제거한다(그림 8-7D). 와우신경은 와우에서 나올 때 여러 개의 작은 신경섬유로 작은 구멍을 통하여 나와서 하나의 신경을 이룬다. 이와 같은 신경 섬유들은 매우 섬세하기 때문에 안면신경으로부터 종양을 제거할 때 외측으로부터 내측 방향으로 제거하면 와우신경의 작은 가닥이 손상 받기 쉽다. 따라서 종양을 제거시에는 내이도의 내측에서 외측 방향으로 제거하는 것이 좋다.

종양을 모두 제거하게 되면 흡인세척기를 통하여 수술 부위를 충분히 세척을 한다. 작은 혈관에서의 출혈은 자연히 지혈되는 경우가 많으나 필요시 작은 조각의 Surgicel®을 혈관 끝에 올려놓으면 대부분 지혈된다. 전기 소작이 필요한 경우는 반드시 양극소작을 시행한다.

내이도 수술 부위의 처리

개방된 내이도는 측두근의 근육 조각으로 막고 섬유소풀(fibrin glue)로 고정을 시킨다. 고실 천장의 결손 부위가 있는 경우는, 수술 후 경막이 이소골에 닿아 전음성 난청을 초래할 수 있으므로 이를 예방하기 위하여 개두술 골편의 얇은 부분에서 조각을 만들어 천장 결손 부위를 재건한다. 재건 후 섬유소 풀로 고정 후 견인기를 조심스럽게 제거하면 경막이 중두개와 바닥에 놓이게 된다.

상처 봉합

경막을 black silk(#4-0)를 이용하여 뼈나 측두근에 봉합하여 경막외혈종이 생기는 것을 방지한다. 측두골에 골편을 제자리에 위치시키고 craniofix®를 이용하여 고정한다. 절개한 측두근을 2-0 Vicryl로 봉합하고 배액관을 넣은 후 피하조직 및 피부를 봉합한다.

드레싱과 술 후 관리

수술 후 5일간 압박 드레싱을 하고 수술 직후에는 24시간 이상 중환자실에서 집중 관찰한다. 수일간은 오심 및 두통이 발생할 수 있으므로 진통제 및 진토제를 사용하고, 2~3일 후 서서히 경구 섭취를 시작한다. 측두엽 간질을 예방하기 위한 항전간제를 술전 1주부터 술후 2개월까지 사용한다. 항생제는 최소 5일간 사용하고, 봉합사는 수술 후 10일째 제거한다.

합병증

수술 후 환자는 경한 두통을 호소할 수 있으나 진통제의 사용으로 쉽게 조절 되어질 수 있다. 가끔 두피의 부종이 발생하여 앞쪽으로 안구주위까지 확장이 되는 경우가 있으나 빠른 시간 내에 소실된다. 감음신경성 난청도 발생할 수 있으며, 그 원인으로는 와우신경 혹은 미세혈관 손상, 내이도 노출 시 상반고리관과 와우기저부 손상으로 생각 되어 진다. 안면신경 손상으로 인해 수술 후 일시적 혹은 영구적인 안면 마비도 발생할 수 있다.

뇌수막염이나 뇌척수액의 유출도 발생할 수 있으며, AICA (anterior inferior cerebellar artery)의 손상으로 인한 뇌출혈이 발생할 수 있다. 경막외혈종 역시 발생할 수 있으나 매우 드문 것으로 알려져 있다. 그 외에도 대천추체 신경이 견인됨으로 인하여 동측의 안구건조증상이 발생할 수 있으며, 상추체정맥동이 손상을 받을 수도 있다. 우성 대뇌반구를 수술할 때에는 수술 중 측두엽의 압박에 의한 실어증이 발생할 수 있으며, 압박으로 인한 측두엽 간질의 발생은 항전간제를 사용함으로써 예방할 수 있다.

중두개와 접근법에서 청력과 안면신경기능의 보존

중두개와 접근법이 내이도 내 혹은 소뇌교각의 청신경 종양에서 종양에서 청력을 보존하고 종양을 제거할 수 있는 가장 좋은 접근법임에는 분명하나 항상 청력을 보존할 수 있는 것은 아니다. 중두개와 접근법을 시행하였다고 하더라도 AAO-HNS classification B 이상으로 청력을 보존한 경우는 술자에 따라 37~74%로 다양하게 보고되어 진다(표 8-2). 수술 중 청력의 감시는 청신경

표 8-2 AAO-HNS분류의 사회적응 청력(serviceable hearing)을 기준으로 한 중두개와 접근법에서의 청력 보존율

Authors	Year	Serviceable hearing maintained (% of patients)
Brackmann et al.	1994	61
Jackler et al.	1998	52
Satar et al	2002	53
Arts et al.	2006	73
Meyer et al	2006	56
Jacob et al.	2007	37
Kutz et al.	2012	63
DeMonte et al.	2012	73
Zinzkey et al.	2013	74

표 8-3 House-Brackmann 분류의 Grade I, II를 기준으로 한 중두개와 접근법에서의 최종 안면신경 기능 보존율

Authors	Year	Serviceable hearing maintained (% of patients)
Satar et al.	2002	90.8
Friedman et al.	2003	94
Arts et al.	2006	96
Meyer et al.	2006	97
Jacob et al	2007	94
Kutz et al.	2012	89
Deminte et al.	2012	93

의 보존에 있어서 도움을 준다. 그렇지만, 와우신경을 보존하였다고 해서 청각이 보존되었음을 보장할 수는 없다.[19,20] 또한, 술중 청성뇌간 검사 모니터링에서 V파형이 소실되었다고 하더라도 환자가 사회적응청력을 유지하는 경우도 있으므로[8] 술중 V파형이 소실되었더라도 끝까지 와우신경 보존에 최선을 다하여야 할 것이다. 청력의 저하는 수술의 직후에도 나타날 수 있고, 수술 후 수년에 걸쳐서도 나타날 수 있다. 직접적인 와우신경이나 와우기저부, 상반고리관의 손상은 수술 후 청력 손실의 원인이 될 수 있다. 또한, 전하소뇌동맥에서 나오는 혈관들이 종양의 피막을 통하여 내이 및 와우신경에 분포하고 있을 수 있으므로 종양 제거시 혈액 공급의 장애를 초래할 수 있으며, 술 중 와우신경에 가해진 기계적인 충격은 신경내 영양 혈관(endoneural vasa nervorum)의 미세혈액 순환에 장애를 줌으로써 수술 후 청력이 저하될 수 있다. 그 외에도 내이도에서의 혈관수축, 압박, 와우신경의 부종, 반흔조직의 생성, 소뇌의 견인, 뇌척수액 유출 등으로 인해 발생할 수 있다. 수년이 지난 후 청력 감소가 발생하는 경우는 수술로 인한 와우 혈액순환의 변화, tissue graft 사용이나 신경의 조작으로 인한 섬유화 그리고, 신경내에 잔류된 미세한 종양이 그 원인이 될 수 있을 것으로 알려져 있다.[21]

중두개와 접근법에서는 안면신경을 조작하여야 하기 때문에 이로 인한 안면 마비의 발생률이 더높은 것으로 알려져 있다. 그러나, 최근 보고들을 보면 대부분의 경우 최종 안면신경 보존율은 House-Brackmann gade I,II를 기준으로 90% 이상으로 후두개하 접근법에 비해서는 더 나은 결과를 보이고 있다(표 8-3).

■ 참고문헌

1. F H. Intercranial Neurectomy of the Second and Third Divisions of the Vth nerve: A New Method. New Tork Med J 1892; 55:317-319
2. House WF. MIDDLE CRANIAL FOSSA APPROACH TO THE PETROUS PYRAMID. REPORT OF 50 CASES. Archives of otolaryngology (Chicago, Ill : 1960) 1963; 78:460-469
3. House WF, Gardner G, Hughes RL. Middle cranial fossa approach to acoustic tumor surgery. Archives of otolaryngology (Chicago, Ill : 1960) 1968; 88:631-641
4. Doyle KJ, Shelton C. Hearing preservation in bilateral acoustic neuroma surgery. The American journal of otology 1993; 14:562-565
5. Brackmann DE, House JR, 3rd, Hitselberger WE. Technical modifications to the middle fossa craniotomy approach in removal of acoustic neuromas. The American journal of otology 1994; 15:614-619
6. Dornhoffer JL, Helms J, Hoehmann DH. Hearing preservation in acoustic tumor surgery: results and prognostic factors. The Laryngoscope 1995; 105:184-187
7. DeMonte F, Gidley PW. Hearing preservation surgery for vestibular schwannoma: experience with the middle fossa approach. Neurosurgical focus 2012; 33:E10
8. Phillips DJ, Kobylarz EJ, De Peralta ET, Stieg PE, Selesnick SH. Predictive factors of hearing preservation after surgical resection of small vestibular schwannomas. Otology & neurotology : official publication of the American Otological Society, American Neurotology Society [and] European Academy of Otology and Neurotology 2010; 31:1463-1468
9. Wigand ME, Haid T, Berg M. The enlarged middle cranial fossa approach for surgery of the temporal bone and of the cerebel-

lopontine angle. Archives of oto-rhino-laryngology 1989; 246:299-302

10. Friedman RA, Kesser B, Brackmann DE, Fisher LM, Slattery WH, Hitselberger WE. Long-term hearing preservation after middle fossa removal of vestibular schwannoma. Otolaryngology--head and neck surgery : official journal of American Academy of Otolaryngology-Head and Neck Surgery 2003; 129:660-665
11. Committee on Hearing and Equilibrium guidelines for the evaluation of hearing preservation in acoustic neuroma (vestibular schwannoma). American Academy of Otolaryngology-Head and Neck Surgery Foundation, INC. Otolaryngology--head and neck surgery : official journal of American Academy of Otolaryngology-Head and Neck Surgery 1995;113:179-180
12. Kanzaki J, Tos M, Sanna M, Moffat DA, Kunihiro T, Inoue Y. Acoustic neuroma: Consensus on systems for reporting results. Tokyo:Springer 2003:161-171
13. Fisch U. Transtemporal surgery of the internal auditory canal. Report of 92 cases, technique, indications and results. Advances in oto-rhino-laryngology 1970; 17:203-240
14. Garcia-Ibanez E, Garcia-Ibanez JL. Middle fossa vestibular neurectomy: a report of 373 cases. Otolaryngology--head and neck surgery : official journal of American Academy of Otolaryngology-Head and Neck Surgery 1980; 88:486-490
15. Catalano PJ, Eden AR. An external reference to identify the internal auditory canal in middle fossa surgery. Otolaryngology--head and neck surgery : official journal of American Academy of Otolaryngology-Head and Neck Surgery 1993; 108:111-116
16. Lee HK, Lee WS. Microsurgical anatomy of the perigeniculate ganglion area as seen from the middle cranial fossa approach. The Annals of otology, rhinology, and laryngology 2003; 112:531-533
17. Lee HK, Kim IS, Lee WS. New method of identifying the internal auditory canal as seen from the middle cranial fossa approach. The Annals of otology, rhinology, and laryngology 2006; 115:457-460
18. Sanna M, Saleh E, TKhrais Tet al. The Middle Fossa Approaches. In: Sanna M, ed. Atlas of Microsurgery of the Lateral Skull Base. Stuttgart, Germany, 2008:130-146
19. Danner C, Mastrodimos B, Cueva RA. A comparison of direct eighth nerve monitoring and auditory brainstem response in hearing preservation surgery for vestibular schwannoma. Otology & neurotology : official publication of the American Otological Society, American Neurotology Society [and] European Academy of Otology and Neurotology 2004; 25:826-832
20. Schmerber S, Lavieille JP, Dumas G, Herve T. Intraoperative auditory monitoring in vestibular schwannoma surgery: new trends. Acta oto-laryngologica 2004; 124:53-61
21. Wang AC, Chinn SB, Than KD, et al. Durability of hearing preservation after microsurgical treatment of vestibular schwannoma using the middle cranial fossa approach. Journal of neurosurgery 2013; 119:131-138

청신경 종양 제거를 위한 경미로 접근법
Surgical treatment: Translabyrinthine approach

신승호, 조양선

경미로 접근법에 대하여

경미로 접근법은 내이도 및 소뇌교각에 접근하는 수술법으로 경막 바깥의 광범위한 측두골 제거를 통해 내이도 및 소뇌교각의 종양을 제거하는 측면접근법이다.[1] 다른 접근법에 비해 소뇌 견인이 거의 없는 장점과 작은 종양은 물론 아주 큰 종양(4 cm 이상)도 제거가 가능한 장점이 있다.[2] 또한 안면신경을 뇌간부터 붓꼭지구멍(경유돌공, stylomastoid foramen)까지 노출시킬 수 있다. 청신경 종양 제거술 시 안면신경을 종양의 뒷면에 위치시킨 상태로 종양을 제거할 수 있어 안면신경기능을 보존하기가 용이하다.[3-5] 다만 이 접근법을 사용 시 남아 있는 청력은 없어지게 된다.[4,6]

적응증

1. 크기에 관계 없이 청력이 나쁘거나 다른 접근법으로 청력을 보존할 가능성이 적은 청신경 종양
2. Neurofibromatosis 환자에서 청신경 종양 제거술과 동시에 뇌간이식술을 시행할 때

수술 기법

경미로 접근법은 종양의 크기에 따라 측두골을 제거하는 양을 달리하여 수술 시야의 범위를 선택할 수 있다. 여기서는 Mario Sanna 교수(Gruppo Otologico, Italy)의 방법을 근간으로 저자들의 경험에 따라 경미로 접근법을 기술하였으며 큰 종양(>3 cm)을 제거할 수 있는 방법을 중심으로 설명하고자 한다.[7]

Incision and flap elevation

종양의 크기가 작은 경우 절개선을 작게 만들어 C-shape으로 절개를 할 수도 있다. 대개 내이도에 국한된 종양을 수술하는 경우, 절개선을 작게 만들어도 되지만 S자 정맥동을 견인할 수 없고, 유양동(mastoid cavity)이 작은 경우 수술도구의 움직임이 제한될 가능성이 있으니 유양동의 크기를 고려해서 절개선의 크기를 정해야 한다. 절개선을 'ㄷ'자로 크게 만드는 경우, 'S'자 정맥을 눌러 큰 종양을 제거하기에 용이하고 중두개와판을 제거하여 수술 중 수술기구의 움직임의 제한이 최소화 될 수 있다.

1. 귓바퀴가 피부에 닿는 곳 상연에서 2~3 cm 위에서 시작하여 귀 뒤로 4~5 cm 그리고 mastoid tip 밑으로 1 cm 밑을 잇는 커다란 'ㄷ'자 모양의 절개를 가한다(그림 9-1).

2. Temporalis muscle의 superficial fascia를 찾아서 피판을 앞쪽으로 들어올린다. 이때 흉쇄유돌근(sternocleidomastoid muscle)과 이하선(parotid gland)을 다치지 않게 주의를 한다(그림 9-2). 그리고나서

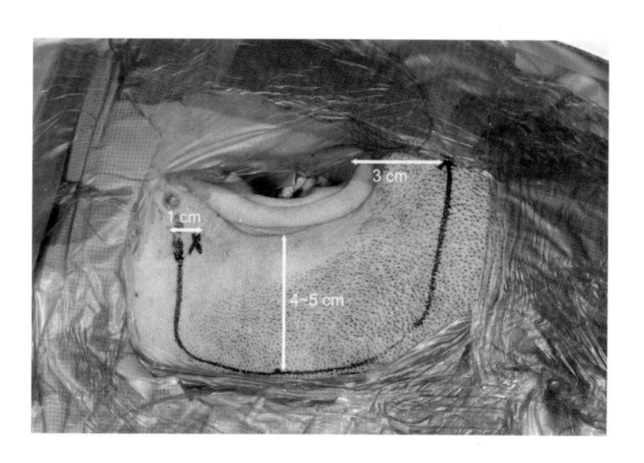

그림 9-1 절개선

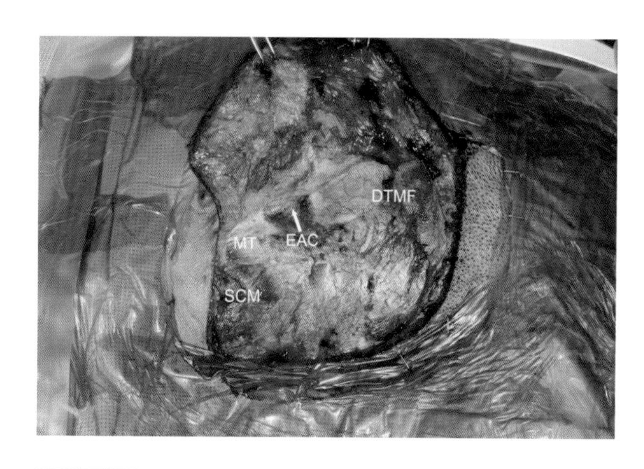

그림 9-2 피판 거상
DTMF: deep temporalis muscle fascia, EAC: external auditory canal, MT: mastoid tip, SCM: sternocleidomastoid muscle

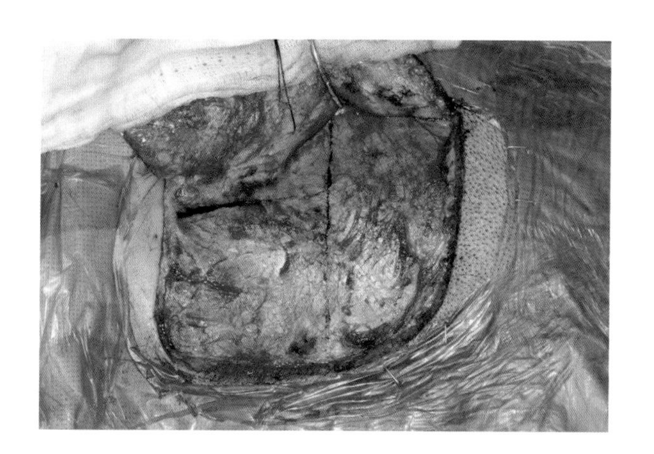

그림 9-3 T-shaped musculofascial incision

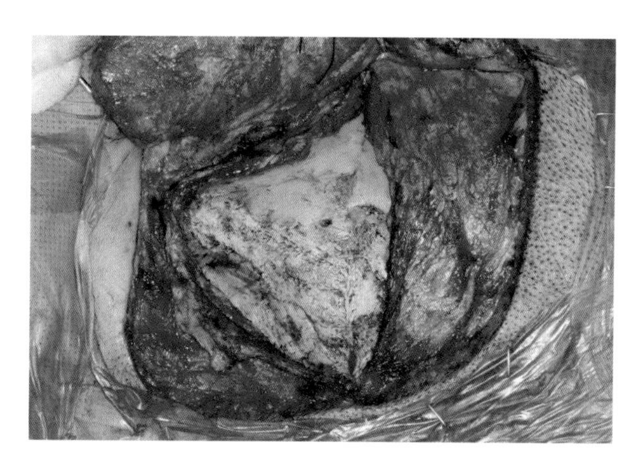

그림 9-4 Musculofasical flap elevation

fish hook 2개나 3개를 이용하여 피판을 앞쪽으로 견인하여 고정한다. 이때 fish hook 대신에 elastic stay를 이용하는 것도 좋다.

3. Musculoperiosteal flap을 만드는 방법은 skin incision의 5 mm 앞쪽으로 같은 형태의 'ㄷ'자 모양의 flap을 들 수도 있고, T-shaped musculoperiosteal incision을 만들 수도 있다. 이 때 수평절개는 temporal line으로부터 1~2 cm 위에 평행하게 만들고, 수직 절개는 외이도 후연에서 0.5~1 cm 뒤에 수직으로 만든다(그림 9-3).

4. T-shaped incision 후 musculofascial flap을 monopolar diathermy와 periosteal elevator를 이용하여 거상한다. 앞쪽 피판은 외이도의 Henle's spine까지 윗쪽 피판은 절개선에서 1~2 cm, 뒤쪽 피판은 피부절개선까지 들어올린다(그림 9-4). 이로써 뒤쪽 피판은 대개 sigmoid sinus 뒤로 2~3 cm 정도 뒤까지 거상된다. 간혹 Emissary vein을 만나는 경우 Bone wax를 이용하여 지혈한다.

5. Vicryl® 1-0를 이용하여 거상된 피판을 주위 피부에 suture ligation하여 self-retractor 없이 flap을 retraction할 수 있도록 한다. 또한 이는 musculofascial flap에서의 출혈을 줄여주는 역할을 하기도 한다(그림 9-5).[8]

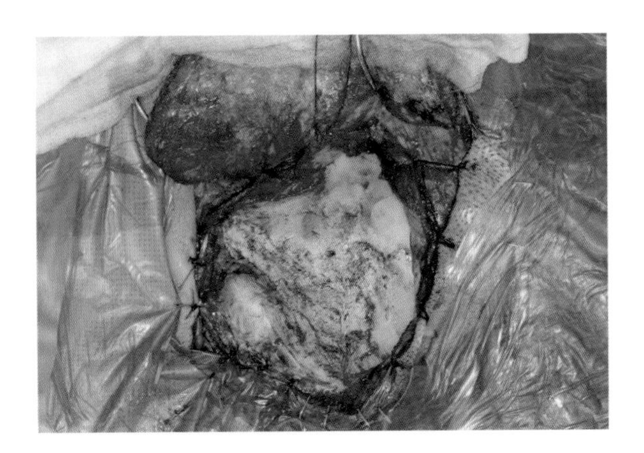

그림 9-5 Vicryl®을 이용한 피판의 고정

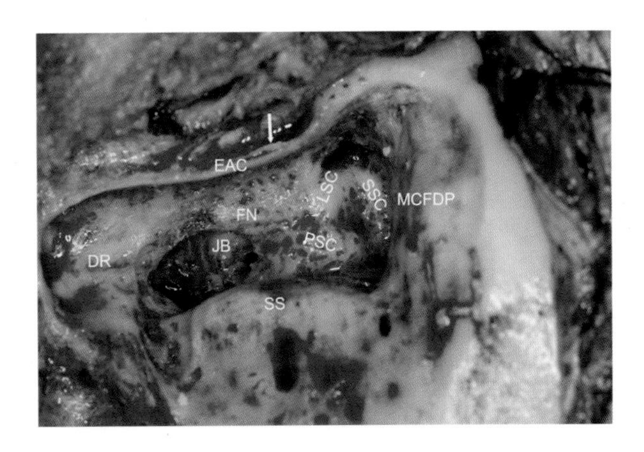

그림 9-6 After complete mastoidectomy
White arrow: Henle's spine, DR: digastric ridge, EAC: external auditory canal, FN: mastoid segment of the facial nerve, JB: jugular bulb, LSC: lateral semicircular canal, MCFDP: middle cranial fossa dural plate, SSC: superior semicircular canal

확장 유양돌기 절제술(Extended mastoidectomy)

1. Complete mastoidectomy를 시행하여 중두개와경막과 sigmoid sinus를 찾는다(그림 9-6).

2. 구불정맥동굴(S자 정맥동, sigmoid sinus) 뒤로 2~3 cm 정도의 뼈를 제거하여 Retrosigmoid posterior fossa dura를 1~2 cm 정도 노출시킨다. 이는 수술영역을 확장하여 후방에서의 시야를 확보하고 수술기구가 움직일 수 있는 공간을 확보하려는 목적이 있다(그림 9-7).[9]

3. Sigmoid sinus를 덮는 뼈를 제거하여 sigmoid sinus가 retraction이 가능하게 한다. 이어서 Freer elevator와 drill burr 그리고 rongeur를 이용하여 presigmod posterior fossa dura를 노출시킨다(그림 9-8).

4. Middle fossa dural plate를 Freer elevator 및 Rongeur를 이용하여 제거하여 middle fossa dura를 노출시킨다. 이어서 동경막각(sinodural angle)의 뼈를 제거한다. 이 뼈는 매우 날카롭기 때문에 쉽게 주위 dura가 찢어질 수 있으며 특히 상추체정맥동(superior petrosal sinus)을 터뜨리지 않도록 주의해야 한다(그림 9-9).

5. 미로절제술(labyrinthectomy): 먼저 세 개의 세반고리관을 antrum 바닥에서 찾는다. Mastoid bone의 색

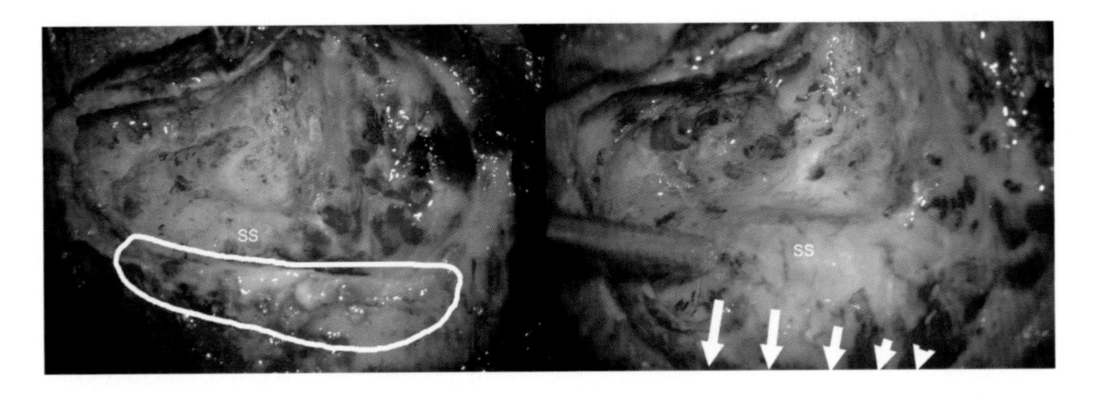

그림 9-7 Removal of the bone on the retrosigmoid dura. 수술기구의 조작 중에 뼈가 닿아 움직임의 제한을 받는 경우가 있는데 이를 방지하기 위해 retrosigmoid dura를 덮는 뼈(하얀색 영역)를 제거하게 된다.
SS: sigmoid sinus, White arrows: 제거된 bone

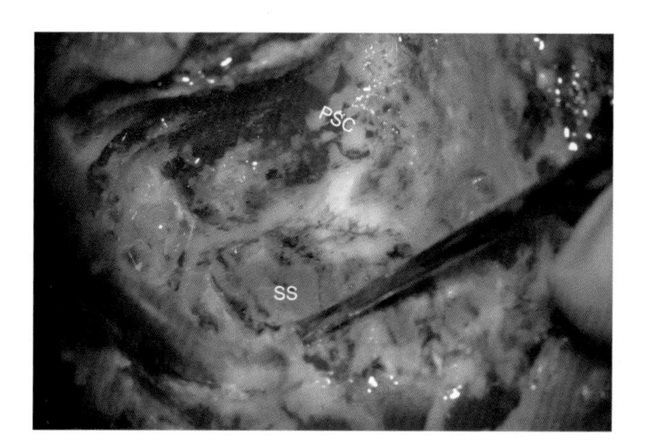

그림 9-8 Removal of the bone on the sigmoid sinus. 시야 및 수술 기구의 움직일 공간을 확보하기 위해 sigmoid sinus 위의 뼈를 제거한다. 쉽게 찢어질 수 있기 때문에 섬세하고 조심스런 뼈 제거가 필요하다.

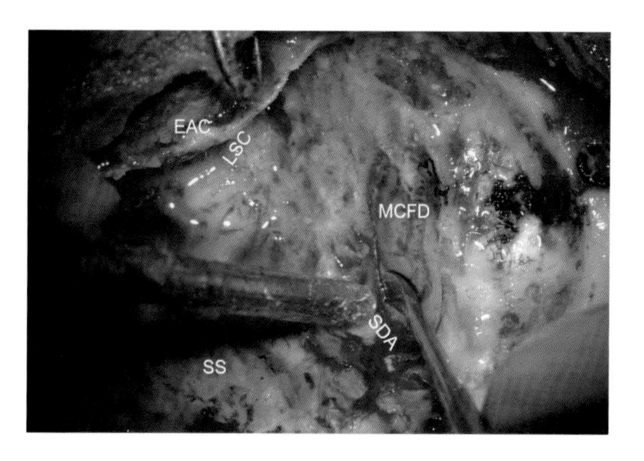

그림 9-9 Removal of the bone at the sinodural angle and on the middle cranial fossa dura. 수술 중 middle fossa dura를 retraction 해야 종양의 제거가 용이한 경우가 있어 Middle fossa dural plate를 제거하여 working space의 증가를 가져올 수 있다.
EAC: external auditory canal, LSC: lateral semicircular canal, MCFD: middle cranial fossa dura, SDA: sinodural angle, SS: sigmoid sinus

깔과 세반고리관을 이루는 뼈의 색깔이 다르고 측반고리관 표면 자체는 매끈한 경우가 많아 미로를 구별하기는 어렵지 않다. 후반고리관이나 상반고리관의 경우는 미로주위 함기화세포들(perilabyrinthine air cells)을 제거해야 보이는 경우가 많다. 안면신경은 침골(incus)과 측반고리관(LSC; lateral semicircular canal)을 수술적 지표로 이용하여 찾는다. 안면신경이 지나가는 가상선을 고려하여 미로절제술을 시작한다. 먼저 측반고리관을 연다. 이때, 측반고리관에 근접해서 안면신경의 second genu가 위치하기 때문에 측반고리관을 절제할 때에는 주의가 필요하다. 이후 후반고리관과 상반고리관도 개방한다. 반고리관을 모두 개방한 후 난형낭(utricle)과 구형낭(saccule)을 개방한다. 상반고리관의 팽대부(ampulla)와 후반고리관의 팽대부는 형태를 유지한다(그림 9-10).

6. Internal auditory canal delineation: Labryinthectomy 후 further drilling을 하여 internal auditory canal을 찾아 exposure한다. 내이도의 윗쪽 경계는 superior canal의 팽대(ampulla)이며 아래쪽 경계는 posterior canal의 ampulla이기 때문에 드릴하는 과정에서 ampulla 일부를 남겨서 내이도의 지표로 활용을 해야 한다. 내이도의 윗쪽 뼈와 아래쪽 뼈를 porus 쪽에서 최대한 fundus 쪽으로 제거하면 좋은 시야를 얻을 수 있다. 이렇게 해서 내이도를 270도 이상 노출시키는 것을 transapical extension이라고 부른다(그림 9-11).[3]

7. Identification of the facial nerve at the fundus: 내이도의 노출 후 기저부(fundus) 쪽으로 뼈를 더 제거하면 transverse crest를 만나게 되며 그 윗쪽에 보이는 것이 superior ampullary nerve이며 superior vestibular nerve의 분지이다. 이 분지를 뒤로 젖히면 안면신경의 미로분절을 확인할 수 있게 된다.[10] 미로분절을 확인한 후 superior ampullary nerve와의 dissection plane (arachnoid plane)을 끝까지 유지하면서 내이도 내의 종양과 안면신경을 분리하는 과정을 거치게 된다(그림 9-12).

8. Opening the Dura: 경막의 절개는 여러 가지 방법으로 할 수 있으나, 이 중 'ㄷ'자 절개는 비교적 넓은 시야를 확보해 준다. 그림 9-13처럼 sinodural angle의 내측에서 평행하게 절개한 후 내이도의 porus를 가로지르는 절개 그리고 jugular bulb 윗쪽으로 앞에서 뒤로 절개를 하여 생긴 경막의 flap은 silk 3-0로 suture하여 mosquito forceps으로 물어 그 무게로 경막을 젖힌다. 흰선이 경막을 절개한 선이다. 이렇게 경막을 젖히면 소뇌와 뇌간, 종양, 여러 뇌신경이 모두 노출된다.

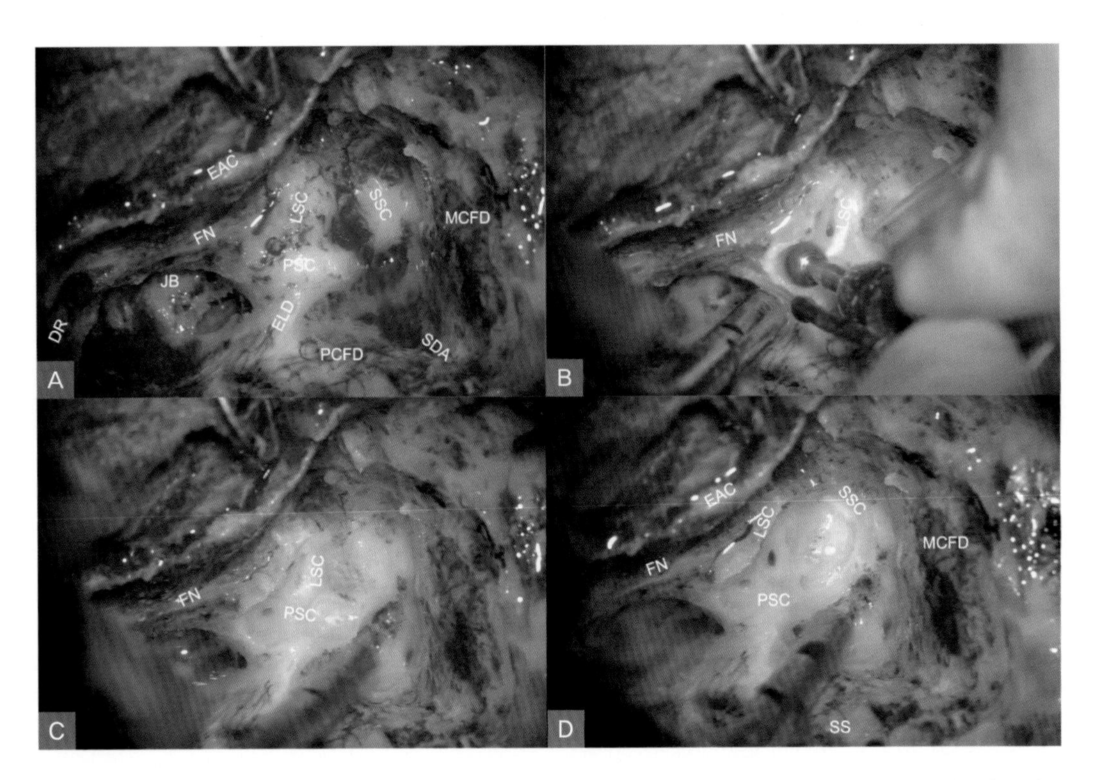

그림 9-10 **Labryinthectomy 과정. A.** extended mastoidectomy 상태. **B.** lateral semicircular canal (LSC)의 개방. **C.** posterior semicircular canal (PSC)의 개방. **D.** superior semicircular canal (SSC)이 개방된 상태
DR: digastric ridge, EAC: external auditory canal, ELD: endolymphatic duct, FN: facial nerve, JB: jugular bulb, MCFD: dura of the middle cranial fossa, PCFD: dura of the posterior cranial fossa, SDA: sinodural angle

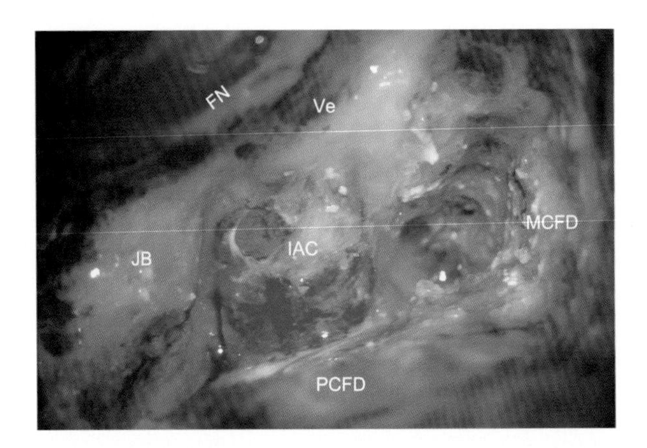

그림 9-11 **Exposure of the internal auditory canal (IAC).** 내이도는 porus에 가까워질수록 수술 시야에서 더 멀어진다. 내이도의 위, 아래의 뼈를 많이 제거할수록 수술 시야는 더 넓어진다. 내이도의 fundus의 윗쪽을 drill 할 때는 안면신경의 미로분지를 다치지 않게 조심해야 하므로 바로 lateral에 있는 superior semicircular canal의 ampulla를 지표로 참고한다.
FN: facial neve, JB: jugular bulb, MCFD: dura of the middle cranial fossa, PCFD: dura of the posterior cranial fossa, Ve: vestibule

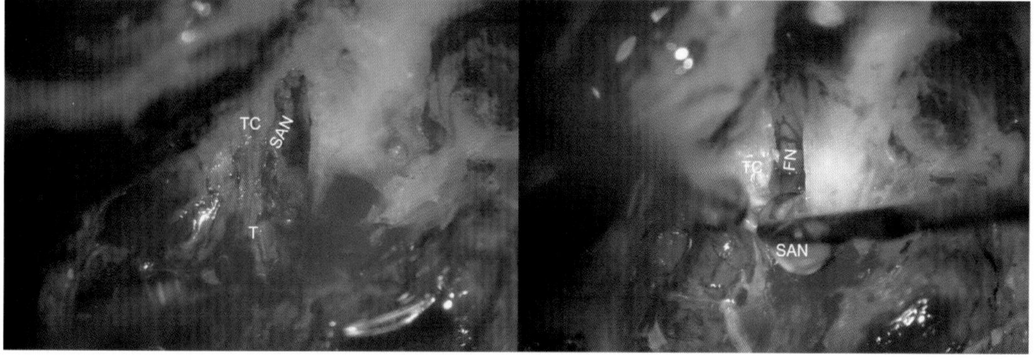

그림 9-12 Exposure of the internal auditory canal (IAC). Superior ampullary nerve를 뒤로 젖히면 안면신경을 발견할 수 있다. 이로써 안면신경과 종양과의 경계면을 유지할 수 있는 시작점을 발견하게 된 것이다.
FN: labyrinthine segment of the facial nerve, SAN: superior ampullary nerve, T: tumor, TC: transverse crest

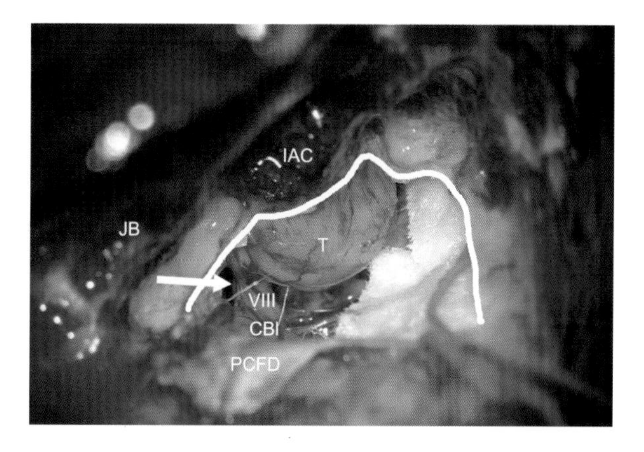

그림 9-13 **경막 절개.** 경막절개의 방법은 여러 가지이나 'ㄷ' 절개가 비교적 넓은 시야를 확보하게 해준다.
흰선: 경막 절개의 outline, CBl: cerebellum, IAC: internal auditory canal, JB: jugular bulb, T: tumor, VIII: the eight cranial nerve, white arrow: facial nerve

9. Tumor removal: 종양을 internal decompression을 하고 arachnoid plane을 따라서 brain stem과 종양을 분리하게 된다. 안면신경이 지나는지 확인 후 tumor의 capsule에 있는 vessel을 소작하면서 arachnoid dissection을 내측에서 외측방향으로 진행하고 내이도에서는 facial nerve와 tumor 사이를 박리하여 외측에서 내측방향으로 박리하여 결국 종양을 완전 분리 시킨 후 적출하게 된다. Tumor가 크거나 cystic한 경우, brain stem과 유착이 심한 경우가 있고 과거에 stereotactic surgery를 받은 경우 종양과 주위 조직과의 박리가 잘 되지 않는 경우도 있다. 중요 혈관을 다치지 않도록 주의하여야 하며 대개는 소뇌견인을 하지 않는다. 심하게 소뇌를 견인하는 경우 상추체정맥(superior petrosal vein)이 찢어지는 경우가 있기 때문에 주의해야 한다. 추가적인 bone drill 때는 bone chip이 CSF에 들어가지 않도록 막고 해야 한다. CSF에 bone chip이 들어가면 postoperative headache이 발생할 수 있기 때문이다(그림 9-14).

10. Closure: 종양을 모두 적출한 후, bleeding control을 한다. Dural flap을 원위치 시킨 후 air cell들은 bone wax로 채워서 CSF rhinorrhea를 방지한다. 복부에서 채취한 지방조직을 길게 잘라서 경막 안에서 밖으로 걸치도록 위치한다. 여러 개의 지방조직을 넣어 경막 절개 한 부분에 꽉 끼이도록 하여 뇌척수액이 새지 않도록 한다. Temporalis fascia를 이용하여

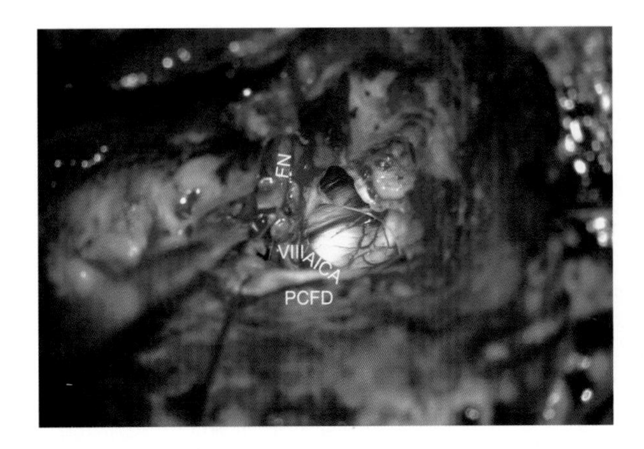

그림 9-14 **종양을 모두 제거한 후의 모습.** Transection된 cochleovestibular nerve (CN VIII)가 보이며 좀더 앞쪽으로 안면신경(FN)이 관찰된다. CN VIII 옆으로 anterior inferior cerebellar artery (AICA)가 주행하는 것이 보인다.

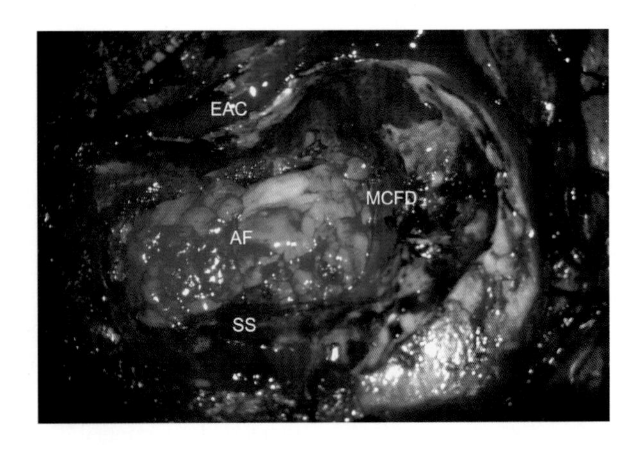

그림 9-15 **Packing of the abdominal fat.** CSF leakage를 방지하기 위해 복부지방을 dead space에 packing한다.
AF: abdominal fat, EAC: external auditory canal, MCFD: dura of the middle cranial fossa, SS: sigmoid sinus

이 부위를 보강할 수 있고, 최근에는 Tachocomb 등의 fibrin sealant들을 이용하여 뇌척수액 유출 방지에 도움을 줄 수 있다. 나머지 dead space 역시 지방조직을 넣어 채우고 지방조직 사이는 fibrin glue를 뿌려서 고정한다. Musculofascia flap을 원위치 시킨 후 Vicryl 1-0를 이용하여 water-tight하게 꿰맨다. Subcutaneous tissue의 완벽한 지혈 후 skin을 repair한다. 드레싱은 compressive dressing을 하여 피가 차지 않도록 하고 temporalis muscle 부위에는 silastic drain을 넣을 수도 있지만 hemovac 같은 negative pressure-drain은 사용하지 않는다. Lumbar drain은 사용하지 않으며, 이렇게 했을 때 뇌척수액이 새는 경우는 1% 미만이다(그림 9-15).[11]

수술 후 관리

1. 대개 수술 후 하루 정도 중환자실에서 관찰한다. 중환자실에서 postoperative CT를 찍어서 두개 내 혈종 등 이상이 없음을 확인하고 일반 병실로 전동한다.
2. Mastoid compressive dressing은 3~5일 정도 유지하며 이 기간 동안에 환자는 절대 안정을 유지한다.
3. Ceftriaxone 같은 BBB (blood brain barrier) 통과하는 항생제를 수술 후 24시간 이상 투여한다.
4. 수술 후 vestibular loss로 인한 오심 및 구토를 예방하기 위해 antiemetic drug을 사용한다.
5. 수술 후 안면마비가 있는 경우, steroid therapy를 하고 eye care를 해야 한다.
6. 수술 후 뇌척수액이 새는 경우, 양이 적으면 compressive dressing 및 절대안정 기간을 연장하고 lumbar drain을 고려한다. 양이 많으면 다시 수술을 하여 abdominal fat을 적절히 위치시키고 각 layer를 좀더 water-tight하게 보강한다.[12]

Pears and Pitfalls

1. 소뇌 견인을 하지 않고 wide surgical field를 확보하기 위해 wide bone removal과 musculofascial flap의 suture에 의한 고정을 이용하는 것이 좋다. 특히 self-retractor를 쓰는 경우 기구의 움직임에 제한을 많이 받기 때문에 사용하지 않는 것이 좋다.
2. Sigmoid sinus가 시야를 가리는 경우가 많은데, bipolar coagulator를 이용하여 튀어나온 부위를 소작하면 shrinkage가 되어 시야가 좋아지게 된다.
3. High jugular bulb인 경우, 세심하게 bulb위의 bone을 제거한 후 Surgicel®과 bone wax을 bulb dome에 packing하여 시야를 확보할 수 있다.[13]
4. 안면신경의 2nd genu와 mastoid segment의 경우 labyrinthectomy 시에 노출될 수 있지만 노출이 되면

종양 제거 시 자꾸 기구에 안면신경이 닿아 상처를 입을 수 있기 때문에 thin bone을 꼭 남겨놓는 것이 좋다.

5. 종양에 대한 충분한 시야 확보를 위해 transapical extension을 하는 것이 좋다. 즉 내이도의 위, 아래 뼈를 충분히(270도) 제거하여 fundus쪽으로 제거하면 종양 제거 시 안면신경을 찾는데 많은 도움이 된다.[3,14,15]
6. 내이도에서 종양과 안면신경을 박리할 때 피가 나는 경우가 많은데, bipolar coagulator로 소작하는 것보다는 gelfoam을 이용한 지혈이 더 효과적이고 안면신경마비를 일으키지 않을 수 있다.
7. 수술 시야는 안으로 갈수록 좁아지고 깊어지기 때문에 주위에서의 출혈은 중요한 순간에 시야를 방해할 수 있다. 항상 지혈에 신경을 써서 무혈 수술을 할 수 있도록 해야 한다.
8. 큰 종양의 경우 internal debulking을 해야만 종양의 바깥쪽에서 arachnoid dissection이 가능하다.
9. 뇌척수액 유출을 막기 위해 dural suture를 보강한 후, abdominal fat packing을 하고 water-tight fashion으로 wound를 repair해야 한다.

맺음말

Translabyrinthine approach는 청신경 종양이 크더라도 제거가 가능한 수술 방법으로 안면신경 보존율이 다른 수술 접근법보다 좋으며 평균 70~90%로 보고되고 있다.[4,16] 특히 종양의 크기가 작은 경우 안면신경은 거의 95% 이상 보존이 가능하다. Meticulous technique을 구사한다면 합병증이 없이 다양한 크기의 종양에서 전적출이 가능한 술식이다.

■ 참고문헌

1. Brackmann DE, Green JD, Jr. Translabyrinthine approach for acoustic tumor removal. 1992. Neurosurgery clinics of North America 2008;19:251-264, vi
2. Zhang Z, Wang Z, Huang Q, Yang J, Wu H. Removal of large or giant sporadic vestibular schwannomas via translabyrinthine approach: a report of 115 cases. ORL J Otorhinolaryngol Relat Spec 2012;74:271-277
3. Sanna M, Mancini F, Russo A, Taibah A, Falcioni M, Di Trapani G. Atlas of acoustic neurinoma microsurgery, 2nd ed: Thieme, 2011
4. Arriaga MA, Lin J. Translabyrinthine approach: indications, techniques, and results. Otolaryngologic clinics of North America 2012;45:399-415, ix
5. Bouetel V, Lescanne E, Francois P, Jan M, Moriniere S, Robier A. [Evolution of facial nerve prognosis in vestibular schwannoma surgery by translabyrinthine approach]. Rev Laryngol Otol Rhinol (Bord) 2008;129:27-33
6. Hong SJ, Lee JH, Jung SH, Park CH, Hong SM. Can cochlear function be preserved after a modified translabyrinthine approach to eradicate a huge cholesteatoma extending to the petrous apex? Eur Arch Otorhinolaryngol 2009;266:1191-1197
7. Sanna M, Saleh E, Khrais T, et al. Atlas of microsurgery of the lateral skull base, 2nd ed. ed. Stuttgart: Thieme, 2008
8. Liu JK, Jyung RW. Retractorless translabyrinthine approach for resection of a large acoustic neuroma: operative video and technical nuances. Neurosurgical focus 2014;36:1
9. Falcioni M, Russo A, Mancini F, et al. [Enlarged translabyrinthine approach in large acoustic neurinomas]. Acta otorhinolaryngologica Italica : organo ufficiale della Societa italiana di otorinolaringologia e chirurgia cervico-facciale 2001;21:226-236
10. Sanna M, Saleh E, Russo A, Falcioni M. Identification of the facial nerve in the translabyrinthine approach: an alternative technique. Otolaryngol Head Neck Surg 2001;124:105-106
11. Merkus P, Taibah A, Sequino G, Sanna M. Less than 1% cerebrospinal fluid leakage in 1,803 translabyrinthine vestibular schwannoma surgery cases. Otology & Neurotology 2010;31:276-283
12. Aznmi MN, Lokman BS, Ishlah L. The translabyrinthine approach for acoustic neuroma and its common complications. The Medical journal of Malaysia 2006;61:72-75
13. Roche PH, Moriyama T, Thomassin JM, Pellet W. High jugular bulb in the translabyrinthine approach to the cerebellopontine angle: anatomical considerations and surgical management. Acta neurochirurgica 2006;148:415-420
14. Angeli RD, Piccirillo E, Di Trapani G, Sequino G, Taibah A, Sanna M. Enlarged translabyrinthine approach with transapical extension in the management of giant vestibular schwannomas: personal experience and review of literature. Otol Neurotol 2011;32:125-131
15. Jayashankar N, Morwani KP, Sankhla SK, Agrawal R. The enlarged translabyrinthine and transapical extension type I approach for large vestibular schwannomas. Indian journal of otolaryngology and head and neck surgery : official publication of the Association of Otolaryngologists of India 2010;62:360-364
16. Sanna M, Russo A, Taibah A, Falcioni M, Agarwal M. Enlarged translabyrinthine approach for the management of large and giant acoustic neuromas: a report of 175 consecutive cases. The Annals of otology, rhinology, and laryngology 2004;113:319-328

CHAPTER 10

청신경 종양 제거를 위한 후S자 정맥동 후두와 접근법

Surgical treatment: Suboccipital retrosigmoid approach

김승민

역사적 배경 및 적응증

1903년 F. Krause에 의해 소뇌교각조의 종양에 대한 접근법이 소개된 후, R. G. Ojemann에 의해 1970년대부터 30년간 측후두와 접근법(lateral suboccipital approach) 또는 후S자 정맥동 후두와 접근법(suboccipital retrosigmoid approach)이 발전해왔다.[1,2] 2000년대 이후, M. Samii, O. Almefty 등에 의해 다양한 두개저 접근법을 통한 경추체골(transpetrosal) 접근법, 극외측관절융기(far lateral transcondylar) 접근법 등으로 발전하였다. 추체골 첨부와 내측면에 위치하는 뇌수막종, 안면신경 및 하부뇌신경에서 기원한 신경초종, 소뇌교각조의 유피낭종(epidermoid cyst) 등의 후두와 종양의 제거와 삼차신경, 안면신경, 혀인두신경 등의 미세신경혈관감압술(microvascular decompression) 등의 기능수술도 이와 같은 접근법으로 수술이 가능하다. 그 중에서도 청신경 종양은 가장 대표적인 종양이다.

수술 전 준비

영상의학검사

고해상도의 CT를 이용하여 측두골을 촬영하면 추체골의 골 미란, 파괴 등 변형여부, 꼭지벌집(mastoid air cells)의 형태, 종양의 내이도 침범 정도뿐만 아니라 목정맥 팽대부(jugular bulb), 미로(labyrinth), 전정(vestibule) 등 주변 구조물을 손상시키지 않을 정도의 위치 관계 등을 확인할 수 있다(그림 10-1). 조영 증강 MR은 종양의 경도(consistency), 뇌간 압박, 혈류분포 등을 확인할 수 있고, 삼차원 CISS, FLAIR MR, TOF 혈관촬영술을 통해 뇌수조와 신경-혈관 복합구조물의 위치, 압박, 변이 등에 대한 분석이 용이하다.

수술 중 신경 감시

청신경 종양의 수술 중에는 뇌간청각유발전위(BAEP, branstem auditory evoked potential)와 안면신경 근전도 감시가 필요하다. 뇌간청각유발전위 감시 중에 제5파형이 1 ms 이상 잠복기가 연장되거나, 50% 이상 진폭이 감소할 경우 뇌간의 이상을 관찰할 수 있다. 제1파형의 소실, 제1-3파형 정점간격 연장 등은 청신경의 손상을 예상할 수 있는 소견이다. 안면신경 근전도 측정 중에는 전두근, 안륜근, 구륜근, 저작근, 턱근 등을 이용한다(그림 10-2). 수술 초기에 안면신경이 육안으로 확인된 지점이나 근위부에서 기초역치를 확인하여 지속적인 근전도 파형과 긴장성 파형의 변화를 관찰한다. 또한, 종양주변 안면신경으로 예상되는 부위에 전기유발자극을 통해 신경조직을 확인할 수 있다.[3]

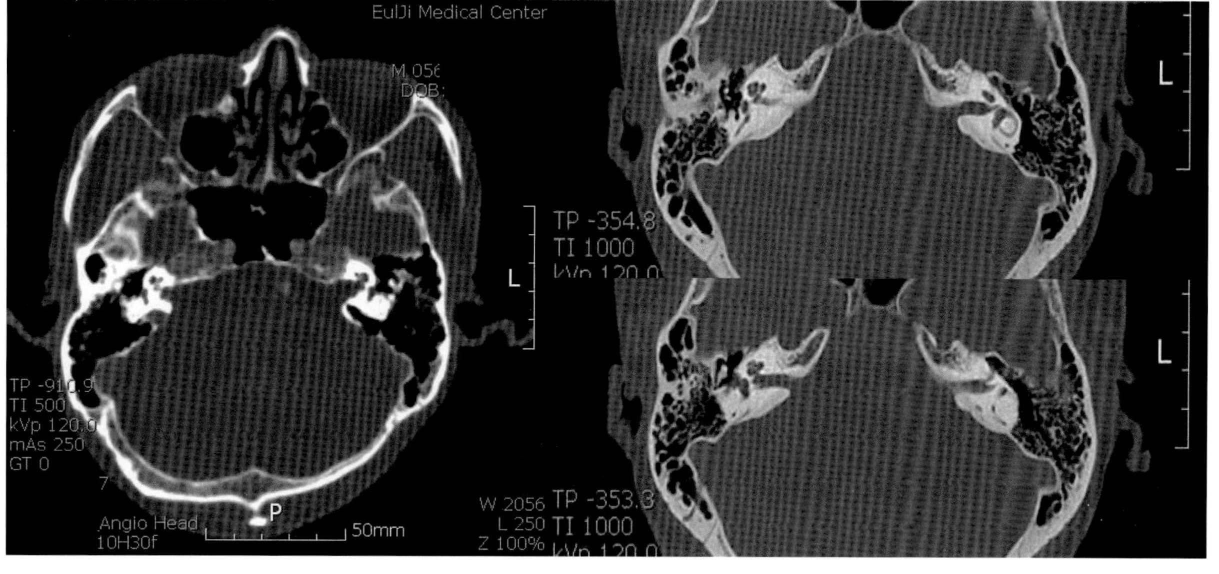

그림 10-1 수술 전 고해상도 CT 영상. 추체골의 골 미란, 파괴 등 변형여부, 꼭지벌집(mastoid air cells)의 형태, 종양의 내이도 침범 정도 뿐만 아니라 목정맥 팽대부(jugular bulb), 미로(labyrinth), 전정(vestibule) 등의 위치를 확인한다.

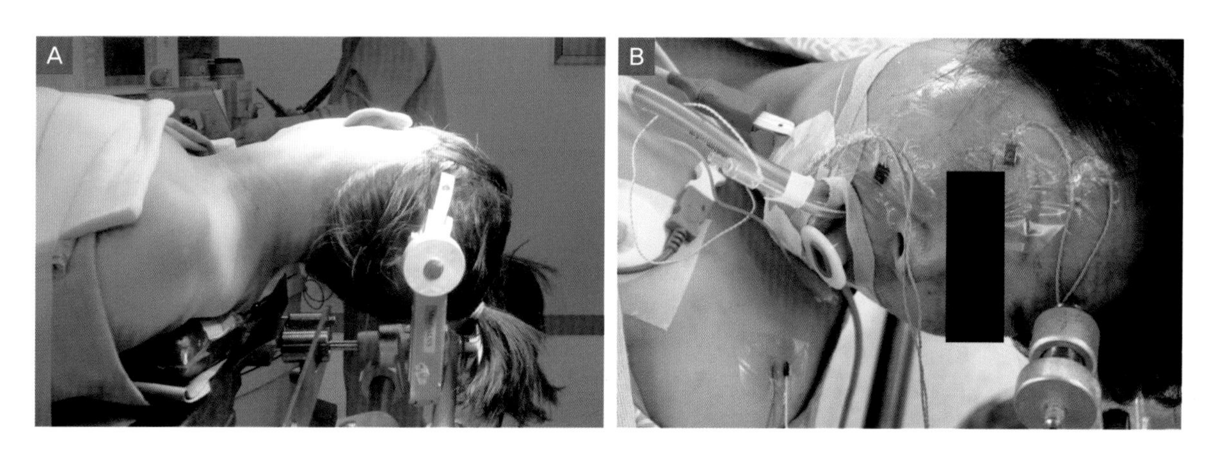

그림 10-2 수술 자세 및 안면신경감시. A. 앙와위에서 병변반대쪽으로 얼굴을 돌리는 자세를 취한다. 환자의 병변쪽 어깨가 높아지면 술자의 손에 방해가 될 수 있으니 주의한다. B. 안면신경 근전도 측정을 위해 병변쪽 안면부(전두근, 안륜근, 구륜근)에 전극을 장치한 안면부의 모습. 경부 굴곡시 기관과 경정맥이 압박되지 않도록 주의한다.

수술 자세

주로 비스듬한 측와위(Park-bench position) 자세를 취하는 방법과 앙와위에서 머리를 병변 반대쪽으로 돌려 굴곡시키는 방법이 이용된다. 경추부를 굴곡-회전시킬 경우에는 턱과 흉골사이에 최소한 손가락 두 마디 가량(약 3~4인치)의 여유를 확보하여 기관이나 경정맥이 압박되지 않도록 주의한다. 머리는 3점-두개골 고정기구를 이용하여 움직이지 않도록 고정한다. 병변 쪽 어깨를 충분히 아래로 당겨주어 수술기구나 술자의 손이 걸리지 않도록 한다(그림 10-2). 한편, 좌식 수술자세로 수술을 할 때에는 양측 다리를 싸주거나(wrapping) 들어주어 색전증을 예방해야 한다.[4]

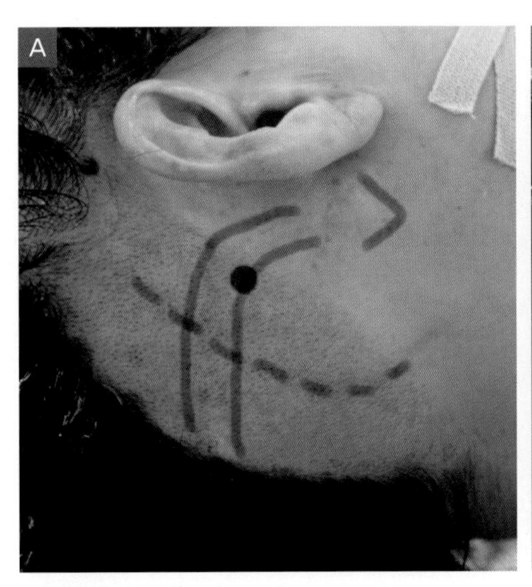

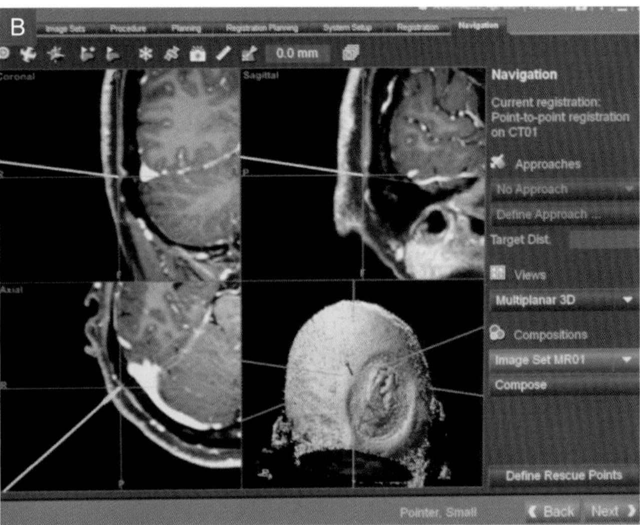

그림 10-3 **피부절개.** A. 유양돌기의 후방(내측)에서 곡선의 피부절개선(점선)을 그린다. 관골궁(zygomatic arch)의 후방 연장선은 횡정맥동의 위치와 유사하다. B. 네비게이션 장치를 이용하면 횡정맥동과 S자 정맥동의 연접부(빨간점)를 확인하는 데 용이하다.

수술 기법

피부와 근육의 절개

mastoid process의 후방(내측) 1~2 cm, superior nuchal line의 약 2~3 cm 위쪽에서 시작해서 아래쪽을 향하여 수직으로, 비스듬하게 또는 곡선으로 약 6~8 cm 피부를 절개한다(그림 10-3). 피부절개를 직선으로만 할 경우 occipitocervical junction에서 피하 층이 두껍기 때문에 수술 시야가 깊어지는 단점이 있어 환자의 체형에 따라 비스듬하거나 곡선모양의 절개를 하기도 한다. superior nuchal line 아래쪽으로 splenius capitis, trapezius, sternocleidomastoid 근육을 전기소작기를 이용하여 피부절개선과 일치하게 절개한다. periosteal tissue는 보존하여 경막 봉합 시에 사용할 수 있다. 심부의 근육을 절개할 때에는 suboccipital triangle의 지방조직으로 척추동맥의 두개 외 분지가 주행하기 때문에 각별한 주의가 필요하다. 골막을 박리하는 중에는 mastoid emissary vein, condylar emissary vein을 bone wax로 지혈해준다(그림 10-4A).

개두술

이 접근법의 key hole은 유양돌기바로 뒤쪽의 위목덜미 즉, asterion의 바로 아래쪽에 해당한다. 이곳에 burr hole을 만들면 횡정맥동-S자 정맥동 연접부를 쉽게 확인할 수 있다. 수술 시야에서 위쪽은 횡정맥동, 외측은 S자 정맥동을 경계로 하여 머리뼈절제술을 시행한다(그림 10-4B). mastoid bone을 S자 정맥동이 노출될 때까지 외측으로 제거해나가며 꼭지벌집(mastoid air cells)은 bone wax로 꼼꼼하게 메꾸어 준다. 아래쪽으로는 대후두공을 향하여 후두와의 기저부까지 확장한다. 후두와 기저부까지 개두술을 한번에 시행하면 경막이나 정맥의 손상될 위험이 높기 때문에 rongeur나 punch 등의 기구를 이용하여 조금씩 조심스럽게 뼈를 제거해준다.[4,5]

경막 절개

소뇌교각조(CPA cistern)는 위쪽으로 천막, 내측으로 뇌교와 소뇌, 외측으로 추체골로 이루어지는 피라미드형 수술시야를 형성한다. 수술시야를 최대한 확보하기 위해서는 피라미드의 밑면에 해당하는 작은 삼각형의 경막판을 충분히 열어주어야 한다. 'C'형 또는 십자형으로

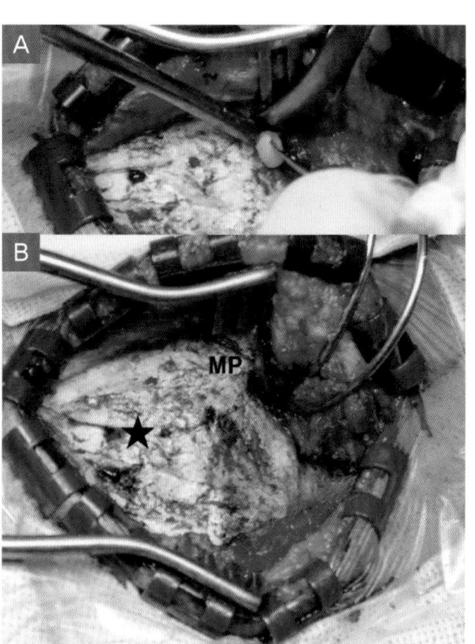

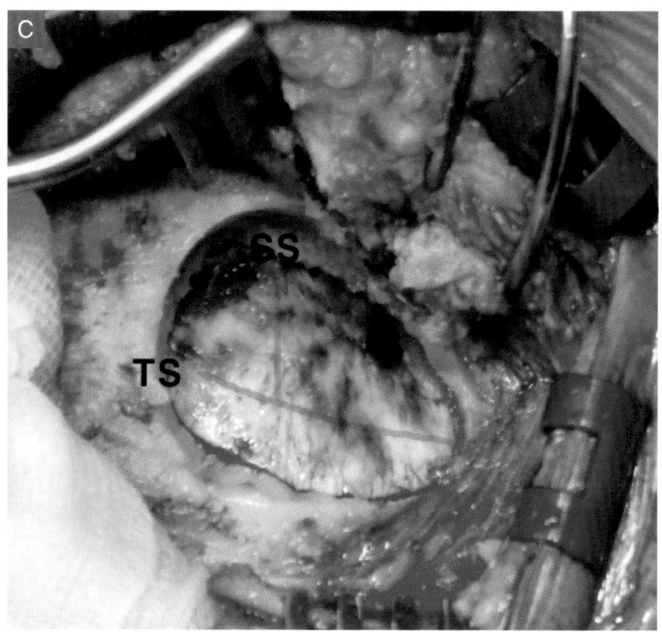

그림 10-4 **개두술 및 경막절개.** A. 유돌기도출정맥(mastoid emissary vein)을 bone wax로 지혈한다. B. 성상점(asterion)의 위치를 통해 횡정맥동과 S자 정맥동의 위치를 유추할 수 있으며, 성상점 또는 성상점 바로 아래쪽에 천두공을 만든다. C. 횡정맥동과 S자 정맥동을 경계로 개두술을 시행하고 그림의 회색선과 같이 경막을 작은 삼각형의 판모양으로 절개한다. (MP: mastoid process, TS: transverse sinus, SS: sigmoid sinus, ★: asterion)

경막을 절개하여 횡정맥동과 S자 정맥동의 경계를 확인할 수 있어야 한다(그림 10-4C). 수술시야를 확보하기 위해 추가적인 경막절개를 시행하기도 하며, 절개된 각각의 경막판의 모서리를 근육 층에 고정하거나 당겨준다. 소뇌를 상방으로 견인하고 소뇌연수수조의 거미막을 개방하여 뇌척수액을 서서히 배출시킨다(그림 10-5A). cerebellar hemisphere의 표면을 지지하고 보호할 수 있을 정도로만 견인기를 고정하고, 무리하게 소뇌를 누르며 견인하지 않도록 한다. 뇌척수액이 충분히 배출되지 않을 경우에는 cerebellomedullary cistern를 개방하여 더 많은 양의 뇌척수액을 배출시킬 수 있다. 수조를 개방하는 과정에서 jugular foramen으로 이어지는 bridging vein을 손상시키지 않도록 주의해야 한다. 소뇌를 견인할 때에도 천막과 추체골로 이어지는 연결정맥을 주의한다.[6]

종양 제거

종양의 크기가 큰 경우 extracanalicular mass에 의해 내이도의 정상 해부학적 구조가 변형되어 있고 뇌간이 압박되어 있기 때문에 종양 내부의 감압이 우선시 된다. 초음파 흡입기, 양극 전기소작기 등을 이용하여 종양 껍질 내부에서 감압을 먼저 시행하는 것이 뇌간 및 안면신경과 전정와우신경의 박리를 보다 안전하게 해준다(그림 10-5F). 감압이 이루어지면 종양껍질을 잡고 있는 상태에서 거미막 층을 박리해 나가는 것이 중요하다. 하부뇌신경과 내이도 입구 주변은 거미막이 종종 두꺼워져 있는 경우가 많다. 특히, 내이도 입구 주변에는 종양이 자라나오면서 전위된 내이도의 거미막과 소뇌반구의 소뇌숨뇌조의 거미막이 중복되어 있어, 두 개의 층 사이에서 종양껍질을 싸고 있는 거미막층을 찾아내면 쉽게 박리할 수 있다(그림 10-5D, E). 종양이 매우 단단하거나 낭성벽이 뇌간에 유착되어있는 경우는 제거하기 어렵기 때문에 안전하게 일부를 남기고 수술 후 방사선수술을 시행하는 보조적인 치료를 고려할 수도 있다. 종양껍질 주위를 박리할 때에는 하방내측으로부터 시작하여 종양껍질을 외측상방으로 들어올려 뇌간부와 구별되는 흰색 또는 회색으로 보이는 안면신경과 전정와우신경을 확인한다(그림 10-5G). 뇌간 근위부를 박리하거나 종양을 제

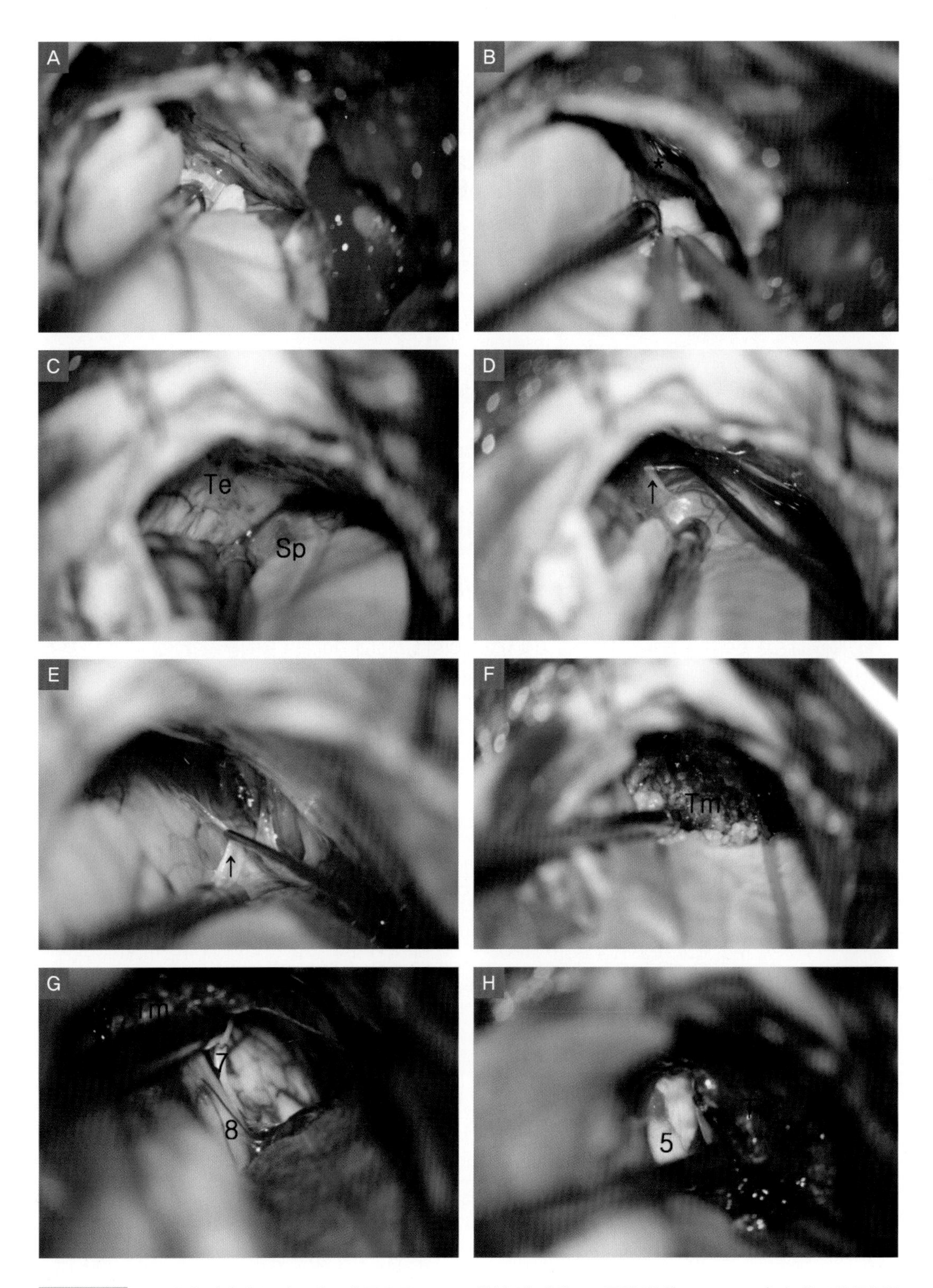

그림 10-5 **종양의 제거와 소뇌교각조의 주요구조.** A. 뇌척수액 배액. B. 종양하부(inferior pole)의 제11뇌신경 박리(별표). C. 종양상부(superior pole)의 천막(Tentorium,Te)과 상추체정맥(superior petrosal vein,Sp) 확인. D. 상추체정맥과 종양사이의 거미막층 박리(화살표). E. 종양과 소뇌의 이중 거미막층(arachnoid duplication) 박리(화살표). F. 종양껍질 내부 제거 및 감압. G. 종양 전하방에 위치한 전정신경(8)과 안면신경(7) 확인. H. 종양 전상방에 위치한 삼차신경(5).

거할 때에 전기소작기는 가급적 사용하지 않아야 한다. 종양의 크기와 모양에 따라 안면신경 주위를 박리하는데, 종양이 클수록 안면신경은 종양껍질에 넓게 퍼져있는 경우가 많으므로, 신경자극기를 통해 안면신경의 위치를 수시로 확인해야 한다. 하부 뇌신경 중에 spinal accessory nerve는 신경자극기로 자극했을 때, 환자의 동측 어깨가 움직이는 것을 통해 확인할 수 있다. 대부분의 경우 안면신경(facial nerve)은 종양의 앞쪽 또는 위쪽, vestibularcochlear nerve는 앞쪽 또는 아래쪽으로 발견되는데, 종양 후방의 껍질을 신경자극기로 자극하여 안면신경이 주행하는지(약 0.5~1%) 확인한다. trochlear nerve, trigeminal nerve와 superior cerebellar artery는 종양의 위쪽으로, abducens nerve는 종양의 앞쪽에서 발견된다(그림 10-5H). 종양껍질주위의 거미막을 확인하여 종양과 뇌간 및 신경-혈관복합 구조물의 유착부분을 박리한다. 만약, 환자가 반측안면경련 또는 삼차신경통을 동반하였다면 삼차신경 또는 안면신경을 압박하는 혈관에 대해 미세신경혈관감압술을 시행해준다. 삼차신경이 자극되면 삼차신경-심장반사로 인해 서맥, 혈압저하가 갑자기 발생할 수 있으므로 마취 중 생체징후 감시에 주의를 기울여야한다. 종양의 아래쪽 껍질에는 posterior inferior cerebellar artery나 척추동맥의 분지로부터 이어지는 feeding artery가 있을 수 있어 이를 우선 차단한다. 추체골의 후면으로 anterior inferior cerebellar artery가 닿아있거나 분지가 뼈의 내부로 들어가 있는 경우가 있는데(약 40%), 추체골 후면의 경막을 절개하거나 뼈를 일부 제거하여 박리하는 것이 중요하다. 종양의 feeding artery 대부분은 anterior inferior cerebellar artery에서 기원하며 이들 분지를 확인하여 절단한다. 상부의 천막 주위에는 superior petrosal vein으로 배출되는 정맥들이 이어지는데 superior petrosal vein은 가급적 손상시키지 않는 것이 안전하다.[7-10]

종양의 크기가 작아 소뇌숨뇌조의 정상 해부학적 구조들이 보존된 경우에는 pontomedullary junction에서 소뇌의 flocculus와 foramen of Luschka으로부터 돌출된 choroid plexus를 확인하고 9, 10, 11 하부뇌신경을 확인한다(그림 10-5B). 하부뇌신경은 목정맥공으로 주행하는데 jugular bulb를 확인하는 중요한 지표가 되며 이를 rubber dam 등으로 덮어 주는 것이 좋다. jugular bulb가 크거나 높은 위치에 있는 경우 내이도로 접근할 때 주의가 필요하다. endolymphatic sac은 추체골 후면의 fovea로 촉지할 수 있는데, 내이도 입구에서 후외측으로 약 6~8 mm 위치에 있어 내이도 주변의 뼈를 제거할 때 손상되지 않도록 주의한다.[11] 내이도에 접근하기 위해 앞서 언급한 수술 전 고해상도 CT를 통해 내이도와 jugular bulb의 위치를 확인 후, 내이도의 후방경계를 따라 경막을 절개한다. 내이도의 상방과 후방의 뼈를 점차 작은 크기의 다이아몬드 드릴을 이용하여 제거해준다. labyrinth가 손상될 경우 청력을 보존하기 어렵기 때문에 미로가 개방된 경우 즉시 bone wax로 막아준다. 종양의 내측으로 주행하는 전정신경을 절단하고, 전상방의 안면신경과 전하방의 와우신경을 확인한다. 미세박리기구와 미세가위를 이용하여 각각의 신경을 종양으로부터 박리하고, 이때 신경이 너무 당겨지지 않도록 주의한다.[12-13] 종양의 가장 외측에 해당하는 종양을 제거할 때에는 cochlear nerve에 힘이 가해지지 않도록 내이도 fundus를 향해 내측에서부터 외측으로 작은 크기의 링큐렛을 이용하여 제거하는 것이 안전하다. 종양이 충분히 제거되었다고 생각되면 내시경을 통해 내이도 바닥을 확인하고 남아있는 종양을 제거하는 것이 도움이 된다. 종양이 제거된 경계를 따라 right-angled micro dissector를 이용해서 air cells of auditory tube가 개방되었는지 확인 후, 지방조직을 이용하여 채워주면 뇌척수액 유출을 예방하는 데 도움이 된다.

봉합

국소 지혈제를 이용하여, 뇌간 및 뇌신경에 물리적, 전기적 손상을 최소화하여 지혈을 시킨다. 제거된 뼈의 출혈이나 노출된 mastoid air cells은 bone wax로 꼼꼼하게 메꾸어준다. 경막을 봉합할 때에는 자가지방 또는 자가근육의 절편을 이식하는 등 뇌척수액 유출을 예방하려는 다양한 방법들이 사용된다(그림 10-6). 두개골을 제거한 부위는 자가골편 외에도 티타늄이나 실리콘으로 제작된 mesh로 덮어주는 방법이 사용된다.

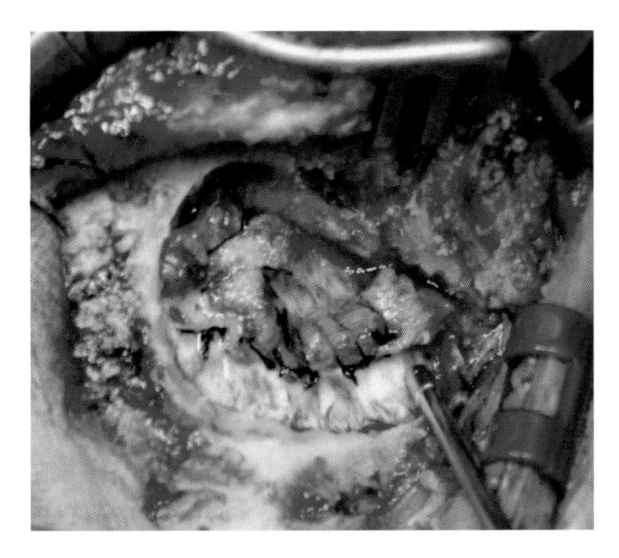

그림 10-6 **경막의 봉합.** 근육 판을 경막 절개면에 덮어주고 생체 접착제를 도포하면 뇌척수액의 유출을 방지하는데 도움이 된다.

합병증

수술 부위 혈종

후두와의 혈종은 뇌간을 압박할 수 있어 치명적인 경우가 발생할 수 있기 때문에 갑작스런 의식변화, 생체징후의 변화를 주의 깊게 관찰해야 한다. 이와 같은 상황에서는 응급으로 감압적 뼈절제술과 혈종제거술이 필요하다.

소뇌 및 뇌간 경색

anterior inferior cerebellar artery, posterior inferior cerebellar artery, 또는 draining vein이 손상되는 경우 치명적인 결과를 초래한다. 특히, superior petrosal vein이 폐색될 경우 소뇌 및 뇌간의 심각한 부종을 유발할 수 있다.

뇌척수액 유출

뇌척수액 유출을 방지하는 다양한 기법이 제시되고 있어 각각의 술기에 대한 장단점을 고려하여 적용하는 것이 필요하다. 또한 수술 후 뇌압이 상승하지 않도록 자세를 유지하거나, 수술 부위의 근육층과 피하층에 빈 공간이 형성되지 않도록 압박하여 상처치유를 도모하는 것도 도움이 된다. 또한, 내이도의 뼈를 제거한 부분에 지방조직, 골막을 이식하여 피브린 글루로 고정해준다.

뇌수막염

일시적인 무균성 수막염이 발생할 수 있으나, 적절한 상처관리와 항생제 투여를 통한 예방이 필요하다.

수두증

매우 큰 청신경 종양의 경우 수두증을 유발할 수 있어 수술 전후 뇌실외척수액 배액술을(external ventricular drainage) 시행하지만, 무증상인 경우 대부분은 시행하지 않는다.

뇌신경손상

종양 주위에 여러 뇌신경이 복잡하게 위치하고 있으므로, 종양을 제거하거나 박리할 때 전기 소작기는 낮은 전류를 사용하거나 가급적 사용하지 않는다.

두통 및 감각이상

뇌경막과 근육층이 유착되면 두통이 발생할 수 있어 메틸메타크릴레이트 또는 티타늄메쉬 등을 이용하여 두개골성형술을 시행하면 이와 같은 증상을 예방할 수 있다. 수술 후 상처로 인해 후두신경주위 유착, 신경종이 발생할 경우 통증 및 감각이상과 관련이 있을 수 있기 때문에 피부 절개 시 근막 아래에서 주행하는 후두신경이 손상되지 않도록 주의해야 한다.

■ 참고문헌

1. Ojemann RG, Montgomery WW, Weiss AD. Evaluation and surgical treatment of acoustic neuroma. N Engl J Med 1972; 287:895-899
2. Ojemann RG. Retrosigmoid approach to acoustic neuroma(vestibular schwannoma). Neurosurgery 2001; 48:553-558
3. Matthies C, Samii M. Management of vestibular schwannomas

(acoustic neuromas): the value of neurophysiology for intraoperative monitoring of auditory function in 200 cases. Neurosurgery 1997; 40:459-466

4. Cohen-Gadol AA, Wetjen NW, Ebersold MJ. Operative Techniques in Neurosurgery. 2001; 4(1):19-23
5. Jackler RK. Atlas of skull base surgery and neurotology. 2nd ed. Newyork, Stuttgart: Thieme. 2009
6. Yarsargil MG Microneurosurgery, Volume IV: Clinical Considerations and Microsurgery of the Tumors. Newyork, Stuttgart: Thieme 1984
7. Samii M, Matthies C Management of 1000 vestibular schwannomas (acoustic neuromas): surgical management and results with an emphasis on complications and how to avoid them. Neurosurgery 1997; 40:11-21
8. Samii M, Matthies C Management of 1000 vestibular schwannomas (acoustic neuromas): hearing function in 1000 tumor resections. Neurosurgery 1997; 40:248-262
9. Samii M, Matthies C Management of 1000 vestibular schwannomas (acoustic neuromas): the facial nerve-preservation and restitution of function. Neurosurgery 1997; 40:684-694
10. Samii M, Gerganov V, Samii A. Improved preservation of hearing and facial nerve function in vestibular schwannoma surgery via the retrosigmoid approach in a series of 200 patients. J Neurosurg 2006; 105:527-535
11. Rhoton AL. The cerebellopontine angle and posterior fossa cranial nerves by the retrosigmoid approache. Neurosurgery 2000; 47:S93-S129
12. Tatagiba M, Roser F, Schuhmann MU, Ebner FH. Vestibular schwannoma surgery via the retrosigmoid transmeatal approach. Acta Neurochir 2014; 156:421-425
13. Wanibuchi M, Fukushima T, Friedman AH, Watanebe K, Akiyama Y, Mikami T. Hearing preservation surgery for vestibular schwannoma via the retrosigmoid transmeatal approach: surgical tips. Neurosurg rev. 2014;37:431-444

CHAPTER 11

청신경 종양에 대한 방사선수술

Radiation therapy: Radiosurgery

임영진, 최석근

서론

방사선수술(radiosurgery)은 1951년 스웨덴의 Karolinska Institute에서 Lars Leksell 교수에 의해 처음 소개된 이래 기술적 측면과 임상적 응용에 대한 꾸준한 연구가 진행되고 있고, 특히 1990년도 이후 신경영상기술(neuroimaging technique)의 급속한 발달과 함께 두개강내 병변(intracranial lesions)에 대한 최신 치료 방법 중의 하나로 널리 이용되고 있다. 방사선수술의 원리는 병변에 집중적으로 high-intensity ionizing radiation을 조사(irradiation)함으로써 인접 부위의 정상 조직에는 손상을 최소화(minimize)하면서 병변의 파괴는 최대화하는 것이다.

방사선수술의 역사는 1968년 Sweden의 Stockholm에서 처음으로 Leksell Gamma Knife®의 prototype이 설치되어 가동되었으며 1986년에는 Leksell Gamma Knife® B type이 소개되었고 한국을 비롯하여 전세계적으로 보급되면서 1990년대 초부터 방사선수술이 활성화되었다. 2004년에는 Leksell Gamma Knife® 4C type이 소개되었으며, 특징으로서 새로운 Leksell GammaPlan® software를 도입하여 ability to co-register non-stereotactic images를 제공하고 CT, MR, PET와 같은 여러 image source로부터 planning을 할 수 있게 하였으며, 감마나이프가 없는 center로부터 원격 영상 정보 공유를 통한 planning을 가능하게 하였다. 가장 최근에는 차세대 방사선수술기구인 Gamma Knife Perfexion System이 개발되었으며 이는 뇌의 주요구조물 주변 종양 치료에 획기적인 발전을 이루어 종양 모양에 일치하는 planning을 가능하게 하였다. Regis 등[1]은 perfexion system을 이용한 치료경험을 토대로 좀더 편하고 정확하게 planning 할 수 있었으며 무엇보다도 collision risk가 48.3%에서 3.3%로 낮아졌다고 발표하였다. 즉, 기존의 감마나이프의 장점인 정확성에 영향을 주지 않으면서도 뇌의 주변부 뇌종양을 유용하게 치료할 수 있게 되었다. 그리고 Novalis나 Cyberknife 등의 최신 치료장비들이 도입되면서 뇌종양의 치료에 있어서 방사선수술의 역할은 점차 증대되고 있다.[2]

청신경 종양에 대한 감마나이프 방사선수술(GKS)은 Sweden의 Leksell교수에 의해 1969년 처음으로 시작되었다.[3] 전세계적으로 1991년 코펜하겐에서 열린 제1차 청신경 종양에 대한 국제학회에서 청신경 종양의 방사선수술에 대한 치료결과들이 보고되면서 감마나이프에 대한 관심이 증가되었고 수술위험율이 높은 환자, 수술을 거부한 환자에게 방사선수술이 적절한 치료로 각광받게 되었다.[4] 그 후 현재까지 많은 센터에서 청신경 종양에 대한 감마나이프 방사선수술의 좋은 결과들을 보고하고 있다.

한편, 새로운 신경 영상 기법(new neuroimaging techniques)은 감마나이프 방사선수술을 더욱 발전시키는 촉매제 같은 같은 역할을 하였다. 근래 들어 도입된 high tesla MRI기법은 thin slice의 영상과 이 영상들의 합성을 통해서 청신경 종양 주위의 인접한 중요한 구조물들(안면신경, 뇌간, 소뇌, 인접 혈관구조물)을 좀더 정확히 볼 수 있게 하였으며 3D 영상 또는 CISS (Constructive Interference in Steady State)나 FIESTA (Fast Imaging Employing Steady State Acquisition)와 같은 영상은 뇌척수액과 구조물 사이의 대비를 보다 명확하게 해주어 인접 구조물 파악을 좀더 용이하게 하였다. 또한 내이의 semicircular canal이나 bony structure 등도 보다 정확하게 볼 수 있게 하여 방사선수술 시 좀더 정확한 planning이 가능토록 하였다.[5,6,7]

근래에는 환자의 삶의 질 향상을 위한 청력보존에 가장 적정화된 방사선량(optimal radiation dose)은 얼마인가에 관심이 집중되고 있는 가운데, 최근 진단 장비들의 발달로 청신경주위의 정확한 해부학적인 인식이 가능해지면서 주변 중요구조물에 조사되는 방사선량을 줄일 수 있게 되었다.[8,9,10,11] 또한 종양의 위치와 크기에 따른 청력보존율의 차이에 대한 여러 결과들이 보고되면서 방사선수술계획(radiosurgical planning)에 도움이 되는 정보가 공유되고 있다.[3,10] 본 장에서는 청신경 종양에 대한 방사선수술의 역사와 발전상을 되돌아보고 방사선수술의 역할, 치료결과, 적정 방사선량의 결정 및 앞으로의 발전 방향에 대해서 문헌 고찰과 함께 이야기 해보고자 한다.[12]

본론

청신경 종양에 대한 방사선수술의 방사선 생물학

방사선이 조사되어 종양조직에 주는 영향은 DNA damage와 혈관손상에 의한 혈관 폐색(obliteration)이라고 할 수 있으며 이는 여러 종양 및 혈관 기형의 치료 기전에서 제시되고 있다. 이온화된 방사선이 조사되면 세포의 DNA에 손상을 가져오며 세포의 apoptosis로 인해 early tumor shrinkage를 조장하게 된다. late responding tissue의 경우에는 long cell cycle time을 갖기 때문에 delayed tumor shrinkage를 조장하여 종양 세포를 퇴화시키게 된다. 한편 종양으로 가는 혈관에 작용된 방사선은 세동맥의 Hyalinization of arterioles, Myo-intimal cell injury, Endothelial proliferation 등을 통해 혈류를 차단하게 되고 이로 인해 서서히 종양 세포의 허혈을 조장하여 종양세포에 저산소증을 유발하여 세포의 손상을 초래한다. 이는 혈관기형의 치료 기전과 유사한 것이다.[13,14,15]

청신경 종양에 대한 방사선수술의 적응증

청신경 종양에 대한 자연경과(natural course or conservative management)에 대해 Yamakami 등[16]은 보존적인 치료를 한 환자 903명의 자연 경과를 보면 평균 3.1년 동안의 관찰 기간 동안 51%에서 종양이 커졌으며 평균 성장 속도(mean growth rate)는 1.87 mm/year로 결국은 20%의 환자가 수술적인 치료가 필요하였다고 하였다. 비교적 짧은 기간 내에서는 종양의 크기가 증가하지 않을 수도 있지만, 장기간의 추적 관찰을 할 경우 젊은 환자에서 발생한 청신경 종양은 어떤 시점에서 치료가 필요할 만큼 커질 수 있다(그림 11-1).[6] 이런 사실을 염두에 둔다면 조기 치료를 청신경 종양 치료에서 우선적으로 고려하는 것이 필요할 수도 있겠다고 보인다.

수술적 치료의 장점은 치료의 역사가 비교적 길기 때문에 여러 가지 수술 기법들이 잘 알려져 있으며 숙련된 surgeon의 경우 치료 결과가 매우 양호하기에 좋은 결과를 기대할 수 있다는 점이다. 방사선수술은 수술과 같이 오랜 시간의 학습 기간이 필요치 않고 기존의 발표된 dosimetry data에 근거한 선량 선택(dose selection)을 하여 치료할 수 있기 때문에 수술적 치료에 비해 상대적으로 쉽고 정확하게 치료할 수 있다. 청신경 종양은 경계가 비교적 분명하고 뇌조직을 침윤하지 않는 점, 조영증강 MRI에서 잘 보이는 점, 급격한 방사선의 감소(steep radiation fall-off)에 의해 불규칙한 모양의 종양에도 적합한 점 등의 이유로 방사선수술에 적합한 특성을 가지고 있다.[17]

청신경 종양에 대한 치료로서 미세 수술을 통한 제거 방법과 방사선수술은 각 분야에서 발전을 거듭하며 각각에 맞는 치료 적응증과 functional outcome을 개선 시켜 왔으며 어느 정도 적응증에 대하여 공통된 의견이 정립이 되었다. 감마나이프 방사선수술이 일차 치료(primary treatment)로서 시행되는 경우는 청신경 종양의 크기가 작거나 노인 환자이거나 수술적 치료가 힘든 내과적 문제가 있는 경우에도 일차 치료로서 시행될 수 있다. 수술

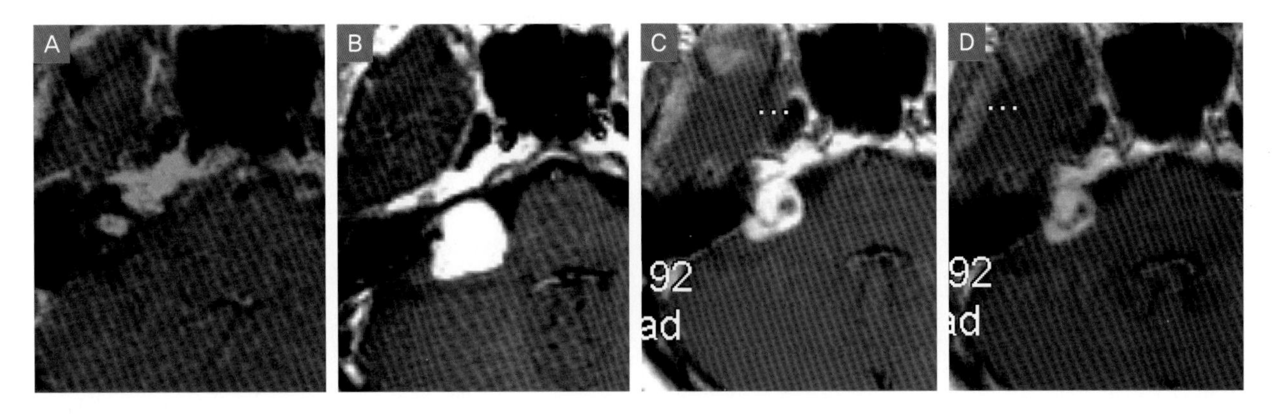

그림 11-1 55세 여자로 우측에 작은 청신경 종양이 발견(A)되어 5년 동안 추적 검사하였더니 점차 종양의 크기가 커지는 것을 관찰할 수 있었다(B). 이 종양에 대해서 감마나이프 방사선수술을 시행하였고(경계부 선량 14.7 Gy/ 2.8 cc) 이후 2년(C), 7년(D)이 경과한 시점에 종양의 크기는 더 이상 자라나지 않고 있음이 확인되었다.

후의 잔존 종양(remained tumor), 재발한 종양(recurred tumor)의 대하여는 방사선수술이 Secondary treatment로 시행될 수 있다. 그러나 크기가 크고 큰 낭종(cyst)을 동반한 경우이거나 뇌간의 압박을 보이는 경우는 미세수술적 치료가 반드시 선행되어야 한다.[4,18,19,20]

요약하자면 청신경 종양에 대한 감마나이프 방사선수술(gamma knife radiosurgery)의 적응증은 직경이 3 cm 미만 또는 내이도 부위에 국한된 작은 병변이어야 하며, 수술적 제거 후 남은 종양이거나 재발한 경우이다.[21] 그러나, 저자의 경우에는 방사선수술이 적용될 수 있는 청신경 종양의 크기인 3 cm 직경은 크다고 보며 종양용적이 5 cc 미만인 경우가 방사선수술을 시행했을 경우 좋은 치료효과를 보일 수 있다고 본다.

선량 선택(Dose selection)

방사선수술 시 뇌신경손상의 위험인자로는 총 선량(total dose), 총 용적(total volume), 감마나이프 수술 전 수술의 경력(prior resection), 방사선이 조사된 뇌신경의 길이(irradiated length of cranial nerve), 뇌간에 조사된 최대선량(maximal dose to brain stem) 등으로 보고되고 있다.[5,22]

초기에는 뇌 자기공명 영상촬영기가 없었고 뇌전산화 단층촬영술의 해상도가 낮아 정확한 치료계획이 어려웠고 18 Gy 이상의 고용량 방사선 조사로 인해 삼차신경장애, 안면신경마비 등의 합병증이 많았고 청력보전율 또한 낮았다.[23,24] 그러나 근래의 선량 선택(dose selection)은 작은 크기의 종양은 14 Gy, 중간크기의 종양은 12 Gy, 큰 종양은 10 Gy를 적용하며 최근에는 작은 크기의 종양에서도 12 Gy로 감소하여 적용하는 추세이다. 12 Gy의 방사선 조사량에도 종래와 같은 종양 성장 억제율을 보여주고 있으며 상대적으로 청신경 및 안면신경의 방사선 부작용을 줄일 수 있게 되었다.[25,26,27] 청력 보존이 가능하다면 되도록 많은 양의 방사선량이 조사되는 것이 원칙이라고 할 수 있으나, 과다 방사선량 조사에는 필연적으로 청력에 대한 합병증이 높아지기 때문에 적정한 방사선량을 조사하는 것이 중요하며 아직까지 적당한 선량 선택에 대해서는 논란이 있다.[28]

방사선수술 결과(Radiosurgical results)

종양억제율(Tumor control rate)

청신경 종양에 대한 감마나이프 방사선수술의 결과에 대하여 종양억제율은 87~98%, 청력보존율은 40~87%로 많은 센터에서 보고하고 있다.[13,20,29,30,31,32,33,34] Karolinska Hospital의 Noren은 1969년부터 1997년까지 감마나이프로 시술한 669예의 치료결과분석에서 종양억제율은 95%였고 삼차신경 및 안면신경에 대한 합병증은 2%미만이었으며 청력보존율은 70~74%였다고 보고하였다.[32]

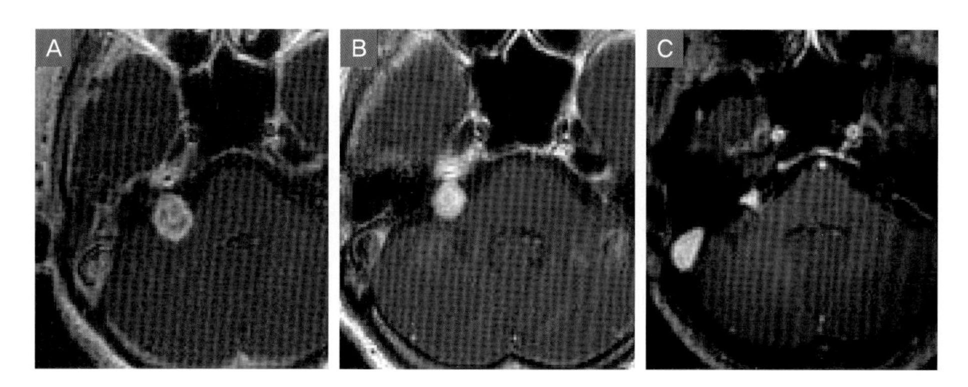

그림 11-2 61세 여자로 감마나이프 방사선수술(경계부 선량 12.8 GY/ 1.7 cc) 시행(A) 시, 3년 경과시점(B), 11년 경과시점(C) 후의 MRI. 치료 후 점차 종양의 크기가 줄어들었다.

Lunsford 등[35]은 2005년 829명의 청신경 종양 환자를 대상으로 치료 결과를 보고하였다. 평균 13 Gy의 marginal dose로 치료하였으며 평균 6년 동안 follow-up하였을 때 종양억제율은 98.6%였으며 청력 보존율은 78.6%였고 안면신경 합병증은 1% 미만, 삼차신경에 관련된 합병증은 3.2% 이하라고 보고하였다. Regis 등[36]은 927명의 환자를 대상으로 하여 1000례의 감마나이프 방사선수술을 하였으며 적용된 종양의 평균 크기는 12.7 mm^3로 비교적 큰 편이었고 치료 후 결과에서 종양억제율은 97%였으며 안면신경 합병증이 1.3%, 삼차신경 합병증이 1.3%였다고 보고하였다. 감마나이프 방사선수술의 청신경 종양에 대한 종양억제율은 이미 여러 보고를 통해서 만족할 만한 결과를 보여주고 있다(그림 11-2).[37,38,39]

방사선수술 후 청신경 종양의 일시적 팽대

(Transient enlargement of acoustic neuroma)(그림 11-3)

임상적으로 초기에는 종양의 고형 부위가 방사선수술에 의해 괴사되어 종양내 낭종(intratumoral cyst)을 형성하여 커지는 경향을 보이는데 이때 감마나이프 방사선 치료의 실패로 생각하여 수술을 시행해서는 안되고 새로운 신경학적 결손증상이 없는 한 추적관찰이 필요하다.[20,40,41] 장기간의 추적 관찰 시 초기에 커졌던 종양의 고형 부위 낭종은 흡수되어 대부분 그 크기가 감소하는 것을 관찰할 수 있다.

방사선수술 후 종양의 팽대는 치료 후 일정한 기간 내에 올 수 있는 현상으로 방사선수술 후 일시적인 종양의 팽대(transient enlargement)와 지속적인 종양의 성장(continuous enlargement)은 구분되어야 하며 추적

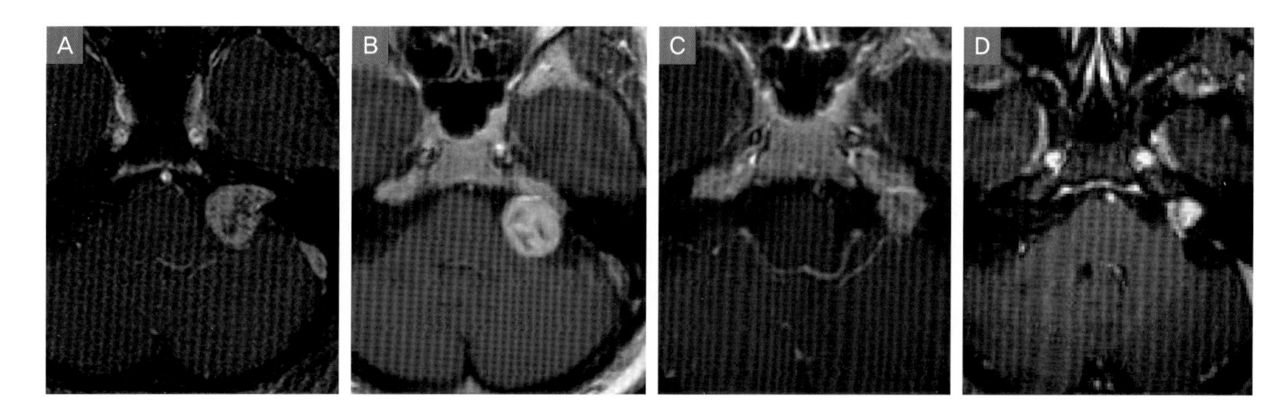

그림 11-3 48세 남자로 초기에 종양 내에 microcyst가 있는 상태에서 방사선수술을 시행(13.8 Gy/4.5 cc)하였으며 2년째 시행한 추적검사에서 종괴의 크기가 증가하였으나(B) 지속적으로 지켜본 결과 6년(C), 10년(D)추적검사결과에서 종괴의 크기가 현저히 작아졌음을 확인할 수 있다.

관찰기간(follow-up period)동안 눈여겨보아야 할 부분이다. 수술 후 MRI에서 종양의 중심부위가 조영 증강되는 특성이 상실되면 방사선수술 후 일시적인 종양의 팽대(transient tumor growth)일 가능성이 높다. 이는 종양에 대한 radiation effect라고 여겨진다.[12,34,42] 청신경 종양에 대한 감마나이프 방사선수술 후 80% 정도에서 청신경 종양의 중심부위 조영증강(central enhancement)이 상실되며, 5%에서 일시적인 swelling이 발생하여 2%에서 수술적 치료까지 필요한 경우가 있다는 보고가 있으나, 이는 대부분 동반된 낭종 크기 증가로 필요한 수술적 치료로 보인다.[43,44] Pollock 등[45]은 14%의 환자에서, Delsanti 등[25]은 15%의 환자에서 이러한 현상이 발생된다고 보고하였다. Kondziolka 등[46]은 162명중 5명의 환자(3%)에서 일시적인 종양의 크기의 증가가 있었으나 이는 방사선 작용에 의한 종양 중심부위의 괴사(central necrosis)에 의한 것이었으며 추적 관찰 결과 모든 례에서 종양의 성장 억제를 보여주었다고 하였다. 이러한 문헌보고들의 결과로 볼 때 방사선수술 후 청신경 종양이 일시적으로 커지는 것은 종양에 대한 방사선 효과이며 자연스러운 경과로 판단되므로 실질적 종양 크기 증가 여부에 대해서는 약 2년 또는 그 이상의 추적 관찰이 필요할 것으로 사료된다. 이 기간 동안 종양의 성장으로 인해 수술적인 치료를 계획하는 것은 좀더 신중히 고려되어야 한다. 방사선수술 후 발생할 수 있는 hearing dysfunction, facial numbness나 weakness는 종양의 일시적인 크기 증가와 더불어 나타나는 일시적인 현상일 수 있으며, 이 경우 대부분 회복된다. 방사선수술 후 치료 효과를 판정하기에 2년은 좀 짧으며 최소한 3년 이상 관찰하는 것이 중요하며 근간에 발표된 논문들 또한 장기간 추적 관찰한 보고들이 많다.[18,47,48]

저자의 경우에는 방사선수술 시행 초기 종양 내에 있는 microcyst의 유무가 중요한 예후인자라고 보며 이 경우 추적 검사시 종양의 일시적인 크기 증가와 함께 청력소실이 발생할 수 있기 때문에 세밀한 추적검사를 시행하고 있다.

청신경 종양에 대한 방사선수술 후 청력 보존
(Hearing preservation after GKS for acoustic neuroma)

청신경 종양에 대한 방사선수술 후 청력 보존율은 40~78.6%로 보고되고 있다.[1,16,35,49,50,51] Global hearing preservation에 대한 여러 보고에 있어서 그 측정 방법이 동일하지 않기 때문에 단순 비교는 한계가 있다. 방사선수술 후 청력보존율에 대한 평가는 serviceable hearing인 Gardner-Robertson grade I, II (PTA>50 dB, SDS>50%) 이상의 환자를 기준으로 하는 것이 가장 임상적으로 타당하다고 본다.[52]

1990년대 청신경 종양에 대한 방사선수술은 근래 적용하고 있는 방사선량 보다 많은 방사선량을 적용하였다. 1998년대에는 16 Gy 이상의 고용량의 marginal dose를 적용하여 치료하였으며 그 결과로 facial nerve dysfunction과 trigeminal neuropathy가 비교적 높았다. 2000년대에 들어서면서 적은 방사선량이 적용되면서 hearing preservation rate가 점차 개선되었다. Flickinger는 평균 13 Gy로 71%의 hearing preservation rate를 보고했다.[30] Niranjan은 4 mm collimator와 13-14 Gy의 marginal dose로 좋은 종양억제율과 청력보존율을 얻었다고 보고했다.[11] 최근에는 12 Gy 이하의 저선량 적용으로도 종양억제율에 영향 없이 좋은 청력보존을 얻었다는 임상결과들이 보고되고 있다.

또한 장기간 추적 관찰을 하여 청력 보존을 보고한 경우도 있다. Hempel JM 등은 방사선수술은 비침습적이고 효과적인 치료법이라는 전제하에 1994년부터 123명의 환자를 대상으로 감마나이프 방사선수술 후 평균 8.2년 동안 한번의 감마나이프 방사선수술에 의한 종양억제율은 96.7%였으며 hearing impairment 발생은 18%였다고 하였다.[53] Hasegawa 등은 135개월이라는 비교적 긴 시간 동안 추적 관찰하였으며 평균 14.6 Gy의 marginal dose를 적용하여 청력보존율 37%의 결과를 얻었다.[40] 방사선수술의 초창기에는 청신경 종양에 대한 방사선수술 후 청력저하는 1년 이내에 오며 이후에는 안정된 경과를 보인다고 알려져 있었다.[54] 조만간에 장기추적관찰 후 치료결과 보고가 축적되어 방사선수술 후 청력의 시간적 변화에 대한 이론적 정립이 이루어질 것으로 기대되며 청력 보존을 위한 방사선량의 결정에 있어서 중요한 정보가 제공될 수 있을 것이다.

방사선수술 후 조기의 청력소실은 드물며 대게 신경부종이나 탈수초화에 의해 발생하며 보통 3개월에서 24개월 사이에 발생한다.[11,55,56] 지연성 청력소실의 원인은 명백히 밝혀지지는 않았으나 미세혈관의 점진적인 폐색 또는 방사선에 의한 직접적인 신경축삭의 손상으로 추측

된다. 또한 방사선수술 후 일시적 종양의 부피팽창으로 내이도 부위의 청신경 압박, cochlear nerve의 perineural sheath와 종양과의 유착 등이 청력 저하의 원인일 수 있다는 가설도 제기 되었다.[12,20,57,58]

해부학적인 관점에서 Intracanalicular 청신경 종양은 방사선 조사 시 작은 크기에도 불구하고 청력저하가 올 가능성이 더 높으며, 방사선이 조사되는 nerve의 길이가 길어도 청력저하 발생률이 높아진다. Intracanalicular tumor일수록 청력저하의 위험성이 높다는 것은 방사선에 가장 민감한 부위인 transitional Obersteiner-Redlich zone이 내이도에 근접해 있으며 주위의 구조물이 bone으로 되어 있어 방사선수술 후 일시적인 종양의 부피 팽창 시 압력의 영향을 많이 받을 수 있기 때문이다.[8,11,59,60] Nirajan은 intracanalicular tumor의 방사선수술시 4 mm collimater로 margin에 13-14 Gy의 방사선을 조사하는 것을 권장하였다.[11] 근래에는 적은 방사선량으로도 종래와 비슷한 종양억제율을 얻는 보고가 축적되어 청력 보존에 대한 치료 결과는 더 좋아질 것으로 기대할 수 있겠다.

방사선수술 후의 병태생리 및 합병증
(Complications and post radiosurgical pathophysiogy)

현재까지 cranial neuropathy에 대한 보고 중 비교적 큰 크기의 청신경 종양, 특히 낭종을 동반한 종양의 경우에 있어서 치료 후에 cranial neuropathy, cerebellar infarction and edema, cyst enlargement, 악성 종양으로의 변이(malignant transformations), 종양내 출혈(intratumoral hemorrhage), hemifacial spasm 등의 발생에 대한 보고가 있었다.[19,41,44,61] 청신경 종양에 대한 방사선수술 후 Trigeminal, Facial nerve dysfunction을 보면 1998년 Kondziolka는 평균 16.6 Gy의 marginal dose를 적용하여 치료한 결과 facial dysfunction 15%, trigeminal dysfunction 16%를 보여주었다. 이후 dose를 감량하여 적용한 치료 결과들에서 적은 방사선량을 적용했을 경우 현저한 합병증 저하를 보여주었다.

하지만 크기가 큰 청신경 종양의 경우 합병증 발생가능성이 높기에 수술 후 residual, recurred mass가 큰 경우에는 방사선수술 보다는 재수술을 하는 것이 더 바람직한 치료로 권장되고 있다. 일반적으로 재수술에 따른 합병증을 예상하여 방사선수술이 2차적인 치료 방법으로 많이 고려되고 있으나, 2차 치료로 시행한 방사선수술이 실패한 경우 수술적 제거 시도 시 조직의 방사선 효과에 의한 주변 조직과의 유착 및 종양의 섬유화로 제거가 더 힘들어져, 이런 경우 치료 방법에 대한 논란이 있는 상태이다.

방사선수술과 미세 수술(Radiosurgery vs Microsurgery)

Sammi[51]와 Noren[32]은 각각 청신경 종양의 수술적 치료와 감마나이프 방사선수술에 대한 결과를 비슷한 시기에 발표 하였다. Sammi는 1000예의 청신경 종양에 대한 미세 수술 후 97.9%의 완전 종양적출율, 8~12%의 삼차신경 장애(trigeminal nerve dysfunction), 1.7%의 안면신경 마비(facial palsy), 39~50%의 청력보존율, 9.2%의 뇌척수액 누수(CSF leakage)를 보고하였다. 반면 Noren은 669명의 환자를 대상으로 하여 치료한 결과 95%의 종양억제율, 70~75%의 청력보존율과 2% 이하의 안면신경마비 및 2% 이하의 삼차신경 장애를 보고하여 tumor control과 tumor removal에 있어서는 비슷한 치료결과를 보였으나 청력보존율과 cranial nerve complication에 있어서는 방사선수술이 우위를 보여주었다. 또한 Pollock[62]은 같은 교실(institution)에서 미세 수술을 시행한 40명, 감마나이프 방사선수술을 시행한 47명에 대한 결과에서 미세 수술법(감마나이프 방사선수술법)은 안면신경마비 37%(17%), 삼차신경장애 11%(14%), 청력보존율 14%(75%), 완전 종양절제율 97%(94%), 환자 만족도 79%(93%)를 보고하였다. 이들의 결과비교에서 감마나이프 방사선수술이 청력보존율과 합병증 측면에서 더 좋은 결과를 보여 주었다.

Yamakami 등[16]은 그 동안 발표되었던 논문들을 토대로 1475명의 감마나이프 방사선수술군, 5005명의 미세 수술군, 903명의 관찰군으로 나누어서 각군의 임상적 경과 및 치료 결과에 대해서 발표하였다. 청신경 종양에 감마나이프 수술 후 평균 3.8년의 경과 관찰 기간 동안 종양억제율은 92%였으며 4.6%의 환자에서 미세 수술이 필요하고 57%의 청력보존율을 보여주었다. 미세 수술군에서는 완전 종양 절제가 된 경우가 96%였으며 종양의 재발(tumor recurrence)이 1.8%, mortality가 0.63%였으며 청력보존율은 36%였다. 합병증 발생은 방사선수술군에서 안면 마비나 이명이 8%의 환자에서 있었으나 미세 수술 군에서는 87%에서 good facial function을 보여주었다.

이와 같이 종양의 제거(tumor removal) 내지는 조절(tumor control)에 있어서 비슷한 결과가 보고 되고 있지만 합병증 발생에서는 전체적으로 방사선수술군에서 더 좋은 결과를 보여주고 있다.[63,64,65] 진단 장비(neuro-imaging techniques)의 발달로 인해 진단 당시의 종양 크기가 감소하고 있으며 이는 앞으로 방사선수술이 많은 역할을 할 것으로 기대를 할 수 있겠으나 이들의 치료 결과를 같은 판단 기준으로 동등하게 적용하기에는 아직 논란이 있다.[66] 미세 수술(microsurgery)의 경우 상당히 큰 종양이 많이 포함된 반면 방사선수술의 경우 상대적으로 작은 크기(relatively small sized VS)의 청신경 종양이 치료의 대상이 되었기 때문이다.[61,67] 추적 관찰(follow-up)하는 방법으로서 각 center마다 hearing preservation을 평가하는 기간에 차이가 있고 long term follow up이 되었다고 하여도 확실한 결과를 발표하기에는 한계가 있다.[68] 수술적 치료는 functional result 및 제거 정도를 수술 후에 어느 정도 알 수 있으나 감마 나이프 방사선수술의 경우에는 지연 효과로 인해 치료 효과, functional result의 결과가 파악하는 기간에 따라 다양하기에 언제를 기준으로 평가할지에 대하여는 많은 연구를 토대로 정립되어야 한다.[10] 치료결과의 비교를 통해서 종양의 성장 억제에 대한 방사선수술의 역할은 효과적임이 이미 입증되었으며 앞으로는 더 높은 뇌신경 기능(cranial nerve function) 보존율, 낮은 합병증 발생율을 이루기 위한 연구가 이루어져야 할 것이다.

결론

청신경 종양에 대한 방사선수술은 정확한 적응증을 기준으로 치료할 경우 만족할 만한 효과가 있음이 입증되었다. 앞으로는 이러한 좋은 치료효과를 유지하면서 청력 보존 및 인접 뇌신경기능장애를 최소화하는가에 관심이 집중될 것으로 전망한다. 최근에는 12 Gy 정도의 low-dose 방사선량으로도 종양억제율을 높일 수 있고 청력 보존율을 높일 수 있다는 보고들이 축적되고 있어 5 cc 미만의 작은 청신경 종양에서는 12-13 Gy 정도의 radiation dose로도 만족할 만한 종양억제율을 기대할 수 있을 것이다. 좀더 정확하고 편리한 radiosurgical tools로의 진화, planning 기법의 발전 및 해상도 높은 imaging의 비약적인 발전은 병변 외의 조직에는 방사선 작용을 최소화 한다는 방사선수술의 기본 원리를 구현하는데 있어서 큰 역할을 할 것으로 기대하며 청신경 종양의 방사선수술 후 청력 보존과 합병율의 저하에 공헌할 것으로 기대된다.

■ 참고문헌

1. Regis J, Pellet W, Delsanti C : Functional outcome after gamma knife surgery or microsurgery for vestibular schwannomas. J Neurosurg 97:1091-1100, 2002
2. Pollock BE, Lunsford LD, Noren G.: Vestibular Schwannoma Management in the Next Century: A Radiosurgical Perspective. Neurosurgery 43:475-483, 1998
3. Leksell L: Stereotactic radiosurgery. J Neurol Neurosurg Psychiatry 46:797-803, 1993
4. Moller P, Myrseth E, Pedersen PH, Larsen JL, Krakenes J, Moen G: Acoustic neuroma treatment modalities. Surgery, gamma-knife or observation? Acta Otolaryngol Supp 543:34-37, 2000
5. Meeks SL, Buatti JM, Foote KD, Friedman WA, Bova FJ: Calculation of cranial nerve complication probability for acoustic neuroma radiosurgery. Int J Radiat Oncol Biol Phys 47:597-602, 2000
6. Mitsuoka H, Arai H, Tsunoda A, Okuda O, Sato K, Makita J: Microanatomy of the cerebellopontine angle and internal auditory canal: study with new magnetic resonance imaging technique using three-dimensional fast spin echo. Neurosurgery 44:561-566, 1999
7. Novotny J Jr, Vymazal J, Novotny J, Tlachacova D, Schmitt M, Chuda P, Urgosik D, Liscak R: Does new magnetic resonance imaging technology provide better geometrical accuracy during stereotactic imaging?. J Neurosurg(Suppl) 102:8-13, 2005
8. Foote KD, Friedman WA, Buatti JM, Meeks SL, Bova FJ, Kubilis PS : Analysis of risk factors associated with radiosurgery for vestibular schwannoma. J. Neurosurg 95:440-449, 2001
9. Mathieu D, Kondziolka D, Flickinger JC, Niranjan A, Williamson R, Martin JJ et al: Stereotactic radiosurgery for vestibular schwannomas in patients with neurofibromatosis type 2: an analysis of tumor control, complications, and hearing preservation rates. Neurosurgery 60:460-468, 2007
10. Myrseth E, Moller P, Pedersen PH, Vassbotn FS, Wentzel-Larsen T, Lund-Johansen M: Vestibular schwannomas: clinical results and quality of life after microsurgery or gamma knife radiosurgery. Neurosurgery 56:927-935, 2005
11. Niranjan A, Lunsford LD, Flickinger JC, Maitz A, Konziolka D : Dose reduction improves hearing preservation rates after intracanalicular acoustic tumor radiosurgery. Neurosurgery 45 : 753-765, 1999
12. Nakamura H, Jokura H, Takahashi K : Serial follow-up MR imaging after gamma knife radiosurgery for vestibular schwannoma. Am J Neuroradiol 21 : 1540-1546, 2000
13. Lim YJ, Lee CY, Koh JS, Kim TS, Kim GK, Rhee BA: Seizure control of Gamma Knife radiosurgery for non-hemorrhagic arteriovenous malformations. Acta Neurochir Suppl. 99:97-101, 2006
14. Park SH, Lim YJ, Leem W, Rhee BA, Kim GK, Kim TS : Compara-

tive Study of Angiography and Magnetic Resonance Image in Verifying Obliteration of Arteriovenous Malformation after Gamma Knife Radiosurgery. J Korean Neurosurg Soc 32 : 407-412, 2002

15. Schneider BF, Eberhard DA, Steiner LE : Histopathology of arteriovenous malformations after gamma knife radiosurgery. J Neurosurg 87:352-357, 1997
16. Yamakami I, Uchino Y, Kobayashi E, Yamaura A: Conservative management, gamma-knife radiosurgery, and microsurgery for acoustic neurinomas: a systematic review of outcome and risk of three therapeutic options. Neurol Res 25:682-690, 2003
17. Chan AW, Black P, Ojemann RG, Barker FG 2nd, Kooy HM, Lopes VV et al : Stereotactic radiotherapy for vestibular schwannomas: favorable outcome with minimal toxicity. Neurosurgery. 57:60-70, 2005
18. Betchen SA, Walsh J, Post KD: Long-term hearing preservation after surgery for vestibular schwannoma. J Neurosurg 102:6-9, 2005
19. Franco-Vidal V, Songu M, Blanchet H, Barreau X, Darrouzet V: Intracochlear hemorrhage after gamma knife radiosurgery. Otol Neurotol 28:240-244, 2007
20. Lee F, Linthicum F Jr, Hung G : Proliferation potential in recurrent acoustic schwannoma following gamma knife radiosurgery versus microsurgery. Laryngoscope 112 : 948-950, 2002
21. Pollock BE, Lunsford LD, Flickinger JC, Clyde BL, Kondziolka D: Vestibular schwannoma management. Part I. Failed microsurgery and the role of delayed stereotactic radiosurgery. J Neurosurg 89:944-948, 1998
22. Levegrun S, Hof H, Essig M, Schlegel W, Debus J: Radiation-induced changes of brain tissue after radiosurgery in patients with arteriovenous malformations: correlation with dose distribution parameters. Int J Radiat Oncol Biol Phys 59:796-808, 2004
23. Ito K, Kurita H, Sugasawa K, Mizuno M, Sasaki T: Analyses of neuro-otological complications after radiosurgery for acoustic neurinomas. Int J Radiat Oncol Biol Phys 39:983 –988, 1997
24. Ogunrinde OK, Lunsford LD, Flickinger JC, Kondziolka DS: Cranial nerve preservation after stereotactic radiosurgery for small acoustic tumors. Arch Neurol 52:73 –79, 1995
25. Delsanti C, Tamura M, Galanaud D, Regis J: hanging radiological results, pitfalls and criteria of failure. Neurochirurgie 50: 312-319, 2004
26. Petit JH, Hudes RS, Chen TT, Eisenberg HM, Simard JM, Chin LS: Reduced-dose radiosurgery for vestibular schwannomas. Neurosurgery 49:1299–1306, 2001
27. Wowra B, Muacevic A, Jess-Hempen A, Hempel JM, Muller-Schunk S, Tonn JC: Outpatient gamma knife surgery for vestibular schwannoma: definition of the therapeutic profile based on a 10-year experience. J Neurosurg 102:114-118, 2005
28. Iwai Y, Yamanaka K, Shiotani M, Uyama T: Radiosurgery for acoustic neuromas: results of low-dose treatment. Neurosurgery 53:282 –287, 2003
29. Chung WY, Liu KD, Shiau CY, Wu HM, Wang LW, Guo WY, Ho DM, Pan DH: Gamma knife surgery for vestibular schwannoma: 10-year experience of 195 cases. J Neurosurg (suppl) 102:87-96, 2005
30. Flickinger JC, Kondziolka D, Niranjan A, Maitz A, Voynov G, Lunsford LD: Acoustic neuroma radiosurgery with marginal tumor doses of 12 to 13 Gy. Int J Radiat Oncol Biol Phys 60:225-230, 2004
31. Hasegawa T, Kida Y, Kobayashi T, Yoshimoto M, Mori Y, Yoshida J: Long-term outcomes in patients with vestibular schwannomas treated using gamma knife surgery: 10-year follow up. J Neurosurg 102:10-16, 2005
32. Noren G: Long-term complications following gamma knife radiosurgery of vestibular schwannomas. Stereotact Funct Neurosurg(Suppl 1) 70:65-73, 1998
33. Paeng SH, Kim MS, Sim HB : Gamma-knife radiosurgery for vestibular schwannoma. J Korean Neurosurg Soc 30 : 1308-1313, 2001
34. Subach BR, Konziolka D, Lunsford LD, Bissonette DJ, Flickinger JC, Maitz AH: Stereotactic radiosurgery in the management of acoustic neuromas associated with neurofibromatosis Type 2. J. Neurosurg 90:815-822, 1999
35. Lunsford LD, Niranjan A, Flickinger JC, Maitz A, Kondziolka D: Radiosurgery of vestibular schwannomas: summary of experience in 829 cases. J Neurosurg(Suppl) 102:195-199, 2005
36. Regis J, Delsanti C, Roche PH, Thomassin JM, Pellet W: Functional outcomes of radiosurgical treatment of vestibular schwannomas: 1000 successive cases and review of the literature Neurochirurgie 50:301-311, 2004
37. Ebersold MJ, Harner SG, Beatty CW, Harper CM Jr, Quast LM: Current results of the retrosigmoid approach to acoustic neurinoma. J Neurosurg 76:901-909, 1992
38. Flickinger JC, Lunsford LD, Linskey ME, Duma CM, Kondziolka D: Gamma knife radiosurgery for acoustic tumours: multivariate analysis of four year results. Radiother Oncol 27:91 –98, 1993
39. Gormley WB, Sekhar LN, Wright DC : Acoustic neuromas : results of current surgical management. Neurosurgery 41 : 50-60, 1997
40. Hasegawa T, Kida Y, Yoshimoto M, Koike J, Goto K: Evaluation of tumor expansion after stereotactic radiosurgery in patients harboring vestibular schwannomas. Neurosurgery 58:1119-1128, 2006
41. Tago M, Terahara A, Nakagawa K, Aoki Y, Ohtomo K, Shin M et al: Immediate neurological deterioration after gamma knife radiosurgery for acoustic neuroma. Case report. J Neurosurg (Suppl 3)93:78-81, 2000
42. McEvoy AW, Kitchen ND: Rapid enlargement of a vestibular schwannoma following gamma knife treatment. Minim Invasive Neurosurg 46:254-256, 2003
43. Fisher G, Fisher C, Remond J : Hearing preservation in acoustic neuroma surgery. J Neurosurg 76 : 910-917, 1992
44. Shin M, Ueki K, Kurita H, Kirino T: Malignant transformation of a vestibular schwannoma after gamma knife radiosurgery. Lancet 27;360:309-310, 2002
45. Paek SH, Chung HT, Jeong SS: Hearing preservation after Gamma Knife stereotactic radiosurgery for vestibular schwannoma. Cancer 104 : 580-590, 2005
46. Kondziolka D, Lunsford LD, McLaughlin MR, Flickinger JC: Long-term outcomes after radiosurgery for acoustic neuromas. N Engl J Med. 12;339(20):1426-1433, 1998
47. Battaglia A, Mastrodimos B, Cueva R: Comparison of growth patterns of acoustic neuromas with and without radiosurgery. Otol Neurotol 27:705-712, 2006
48. Hasegawa T, Fujitani S, Katsumata S, Kida Y, Yoshimoto M, Koike J: Stereotactic radiosurgery for vestibular schwannomas: analysis of 317 patients followed more than 5 years. Neurosurgery 57:257-265, 2005
49. Flickinger JC, Kondiziolaka D, Niranjan A, Lunsford LD : Results

of acoustic neuroma radiosurgery : an analysis of 5 years' experience using current methods. J Neurosurg 94 : 1-6, 2001

50. Prasad D, Steiner M, Steiner L: Gamma surgery for vestibular schwannoma. J Neurosurg 92:745-759, 2000
51. Samii M, Matthies C: Management of 1000 vestibular schwannomas (acoustic neuromas): hering function in 1000 tumor resections. Neurosurgery 40:248-260, 1997
52. Gardner G, Robertson JH: Hearing preservation in unilateral acoustic neuroma surgery. Ann Otol Rhinol Laryngol 97:55-66, 1988
53. Hempel JM, Hempel E, Wowra B, Schichor Ch, Muacevic A, Riederer A: Functional outcome after gamma knife treatment in vestibular schwannoma. Eur Arch Otorhinolaryngol 263:714-718, 2006 [Epub]
54. Hirsch A, Noren G, Anderson H : Audiologic finding after stereotactic radiosurgery in nine cases of acoustic neuromas. Acta Otolaryngol 88:155-160, 1979
55. Cho JH, Paek SH, Chung HT, Jeong SS, Jung HW, Kim DG : Hearing Outcome after Gamma Knife Stereotactic Radiosurgery in Vestibular Schwannoma Patients with Serviceable Hearing. J Korean Neurosurg Soc 40;336-341, 2006
56. Thomassin JM, Epron JP, Regis J, Delsanti C, Sarabian A, Peragut JC et al: Preservation of hearing in acoustic neuromas treated by gamma knife surgery. Stereotact Funct Neurosurg (Suppl 1) 70:74-79, 1998
57. Sekiya T, Moller AR: Cochlear nerve injuries caused by cerebellopotine angle manuplation: An electrophysiological and morphological study in dogs. J Neurosurg 67:244-249, 1987
58. Yu CP, Cheung JY, Leung S, Ho R : Sequential volume mapping for confirmation of negative growth in vestibular schwannomas treated by gamma knife radiosurgery. J Neurosurg (Suppl 3) 93:82-89, 2000
59. Linskey ME, Lunsford LD, Flickinger JC: Tumor control after stereotactic radiosurgery in neurofibromatosis patients with bilateral acoustic tumors. Neurosurgery 31:829-838, 1992
60. Vermeulen S, Young R, Posewitz A, Grimm P, Blasko J, Kohler E et al: Stereotactic radiosurgery toxicity in the treatment of intracanalicular acoustic neuromas: the Seattle Northwest gamma knife experience. Stereotact Funct Neurosurg(Suppl 1) 70:80-87, 1998
61. Pollack AG, Marymont MH, Kalapurakal JA, Kepka A, Sathiaseelan V, Chandler JP: Acute neurological complications following gamma knife surgery for vestibular schwannoma. Case report. J Neurosurg 103:546-551, 2005
62. Pollock BE, Lunsford LD, Konziolka.D, Flickinger JC, Bissonette DJ, Kelsey SF, Jannetta PJ : Outcome Analysis of Acoustic Neuroma Management: A Comparision of Stereotactic Radiosurgery. Neurosurgery 36:215-229, 1995
63. Pollock BE: Management of vestibular schwannomas that enlarge after stereotactic radiosurgery: treatment recommendations based on a 15 year experience. Neurosurgery 58:241-248, 2006
64. Pollock BE, Driscoll CL, Foote RL, Link MJ, Gorman DA, Bauch CD et al : Patient outcomes after vestibular schwannoma management: a prospective comparison of microsurgical resection and stereotactic radiosurgery. Neurosurgery 59:77-85, 2006
65. Weil RS, Cohen JM, Portarena I, Brada M : Optimal dose of stereotactic radiosurgery for acoustic neuromas: A systematic review. Br J Neurosurg 20:195-202, 2006
66. Kaylie DM, Horgan MJ, Delashaw JB, McMenomey SO: A meta-analysis comparing outcomes of microsurgery and gamma knife radiosurgery. Laryngoscope 110:1850-1856, 2000
67. Pollock BE, Lunsford LD, Kondziolka D, Sekula R, Subach BR, Foote RL, Flickinger JC: Vestibular schwannoma management. Part II. Failed radiosurgery and the role of delayed microsurgery. J Neurosurg 89:949-955, 1998
68. Ojemann RG : Management of acoustic neuromas. Clin Neurosurg 40:498-535, 1993
69. Briggs RJ, Fabinyi G, Kaye AH: Current management of acoustic neuromas: review of surgical approaches and outcomes. J Clin Neurosci 7:521-526, 2000

CHAPTER 12

청신경 종양에 대한 분할 정위적 방사선수술

Radiation therapy: Fractionated stereotactic radiosurgery for acoustic neuroma

이기택

청신경 종양에 대한 치료는 수술로서 뇌간 및 소뇌 그리고 주위 신경에 손상을 주지 않고 제거하는 것이 가장 좋은 방법이나 안면신경손상 등의 수술 후 합병증의 발생 가능성이 있으며, 특히 종양의 크기가 큰 경우 신경학적 손상을 유발할 가능성이 높다. 일반적으로 종양의 크기가 크지 않아 완전 제거를 한 경우 재발율은 매우 낮은 것으로 보고되고 있다.[1] 크기가 작은 종양에 대한 stereotactic radiosurgery (SRS)효과는 이미 잘 알려져 있지만 지름이 3 cm가 넘는 큰 종양에 대해서는 그 효과가 만족스럽지 않아 수술적 치료를 고려하는 것이 일반적이다.[2,3] 하지만 전신상태가 수술적 치료를 하기 어려운 경우 종양의 크기가 크더라도 gamma knife radiosurgery를 시행하여 비교적 좋은 결과를 보여서 수술 외 다른 치료의 대안이 될 수 있다는 보고가 있다.[4] 최근에는 선형가속기(Linear accelerator, LINAC)를 이용한 방사선치료 기술이 발달하여 종양의 크기가 큰 경우 분할 정위적 방사선치료(FSRT)로 좋은 결과를 얻은 보고들이 나오고 있다.[5]

일반적으로 청신경 종양은 양성종양이기 때문에 여러 가지 치료 방법 중에 어떠한 치료 방법을 선택하든, 치료와 관련된 합병증을 최소화하고 최대한의 tumor control을 이루는 것이 치료의 목적이라고 할 수 있다. 따라서 주위의 주요 신경 구조물과 너무 가깝게 있거나 주위 조직을 누르고 있는 경우 고선량의 방사선을 한번에 주는 것 보다는 분할 하여 방사선을 조사 하는 것이 치료의 합병증을 줄이고 안전하게 tumor control을 할 수 도 있다. 종양의 크기가 3 cm 이상인 경우뿐만 아니라 수술 후 잔여 종양이 큰 경우에도 분할 방사선 치료가 도움이 될 수 있다.

이미 오래 전부터 하루에 1.8~2.0 Gy의 방사선양을 일주일에 5회, 총 50.5~54 Gy 조사하는 conventional fractionation 방법이 사용되어 왔으며 이 방법이 경험상 tumor control과 radiation toxicity의 균형을 잘 유지하는 것으로 알려져 있다. 최근에는 세기조절 방사선치료(Intensity modulated radiation therapy, IMRT) 방법을 stereotactic localization과 같이 사용해서 좀 더 많은 양의 방사선을 주위 신경조직의 손상을 최소화 하면서 조사할 수 있어 방사선 조사 횟수를 줄일 수 있다(그림 12-1A, B).

Tumor control에 대한 정의는 보고하는 저자들마다 조금씩 다르지만 일반적으로 추적 검사한 MRI에서 크기의 증가가 없거나 작아진 경우를 tumor control로 보고 방사선치료 받을 때를 기준으로 처음보다 지름이 2 mm 이상 증가한 경우를 재발로 판단한다.

Collen 등[6]은 2000년부터 2008년까지 단일병원에서 LINAC을 이용하여 방사선치료를 받은 119명의 청신경 종양 환자를 대상으로 single fraction radiosurgery (SRS)와 FSRT의 치료 효과에 대하여 조사를 하였다. SRS는 78명, FSRT 41명이었으며 FSRT 방법은 2 Gy씩 25회 치료한 경우가 10례, 4 Gy씩 10회 치료한 경

Dose distribution

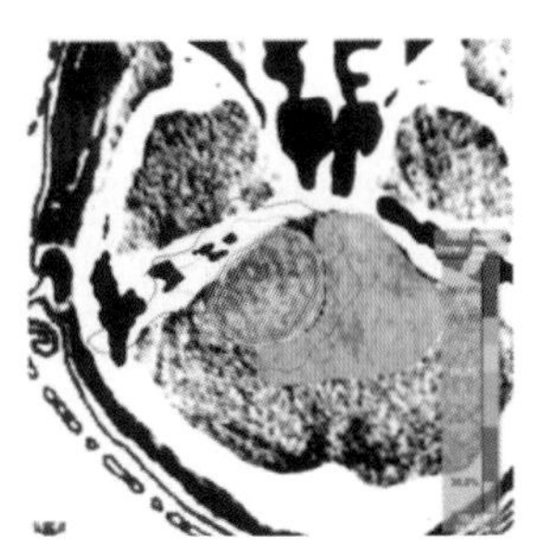

Overview segittal: Tumor

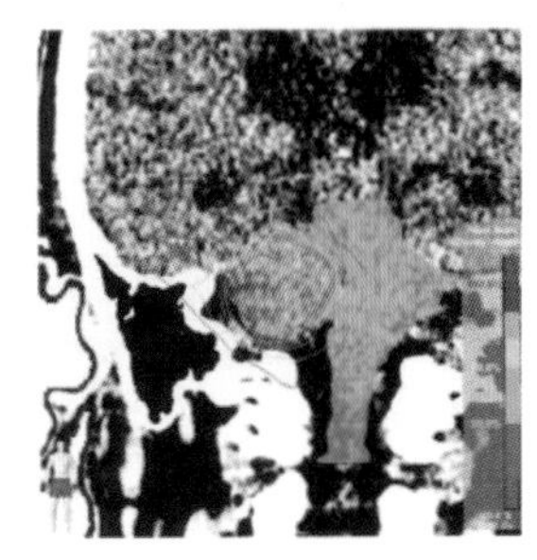

그림 12-1 방사선수술 계획 시 선량 분포도

우가 11례, 3 Gy씩 10회 치료한 경우가 20례였다. 전체 118명의 환자 중에 평균 추적 기간은 62개월이었으며 overall 5-year local tumor control은 95%, 5-year facial nerve preservation 88%, 5-year trigeminal nerve preservation 96%라고 보고하면서 small to medium size의 종양은 좋은 결과를 보였으나 크기가 큰 경우는 아직 치료효과가 만족스럽지 못하다고 보고하였다. 하지만 이 논문은 tumor control에 대해서는 SRS와 FSRT를 각각 나누어서 보고하지 않고 전체적으로 결과를 보고하여 FSRT만의 tumor control은 95%보다 낮을 것으로 판단된다. Mandle 등[2]은 크기가 3 cm 이상 되는 25명의 청신경 종양 환자에게 SRS 또는 FSRT를 시행 하였다. FSRS는 5 Gy씩 5회 분할 조사를 시행 하였으며 5-year tumor control은 82%, 5-year facial nerve preservation 80%, 5-year trigeminal nerve preservation 85%로, tumor progression은 16%로 보고하였다. 하지만 이것 역시 SRS와 FSRT를 구분하지 않은 결과이다. 청신경 종양에 대한 분할 방사선치료 후 종양의 control rate (tumor control rate)는 75.9%~100%로 비교적 좋은 효과를 보이고 있고, 치료후 청력 보존율은 50%~98%, 안면신경기능 보존율은 97.4%~100%, 삼차신경기능 보존율은 84%~100%로 보고되고 있다. 청신경 종양에 대한 분할 방선치료를 시행하고 그 효과와 합병증에 대하여 발표한 최근의 보고들을 정리하였다(표 12-1).

청력평가는 Gardner-Robertson modified hearing classification과 American Academy of Otolaryngology-Head and Neck Surgery (AAO-HNS) Foundation hearing classification system 두 가지가 많이 사용되나 최근에는 Gardner-Robertson scale을 흔히 사용한다(표 12-2). 청신경 종양의 크기와 청력의 감소와는 상관관계가 없다고 하는 보고도 있으나[7], 반대로 Sughrue[1] 등은 종양의 크기가 증가할수록 청력이 감소한다고 메타분석을 통해 보고하였다. 지금까지 보고된 자료들을 분석한 결과 Fractionated RT후 청력의 보존은 50~98%로 볼 수 있다(표 12-1).

안면신경의 기능보존은 청신경 종양치료에 매우 중요한 요소이다. 청력과 마찬가지로 안면신경의 기능도 종양의 크기와 비례하여 저하된다. Fractionated RT후에 영구적 안면신경마비가 심해진 경우는 0~4%이며, 삼차신경의 손상은 2~7%에서 발생 하였고 lower cranial nerve dysfucntion은 매우 드물다.[8]

Fractionated RT는 IMRT와 stereotactic localization과 같은 최첨단 기법들을 접목시켜 정상조직에 최소한의 영향을 주고 종양에 가능한 많은 양의 방사선을 조사 할 수 있게 되었다. 따라서 FSRT는 SRS를 사용이 제한된 경우, 즉 종양의 크기가 크고, vasogenic edema가 심한 경우, 뇌간 압박이 심한 경우 등의 청신경 종양 환자의 치료에 매우 유용하게 사용할 수 있다.

표 12-1 발표된 분할방사선치료 성적에 대한 요약

	Author (year)	No. of Pts.	1 Dose/ Fx (Total)	Local control rate	Hearing preservation	Trigeminal nerve Preservation	Facial nerve preservation	F/U period
1	Lederman et al. (1997)[9]	38	6 Gy x 4 (24 Gy)	100%	93.5%	100%	97.4%	2yr (median)
2	Poen et al. (1999)[10]	46	7 Gy x 3 (21 Gy)	97%	77% (2yr)	84%	97%	2yr (median
3	Meijer et al. (2003)[11]	80	4 Gy x 5 (20 Gy) 5 Gy x 5 (25 Gy)	94%	61% (5yr)	98%	97%	3yr (median)
4	Sawamura et al. (2003)[12]	101	2 Gy x 20 (40 Gy) 2 Gy x 25 (50 Gy)	91.4%	71.7% (5yr)	96%	99.1%	3.8yr (median)
5	Williams et al. (2003)[13]	80	5 Gy x 5 (25 Gy) 3 Gy x 10 (30 Gy)	97%	67.6% (1.6yr)	100%	100%	1.6yr (median)
6	Selch et al. (2004)[14]	48	1.8 Gy x 30 (54 Gy)	100%	91.4% (5yr)	97.8%	97.9%	3yr (median)
7	Combs et al. (2005)[15]	106	1.8 Gy x 32 (57.6 Gy)	95.3%	98% (5yr) 64% (NF2 pts)	96.4%	97.7%	4yr (median)
8	Chan et al. (2005)[16]	70	1.8 Gy x 30 (54 Gy)	98%	84%	96%	99%	3.8yr (median)
9	Chang et al. (2005)[17]	61	7 Gy x 3 (21 Gy)	98%	74%	100%	100%	4yr (median)
10	Horan et al. (2007)[18]	42	1.66 Gy x 30 (50 Gy)	96.9%	73%	100%	96.8%	1.6yr (median)
11	Litre et al. (2013)[19]	158	1.8 Gy x 30 (54 Gy)	95.2% (>7yr)	54%	96.8%	97.5%	5yr (median)
12	Woolf et al (2013)[20]	93	2.1 Gy x 25 (52.5 Gy)	92%	93%	99%	99%	5.7yr (median)
13	Kranzinger et al. (2014)[21]	29	4 Gy x 7 (28 Gy)	75.9%	50% (5yr)			7.5yr (median)

NF2 = neurofibromatosis, yr = year

표 12-2 Gardner-Robinson의 청력 분류

Grade	Pure-tone average (dB)	Speech discrimination score (%)
I: Good-Excellent	0~30	70~100
II: Serviceable	31~50	50~69
III: Non-serviceable	51~90	5~49
IV: Poor	91~maximum	1~4
V: None	Not testable	0

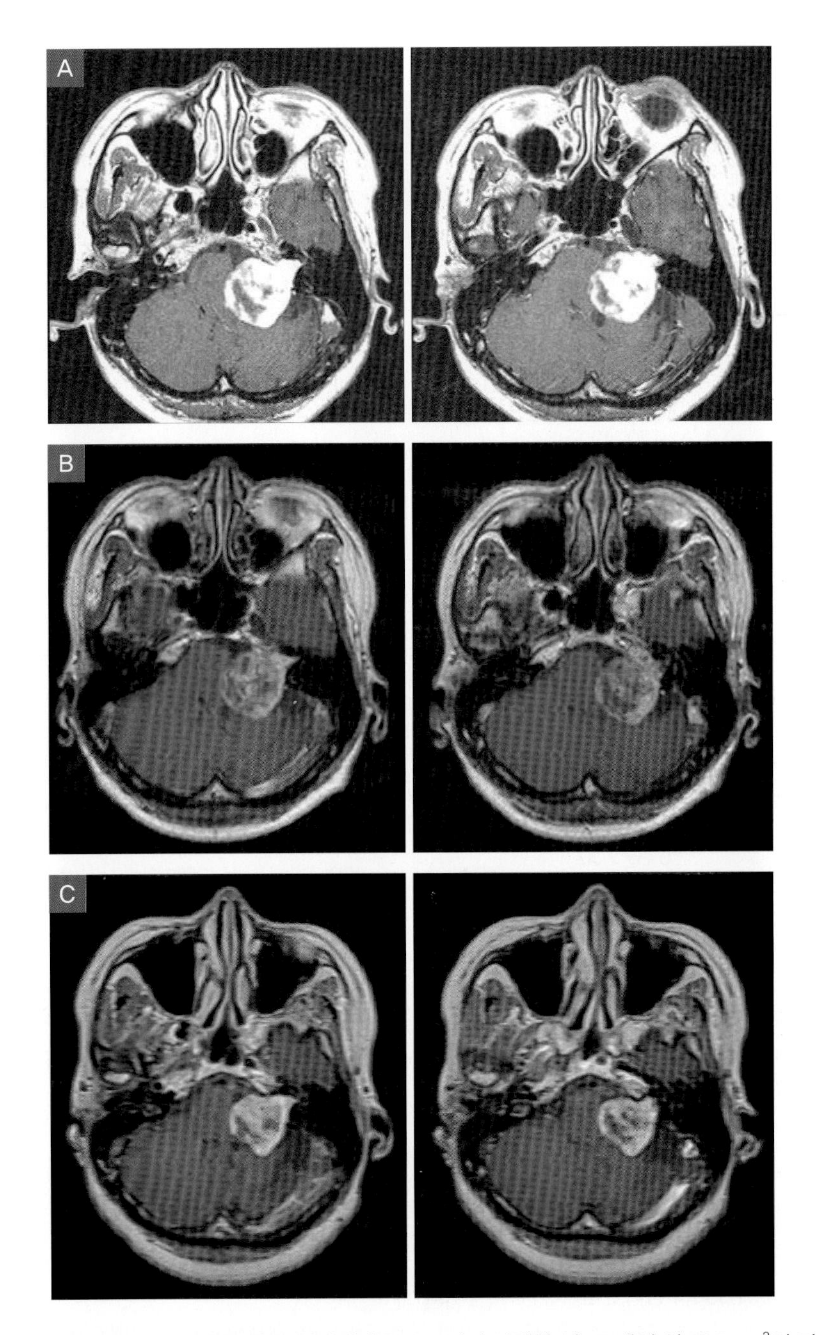

그림 12-2 A. 38세 여자환자가 보행장애와 청력저하를 호소하여 시행한 뇌MRI에서 약 18.5 cm^3의 좌측 청신경 종양이 발견되어 수술을 권유하였으나 수술을 거부하여 FSRT(2 Gy×30 Fx=60 Gy)를 시행하였다. B. FSRT 7개월째 종양의 크기에는 변화 없어 보이며 중심부에 조영증강이 감소하는 소견 보임. C. 그 후 환자의 증상에는 큰 변화가 없어 지속적인 추적검사를 시행하였으며 FSRT 109개월째 시행한 MRI에서 종양의 크기가 감소한 것을 볼 수 있다.

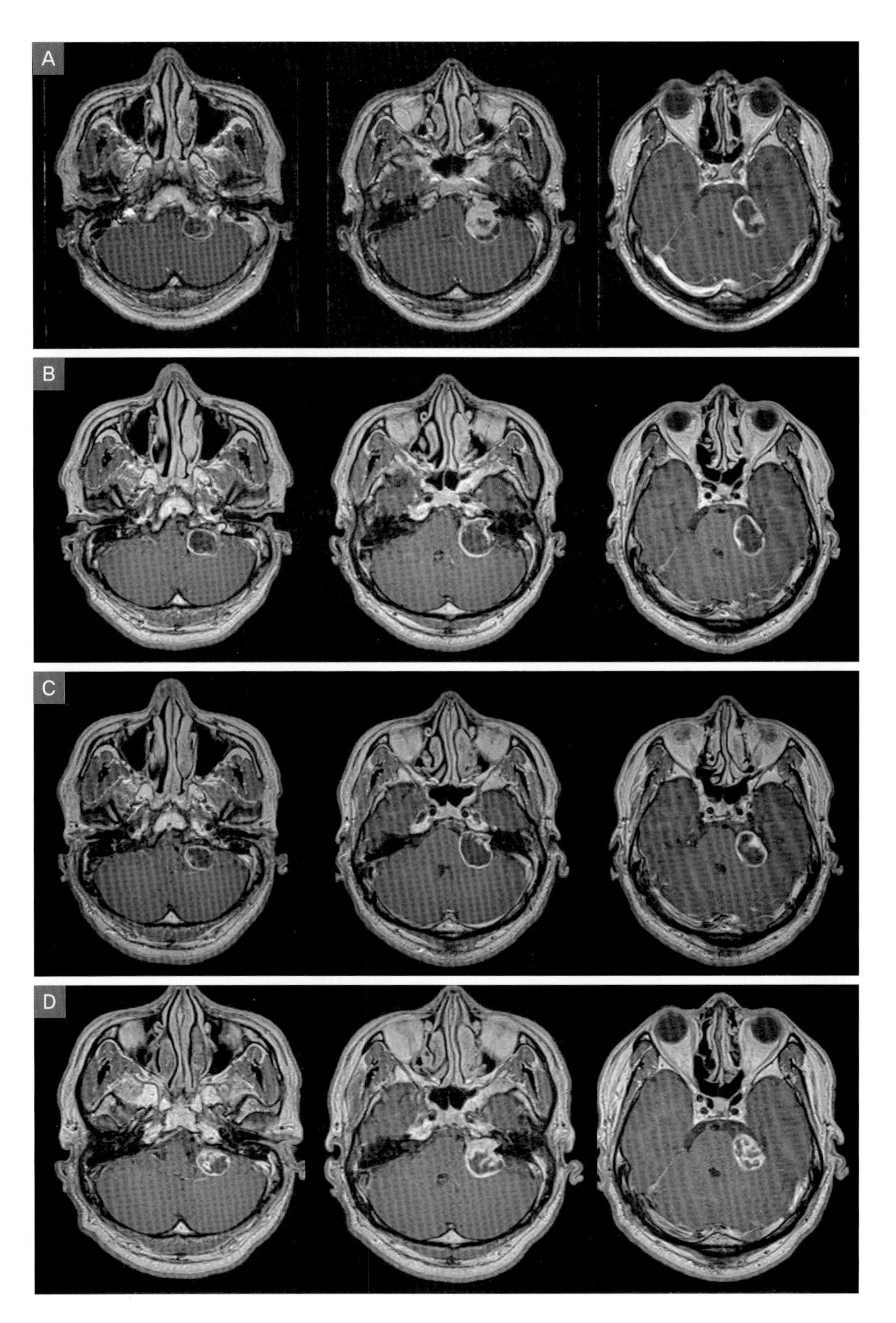

그림 12-3 40세 남자환자가 청력 감소와 어지럼증을 호소하여 시행한 뇌 MRI에서 좌측 청신경 종양이 발견되어 FSRS를 시행하였다. A. 종양의 부피(PTV)는 약 17.5 cm^3이었고 하루에 5 Gy씩 5일간 총 25 Gy를 조사하였다. B. FSRT 이후 약 9개월째 찍은 MRI에서 종양의 solid portion의 종영증강이 현저히 감소하고 종양의 크기도 약간 감소하였다. C. 15개월째 찍은 MRI에서는 조영증강이 조금 더 감소되었으나 크기의 변화는 없다. D. FSRS시행 25개월 후 찍은 MRI에서는 크기의 변화는 없으나 이전에 조영증강이 감소되었던 solid portion이 다시 조영증강 되는 양상으로 보임

참고문헌

1. Sughrue ME, Kaur R, Rutkowski MJ, Kane AJ, Kaur G, Yang I, et al.: Extent of resection and the long-term durability of vestibular schwannoma surgery. Journal of neurosurgery 114: 1218-1223, 2011
2. Mandl ES, Meijer OW, Slotman BJ, Vandertop WP, Peerdeman SM: Stereotactic radiation therapy for large vestibular schwannomas. Radiotherapy and oncology : journal of the European Society for Therapeutic Radiology and Oncology 95: 94-98, 2010
3. Pollock BE, Driscoll CL, Foote RL, Link MJ, Gorman DA, Bauch CD, et al.: Patient outcomes after vestibular schwannoma management: a prospective comparison of microsurgical resection and stereotactic radiosurgery. Neurosurgery 59: 77-85; discussion 77-85, 2006
4. Inoue HK: Low-dose radiosurgery for large vestibular schwannomas: long-term results of functional preservation. Journal of neurosurgery 119 Suppl: 111-113, 2013
5. Jian BJ, Kaur G, Sayegh ET, Bloch O, Parsa AT, Barani IJ: Fractionated radiation therapy for vestibular schwannoma. Journal of clinical neuroscience : official journal of the Neurosurgical Society of Australasia 21: 1083-1088, 2014
6. Collen C, Ampe B, Gevaert T, Moens M, Linthout N, De Ridder M, et al.: Single fraction versus fractionated linac-based stereotactic radiotherapy for vestibular schwannoma: a single-institution experience. International journal of radiation oncology, biology, physics 81: e503-509, 2011
7. Yamamoto M, Hagiwara S, Ide M, Jimbo M, Arai Y, Ono Y: Conservative management of acoustic neurinomas: prospective study of long-term changes in tumor volume and auditory function. Minimally invasive neurosurgery : MIN 41: 86-92, 1998
8. Chopra R, Kondziolka D, Niranjan A, Lunsford LD, Flickinger JC: Long-term follow-up of acoustic schwannoma radiosurgery with marginal tumor doses of 12 to 13 Gy. International journal of radiation oncology, biology, physics 68: 845-851, 2007
9. Lederman G, Lowry J, Wertheim S, Fine M, Lombardi E, Wronski M, et al.: Acoustic neuroma: potential benefits of fractionated stereotactic radiosurgery. Stereotactic and functional neurosurgery 69: 175-182, 1997
10. Poen JC, Golby AJ, Forster KM, Martin DP, Chinn DM, Hancock SL, et al.: Fractionated stereotactic radiosurgery and preservation of hearing in patients with vestibular schwannoma: a preliminary report. Neurosurgery 45: 1299-1305; discussion 1305-1297, 1999
11. Meijer OW, Vandertop WP, Baayen JC, Slotman BJ: Single-fraction vs. fractionated linac-based stereotactic radiosurgery for vestibular schwannoma: a single-institution study. International journal of radiation oncology, biology, physics 56: 1390-1396, 2003
12. Sawamura Y, Shirato H, Sakamoto T, Aoyama H, Suzuki K, Onimaru R, et al.: Management of vestibular schwannoma by fractionated stereotactic radiotherapy and associated cerebrospinal fluid malabsorption. Journal of neurosurgery 99: 685-692, 2003
13. Williams JA: Fractionated stereotactic radiotherapy for acoustic neuromas: preservation of function versus size. Journal of clinical neuroscience : official journal of the Neurosurgical Society of Australasia 10: 48-52, 2003
14. Selch MT, Pedroso A, Lee SP, Solberg TD, Agazaryan N, Cabatan-Awang C, et al.: Stereotactic radiotherapy for the treatment of acoustic neuromas. Journal of neurosurgery 101 Suppl 3: 362-372, 2004
15. Combs SE, Volk S, Schulz-Ertner D, Huber PE, Thilmann C, Debus J: Management of acoustic neuromas with fractionated stereotactic radiotherapy (FSRT): long-term results in 106 patients treated in a single institution. International journal of radiation oncology, biology, physics 63: 75-81, 2005
16. Chan AW, Black P, Ojemann RG, Barker FG, 2nd, Kooy HM, Lopes VV, et al.: Stereotactic radiotherapy for vestibular schwannomas: favorable outcome with minimal toxicity. Neurosurgery 57: 60-70; discussion 60-70, 2005
17. Chang SD, Gibbs IC, Sakamoto GT, Lee E, Oyelese A, Adler JR, Jr.: Staged stereotactic irradiation for acoustic neuroma. Neurosurgery 56: 1254-1261; discussion 1261-1253, 2005
18. Horan G, Whitfield GA, Burton KE, Burnet NG, Jefferies SJ: Fractionated conformal radiotherapy in vestibular schwannoma: early results from a single centre. Clinical oncology 19: 517-522, 2007
19. Litre F, Rousseaux P, Jovenin N, Bazin A, Peruzzi P, Wdowczyk D, et al.: Fractionated stereotactic radiotherapy for acoustic neuromas: a prospective monocenter study of about 158 cases. Radiotherapy and oncology : journal of the European Society for Therapeutic Radiology and Oncology 106: 169-174, 2013
20. Woolf DK, Williams M, Goh CL, Henderson DR, Menashy RV, Simpson N, et al.: Fractionated stereotactic radiotherapy for acoustic neuromas: long-term outcomes. Clinical oncology 25: 734-738, 2013
21. Kranzinger M, Zehentmayr F, Fastner G, Oberascher G, Merz F, Nairz O, et al.: Hypofractionated stereotactic radiotherapy of acoustic neuroma: volume changes and hearing results after 89-month median follow-up. Strahlentherapie und Onkologie : Organ der Deutschen Rontgengesellschaft [et al] 190:798-805, 2014

CHAPTER 13

청신경 종양 수술 후 초기 합병증

Early complications

홍창기, 한영민

청신경 종양의 수술적 치료와 관련된 이환율과 사망률은 지난 세기 동안 현저하게 줄어들었다. 1900년대 초 Cushing에 이르러 이환율과 사망률을 80%에서 20%로 줄어들었고, 1960년대 William House 등은 청신경 종양에 대한 수술 기법을 급속히 발전시켰다.[1,2,3] 수술현미경의 발달, 두개저기법이 도입 되면서 청신경 종양의 수술 후에 발생하는 합병증이 많이 감소하였다. 영상기법의 발달과 내시경의 도입 등이 내이도에 있는 종양까지도 어렵지 않게 제거할 수 있는 수준까지 발전되었다. 이처럼 사망률과 이환율이 최근 몇 년 동안 극적으로 감소함에 따라 수술 후 삶의 질을 보존 하는 것이 매우 중요한 목표로 대두되었다.

청신경 종양을 수술적치료로 제거할 때 다양한 접근법이 이용되는데 종양의 크기와 환자의 나이, 상태 그리고 청력의 손실 정도에 따라 수술법이 달라질 수 있으며 각 수술법에 따른 합병증도 다르게 나타날 수 있다. 종양의 크기가 작을 경우 middle fossa approach나 translabyrinthine approach를 하게 되는데 이때 나타날 수 있는 합병증은 혈종, facial weakness 등이다.[4,5,6] Middle fossa approach는 temporal lobe을 과도하게 견인할 경우 memory loss, auditory hallucination 또는 speech disturbance가 나타날 수 있다. Retrosigmoid approach는 소뇌부종, facial weakness, CSF leak, meningitis 등이 나타날 수 있다.[1,7,8] 수술 후 발생한 합병증은 크게 신경학적 합병증과 비신경학적 합병증으로 나누어진다.

비신경학적 합병증

뇌척수액 유출(CSF leakage, Cerebrospinal fliud leakage)

청신경 종양 수술 후 가장 흔히 발생되는 합병증 중의 하나이다. 뇌수막염을 동반하는 경우도 흔하므로 주의를 기울여야 한다(그림 13-1). 문헌보고에 따르면 수술 후 뇌척수액 누출은 2~30%까지 보고되고 있고 평균 10%로 보고 된다.[1,2,6,8] Slattery 등은 종양의 크기와 뇌척수액 누출이 상관관계를 보인다고 보고했고 종양이 클수록 뇌척수액 누출이 많다고 하였다. 뿐만 아니라 retrosigmoid approach가 middle fossa approach보다 월등히 높은 빈도의 뇌척수액 누출이 있다고 보고하였다. Ludermann 등은 종양이 크면서 뇌간이 측면으로 밀려있는 경우에 뇌수두증도 잘 오고 뇌척수액 누출도 많다고 하였다.[2,9] 이러한 위험 요인이 있는 경우에는 뇌척수액 누출을 염두에 두고 보다 세심한 조치를 취해야 한다. 뇌척수액이 누출되는 경우는 경막의 봉합이 불완전하거나 내압이 높기 때문이다. 종양을 제거한 뒤 소뇌부종이 없다면 경막을 water tight하게 꿰매고 matoid air cell이 열린 경우는 bone wax를 이용하여 노출된 부위를 막아준다. 이것만으로 불완전할 수 있으므로 tachosil이나 gelfoam으로 커버한 뒤 glue를 이용하여 이중으로 커버하는 것이 안전하다. 최근에는 glue 형태의 인공경막 제품도 있어 이를 이용하여 경막 봉합을 하기도 한다. Air cell이 큰 경우에는 resin을 이용하여 커버하는 것도 좋을 수 있다.

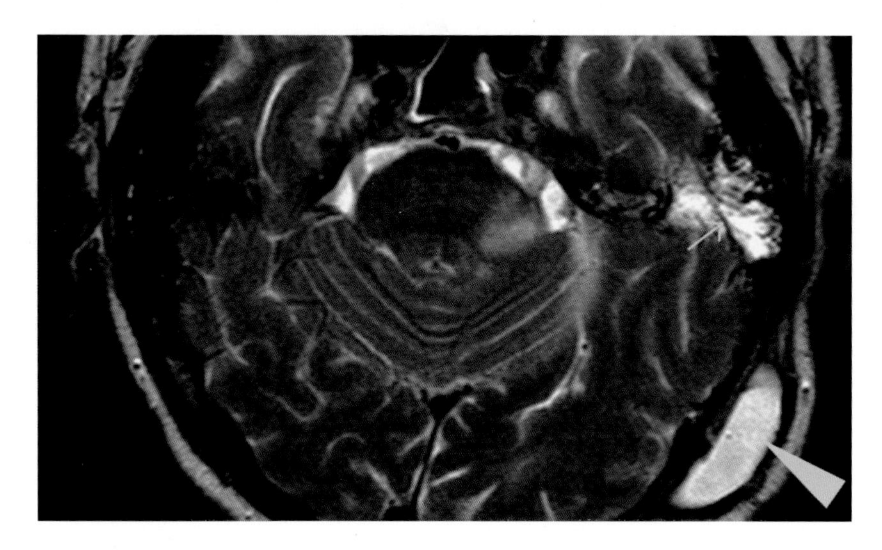

그림 13-1 **뇌척수액이 누출되어 발생한 pseudomeningocele.** Mastoid aircell에도 fluid가 고여 있는 것이 확인된다.

내이도를 드릴로 넓혔을 경우 지방이나 근육으로 충분히 커버해야 한다. 경막을 불완전하게 봉합한 경우가 아니라면 뇌압을 올리는 다른 원인이 있는지도 확인해야 한다. 뇌수두증이 없더라도 소뇌부종이 있거나 혈종이 있는지도 확인해야 한다. 수술 부위의 국소적인 뇌척수액 흐름이 좋지 않아 뇌척수액이 고이면서 압력이 상승할 수도 있다. 이를 방지하기 위해서는 가능한 수술 부위를 깨끗하게 세척하여 혈액이 고여있지 않도록 하는 것이 좋다. 종양을 제거하는 동안에도 혈액이 cistern으로 스며들지 않도록 종양 주위에 gelfoam으로 커버해 두고 수술을 진행하면 혈액이 수술 주변의 cistern에 고이는 걸 방지할 수 있다. 이렇게 하면 종양에서 난 피가 gelfoam으로 흡수되어 다른 부위로 퍼지는 것을 예방할 수 있다. 다른 방법으로는 수술 동안에 카테터를 소뇌교각부에 넣어 놓고 지속적으로 생리식염수를 흘려 보내면 수술 중 발생한 혈액이 저절로 흘러 나온다.

뇌척수액 누출이 있을 때 촬영한 brain CT에서 기뇌증이 있다면 이는 다량의 뇌척수액이 누출된다는 걸 의미하므로 누출 경로를 찾아봐야 한다. Otoscope으로 외이도를 관찰하거나 CT에서 mastoid air cell을 확인하는 것이 좋다. 뇌척수액 누출양이 적을 경우에는 요추천자를 하여 뇌척수액을 72시간 정도 배액한다.

수막염(Meningitis)

뇌척수액이 누출되면 뇌수막염이 발생할 가능성이 3~14% 정도로 증가한다.[1,6] 빠른 진단과 적절한 조치가 이러한 환자의 치료에 매우 중요하다. 종양의 크기가 클수록 뇌수막염의 빈도 또한 증가하는 것으로 알려져 있는데 이는 종양이 클수록 뇌척수액 누출의 빈도도 흔하고 수술 시간 또한 길어지기 때문이다. Allen 등은 retrosigmoid approach에서 뇌수막염의 빈도가 훨씬 높다고 보고하였고 수술적 접근법이 중요한 요인이라 하였다.[1,8] 하지만 Kourbeti 등은 뇌척수액 누출이 가장 위험한 요인이라고 하였다. 일반적으로 뇌척수액 누출이 뇌수막염의 직접적인 원인이 된다고 받아들여지고 있다.[1,6] 그러므로 상처 감염에 주의하고, 적절한 항생제를 사용하는 것 외에도 뇌척수액 누출이 발생하지 않도록 철저히 봉합하는 것이 뇌수막염을 예방하는 방법이다. 뇌척수액 누출이 있을 경우 적극적으로 대처해야 한다.

수술 부위 혈종(Postoperative hematoma)

청신경 종양의 크기가 큰 경우에는 소뇌가 눌리며 경막에 밀접하게 닿아 있는 경우가 많다(그림 13-2). 이러한 경우 경막을 열 때부터 소뇌표면에 손상을 줄 가능성이 있고 craniotomy 할 때도 조심해야 한다. 이런 경우에는

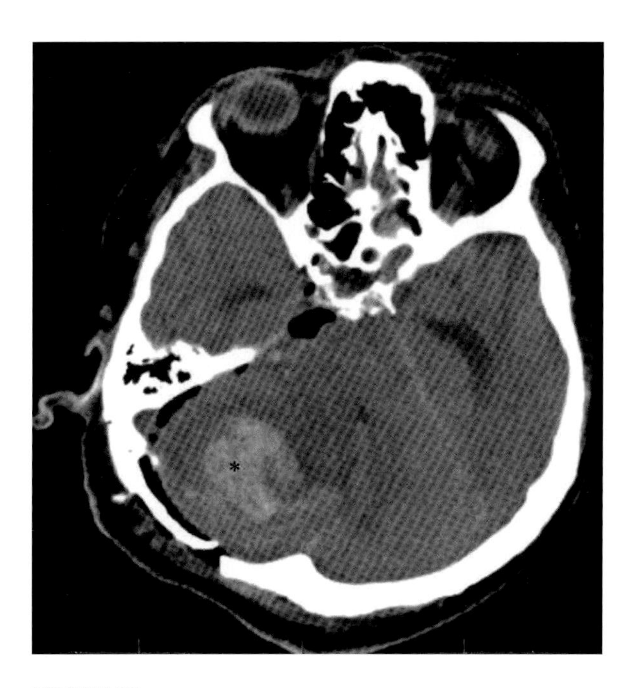

그림 13-2 Retrosigmoid approach로 청신경 종양 제거 수술 후 발생한 소뇌출혈

craniotome보다는 작은 cutting drill을 이용하여 craniotomy를 하는 것이 안전하다. 특히 sinus 아래쪽을 drill 할때는 diamond burr를 이용하여 skeletonize 시킨 뒤 제거하는 방법을 이용한다. MRI에서 tonsil herniation 이 없고 대후두공에 충분한 여유가 있는 경우에는 경막을 바로 여는 것보다는 대후두공에서 뇌척수액을 배액하여 소뇌를 충분히 relaxation 한 뒤에 dura를 여는 것이 좋다. 경막을 연 뒤에는 Cerebellomedullary cistern과 cerebellopontine cistern을 먼저 열어 충분히 뇌척수액을 배액시켜 소뇌를 견인하기 좋게 한다. 그 뒤에 종양을 제거하면서도 과도하게 소뇌를 견인하는 것을 피해야 한다. 종양을 제거할 때 petrosal vein이나 sinus에 손상이 오거나 눌려도 venous congestion에 의한 소뇌 출혈이 발생할 수 있다. 또한 환자의 목이 과도하게 꺾이거나 venous return이 안되게 자세를 잡아도 같은 현상이 발생될 수 있으므로 주의해야 한다.

수술 도중 소뇌에 이런 현상이 발생되면 contusion 받은 부분을 제거하고 지혈을 해주는 것이 안전하다. 소뇌 바깥쪽 1/3은 제거해도 신경학적 문제가 발생하지 않는 경우가 많기 때문에 이곳에 혈종이 발생할 경우 수술 시야에서 적극적으로 치료해야 한다.

국소적인 혈종이 아니라 광범위하게 부종이 발생하는 경우에는 대후두공을 포함하여 광범위하게 감압성 개두술을 시행하고 duroplasty를 하거나 경막을 tight하게 닫지 않는 것이 좋다. 뇌척수액이 헤모백을 통해 배액되도록 하는 것도 좋은 방법이다. 뇌부종이 호전되면 뇌척수액 누출도 저절로 멈추는 경우가 많다.

뇌혈관 손상(Vascular injury)

청신경 종양 수술에서 혈관 손상은 매우 치명적인 결과를 초래할 수 있다. 이러한 경우 대부분 소뇌출혈, 경막하출혈 혹은 소뇌경색을 유발할 수 있고 즉시 해결하지 않으면 사망에 이를 수 있다. Sami 등은 수술 후 급성 출혈과 아급성 출혈을 각각 2.2%, 1.5%로 보고하였다.[6] Sade 등은 retrosigmoid approach와 translabyrinthnine approach에서 2.7%로 비슷한 정도의 출혈을 보고하였다.[2,10] Middle fossa approach에서는 높은 빈도로 경막외출혈을 보고하였다. 이러한 출혈이 보이면 뇌압이 급격히 상승하면서 의식이 저하되거나 반신마비, 호흡부전 등이 발생할 수 있다. 뇌압이 상승되는 증상이 나타나면 응급으로 CT를 촬영하여 두개강내 병변을 확인 후 재수술을 하여 혈종을 제거하여 뇌압을 낮춰줘야 한다.

동맥손상이나 정맥손상의 결과로 허혈성 병변이 소뇌 혹은 뇌간에 나타날 수도 있다. 특이 종양이 뇌간에 유착된 경우 이 부분의 작은 동맥들이 손상받기 쉽기 때문에 뇌간 부분에 허혈 손상 발생의 빈도가 높다. 그러므로 종양 제거할 때 arachnoid plane을 잘 보존하면서 subpial 혈관에 손상이 가지 않도록 주의를 기울여야 한다. 상대적으로 종양과 소뇌와의 인접면에 있는 혈관들은 잘 박리되기 때문에 소뇌의 혈관들이 손상되는 일은 비교적 드문 편이다. 그렇지만 소뇌를 과도하게 견인하면 petrosal vein 등이 손상되거나 과도하게 stretching 되어 흐름이 막힐 수도 있어 주의가 요구된다.

골편을 만들거나 골편을 떼어낼 때 sinus wall의 일부가 골편에 유착되어 있다가 찢어지는 경우가 있다. 다량의 출혈이 발생할 수 있으니 충분히 박리 후에 골편을 제거해야 한다. Sinus wall이 찢어져 피가 날 경우 bipolar coagulator보다는 compression을 통해 지혈하는 것이 안전하다. Glue 혹은 thrombin을 묻힌 Gelfoam을 이용하면 지혈이 잘 된다. Sinus wall이 크게 찢어진 경우에는 이러한 지혈제를 과도하게 사용하면 sinus를 막을 수도 있으므로 suture를 하는 게 좋다.

Petrosal vein이 손상받거나 눌려도 소뇌의 정맥성 출혈이 발생할 수 있다. 종양이 큰 경우에는 이미 petrosal vein의 흐름이 막히거나 그 기능을 잃어 버린 경우도 있으나 확인하기가 쉽지 않으므로 가능한 정맥의 흐름을 유지해야 한다. 종양을 제거한 후 공간이 좁아지며 정맥이 꺾이는 경우도 있으므로 이런 경우 경막을 닫기 전에 생리식염수를 충분히 보충한 후 경막을 닫으면 소뇌교각부 공간을 확보할 수 있다.

두통(Headache)

수술 후 두통이 발생하는 경우도 0~73%로 다양하게 보고되고 있다.[3,11] 원인으로는 두피절개, 근육견인, 경막의 긴장, 경막과 후경부 근육의 유착 등으로 생각된다. 그래서 Schaller 등은 경막을 바로 봉합하지 말고 경막성형술(duroplasty)을 권고하였다. 전통적으로 사용되는 인공경막 외에도 gelfoam 형태로 된 인공경막도 있어 이를 이용하여 duroplasty를 하는 것도 도움이 될 것으로 생각된다. Catalano 등은 내이도를 drill할 때 발생한 bone dust가 CSF 내를 떠돌아 다니면서 chemical meningitis를 유발하고 이로 인해 두통이 발생된다고 주장하였다. 그래서 drill하는 동안에는 지속적으로 irrigation and suction을 해야 한다고 주장하였다.[1]

신경학적 합병증

안면신경 손상(Facial nerve injury)

최근 미세 현미경 수술 기법이 발전하면서 안면신경이 손상되는 일이 많이 줄었지만 여전히 안면신경 손상은 신경외과 의사가 가장 주의를 기울여야 하는 부분이다. 안면마비가 발생되면 환자의 삶의 질은 현격히 떨어지기 때문이다. 안면신경은 대부분 종양의 앞쪽에 위치하나 일부에서는 종양의 뒤쪽에 위치하기도 한다. 그러므로 종양이 노출되었을 때 electrode를 이용하여 안면신경을 확인한 뒤 종양제거를 시작해야 한다. 특히 내이도로 들어가는 부분에서 가장 손상 받기 쉬우므로 내이도안의 종양을 제거할 때는 diamond drill을 이용하여 내이도를 충분히 넓힌 후 안면신경으로부터 종양을 박리해야 한다.[2] 안면신경의 기능을 보전하는 수술적 방법은 초기에 root entry/exit zone을 확인하는 것과 내이도를 충분히 넓힌 뒤 안면신경을 확인한 후 종양을 제거하는 것이다. 안면신경의 직접적인 손상을 피하는 것뿐 아니라 안면신경에 혈액을 공급하는 labyrinthin artery도 박리하여야 하며 spasm이 오는 경우에는 papaverine을 묻힌 gelfoam등으로 덮어두는 것도 좋다. 환자에게 안면신경 마비가 왔을 경우 2~3개월 내에 회복이 안 되면 안면신경전도 검사를 통해 안면신경의 손상여부를 확인한다. 안면신경이 수개월이 지나도 회복이 되지 않는다면 손상 받은 안면신경을 cross-anastomosis 해주는 방법이 있다. 가장 많이 쓰이는 방법이 hypoglossal nerve와 안면신경을 anastomosis 해주는 것인데 안면 근육의 긴장도를 향상시켜주고 외형적인 면에서 가장 효과가 좋은 것으로 알려져 있다.[12] 다만 종양 제거 수술 후 1년 정도 이내에 해주는 것이 예후가 좋으므로 술자의 빠른 판단이 요구된다. 단점으로는 동측 혀의 위축과 동측 얼굴의 hypertonia가 발생한다는 점이다. 한편 Darrouzet 등은 혀의 기능을 보존하면서 facial anastomosis 하는 방법을 발전시켰다.[12]

현훈(Vertigo)

수술 후 발생하는 현훈은 말초성과 중심성이 다 나타날 수 있다. 크기가 작은 청신경 종양은 주로 말초성 현훈을 일으키는 경우가 많고 천천히 커지면서 소뇌 혹은 뇌간을 압박하는 큰 청신경 종양은 주로 중심성 현훈을 일으킨다.[3,7] 청신경 종양 수술 후 발생한 현훈은 시간이 지나면서 점차로 좋아지는 경향이 있으나 매우 오랜 기간 동안 지속되는 경우도 있다. 나이가 많을수록 예후가 좋지 않다. 이렇게 지속적으로 현훈과 균형장애를 보이는 경우는 1~30%에서 보고된다.[3] 현훈장애를 최소화하기 위해서는 수술 도중 소뇌로 가는 작은 혈관도 가능한 보존하고 소뇌를 과도하게 오래 견인하는 일을 피해야 한다. 환자에게 나타나는 전정신경의 증상은 수술 후 남아 있는 전정신경의 기능과 연관이 높다. 그래서 수술 후 증상을 경감시키기 위해 chemical labyrinthectomy를 시행하기도 한다.[3,7,9]

그 밖의 뇌신경 손상

삼차신경은 종양보다 깊은 곳에 위치하기 때문에 손상이 오는 경우는 흔치 않다. 외전신경 또한 해부학적 위치로 인해 청신경 종양이 크다 할지라도 수술 과정에서 손상이 오는 경우는 매우 드물다.

종양이 큰 경우에는 jugular foramen에서 하위 뇌신경에 손상이 올 수 있다. 하위신경으로 가는 작은 동맥에도 주의를 기울여야 한다. 하위 뇌신경이 손상되면 연하곤란과 aspiration이 되기 쉬우므로 비위관으로 영양공급을 해야 한다. 시간이 경과해도 호전되지 않으면 vocal cord에 glue injection을 해서 고정시키면 연하에 도움이 될 수 있다. 연하장애가 발생되면 연하재활을 지속적으로 시행하는 것이 도움이 된다. 종양이 커서 하위 뇌신경에 영향이 있을 것으로 예상되면 수술 후 기도 삽관된 튜브를 바로 빼지 말고 24시간 정도 경과 관찰 후 호흡과 생체징후를 모니터링 하면서 빼주는 것이 좋다. 튜브가 제거되면 의료진은 환자상태를 적어도 수시간 지켜 봐야 한다.

뇌간 손상(Brainstem injury)

청신경 종양은 소뇌교각부에 발생하는 수막종과는 다르게 뇌간에 유착이 심하게 되는 경우는 드물다. 종양이 큰 경우에도 MRI를 보면 뇌간과 CSF cleavage가 보이는 경우가 많다. 하지만 간혹 cerebellar peduncle이나 뇌간에 T2 MRI에서 신호강도가 올라가 있는 경우가 있는데 이는 부종이 있다는 것 외에도 유착이 심하게 있을 가능성을 시사하는 소견이므로 주의를 기울여야 한다.

최근 microsurgical technique이 발전하고 신경 마취도 발전하면서 청신경 종양을 수술한 이후에 사망하는 경우는 매우 드물다. 하지만 후두개와를 수술할 경우에는 pulmonary embolism, myocardiac infarction 등에 대한 주의를 기울여야 한다.

청신경 종양에 대한 미세 현미경 수술에서 신경학적 기능을 보전하면서 완전절제를 하는 것이 중요하다. 하지만 종양이 큰 경우에는 안면신경과 같은 신경학적 기능을 보전하는 것이 더 중요할 수 있다. 완전절제를 하지 못한 경우에는 radiosurgery의 도움을 받을 수 있다.

■ 참고문헌

1. Ryzenman JM, Pensak JL, Tew JM : Headache: A Quality of Life Analysis in a Cohort of 1,657 Patients Undergoing Acoustic Neuroma Surgery, Results from the Acoustic Neuroma. Laryngoscope 115 : 703-711, 2009
2. Samii M, Matthies C : Management of 1000 vestibular schwannomas (acoustic neuromas): surgical management and results with an emphasis on complications and how to avoid them. Neurosurgery 40 : 11–21, 1997
3. Uehara N, Tanimoto H, Nishikawa T, Doi K, Katsunuma S, Kimura H, et al : Vestibular dysfunction and compensation after removal of acoustic neuroma. J Vestib 21 : 289–295, 2011
4. Angeli S : Middle fossa approach: Indications, technique, and results. Otolaryngol Clin North Am 45 : 417–438, 2012
5. Arriaga MA, Lin J : Translabyrinthine approach: Indications, techniques, and results. Otolaryngol Clin North Am 45 : 399–415, 2012
6. Sade B, Mohr G, Dufour JJ: Vascular complications of vestibular schwannoma surgery: a comparison of the suboccipital retrosigmoid and translabyrinthine approaches. J Neurosurg 105 : 200–204, 2006
7. Breivik CM, Nilsen RN, Myrseth E, Finnkirk MK, Lund-Johansen M : Working disability in Norwegian patients with vestibular schwannoma: vertigo predicts future dependence. World Neurosurg 80 : E301–E305, 2013
8. Elhammady MS, Telischi FF, and Morcos JJ : Retrosigmoid approach: indications, techniques, and results. Otolaryngol Clin North Am 45 : 375–397, 2012
9. Sanna M, Taibah A, Russo A, Falcioni M, Agarwal M : Perioperative complications (vestibular schwannoma) surgery. Otol Neurotol 25 : 379–386, 2004
10. Roche PH, Ribeiro T, Fournier HD, Thomassin JM : Vestibular schwannomas: complications of microsurgery. Prog Neurol Surg 21 : 214-221, 2008
11. Cushing H : Further concerning the acoustic neuromas. Laryngoscope 31 : 209-228, 1921
12. May M, Sobol SM, and Mester SJ : Hypoglossal-facial nerve interpositional-jump graft for facial reanimation without tongue atrophy. Otolaryngol Head Neck Surg 104 : 818–825, 1991

CHAPTER 14

안면신경 마비의 치료

Management of facial palsy

김병준, 장 학

서론

안면신경 마비는 얼굴 표정 근육의 기능적인 결손을 유발하고 외관상 안면 추형을 야기하여 환자가 심리적, 정신적으로 위축되고 정상적인 사회생활을 영위하기 어렵게 만든다. 선천적인 기형부터 감염, 신경학적인 질병, 외상 및 종양 적출술 이후 발생하는 후천적인 요소까지 여러 가지 원인에 의해서 발생할 수 있는데, 후천적으로 발생하는 일측성 안면신경 마비는 Herpes simplex virus의 감염에 의해 발생하는 벨마비가 가장 흔한 원인으로 알려져 있다. 종양 적출술 이후 발생하는 안면 마비는 대부분 이하선 종양이나 청신경 종양이 원인이 된다. 침범된 정도와 범위에 따라서 다양한 증상으로 발현이 되는데, 가장 중요한 두 증상은 눈을 감기가 어렵고 얼굴 표정을 지을 때 안면 비대칭이 발생하는 것이다. 벨마비의 경우에는 항바이러스제, 스테로이드나 vitamin B_{12} 등의 대증적인 치료를 하면서 회복을 기다려볼 수 있다.[1] 또한 안면근육에 electrostimulation을 주거나 bio-feedback 등을 통한 neuromuscular retraining으로 재활치료를 하여 증상을 호전시킬 수 있다. 하지만 청신경 종양 절제술 이후 발생하는 안면신경 마비에서는 대부분 수술적인 치료가 필요한데, 안면신경이 손상된 기간과 안면 근육의 상태에 따라 nerve repair나 nerve graft를 시행하기도 하고 temporalis muscle이나 free flap을 통해 dynamic reconstruction을 시행하기도 한다. 이처럼 안면신경 마비는 증상도 다양하고, 치료 방법도 다양하기 때문에 각각의 임상증상에 맞는 적절한 치료 방법을 선택해 주어야 환자에게 기능적으로 실질적인 도움을 줄 수 있다.

안면신경 마비의 증상

총론

안면신경 마비가 발생하였을 때 35개의 안면 표정근 중 침범된 부위에 따라 다양한 양상으로 임상적인 증상이 발현된다. 특히 임상적으로 중요한 부위는 눈썹, 상안검, 하안검, 윗입술과 아랫입술인데 안면신경 마비가 있으면 눈을 감기가 어려우며 표정을 지을 때 안면 비대칭이 발생하게 된다. 또한 증상이 심하거나 오래 지속될 경우 각막 건조와 눈물흘림 등의 이차적인 합병증이 발생하는 경우도 있고 반대측 정상 안면 근육이 보상적으로 작용하여 비대칭이 더욱 과장되어 나타나기도 한다. 올바른 재건 수술 계획을 수립하기 위해서는 마비가 발생한 원인과 시기 등에 대한 정보 획득과 더불어 안면신경 마비 증상에 대한 면밀한 신체검진이 선행되어야 한다.

각론

눈썹 하수

안면신경의 temporal branch의 손상에 따른 frontalis muscle의 마비로 인해 눈썹하수가 일어난다. temporal branch는 tragus와 눈썹 바깥쪽의 1 cm 위를 잇는 선을 따라서 주 가지가 주행하는데 zygomatic arch 윗부분에서 머리 쪽으로 가면서 superficial temporal fascia 바로 아래 층으로 매우 얕게 주행하며, 다른 안면신경 가지와 상호 연결이 적기 때문에 손상 받기 쉽다. 동측의 frontalis muscle이 마비가 되면서 눈썹하수가 생기면 비대칭이 도드라져 보이고 특히 levator aponeurosis의 기능이 약해져서 frontalis muscle의 힘에 의존해서 보상적으로 눈을 뜨고 있는 노인에서는 눈을 쉽게 뜰 수 없고 쳐진 눈꺼풀이 시야를 가리게 되면서 불편감이 가중된다. 또한 보상적으로 반대측 frontalis muscle의 기능이 강화되면서 비대칭이 더 심해지는 경향이 있다.

상안검 마비

안면신경의 temporal branch와 zygomatic branch의 손상에 의해 orbicularis oculi muscle이 마비된 경우 눈을 보호하는 역할에 큰 지장을 초래한다. 눈을 감는 행위는 일종의 물리적인 장벽의 역할을 하여 이물질이 유입되는 것을 막아주고, 반복적인 눈의 깜박임은 눈물이 가쪽에서 안쪽으로 이동하는 것을 도와 눈이 마르는 것을 예방해준다. 또한 orbicularis oculi muscle이 수축함으로써 펌핑 효과에 의해 원활한 눈물의 배출도 일어나게 된다. 따라서 상안검이 마비된 환자는 각막이 노출되고 눈물의 배출이 정상적으로 이루어지지 못하여 안구건조와 발적 등의 증상이 나타나고 눈물이 밖으로 많이 흐르게 된다(유루증, epiphora). 심할 경우 각막이 손상되어 시력에도 영향을 미칠 수 있다.

하안검 마비

눈을 감는 기능은 대부분 눈 주변을 둘러싸고 있는 orbicularis oculi muscle에 의해 이루어지기 때문에 상안검과 하안검의 마비는 대개 동반되어 나타난다. 하안검이 마비되면 하안검 퇴축이나 외반이 생기면서 평상시에도 공막이 노출되어(scleral show) 안면 추형이 발생하고, 눈이 덜 감기게 되어 각막이 노출되면서 눈이 시리고 건조해지는 증상이 나타나게 된다.

윗입술 마비

윗입술은 표정과 미소를 짓는데 가장 중요한 부분이어서 안면마비 재건술에서 가장 중점을 두는 부분 중 하나이다. 안면신경의 zygomatic branch와 buccal branch가 마비되었을 때 증상이 나타나는데, zygomaticus major muscle, zygomaticus minor muscle과 levator labii superioris muscle, levator anguli oris muscle, levator alaeque nasi muscle이 기능을 하지 못하게 된다. 평소에는 안면의 비대칭이 뚜렷하지 않지만 미소를 짓거나 표정을 지을 때 안면의 비대칭이 심화되는 양상을 보인다. 따라서 환자들은 안면의 표정을 통해 자신의 감정을 표현하거나 웃는 일을 의도적으로 회피하게 되고 주변 사람들에게 무뚝뚝하고 감정이 없는 사람으로 비춰지게 되며, 사회적인 관계에 있어서 움츠러들게 된다.

아랫입술 마비

아랫입술의 마비는 주로 marginal mandibular branch의 손상에 의해 depressor anguli oris나 depressor labii inferioris muscle이 기능을 하지 못하게 되어 나타난다. 다른 안면 부위의 마비에 비해서는 임상적인 중요성이 덜하다. 하지만 아랫 입술을 옆으로 크게 벌리거나 '이' 소리를 내는 과정에서 병변 측의 아랫입술이 내려가지 않아 비대칭이 심해지기 때문에 심리적으로 위축되고 환자 본인은 불편감을 호소하는 경우가 많이 있다.

안면신경 마비의 비수술적 치료 방법

Orbicularis oculi muscle의 마비가 있을 때는 눈을 감는 기능이 떨어지기 때문에 각막이 노출되고 안건조가 지속되며 눈물 흘림증, 각막 손상 등의 합병증이 발생할 수 있다. 테이핑이나 일시적인 tarsorrhaphy를 시행하여 수동적으로 눈을 감을 수 있도록 도와주거나 윤활제를 바르고 소프트콘택트렌즈나 패치를 대어 안구를 보호해준다.

안면근육에 electrostimulation을 주거나 neuromuscular retraining으로 재활치료를 하여 증상을 호전시키는 방법도 있다. 안면근육에 신경 자극을 주는 것은 synkinesis이나 구축을 유발시킬 수도 있기 때문에 안면근육의 수축이 일어나기 직전의 submotor threshold, 그리고 환자가 통증을 느끼기 시작하기 직전의 subsensory threshold의 강도로 자극을 주는 것이 중요하다. neuromuscular retraining은 마비가 있는 근육에 근전도 탐침자를 붙여두고 최대한 근육에 힘을 주게 하면서 해당 근육을 제대로 이용하는 것임을 알려주는 일종의 visual feedback 방법이다. 이는 환자 스스로 거울을 보면서 마비된 근육을 움직이면서 육안적으로 피드백을 받게 할 수도 있다.[2-5]

안면 마비의 수술적인 치료 방법

총론(그림 14-1)

안면신경 마비 환자를 수술적으로 치료하는 데에 있어 처음 고려해야 할 사항 중 가장 중요한 것은 마비된 안면근의 상태이다.[6,7] 이는 안면신경의 손상이 진행된 기간에 의해 결정되는데, 손상된 지 2년 내의 기간에는 안면근의 기능이 부분적으로 보존되어 있는 경우가 많으며 이는 근전도 등의 신경생리적 검사를 통해 확인할 수 있다. 이 경우 만일 동측 안면신경의 근위부를 찾을 수 있으면 nerve repair나 nerve graft를 통해서 비교적 간단히 치료할 수 있다.[8,9] 동측 안면신경의 근위부 사용이 불가능한 경우에는 cross-facial nerve graft를 통해 반대측 안면신경을 끌어오거나 동측의 hypoglossal nerve cross over를 이용할 수도 있으며, 동측 masseter muscle의 운동신경에 안면신경의 원위부에 연결해주는 방법도 사용할 수 있다.[10-12] 최근에는 cross-facial nerve graft를 시행할 때 축삭이 자라 들어 오는 기간 동안 안면 근육이 점진적으로 위축되는 것을 예방하기 위하여 hypoglossal nerve cross over를 동시에 시행하여 근육의 부피와 긴장을 유지시키는 방법을 사용하기도 한다.[13,14]

안면신경 마비가 발생한지 2년 이상의 시간이 경과하면 동측의 안면근이 위축되면서 비가역적으로 섬유화되어 신경을 연결해주더라도 기능이 회복되지 않는다. 이 경우에는 우선 static reconstruction을 시행할 것인지 혹은 dynamic reconstruction을 시행할 것인지 결정해야 한다. static reconstruction의 경우, 수술 방법이 상대적으로 간단하며, 공여부의 이환이 적은 장점을 가지

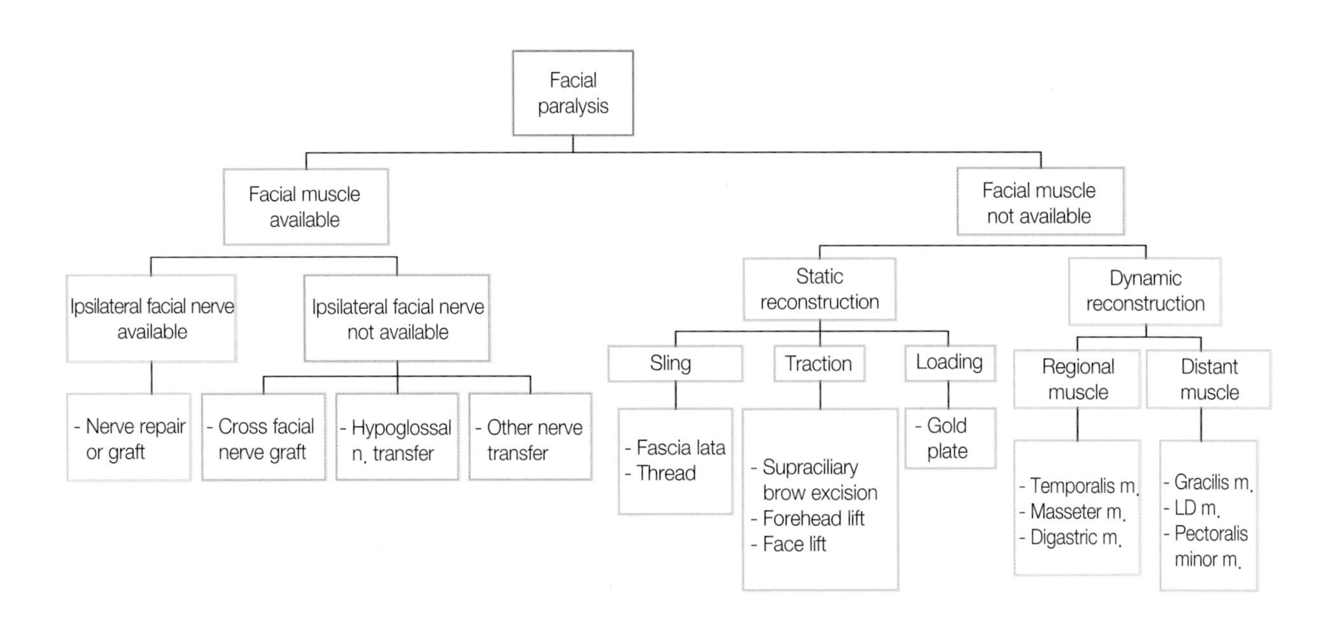

그림 14-1 안면 마비에 대한 일반적인 재건 방법의 과정

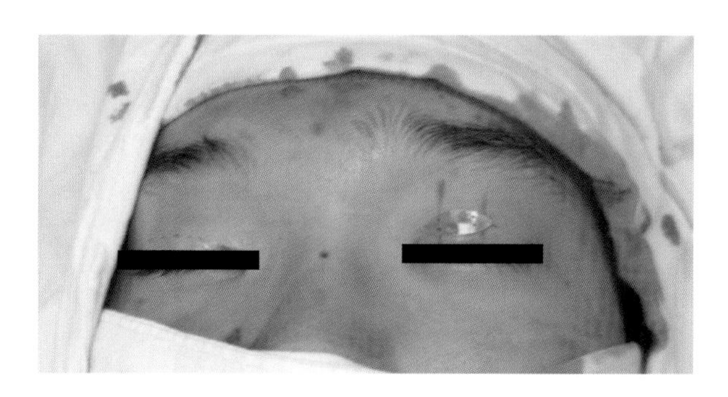

그림 14-2 좌측의 토안증(lagophthalmos)의 교정을 위한 gold plate 삽입술

지만 생리적인 방법이 아니기 때문에 자연스러운 표정이나 조화로운 기능의 회복을 기대하기는 힘들다. 대표적인 방법이 fascia lata를 이용하여 sling으로 걸어서 당겨주는 것이고, 공여부 이환 없이 간단하게 실이나 Tutoplast®와 같은 동종 이식물을 사용할 수도 있다. 견인 효과를 얻기 위하여 피부를 포함한 연부조직을 잘라서 직접 봉합을 하여 당겨주는 방법을 사용하기도 한다. 대표적인 견인 방법은 suprabrow excision, face lift, forehead lift 등이 있다. 중력을 이용한 부하를 주어 static reconstruction을 시행하기도 하는데, 특히 상안검이 마비되어 눈을 감는 기능이 마비되었을 때 금이나 티타늄을 이용하여 눈을 감을 수 있도록 도와주는 방법이 대표적인 예이다(그림 14-2).

Dynamic reconstruction의 경우, 수술 방법이 복잡하고 수술 시간이 많이 걸리며 자가 근육조직을 필요로 하므로 공여부 이환이 불가피하다는 단점이 있지만 생리적인 방법이고 자연스러운 안면 표정을 재건할 수 있다는 장점이 있어 많이 시행되고 있다. 이 방법에서는 근육을 가져오는 위치에 따라 주위근육을 이용하는 방법과 먼 근육을 이용하는 방법으로 나뉜다. 주위에서 선택할 수 있는 근육으로는 temporalis muscle이 가장 많이 사용되며, 그 밖에 masseter muscle이나 digastric muscle도 이용할 수 있다. temporalis muscle의 경우 공여부의 함몰이 생기고 근육을 뒤집어서 이동시키는(turn over) 과정에서 광대부위가 불룩해지며 필요 시 zygomatic arch 부위를 골절시켜야 한다는 단점이 있지만 상안검, 하안검과 윗입술의 dynamic reconstruction을 동시에 시행할 수 있으며 반대측 안면신경을 사용할 수 없는 경우에도 적용할 수 있다는 장점이 있다(그림 14-3).[15-17]

먼 근육으로는 gracilis muscle, latissimus dorsi muscle, pectoralis minor muscle, teres major muscle 등 다양한 부위를 사용할 수 있다.[18-20] 먼 근육으로 재건하기 위해서는 대개 두 번의 수술이 필요한데, 첫 번째는 sural nerve graft 등을 이용해서 반대측의 안면신경을 cross face nerve graft로 끌어오는 시술이다.[21] 두 번째

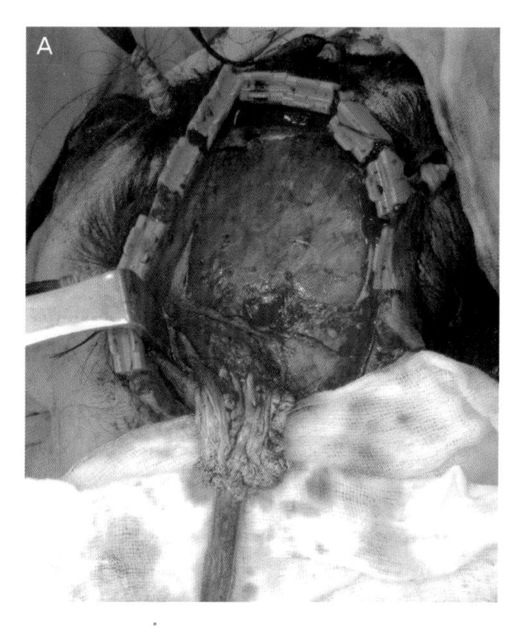

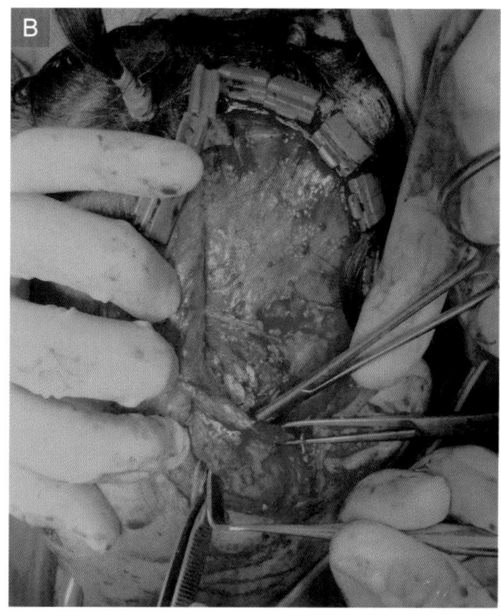

그림 14-3 좌측 안면 마비의 교정을 위한 temporalis muscle 전달술

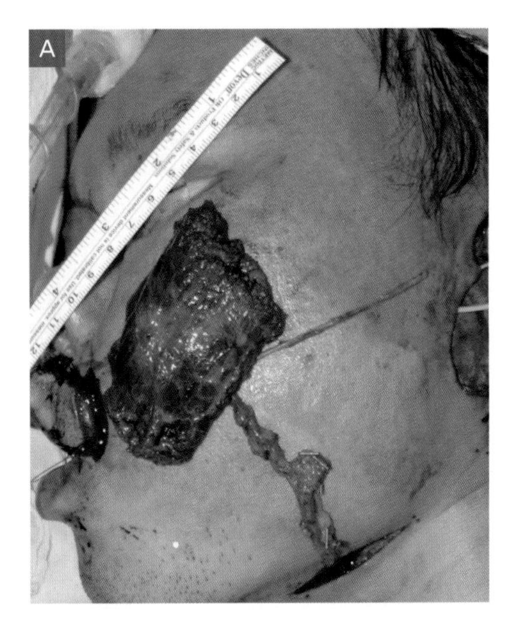

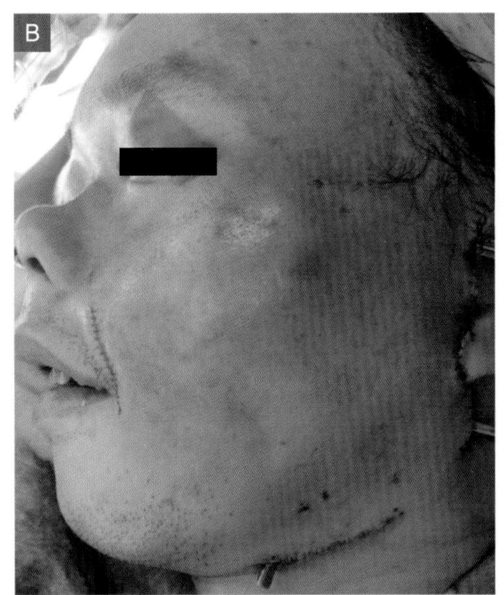

그림 14-4 안면 마비 환자에 대한 latissimus dorsi muscle과 thoracodorsal nerve free flap 전달술

는 먼 근육을 혈관과 운동 신경을 포함하여 얻은 후에 미세 현미경 수술을 통해 수혜부의 혈관과 연결하는 유리 근육 피판 수술을 시행하여야 하고 동시에 cross-facial nerve graft로 가져온 신경의 먼 쪽 부분과 근육 피판의 운동신경을 이어주는 복잡한 과정이 필요하다. 시술이 복잡하고 두 번의 수술이 필요하며 공여부의 이환이 발생한다는 단점이 있지만 눈썹을 제외한 모든 안면 부위를 동시에 수술할 수 있으며 반대측 안면신경을 사용함으로써 가장 생리학적인 결과를 얻을 수 있다는 장점을 가지고 있다. 경우에 따라서는 dynamic reconstruction을 시행하면서 동시에 부분적으로 static reconstruction 방법을 병행하기도 한다.[22] 두 단계로 재건을 하는 방법이 표준 치료법이기는 하지만, latissimus dorsi muscle free flap과 thoracodorsal nerve을 같이 채취하여 한 단계로 재건하여 좋은 결과를 얻었다는 보고도 있다(그림 14-4).[23,24]

각론(그림 14-5)

안면 마비를 크게 눈썹, 상안검, 하안검, 윗입술, 아랫입술로 나누어 각기 해당하는 수술법을 살펴보고자 한다. 모든 부위에서 끊어진 신경의 재관통이 가능한 경우라면 신경을 다시 이어주거나 신경 이식술, 신경 전달술 등을 이용해 재건해준다. 신경의 재관통이 불가능한 경우의 수술법을 나열하면 다음과 같다.

눈썹 하수

Static reconstruction의 방법으로는 눈썹 직상부에 초승달 모양의 절개를 가하고 피부와 피하지방조직과 frontalis muscle의 일부를 잘라낸 후 봉합하여 직접적으로 거상의 효과를 얻는 방법이 있다. 가장 직관적이고 간단한 방법이긴 하지만, 수개월 동안 눈에 띄는 흉터가 있으며 시간이 지나면서 다시 눈썹 하수가 생겨서 재수술이 필요하다는 단점이 있다.[25] 눈에 띄는 흉터를 피하기 위해 두피에 절개를 가하고 이마와 눈썹을 함께 위로 당겨 올려서 골이나 골막에 고정해주는 방법을 사용하기도 한다. 내시경을 이용하면 최소 절개를 통해 눈썹하수를 효과적으로 교정할 수 있다.[26] 더 간단한 방법으로 마비된 반대측의 frontalis muscle에 보툴리눔 톡신 주사를 주입하여 양측의 대칭을 맞추어주는 방법도 사용해 볼 수 있다.[27]

상안검 마비

상안검 마비 환자에서는 눈을 감게 하는 것이 주 목적인데, 증상의 중등도와 환자의 전신적인 상태를 파악하여

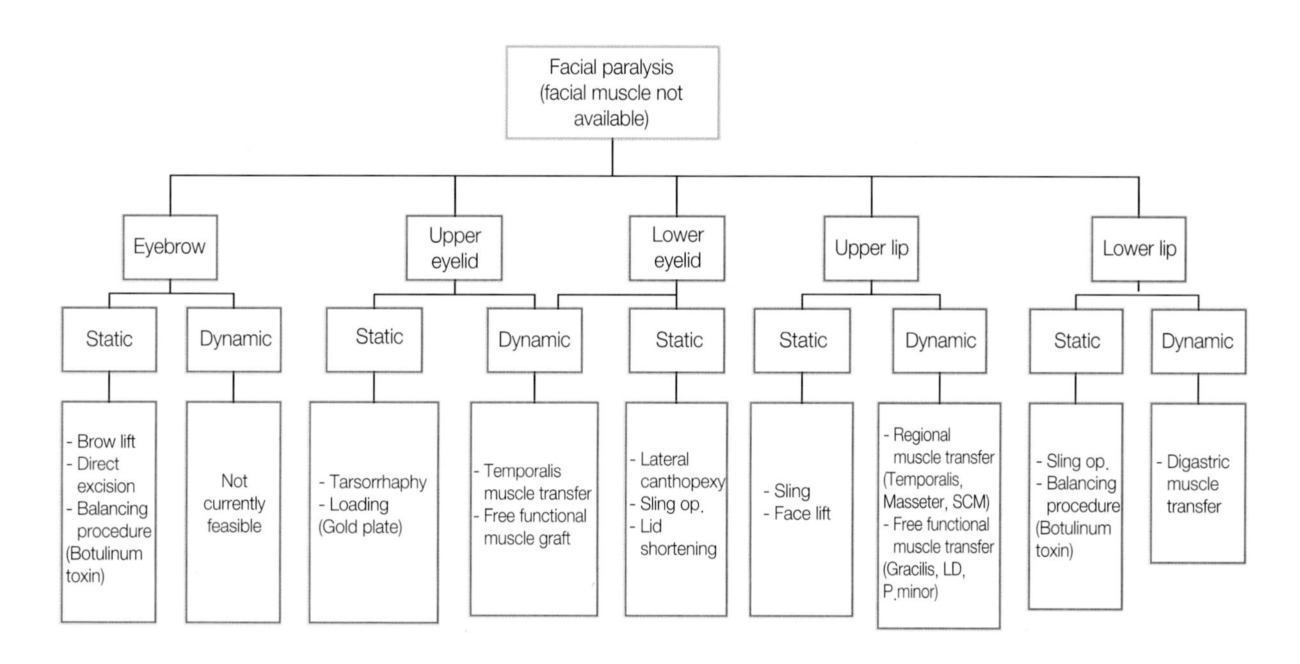

그림 14-5 동측의 안면 근육 기능이 없을 때 사용 가능한 안면 마비 재건 방법

수술법을 결정한다.[28] 마비가 심하여 안과적인 증상이 있는 경우에는 계획된 수술을 시행하기 이전에 일시적으로 tarsorrhaphy나 테이핑을 시행하여 눈을 감을 수 있도록 조치한다. 최근에는 히알루론산 필러를 상안검에 주입하여 간단하고 효과적으로 치료하였다는 보고도 있다.[29] 정적인 수술의 표준적인 방법은 금이나 티타늄 판을 이용해 상안검에 무게의 부하를 주는 수술이다(그림 14-2).[30] 일반적으로 0.6~1.8 g 사이의 무게를 가진 판을 사용하는데, 수술 전에 환자의 상안검에 다양한 판을 붙여보고 가장 적절한 크기와 무게를 정한다. 이중검 수술 시 사용하는 절개선을 긋고 orbicularis oculi muscle을 박리하여 상안검판을 노출시킨 후 이 위에 판를 얹어 고정하고 절개부위를 봉합하여 수술을 마친다.

동적인 방법은 근육이나 근막을 상안검과 하안검 양쪽에 띠 모양으로 위치시켜 괄약근처럼 조여서 눈을 감게 만드는 것인데, 주로 temporalis muscle을 이전하는 방법을 많이 사용한다. 폭이 2.0~2.5 cm 정도 되는 띠 모양으로 temporalis muscle과 깊은 temporalis muscle fascia를 함께 아래쪽에 기저를 둔 피판으로 들어올리고 난 후 temporalis muscle fascia을 위쪽에 기저를 둔 피판으로 temporalis muscle으로부터 일부분만 들어올려 전체적인 길이를 확보한다. Temporalis muscle fascia은 긴 방향으로 두 개로 쪼개서 한 개는 상안검으로, 다른 한 개는 하안검으로 통과하여 안쪽 눈구석 인대 깊은 쪽에서 교차하여 고정해준다(그림 14-3). 유리 근육 피판을 이용해서 두 번의 수술로 재건할 때에도 근육의 일부를 상안검과 하안검 쪽으로 위치시켜 눈을 감는 데 이용할 수도 있다.

하안검 마비

Dynamic reconstruction 방법은 상안검과 중복이 되며, 정적인 방법으로는 인대를 사용하여 끈으로 견인하여 올려주던지 하안검판에 실을 걸어 안와 가쪽의 골막에 걸어서 가쪽, 위쪽으로 당겨 올려주는 lateral canthopexy 방법이 있다. 늘어진 하안검을 직접적으로 자르고 봉합하여 줄여주는 수술 방법도 많이 시행되는데, 대표적인 것이 Kuhnt-Szymmanowsky 수술법이다. 이는 subciliary incision을 통해 하안검의 anterior lamella을 위, 가쪽으로 들어올리고 posterior lamella를 오각형모양으로 잘라내어 직접 봉합해주는 방법이다.[31]

윗입술 마비

우선 정적인 방법으로 근막 띠를 이용하거나 face lift 등을 시행하여 위쪽, 가쪽으로 중안면의 연부조직을 당겨 주는 방법이 있다. 이때 기시부는 zygoma이나 zygomatic arch에 실이나 나사로 단단하게 고정하도록 하고, 피하 터널을 만들어 nasolabial fold나 oral commissure에 부착시킨다.[32] 동측의 5번 뇌신경을 이용하여 dynamic reconstruction을 할 수 있는데, 동측의 temporalis muscle이나 masseter muscle을 전달하여 nasolabial fold부위와 oral commissure에 걸어주어 저작을 할 때 입술이 올라가는 효과를 얻을 수 있다. 먼 쪽에서 근육을 가져오는 free functioning muscle graft에는 gracilis muscle이나 latissimus dorsi muscle, pectoralis minor muscle 등을 주로 사용하는데, 이때 수혜부의 신경으로는 크게 세 가지를 이용할 수 있다. 우선 동측의 안면신경이 사용할 수 있으면 그곳에 연결하고, 그렇지 못한 경우 동측의 masseter muscle을 지배하는 5번 운동 신경에 연결하거나 반대측의 안면신경에서 cross-facial nerve graft로 연결한다. 이 중 반대측의 안면신경을 사용하는 것이 가장 생리적인 방법인데, 두 번에 걸친 수술이 필요하다는 단점이 있다. 첫 번째 시술로 sural nerve나 medial or lateral antebrachial cutaneous nerve 등을 얻어서 반대측 정상 안면신경의 볼 가지나 관자 가지의 일부를 잘라 cross face nerve graft을 시행한다. 6개월에서 12개월 사이에 신경이 이식편의 먼 쪽까지 자라나온 것을 Tinnel sign 등으로 확인하고 이차 수술을 시행한다. 이차 수술 시에는 우선 필요한 길이를 안면부에서 측정한 후 휴지 상태(resting state)에서 공여부 근육에 반드시 미리 표시를 한 후에 harvest해야 한다. 근육의 pedicle은 대개 병변 측 안면 동맥과 정맥에 미세 현미경 수술로 연결하고 근육의 운동신경을 cross-facial nerve graft의 먼 쪽 끝과 단단문합한다(그림 14-4).

아랫입술 마비

상대적으로 다른 부위에 비해서 안면 비대칭에 미치는 영향이 작기 때문에 주로 간단하게 균형을 맞추어 주는 시술(balancing procedure)을 시행할 수 있다. 정상 측 근육에 보툴리늄 톡신을 주사 하거나 아랫입술 내림근육을 잘라주기도 한다.[33] 그 밖에 마비가 있는 쪽의 아랫입술에 끈을 걸어 정적으로 내려주기도 하고, digastric muscle의 posterior belly를 이전시켜 dynamic reconstruction을 할 수도 있다.[34]

결론

안면신경 마비 환자를 치료하기 위해서는 사전에 철저한 병력 청취와 임상검진이 필수적이며, 안면 근육의 남아 있는 기능을 파악하여 적절한 치료 방법을 선택해야 한다. 안면신경의 마비는 환자마다 다른 양상으로 나타나며, 병변 부위와 심한 정도에 따라 이에 맞는 수술법을 적용할 수 있어야 한다. Static reconstruction은 상대적으로 간단한 시술을 통해 휴지 상태에서 효과적으로 안면 비대칭을 교정할 수 있는 좋은 방법이지만, 동적인 안면의 움직임을 재현할 수는 없다는 한계가 있다. 유리 근육 피판을 이용한 재건은 생리학적이고 자연스러운 안면 표정을 만들 수 있어 동적인 기능을 회복시키는 데 있어 최선의 방법이지만, 수술 술기가 복잡하고 공여부의 이환을 만든다는 단점이 있다. 각각 수술 방법의 장, 단점과 부작용, 한계에 대한 지식을 명확히 하고 환자의 상태에 적합한 안면 마비 재건술을 시행하여 안면신경 마비 환자의 삶의 질을 극대화시킬 수 있어야 하겠다.

참고문헌

1. Peitersen E. Bell's palsy: the spontaneous course of 2.500 peripheral facial nerve palsies of different etiologies. Acta Otolaryngol Suppl 549:4-30, 2002
2. Baricich A, Cabrio C, Paggio R, Cisari C, Aluffi P. Peripheral facial nerve palsy: how effective is rehabilitation? Otol Neurotol 33(7):1118-26, 2012
3. Brach JS, VanSwearingen JM. Physical therapy for facial paralysis: a tailored treatment approach. Phys Ther 79(4):397-404, 1999
4. Ohtake PJ, Zafron ML, Poranki LG, Fish DR. Does electrical stimulation improve motor recovery in patients with idiopathic facial (Bell) palsy? Phys Ther 86(11):1558-64, 2006
5. Vanswearingen J. Facial rehabilitation: a neuromuscular reeducation, patient-centered approach. Facial Plast Surg 24(2):250-9, 2008
6. Chu EA, Byrne PJ. Treatment considerations in facial paralysis. Facial Plast Surg 24(2):164-9, 2008
7. Hadlock T, Cheney ML. Facial reanimation; an invited review and commentary. Arch Facial Plast Surg 10(6):413-7, 2008
8. Humphrey CD, Kriet JD. Nerve repair and cable grafting for facial paralysis. Facial Plast Surg 24(2):170-6, 2008
9. Terzis JK, Konofaos P. Nerve transfers in facial palsy. Facial Plast Surg 24(2):177-93, 2008
10. Campero A, Socolovsky M. Facial reanimation by means of the

hypoglossal nerve; anatomic comparison of different techniques. Neurosurgery 61(3 Suppl):41-9; discussion 49-50, 2007

11. Lee EI, Hurvitz KA, Evans GR, Wirth GA. Cross-facial nerve graft; past and present. J Plast Reconstr Aesthet Surg 61(3):250-6, 2008
12. Yetiser S, Karapinar U. Hypoglossal-facial nerve anastomosis; a meta-analytic study. Ann Otol Rhinol Laryngol 116(7):542-9, 2007
13. Forootan SK, Fatemi MJ, Pooli AH, Habibi M, Javidan S. Cross-facial nerve graft; a report of chronically paralyzed facial muscle neurotization by a nerve graft. Aesthetic Plast Surg 32(1):150-2, 2008
14. Terzis JK, Tzafetta K. The babysitter procedure; minihypoglossal to facial nerve transfer and cross-facial nerve grafting. Plast Reconstr Surg 123(3):865-76, 2009 Mar
15. Aszmann OC, Ebmer JM, Dellon AL. The anatomic basis for the innervated mylohyoid/digastric flap in facial reanimation. Plast Reconstr Surg. 1998 Aug;102(2):369-72
16. Romeo M, Lim YJ, Fogg Q, Morley S. Segmental masseteric flap for dynamic reanimation of facial palsy. J Craniofac Surg. 2014 Mar;25(2):630-2
17. Terzis JK, Olivares FS. Mini-temporalis transfer as an adjunct procedure for smile restoration. Plast Reconstr Surg 123(2):533-42, 2009
18. Alagöz MS, Alagöz AN, Orbay H, Uysal AC, Comert A, Tuccar E. The utilization of teres major muscle in facial paralysis reanimation; an anatomic study. J Craniofac Surg 20(3):926-9, 2009
19. Boahene KD. Dynamic muscle transfer in facial reanimation. Facial Plast Surg 24(2):204-10, 2008
20. Chuang DC. Free tissue transfer for the treatment of facial paralysis. Facial Plast Surg 24(2):194-203, 2008
21. Hadlock TA, Cheney ML. Single-incision endoscopic sural nerve harvest for cross face nerve grafting. J Reconstr Microsurg 24(7):519-23, 2008
22. Michaelidou M, Tzou CH, Gerber H, Stüssi E, Mittlböck M, Frey M. The combination of muscle transpositions and static procedures for reconstruction in the paralyzed face of the patient with limited life expectancy or who is not a candidate for free muscle transfer. Plast Reconstr Surg 123(1):121-9, 2009
23. Harii K, Asato H, Yoshimura K, et al. One-stage transfer of the latissimus dorsi muscle for reanimation of a paralyzed face: a new alternative. Plast Reconstr Surg 102:941-51, 1998
24. Takushima A, Harii K, Asato H, Kurita M, Shiraishi T. Fifteen-year survey of one-stage latissimus dorsi muscle transfer for treatment of longstanding facial paralysis. J Plast Reconstr Aesthet Surg 66(1):29-36, 2013
25. Booth AJ, Murray A, Tyers AG. The direct brow lift: efficacy, complications, and patient satisfaction. Br J Ophthalmol. 2004 May;88(5):688-91
26. Rautio J, Pignatti M. Endoscopic forehead lift for ptosis of the brow caused by facial paralysis. Scand J Plast Reconstr Surg Hand Surg. 2001 Mar;35(1):51-6
27. Meltzer NE, Byrne PJ. Management of the brow in facial paralysis. Facial Plast Surg 24(2):216-9, 2008
28. Bergeron CM, Moe KS. The evaluation and treatment of upper eyelid paralysis. Facial Plast Surg 24(2):220-30, 2008
29. Martín-Oviedo C, García I, Lowy A et al. Hyaluronic acid gel weight: a nonsurgical option for the management of paralytic lagophthalmos. Laryngoscope. 2013 Dec;123(12):E91-6
30. Razfar A, Afifi AM, Manders EK, Myers EN, Johnson JT, Ferris RL, et al. Ocular outcomes after gold weight placement and facial nerve resection. Otolaryngol Head Neck Surg 140(1):82-5, 2009
31. Bergeron CM, Moe KS. The evaluation and treatment of lower eyelid paralysis. Facial Plast Surg 24(2):231-41, 2008
32. Liu YM, Sherris DA. Static Procedures for the Management of the Midface and Lower Face. Facial Plast Surg 24(2):211-5, 2008
33. Hussain G1, Manktelow RT, Tomat LR. Depressor labii inferioris resection: an effective treatment for marginal mandibular nerve paralysis. Br J Plast Surg. 2004 Sep;57(6):502-10
34. Tulley P, Webb A, Chana JS et al. Paralysis of the marginal mandibular branch of the facial nerve: treatment options. Br J Plast Surg. 2000 Jul;53(5):378-85

CHAPTER 15

청신경 종양 수술 후 난청 및 어지럼증의 치료

Management of hearing loss and dizziness

남성일, 박순형

청각 재활(auditory rehabilitation)

감각신경성 난청(sensory neuronal hearing loss)은 청신경 종양 환자에 있어서 가장 흔히 나타나는 증상 중 하나이다. 청신경 종양 환자에 있어서 난청은 종양 자체로 인해 혹은 종양 치료의 결과로 방사선 치료 후나 수술 후에 발생할 수도 있다. 특히 술 전 환자의 청력 상태는 치료의 방법을 정하는 데 많은 영향을 끼친다. 청력 보존을 위한 수술 방법의 선택에 있어 청력의 기준은 술자에 따라 다르나 최근의 문헌을 살펴보면 순음 청력검사에서 30~50 dB의 청력소실과 50~70%의 어음판별력 소실을 기준으로 삼고 있다.[1-4]

청신경 종양의 대표적인 수술 방법인 경미로 접근법은 내이에 손상을 줌으로 인하여 영구적인 난청이 발생하게 되며, 청력을 보존할 수 있는 술식인 중두개와 접근법과 후S자 정맥동 후두하 접근법에 있어서도 청력 보존율은 11~73.2%로 다양하게 보고되고 있다.[2,5-9] 수술 후 삶의 질에 관심이 증가되고 있는 최근의 추세로 인해 청신경 종양 치료 후 환자의 청각 재활의 중요성에 대한 관심이 증가하고 있다. 그러므로, 청각 재활법에 대한 충분한 지식을 가지고 환자 개개인의 상황에 맞추어 적절한 치료 방법을 선택하여야 향후 환자의 삶에 좋은 영향을 끼칠 수 있을 것이라 생각된다.

일측 전농 환자에서의 청각 재활

청신경 종양에 대한 수술법 중 경미로 접근법은 미로를 포함한 내이도 내의 종양을 절제하게 되므로 일측의 청력을 완전히 잃게 된다. 수술 후 일측의 전농은 일반적으로 반대측 청력이 정상인 건측의 귀로 소리를 듣는 데 있어 일상적인 의사소통이 가능하기 때문에 과거에는 청각의 재활을 고려하는 경우는 드물었다. 그러나, 최근 삶의 질에 대한 관심이 증가하고 있고, 태어나면서부터 자연스럽게 한쪽 귀가 안 들리면서 생활하는 것에 비해 양측으로 잘 듣고 있다가 병으로 인해 갑자기 한쪽 귀의 소리를 못 듣게 되었을 때 환자가 느끼는 불편감은 더 크다고 할 수 있겠다. 즉, 주변 소음이 큰 환경에서 청취 능력이 떨어지고 소리의 방향성 감지가 어렵다는 것이다.
사람은 양측 귀로 소리를 들음으로 인해서 서로 다른 두 위치에서 소리를 듣고 뇌에서 이 소리 정보를 비교 분석함으로써 음향의 방향을 탐지할 수 있을뿐 아니라 소리를 듣는 데 있어 장애를 주는 소리들을 억제하는데 중요한 역할을 하며, 어음 판별력에도 도움을 준다. 따라서 일측의 전농은 일상 생활에서의 의사소통에 불편감을 줄 뿐 아니라 상황에 따라 환자의 안전에 있어서도 큰 영향을 끼칠 수 있으므로 수술 전 · 후 환자와 상담함으로써 향후 삶의 질에 좋은 영향을 끼칠 수 있다. 반대측이 정상 청력인 일측 전농 환자에 있어서 대표적인 청각 재활 방법으로는 CROS 보청기와 골도 보청기 이식수술이 있다.

그림 15-1 개방형의 CROS보청기

CROS (Contralateral routing of signals) 보청기

CROS 보청기는 일측의 난청이 있을 경우 환측에서 들어오는 소리를 유선 혹은 무선을 통하여 건측의 귀로 전해주는 방식을 취하여 일측성 난청 환자에게 사용할 수 있도록 고안된 보청기이다. CROS 보청기가 처음 소개될 당시 환측에 마이크로폰을 착용하고 건측에 증폭기, 수화기를 위치시켰으며 마이크로폰과 증폭기는 전선을 통하여 연결하였다. 그렇지만, 밖으로 노출된 전선이 미용적으로 좋지 않은 결과를 보여 최근에는 전선이 없이 무선으로 연결되는 CROS 보청기가 개발되어 사용되어지고 있다(그림 15-1). 또한 블루투스 방식을 통하여 텔레비전, 휴대전화의 소리를 바로 보청기로 전달하는 기능이 추가되어 환자의 편의성이 증대되고 있다. 그러나, CROS 보청기는 양쪽 귀에 모두 보청기를 착용하여야 하는 미용적, 비용적인 한계를 가지고 있고, 대부분의 환자의 경우 반대측에는 좋은 청력을 가지고 있어 일상 생활에 불편감을 초래하지 않기 때문에 환자의 순응도는 통상적인 보청기 사용에 비해 떨어진다.

CROS보청기의 효과는 일반적으로 소음이 있는 환경에서 환자의 청취력 향상에 도움을 주는 것으로 보고되고 있으나, 유일청의 한계로 인하여 소리의 방향성 탐지에는 의미 있는 도움이 주지 못하는 것으로 알려져 있다.[1] 그러나 최근에는 소리의 방향성 탐지에도 효과가 있다는 보고도 있다.[2] 또 다른 방법으로는 청력이 완전히 소실된 귀에도 귓본의 길이를 늘인 고출력의 고막형 보청기를 외이도 깊이 위치시켜 이간감쇄 이상의 증폭을 하여 경두개적 transcranial으로 소리를 건측으로 전달시켜 주는 방식의 경두개적인 CROS 보청기도 소개되어 있으나 이에 대한 연구는 현재까지 미비한 실정이다.[3]

골도 보청기 이식 수술

일측 전농의 청각 재활에 있어 생각해 볼 수 있는 다른 청각 재활 방법으로는 이식형 골진동 보청기가 있다. 골도 보청기는 후천적으로 양측 외이도가 없는 경우 혹은 이루가 지속되는 환자 등의 공기 전도 보청기를 사용할 수 없는 환자에게 유용하게 사용할 수 있는 보청기로 개발되어 왔으며 일측 전농 환자에 있어서 소음 환경에서의 어음 인지도를 증가에 도움을 줄 수 있는 것으로 알려져 있다.[4] BAHA는 Titanium fixture를 이개 후방의 뼈에 이식하여 고정시킴으로써 소리를 진동형태의 에너지로 변환시켜 환측으로 들어오는 소리를 정상 측 귀로 전달시켜 주는 역할을 한다. 골도 보청기는 CROS 보청기처럼 양측에 착용하지 않아도 되어 미용적으로 더 우수하고, 외이도를 폐쇄하지 않기 때문에 폐쇄 효과로 인한 신호 간섭이 없으므로 소음 상황에서의 어음 인지도가 더 나은 것으로 알려져 있다.[5] 골도 보청기는는 Titanium fixture를 이개 후방의 뼈에 이식하여 고정시킴으로써 소리를 진동형태의 에너지로 변환시켜 환측으로 들어오는 소리를 정상측 귀로 전달시켜 주는 역할을 한다 (그림 15-2).

현재 골도 보청기 이식기는 3가지 종류가 소개되고 있는데, 메델사의 BoneBridge(그림 15-3), 코클리아사의 BAHA 4 Attract system(그림 15-4) 그리고 Sopho-

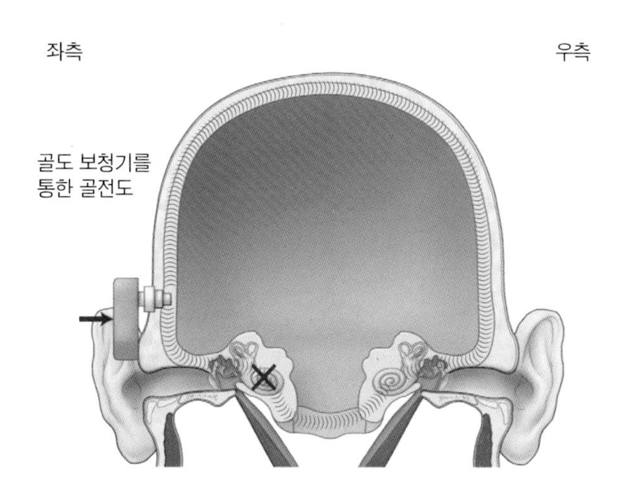

그림 15-2 좌측이 전농인 환자에서 환측에서 들어오는 소리는 골도 보청기를 통하여 골전도로 우측 와우에 전달됨

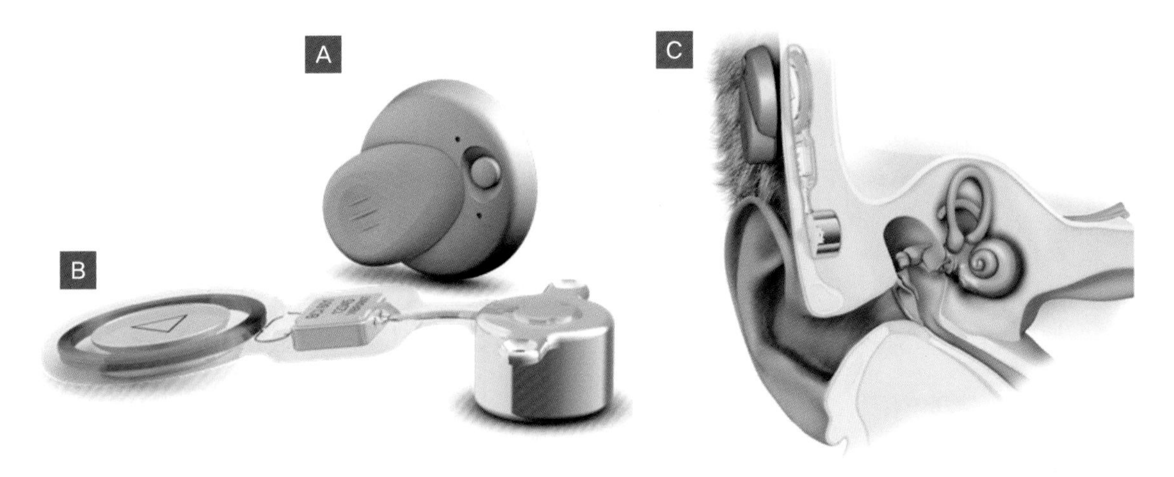

그림 15-3 MEDEL Bonebridge. A. external audio-processor. B. active bone conduction implant. C. Bonebridge wearing

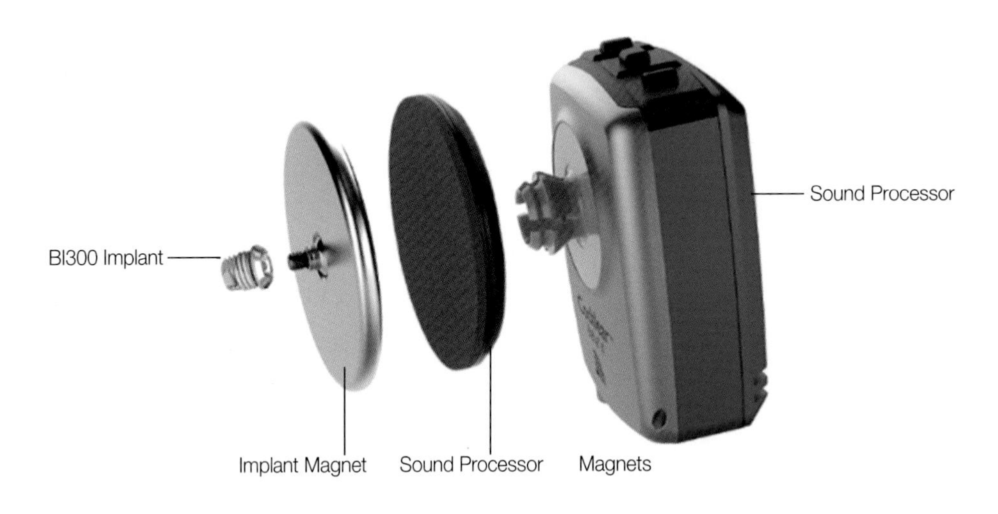

그림 15-4 Cochlear Baha 4 Attract System Device

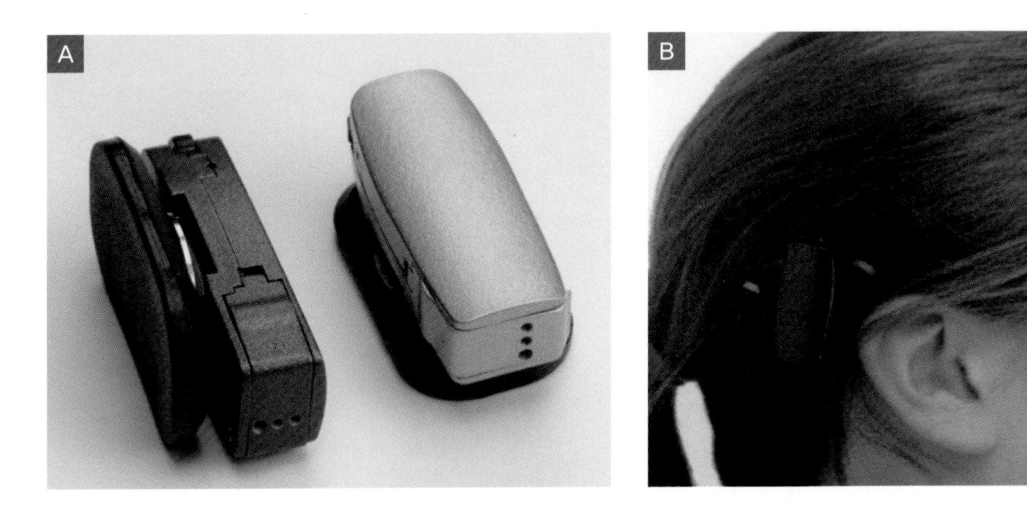

그림 15-5 Sophono Alpha 2. A. device. B. 착용모습

no의 Alpha 2이다(그림 15-5). 이 제품들은 내부 이식기가 피부 안쪽에 고정되어 있으면서 외부이식기와는 자석으로 서로 붙어 있기 때문에, 필요시 외부이식기를 떼면 미용적인 면에서도 우수하다.

골도 보청기 이식기의 소리 전도 방식은 현재 두 가지가 있는데, 첫째, 직접 두개골을 통해 진동을 전달하는 방식과 둘째, 피부를 통해 진동을 전달하는 방식이 있다. 전자에 해당되는 것이 출력이 가장 좋은 메델사의 BoneBridge이고 후자에 해당되는 것이 BAHA 4 attract system과 Alpha 2에 해당된다. 각 기계마다의 장단점을 충분히 이해해서 환자에게 수술 전후에 설명해줌으로써 환자의 청력 재활에 도움을 줄 수 있을 것이다.

유일청 혹은 양측에 발생한 청신경 종양의 청각 재활

유일청에 발생한 청신경 종양 혹은 neurofibromatosis type II (NF-2)의 경우 환자의 치료에 결정에 많은 어려움을 겪게 된다. 이 환자들은 일정 기간 내에 대부분 청력을 잃게 된다.[6] 일반적으로 정기적인 청력 검사 및 MRI를 시행하여 추적 관찰하면서 종양의 크기가 증가하거나 청력 감소가 관찰되면 청력 보존 수술을 혹은 방사선 치료를 시도해 볼 수 있다. 그러나, 결과적으로 종양의 크기는 증가하게 되며 환자에게 있어서 청력 보존 수술을 시도해 볼 수 있는 시기도 놓칠 수 있다. 이러한 경우에 있어 종양의 크기가 작은 이른 시기에 청력을 보존 수술을 시도해 보고, 청력을 보존에 실패하였을 경우 와우이식 혹은 청성뇌간이식을 통하여 청각 재활을 시행하는 방법을 시행해 볼 수 있다.[7]

와우이식(Cochlear implant)

유일청에 발생한 청신경 종양으로 인해 청력을 소실했을 경우 와우이식은 가장 권할만한 청각 재활 방법이다.[8,9] 그러나, 청신경 종양 수술 후 항상 와우이식이 가능한 것은 아니다. 와우이식을 시행하기 위해서는 청신경이 반드시 보존되어야 하며 와우가 전기자극에 반응을 보이고 와우 내에 섬유화나 골화가 되어 있지 않을 때 시행할 수 있다. 따라서 수술 중 intraoperative telemetry, promontory test, 등을 통하여 청신경을 보존하는 것이 성공적인 와우이식술을 위해 필수적이다.

연구를 통해 알려진 바에 따르면 미로 절제술 시행 후 수년이 경과되어도 나선신경절 세포는 보존되어 있다.[10] 또한, 나선신경절 세포수가 감소되어 있는 경우에도 좋은 결과를 보일 수 있음이 알려져 있다.[11] 그러나, 미로 절제술을 통한 청신경 종양의 수술은 와우의 섬유화 및 골화를 초래할 수 있어 향후 와우이식을 어렵게 하거나 불가능하게 만들 수 있다. 따라서 종양을 제거하고 와우이식을 고려한다면 종양 제거 후 가능한 가장 빠른 시행하는 것이 좋다.[12]

청성뇌간이식(Auditory brainstem implant, ABI)

청성뇌간이식은 와우 및 청신경을 거치지 않고, 이식기를 삽입하여 직접 뇌간에 있는 와우핵을 자극하는 방법으로 소리를 전달해 주는 방법을 취한다. 따라서 NF2환자, 청신경이 보존되어 있지 않은 환자나 와우의 심한 섬유화 및 골화로 와우이식을 시행할 수 없는 환자에 있어서 청각 재활에 사용될 수 있다. 1979년에 single channel의 ABI가 사용된 이후 여러 결과들이 보고되어 왔으나,[13] 청력 재활의 효과에 있어서는 와우 이식에 미치지 못하는 결과를 보이고 있으며 환경음을 인지하고 독순술에 도움을 주는 정도로 알려져 있다.[14] 와우핵의 tonotopic organization은 표면에서 수직으로 분포하여 있기 때문에 표면 전극으로만 적절한 음의 높이를 구별할 수 있는 능력을 얻기 어렵다.[15] 이를 보완하고자 침투형(penetrating electrode)이 개발되어 사용되고 있으나 아직 초기 단계로 의미 있는 결과를 위해 많은 연구들이 보고되고 있다(그림 15-6).[16]

청신경 종양 수술 후 전정기능의 재활(Vestibular rehabilitation)

청신경 종양은 1년에 1 mm 정도 느리게 성장하는 종양이므로 이로 인한 전정기능의 소실도 점진적으로 발생하게 된다.[17] 중추신경의 전정보상을 동반하게 됨으로써 수술 전에 심한 어지럼증을 호소하지는 않는 경우가 대부분이다.[18] 때로는 종양 내부의 출혈과 같은 급격한 크기 변화로 인해 급성 현훈을 동반하기도 하지만,[19] 청신

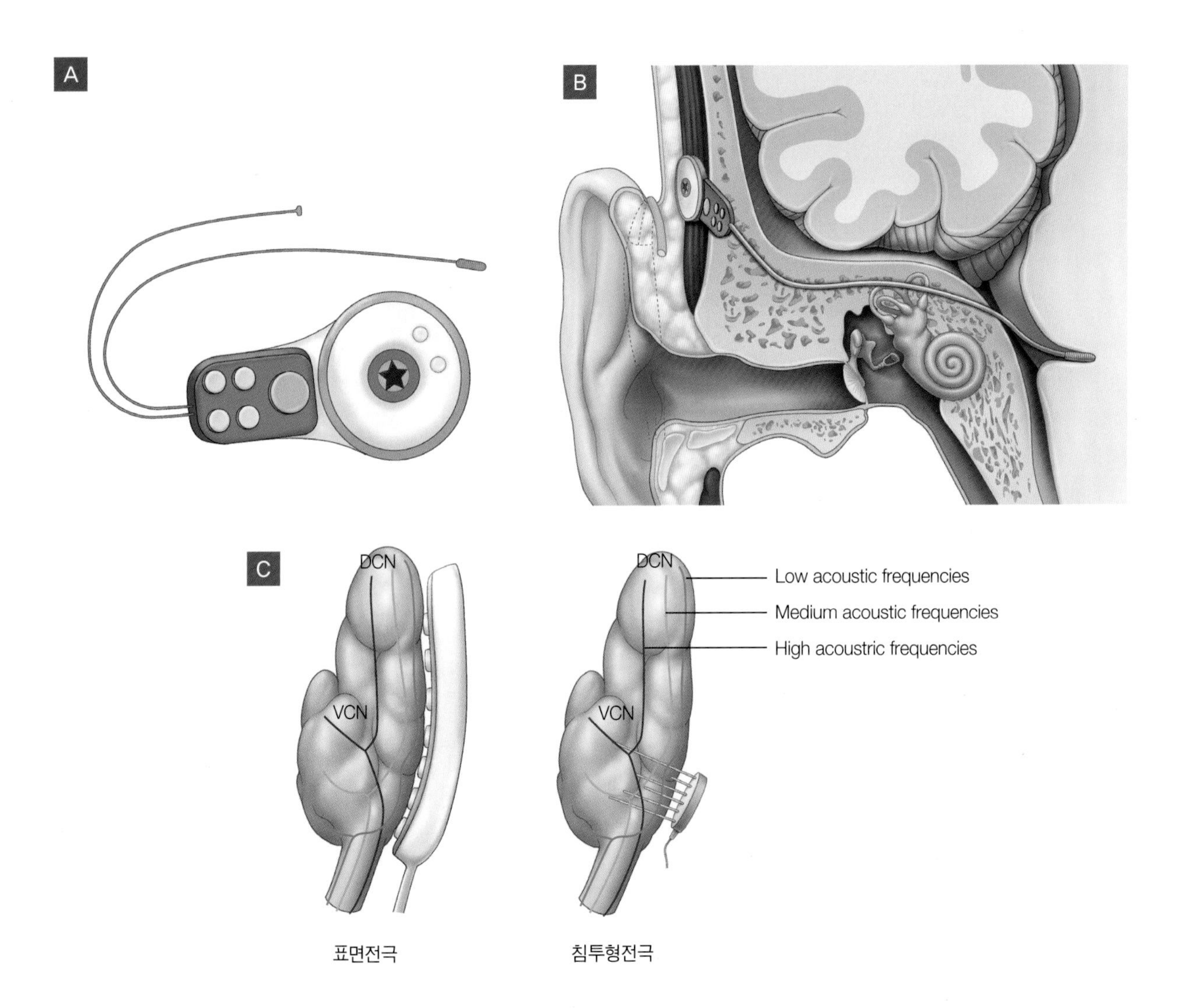

그림 15-6 A. 청성뇌간 이식기의 구조는 와우이식기와 비슷하나 전극의 모양은 다르다. B. 청성뇌간이식 후의 모식도. C. 기존에 사용해온 표면전극 외에도 침투형 전극이 개발되어 사용되고 있다.

경 종양 환자에 있어서 환자의 급성 현훈은 주로 수술을 통한 종양 적출 후에 전정계의 구조를 제거하였거나 전정 신경을 절단함으로 인하여 갑작스런 전정 기능의 완전 소실로 인해 나타나게 된다. 또한, 소뇌를 견인하여야 하는 Retrosigmoid 접근법의 경우 소뇌나 뇌간 압박으로 인하여 지속적인 불균형을 초래할 수 있다.[20] 수술로 인한 전정기능 소실의 전정보상작용으로 인해서 회복되어지나 4%~78% 정도의 환자에서 지속적인 불균형으로 인한 불편감을 호소하고 있다. 이 원인에 대해서는 아직까지 명확히 밝혀진 바가 없으나 지속적인 중추의 과전정보상(central overcompensation)이거나, 수술 중 소뇌나 뇌간 등의 압박에 인한 것으로 생각된다.[21]

청신경 종양 수술 후 전정 증상

수술 후 급성기에 발생하는 어지럼증은 말초 전정신경의 기능의 소실로 인해 발생하므로 마치 전정신경염의 초기 증상과 유사하게 나타난다. 환자는 건측으로 자발안진이 관찰되며 안진의 빠른 성분 방향으로 몸이 도는 것처럼 회전성 어지럼증을 느낀다. 대개 오심과 구토를 동반하며 머리를 움직일 때 어지러움이 심해지는 양상을 보여 가만히 있으려고 한다. 일반적으로 급성기 증상은 술 후 24시간까지는 심해지는 양상으로 보이고 2, 3일이 경과되면 호전되는 양상을 보인다. 이 시기에는 vestibular suppressant와 antiemetics를 사용하여 환자의 증상을 완화에 도움을 줄 수 있도록 한다 시각적인 자극이 충분히 들어가기 위해 병실을 밝게 유지하는 것이 좋다.

수술 후 3~5일이 경과되면 자발안진은 시고정에 의해 억제되고, 환자의 증상도 호전된다. 시고정을 억제한 상태의 자발안진은 1개월 정도까지도 남아있는 경우가 있다. 이 시기에 자발안진이 병변 측으로 바뀌어 나타나는 경우도 있다. 이는 중추신경의 과보상이 일어남으로 인한 것으로 생각되며 과보상 후 완전 보상의 단계로 접어들면 자발안진은 완전히 없어지고 두진 후 안진도 소실되게 된다. 1~6주가 경과되면 환자는 일상 생활에는 불편감을 느끼지 않을 정도로 호전되지만, 전정안반사의 결여로 인하여 머리를 빨리 움직일 경우 경미한 진동과 불균형을 호소하는 경우가 있으며 이는 수년까지 만성적으로 지속되기도 한다.[4] 환자의 회복 정도는 적극적인 재활 운동을 하느냐에 따라 중추성 전정 보상이 진행됨으로 인하여 다양하게 나타난다.

전정 기능의 평가

술 후 전정 기능은 안진검사, 두부충동검사, 회전의자검사, 동적자세검사 등을 통해 평가 될수 있다. 수술 후 편측 전정 기능의 소실은 급성기에 자발안진을 일으키게 되며 이는 나안 혹은 프렌첼 안경(Frenzel glasses)을 사용하여 손쉽게 관찰할 수 있으며 비디오 안진검사를 통하여 정량화하여 평가할 수 있다. 두진 후 안진은 머리를 좌우로 2 Hz 정도의 빈도로 좌우로 회전시킨 후에 나타나는 안진을 평가하는 방법으로 자발안진이 있는 경우 이를 더 강화시키게 되며, 자발안진 소실 후에도 안진을 유발시킬 수 있다. 두부충동 검사는 환자의 얼굴을 잡고 검사자의 코를 주시하게 한 후 빠르게 고개를 돌림으로 인해서 catch up saccade를 관찰할 수 있는 방법으로 고주파 회전에서의 전정안반사를 평가하는 방법으로 수술 후 자발안진이 소실된 후에도 관찰할 수 있으며 최근에는 비디오 두부충동검사(head impulse test)를 통하여 정량적인 평가 및 각각의 반고리관의 기능도 평가해 볼 수 있다(그림 15-7).

회전의자검사(rotational chair test)는 생리적인 보상의 정도를 잘 알려줄 수 있는 검사로 정현파회전검사(sinusoidal harmonic acceleration)에서 대칭성(symmetry)의 수술 측 편위와 위상차 선행(phase lead) 및 이득(gain)의 감소를 관찰할 수 있다. 이 중 이득의 감소는 다소 유동적인 지표로 뚜렷하지 않은 경우도 있다(그림 15-8). 이중 위상차 선행은 중추신경계의 보상이 이루어진 후에도 지속되게 된다. 동적자세검사는 수술을 시행한 후 중추의 보상 정도를 객관적으로 평가할 수 있으며 이외에도 시각의 사용 정도, 전정안반사(vestibulo-ocular reflex) 이외에 전정척수반사(vestibulospinal reflex)에 대한 정보를 통해 기능적 보상의 정도를 확인할 수 있다. 일반적으로 수술 직후에는 발판이 움직여 체성 감각에 혼란을 주게 되는 조건 4, 5, 6의 점수가 감소되는 것이 관찰되나, 시간이 지남에 따라 아급성기에는 조건 4의 점수가 회복되고, 그 후 조건 5와 6도 서서히 회복됨을 관찰할 수 있다(그림 15-9). 환자의 삶의 질과 주관적인 어지러움을 평가하기 위해서는 환자 설문을 시행할 수도 있으며 대표적인 예로 Dizziness handicap inventory (DHI)와 Activities-specific Balance Confidence (ABC) scale이 있다.[22,23]

전정 보상(vestibular compensation)

전정 보상이란 넓은 의미로 말초 신경계가 제거 혹은 손상된 후 안구 운동 및 균형 유지의 전반적인 기능의 회복을 의미한다.[24] 중추 신경의 가소성이란 감각 및 운동 신경계의 재배열을 통해 말단 혹은 중추신경계의 약화를 보상할 수 있는 능력을 말한다. 전정신경이 제거된 말초성 전정장애에서의 전정 보상을 위해서는 중추 전정 신경핵의 기능적 재구성이 반드시 필요하다. 이러한 중추성 보상은 어지럼증을 일으키는 자극을 반복해서 주어 신경계 재배열을 촉진할 수 있는 전정재활치료의 중요한 이론적 배경이다. 일반적으로 급성기 전정기능의 회복은 원래의 불충분한 전정 기능이 다시 회복되는 과정을 의미하고 만성기 전정기능의 보상은 비전정기능이 전정기능의 역할을 대치하는 과정으로 생각 된다.

말초성 병변에 의한 급성기 현훈은 술 후 초기에 정적 보상이 이루어져 자발안진이 사라지지만 머리를 빨리 움직일 경우에는 여전히 어지럼증을 느끼고, 두진 후 안진 검사나 두부충동검사에서 이상 소견이 관찰된다. 이는 불충분한 전정 보상을 시사하는 소견이다. 급성 보상기가 지난 이후에도 환자는 지속되는 현훈 및 불균형을 호소할 수 있는데 이는 머리의 움직임에 따라 정확한 반응을 할

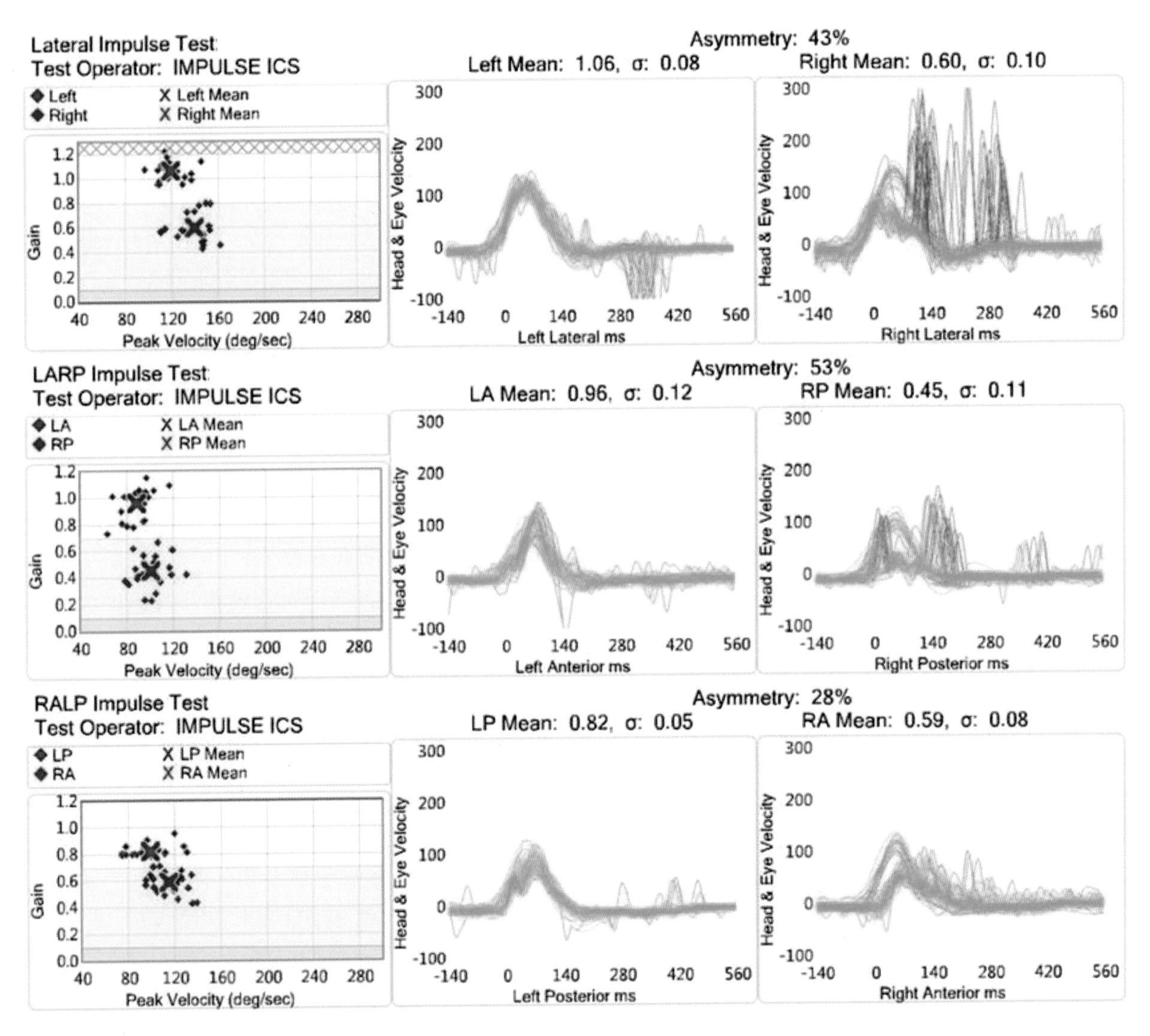

그림 15-7 **수술 후 환자에서 시행한 비디오 두부충동검사.** 세 개의 반고리관 모두에서 이득이 감소되고 catch up saccade가 나타남을 관찰된다.

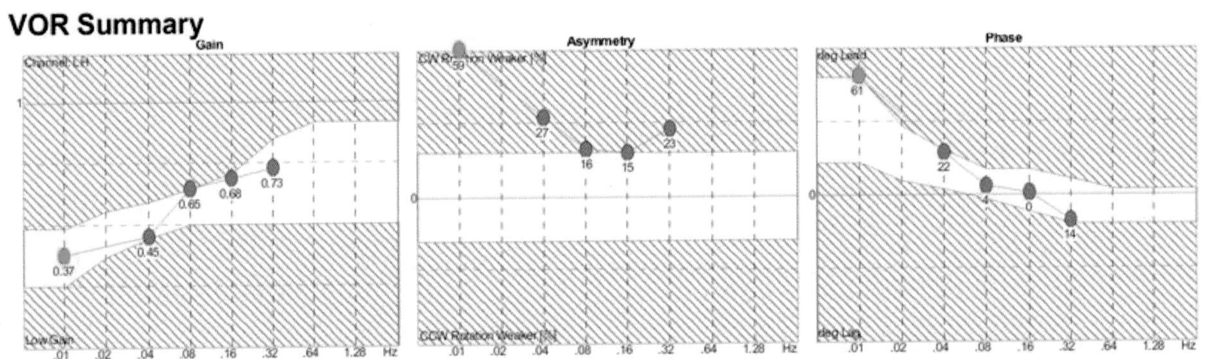

그림 15-8 **경미로 접근법을 통한 우측 청신경 종양 제거술을 시행한 환자에서의 정현파검사.** 위상차 선행과 대칭이 우측으로 편위된 소견을 관찰할 수 있다. 환자에 따라 이득의 감소는 저명하게 나타나지 않을 수도 있다.

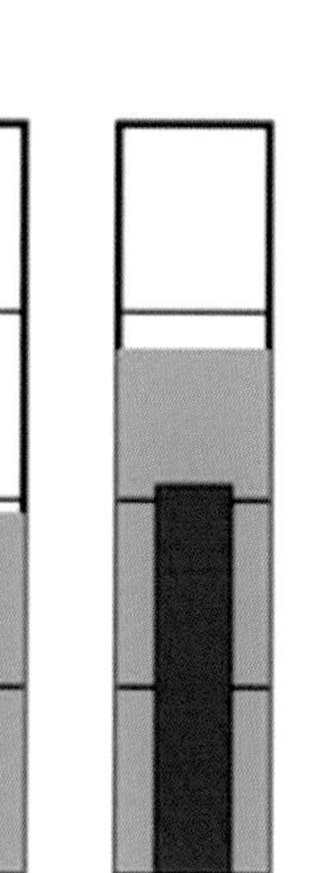

그림 15-9 **수술 후 1주째 시행한 동적자세검사 소견.** 조건 5, 6의 점수가 감소되어 있는 전정형 이상의 소견을 보이게 된다.

수 있게 해주는 동적 보상작용 기전에 의해 회복될 수 있다. 이러한 동적 보상의 기전은 전정핵의 재배열을 통해 이루어지는 것이 아니라 소뇌 및 뇌간에서의 전정신경로의 재구성을 통해 이루어지는 것으로 알려져 있다.

전정재활치료의 원리

전정 기능의 소실 후 나타나는 전정안반사의 회복은 전정기관의 적응력에 의한 것으로 생각 된다. 전정안반사의 손상은 이득(gain)의 감소로 나타나며 이러한 이득의 감소는 시간이 경과함에 따라 다시 회복되어 증가한다. 망막의 미끄러짐 현상은 이러한 전정적응을 유발시키는 신호이다. 이러한 반복적인 오차신호(error signal)를 받은 중추는 이득을 증가시켜 이를 해소하고자 한다. 전정척수반사의 장애는 보행의 불안정으로 나타나게 되며 이러한 증상은 전정의 적응과정을 통해 회복된다.

소실된 전정 기능을 시각이나 체성 감각 등의 다른 기능으로 보상하고자 하는 신체적 장용을 대치(substitution)라고 한다. 시각이나 체성감각 외에도 경부안반사, catch up saccade등이 대치 기전에 사용된다. 전정 기능이 경부안반사는 전정안반사를 보조하는 역할을 주로 하고 있으나, 전정안반사가 약화 되었을 때는 강화되어 그 역할이 증가하게 된다. 전정안반사가 불충분할 경우 망막의 미끄러짐으로 인하여 시야가 흐려짐을 막기 위해 catch up saccade로 대치하게 된다.

전정재활치료(Vestibular rehabilitation)

운동이 전정의 보상을 촉진시키고 전정장애의 최종 회복의 정도를 높여준다는 보고가 있다. 전정장애 시 전정재활운동을 하는 것은 일반적인 운동을 하는 것보다 자세 안정에 더 효과적이다. 수술 후 급성기에는 전정억제제 및 진토제 등을 사용하여 환자를 안정시키고, 이시기에 주변을 밝게 유지하여 시각적인 자극이 충분히 들어갈 수 있게 하는 것이 좋다. 수일이 경과하여 급성 증상이 소실되었을 때는 가능한 빠른 시기에 침상에서 가벼운 머리 운동부터 시작해보는 것이 좋다. 전정재활치료의 목표는 전정장애와 재활치료에 대한 교육을 시행하여 환자의 전반적인 활동과 증세의 정도를 호전시키는데 있다. 재활운동은 전정기능을 완전히 회복시키는 것이 아니라 전정장애를 감소시키는 것이다. 처음 운동을 시작할 때에는 어지러움 증상이 심해질 수 있음을 환자에게 설명하고 재활운동의 목표 및 효과를 확실히 숙지시켜 환자가 자택에서도 꾸준히 시행할 수 있도록 격려한다. 효과적인 전정재활치료가 시행되기 위해서 환자는 현 상태에서 자신이 할 수 있는 가장 높은 난이도의 운동을 하여야 한다. 따라서 난이도를 높여가며 운동을 할 경우 약간의 어지러움 증상이 유발될 때까지의 운동을 하도록 하며, 어지러움 발생 시에는 조금 쉬었다가 반복할 수 있도록 환자에게 알려주도록 한다. 전정 재활치료의 유형은 일반적 치료와 개인에 맞춘 치료로 나누어진다.

일반적인 치료

Cawthorne–Cookey 운동법은 1940년에 일측성 전정장애와 뇌진탕 후 장애를 위해 고안된 것으로 대표적인 전정재활운동이다.[25] 근래에는 이를 조금씩 변형하여 여러 가지 운동 요법으로 사용되어지고 있다. 처음에는 누운 자세에서 느린 안구운동과 머리 운동을 위, 아래와 좌, 우로 시행하여 볼 수 있으며 이후에는 앉은 자세, 선 자세, 움직이면서 운동하는 방식으로 점차 그 난이도를 높여가게 되어 있다. Hamid 방법은 대표적인 전정안반사와 전정척수반사 강화 운동이다 그 방법은 시선을 한 물체에 고정하고 머리를 좌우, 상하로 회전시키며 점차적으로 그 속도를 증가시켜 초점이 흐려질 때까지 지속하다 멈춘다. 그 후 눈을 감고 상상하는 초점을 주시하며 같은 방법으로 고개를 움직인다. 초점을 좌, 우 45도 고정하여도 동일한 방법으로 시행한다. Hamid법 역시 처음에는 평평한 바닥에서 시작하여 걸으면서 혹은 푹신한 이불이나 매트리스 위에서 하는 방법으로 그 난이도를 높여나갈 수 있다. 이 운동법은 일상 생활에서 어지러움이 유발될 수 있는 대부분의 경우를 포함할 수 있으며, 전정안반사와 전정척수반사를 강화하는 대뇌피질의 기능을 향상시키는 것으로 알려져 있다.

개인에 맞춘 치료

환자의 현재 호소하는 증세의 정도, 전정기능의 저하 정도에 따라 재활운동을 맞추어 주는 방법이 개인에 맞춘 치료(Customized Method)이다. 개개인의 치료에 있어 적절한 재활운동을 시행하기 위해서는 숙련된 물리치료사 및 의사의 협조가 필요하다. 맞춘 치료에 있어 일반적인 원칙은 환자 개개인에게 어지러움을 느끼는 자극에 노출시킴으로 인하여 평형을 유지하기 어려운 상황까지 계속 도전하여 전정 재활이 이루어지도록 하는 것이다. 맞춘 치료를 구성하는 데 있어서 전정적응운동, 평행 및

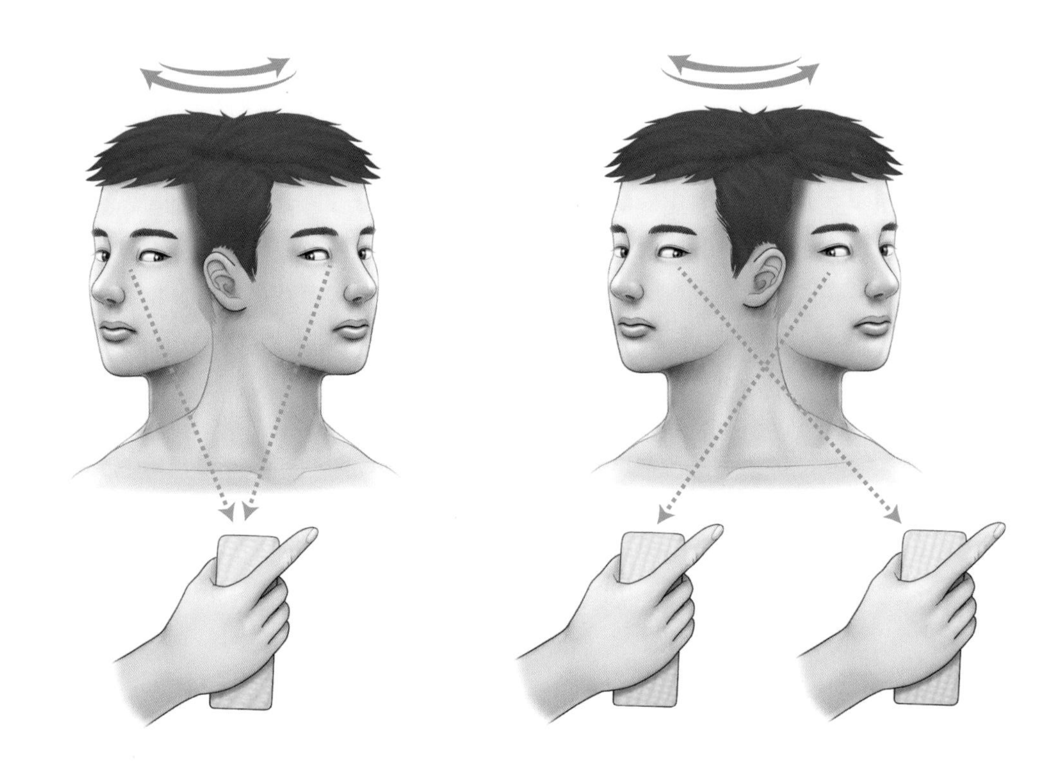

그림 15–10 Herdman의 x1보기 x2보기 적응운동은 대표적인 전정적응 강화운동으로 처음에는 고정된 목표물에(x1), 그 후에는 움직이는 목표물에 초점을 맞추어 머리를 엇갈리게 점점 속도를 늘려가는 방법으로 운동을 시행한다.

보행운동, 일반적 조절운동의 세 가지 영역이 고려되어져야 한다. 전정적응운동에서 습관화 운동(Habituation exercise)은 환자의 어지럼증이 유발되는 자세를 반복시킴으로 인하여 동일 상황 노출 시 증상이 감소되도록 하는 것으로 머리 또는 안구 운동이 포함된다. 전정적응을 유발하기 위해서는 수평 · 수직운동을 포함하여 일상 생활에서 이용되는 모든 주파수의 운동을 시행하여야 한다. Herdman의 x1보기, x2보기 적응운동(Gaze stabilization exercises)은 전정적응을 유발하는 대표적인 운동이다(그림 15-10). 평형과 보행운동은 시각, 고유감각, 전정감각의 세 가지 정보를 최대한 활용하여 평형을 유지할 수 있도록 하는 방법이다. 평평한 바닥, 울퉁불퉁한 바닥, 부드러운 바닥을 이용하거나, 눈을 감거나 뜨는 방법, 고개를 기울이거나 계속 움직이는 방법 등을 통하여 여러 가지 조합으로 감각 정보에 변화를 주어 특정 감각을 최대한 활용할 수 있도록 시행할 수 있고, 보폭을 줄여가며 점진적으로 난이도를 올릴 수 있다. 일반적 조절운동은 환자의 정적인 생활을 동적인 생활 유형으로 변화시키는 것이다. 걷기부터 시작해서 가벼운 조깅, 자전거 등으로 시행해 볼 수 있으며 라켓을 사용하는 운동을 통하여 눈, 머리, 몸통의 협조가 잘 될 수 있도록 하여야 한다.

■ 참고문헌

1. Quist TS, Givens DJ, Gurgel RK, Chamoun R, Shelton C. Hearing preservation after middle fossa vestibular schwannoma removal: are the results durable? Otolaryngology--head and neck surgery 2015; 152:706-711
2. Rabelo de Freitas M, Russo A, Sequino G, Piccirillo E, Sanna M. Analysis of hearing preservation and facial nerve function for patients undergoing vestibular schwannoma surgery: the middle cranial fossa approach versus the retrosigmoid approach--personal experience and literature review. Audiology & neuro-otology 2012; 17:71-81
3. Brackmann DE, Owens RM, Friedman RAet al. Prognostic factors for hearing preservation in vestibular schwannoma surgery. The American journal of otology 2000; 21:417-424
4. Noudel R, Gomis P, Duntze J, Marnet D, Bazin A, Roche PH. Hearing preservation and facial nerve function after microsurgery for intracanalicular vestibular schwannomas: comparison of middle fossa and retrosigmoid approaches. Acta neurochirurgica 2009; 151:935-944; discussion 944-935
5. olsinger FC, Coker NJ, Jenkins HA. Hearing preservation in conservation surgery for vestibular schwannoma. The American journal of otology 2000; 21:695-700
6. Kutz JW, Jr., Scoresby T, Isaacson Bet al. Hearing preservation using the middle fossa approach for the treatment of vestibular schwannoma. Neurosurgery 2012; 70:334-340; discussion 340-331
7. Meyer TA, Canty PA, Wilkinson EP, Hansen MR, Rubinstein JT, Gantz BJ. Small acoustic neuromas: surgical outcomes versus observation or radiation. Otology & neurotology 2006; 27:380-392
8. Slattery WH, 3rd, Brackmann DE, Hitselberger W. Middle fossa approach for hearing preservation with acoustic neuromas. The American journal of otology 1997; 18:596-601
9. Sameshima T, Fukushima T, McElveen JT, Jr., Friedman AH. Critical assessment of operative approaches for hearing preservation in small acoustic neuroma surgery: retrosigmoid vs middle fossa approach. Neurosurgery 2010; 67:640-644; discussion 644-645
10. Hill SL, 3rd, Marcus A, Digges EN, Gillman N, Silverstein H. Assessment of patient satisfaction with various configurations of digital CROS and BiCROS hearing aids. Ear, nose, & throat journal 2006; 85:427-430, 442
11. Ryu NG, Moon IJ, Byun H, Jin SH, Park H, Jang KS, et al. Clinical effectiveness of wireless CROS (contralateral routing of offside signals) hearing aids. Eur Arch Otorhinolaryngol 2015;272:2213-9
12. Hayes DE, Chen JM. Bone-conduction amplification with completely-in-the-canal hearing aids. Journal of the American Academy of Audiology 1998; 9:59-66
13. Yuen HW, Bodmer D, Smilsky K, Nedzelski JM, Chen JM. Management of single-sided deafness with the bone-anchored hearing aid. Otolaryngology--head and neck surgery : 2009; 141:16-23
14. Bovo R, Prosser S, Ortore RP, Martini A. Speech recognition with BAHA simulator in subjects with acquired unilateral sensorineural hearing loss. Acta oto-laryngologica 2011; 131:633-639
15. Ozdek A, Bayir O, Donmez Tet al. Hearing restoration in NF2 patients and patients with vestibular schwannoma in the only hearing ear: report of two cases. American journal of otolaryngology 2014; 35:538-541
16. Lloyd SK, Glynn FJ, Rutherford SAet al. Ipsilateral cochlear implantation after cochlear nerve preserving vestibular schwannoma surgery in patients with neurofibromatosis type 2. Otology & neurotology 2014; 35:43-51
17. Thedinger BA, Cueva RA, Glasscock ME, 3rd. Treatment of an acoustic neuroma in an only-hearing ear: case reports and considerations for the future. The Laryngoscope 1993; 103:976-980
18. Tono T, Ushisako Y, Morimitsu T. Cochlear implantation in an intralabyrinthine acoustic neuroma patient after resection of an intracanalicular tumour. The Journal of laryngology and otology 1996; 110:570-573
19. Lambert PR, Ruth RA, Thomas JF. Promontory electrical stimulation in postoperative acoustic tumor patients. The Laryngoscope 1992; 102:814-819
20. Chen DA, Linthicum FH, Jr., Rizer FM. Cochlear histopathology in the labyrinthectomized ear: implications for cochlear implantation. The Laryngoscope 1988; 98:1170-1172
21. Aristegui M, Denia A. Simultaneous cochlear implantation and translabyrinthine removal of vestibular schwannoma in an only hearing ear: report of two cases (neurofibromatosis type 2 and unilateral vestibular schwannoma). Otology & neurotology 2005; 26:205-210
22. House WF, Hitselberger WE. Twenty-year report of the first auditory brain stem nucleus implant. The Annals of otology, rhinology, and laryngology 2001; 110:103-104

23. Lenarz T, Moshrefi M, Matthies Cet al. Auditory brainstem implant: part I. Auditory performance and its evolution over time. Otology & neurotology 2001; 22:823-833
24. Shannon RV, Fayad J, Moore Jet al. Auditory brainstem implant: II. Postsurgical issues and performance. Otolaryngology--head and neck surgery 1993; 108:634-642
25. Otto SR, Shannon RV, Wilkinson EPet al. Audiologic outcomes with the penetrating electrode auditory brainstem implant. Otology & neurotology 2008; 29:1147-1154
26. Battaglia A, Mastrodimos B, Cueva R. Comparison of growth patterns of acoustic neuromas with and without radiosurgery. Otology & neurotology 2006; 27:705-712
27. Herdman SJ, Clendaniel RA, Mattox DE, Holliday MJ, Niparko JK. Vestibular adaptation exercises and recovery: acute stage after acoustic neuroma resection. Otolaryngology--head and neck surgery 1995; 113:77-87
28. Darrouzet V, Martel J, Enee V, Bebear JP, Guerin J. Vestibular schwannoma surgery outcomes: our multidisciplinary experience in 400 cases over 17 years. The Laryngoscope 2004; 114:681-688
29. Levo H, Blomstedt G, Pyykko I. Postural stability after vestibular schwannoma surgery. The Annals of otology, rhinology, and laryngology 2004; 113:994-999
30. Tufarelli D, Meli A, Labini FSet al. Balance impairment after acoustic neuroma surgery. Otology & neurotology 2007; 28:814-821
31. Jacobson GP, Newman CW. The development of the Dizziness Handicap Inventory. Archives of otolaryngology--head & neck surgery 1990; 116:424-427
32. Powell LE, Myers AM. The Activities-specific Balance Confidence (ABC) Scale. The journals of gerontology Series A, Biological sciences and medical sciences 1995; 50a:M28-34
33. Uehara N, Tanimoto H, Nishikawa Tet al. Vestibular dysfunction and compensation after removal of acoustic neuroma. Journal of vestibular research : equilibrium & orientation 2011; 21:289-295
34. Cooksey FS. Rehabilitation in Vestibular Injuries. Proceedings of the Royal Society of Medicine 1946; 39:273-278

02 치료 전략

Therapeutic strategy

Contents

CHAPTER 01

내이도 내의 청신경 종양

Intracanalicular acoustic neuroma

정종우

서론

내이도 내의 청신경 종양(Acoustic Neuroma, AN)은 증상 유무, 자라는 속도, 환자의 나이와 선호도에 따라 여러 가지 치료원칙을 적용할 수 있다. 특히 영상진단장비의 발전에 따라 조기발견이 많아지고 있으며 별 증상없는 청신경 종양이 발견되는 경우도 흔하다. 또한 이 종양은 자라는 속도가 빠르지 않은 경우가 많아 주위 조직 침범을 통한 심각한 합병증을 가져오는 경우가 많지 않으므로 치료방침을 결정할 때 여러 가지 상황을 고려하여야 한다.

일반적인 원칙과 증례

종양의 성장 속도(growth rate)

종양의 성장 속도와 관련하여 발표된 문헌을 참고하면 전체 종양의 6~85%에서 크기가 증가하였고, 그 속도는 0.3~15 mm/year로 종양에 따라 매우 다양하였으며 평균 성장 속도는 1~2 mm/year 정도였다. 때로는 종양이 퇴화(regression)되는 경우도 8~22%로 보고되었다.[1,2] 종양의 크기가 변화하는 양상도 다양하여 크기가 작아지다가 커지는 경우도 있고 그 반대의 경우도 있었다. 따라서 종양의 크기가 변화하지 않거나 작아진다고 하여 향후 경과 관찰을 위한 영상의학적 검사가 불필요하다고 할 수 없으며 언제든지 종양은 다시 커질 수 있다. 또한 성별, 나이, 첫 진단 시의 크기, 증상이 지속된 기간, 종양의 위치 등 어떠한 것도 종양의 크기 변화와 관련된 예후인자로 의미가 없었다. 단, 낭종성 종양(cystic tumor)은 고형성 종양(solid tumor)보다 더 빠른 성장 속도를 보였다.[2]

내이도에 국한된 청신경 종양의 일반적인 치료원칙

관찰(Observation)

Acoustic Neuroma을 발견하고 정기적으로 image scan을 하면서 기다리는 전략(wait & scan)은 나이가 많은 환자에게 적용되던 치료전략이다. 그러나 최근에는 MRI 영상의 발전으로 인하여 증상이 없는 작은 AN이 우연히 발견되는 경우가 많아짐으로 wait & scan전략이 다양하게 적용될 수 있다. 그러므로 나이가 많은 경우, 수술을 받을 만한 전신건강상태가 되지 못하는 경우, 작은 크기의 종양인 경우, 동반증상이 경미한 경우, only hearing 또는 better hearing ear에 종양이 있는 경우 등에서 이 전략을 적용할 수 있다.

보고된 여러 연구자들의 결과를 종합해보면 AN은 성장 속도에 따라 no(또는 very slow) growth, slow growth, fast growth (>8 mm/yr)로 구분할 수 있다.[3] 이 중 no(또는 very slow) growth (<2 mm/yr)의 경우 wait & scan을 적용할 수 있다(증례 1-1). 연구자들의 보고에

증례 1-1

59세의 남자. 6개월 전 갑작스러운 우측 난청 발생하여 돌발성 난청 진단하에 steroid 치료 후 청력은 호전되었다. 당시 시행한 MR 영상에서 우측 청신경 종양이 발견되어 내원하였다. 간헐적인 동측의 이명은 5년 전부터 있었으며, 다른 증상은 없는 상태였다. 순음/어음 청력검사상, 우측 평균 20 dB (decreased high frequency) 소견을 보였고 어음명료도는 92%였으며(그림 1-1). 냉온교대온도안진검사상 양측 평형기능의 차이를 보이지 않았다. 측두골 MR상 우측 내이도에 국한된 7 mm 크기의 종물 관찰되었으며(그림 1-2), 다른 이상은 관찰되지 않았다.

환자와 상의 후에 우선 치료 없이 경과관찰하기로 하였다. 1년 간격으로 MR 및 순음/어음 청력검사를 시행하면서 경과관찰하였으며, 현재 3년 경과한 상태로 추적관찰 MR상 종양의 크기는 7 mm로 변화없는 상태이다. 3년 경과 후 시행한 청력검사상 우측 평균 20 dB로 변화 없었다.

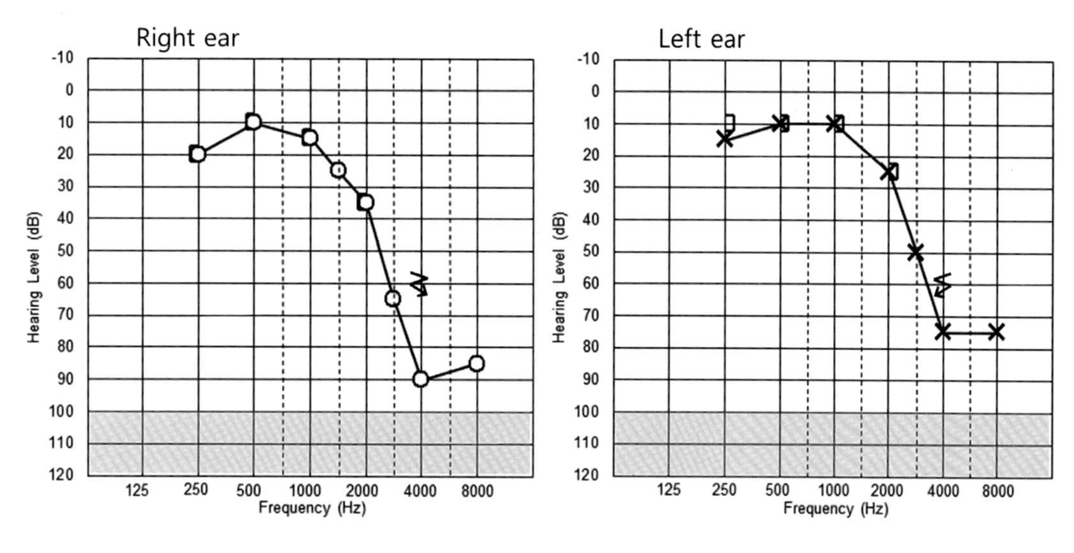

	SRT	Speech discrimination
Right	10 dB	92% at 50 dB
Left	10 dB	96% at 50 dB

그림 1-1 증례 1-1의 진단 당시 순음/어음 청력검사 결과

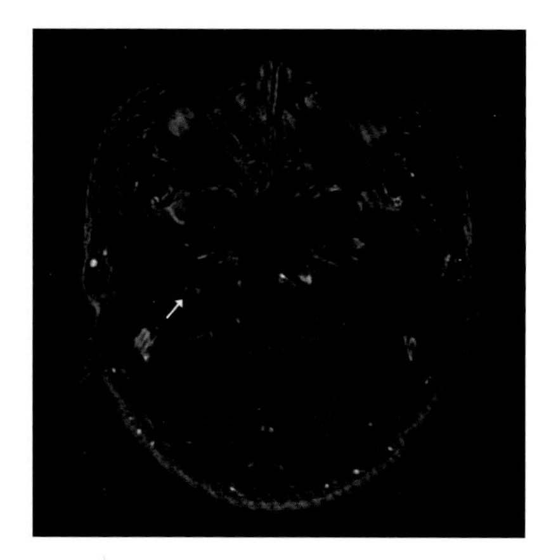

그림 1-2 **증례 1-1의 외부 MR 소견.** T1 조영증강 사진에서 우측 내이도에 국한된 7 mm 크기의 종물 소견 관찰됨

따르면 3~5년의 관찰기간을 보았을 때 종양의 평균성장 속도는 0.3~1.42 mm/yr였다. 그러나 이 중 30~40%는 종양에 대한 추가적인 치료가 필요할 정도로 커졌으며 이 경우 종양의 평균 성장 속도는 3~4.8 mm/yr 였다. 추가적인 치료가 필요한 이유들은 종양이 1년에 3 mm 이상 자라는 경우(증례 1-2), 와우/전정증상이 발생하는 경우, 그리고 환자가 원하는 경우들이었다. 전체적으로 2/3의 환자들에서는 wait & scan을 적용하였을 때 아무 처치를 하지 않고 유지할 수 있었다. 그러나 위와 같은 연구결과들은 종양의 크기가 다양한 경우이며 내이도에 국한된 작은 크기의 종양은 더 좋은 결과를 보일 것으로 판단된다.

보존적으로 기다리는 전략을 적용하였다 하여도 추적관찰 중에 적극적 치료로 전환해야 할 필요성이 있다. 다른 연구자들의 보고에 따르면 보존적 관리에서 적극적 치료로 전환되는 비율은 15~50%이었고, 종양의 크기가 증가하는 경우에서도 약 반 정도만이 수술적 치료를 필요로 하였다.[4-8] 또, 보존적으로 관리하다 수술적 제거로 치료 방침을 변경한 경우에도 수술 후 합병증 발생이 첫 진단 시 수술을 시행한 경우와 비슷했으나 청력 악화의 비율은 초기에 수술적 치료를 시행한 경우보다 높았다.[9] 이차적인 개입(secondary intervention) 여부를 결정하는 것은 종양의 성장 속도와 증상의 악화 여부이다. 대부분의 연구에서는 종양의 성장 속도가 2~3 mm/year를 초과하거나 증상이 의미있는 악화를 보일 때 적극적 치료를 할 것을 제안하고 있으며[10,11], Bakkouri 등은 종양의 성장 속도가 연속된 MRI 검사에서 3 mm 이상이거나 견디기 힘든 어지럼증, 청력의 악화가 있는 경우나 환자가 원할 경우 수술할 것을 권유했다.[9]

미세 수술(Microsurgery)

수술은 종양을 가장 확실하게 제거하는 방법이다. 수술 후 재발률은 저자들에 따라 1~6% 정도이지만 안면신경, 청력손상 등의 가능성이 있다.

종양을 부피(volume)로 측정하는 방법을 적용하여 2 cm^3 이하 크기의 종양을 수술하였을 때 안면신경은 약 96% 이상에서 술전 술후 차이가 없으며 종양의 크기와 안면신경손상의 연관성이 높다.

청력을 보존하는 술식은 종양크기와 위치에 따라 다양하게 적용되며 경미로 접근법(translabyrinthine approach)을 제외한 수술의 연구결과를 참고하면 약 40%에서 청력보존이 가능하였다.

중두개와 접근법(Middle cranial fossa approach)

일반적으로 microsurgery와 stereotactic radiosurgery를 비교할 때 전체 수술례를 이용하여 비교하지만 청력의 보존을 위한 술식은 중두개와 접근법이므로 이를 비교하여야 한다(증례 1-3). 중두개와 접근법의 최근 발표된 치료결과는 일반적으로 청력보존율 73% 이상, 안면신경 기능 보존율 93% 이상으로 좋은 편이며 크기가 작은 종양(<10 mm)이고 class A의 종양은 이보다 더 성적이 좋은 것으로 보인다.

정위 방사선수술(Stereotactic radiosurgery)

Stereotactic Radiosurgery (SRS)은 고령이거나 이전 수술에서 재발한 경우, 전신마취에 대한 부담, 그리고 환자가 원하는 경우 적용할 수 있다.

수술과는 달리 SRS는 tumor control(종양의 성장을 억제)이 목적이다. 초창기에는 18~20 Gy를 사용하였을 때 청력손상이 자주 발생하였으나 이후 14~16 Gy, 최근에는 12~13 Gy가 적용되면서 청력손상의 빈도가 줄어들고 있다(증례 1-4, 1-5).

발표된 연구결과를 참고하면 5년 이상 추적관찰하였을 때 약 91~98%의 tumor control rate를 보이며 안면신경기능은 96~100%, 청력은 56~88%에서 보존되었다.[3,12]

청력소실의 변수

논쟁의 여지가 여전히 존재하지만, 수술 전의 청력이 좋은 경우와 종양이 내이도의 외측입구(fundus)까지 연장되지 않은 경우에 수술 후 청력이 좋은 경향을 보인다. AAO-HNS class A 혹은 B의 청력보존을 보인 환자들의 비율이, 종양이 내이도 외측입구를 막은 경우는 23%, 내측의 25%를 막은 경우는 46.1%, 내측의 50%를 채운 경우는 47.9%, 내측의 75%를 채운 경우는 47.3%에 해

증례 1-2

47세 남자. 1개월 전부터 발생한 어지러움이 있어 시행한 Brain MR 영상에서 우측 청신경 종양이 발견되었다. 주관적인 난청 및 이명은 없었으며, 어지러움은 서있거나 걸을 때 5분 정도 지속되는 비회전성 양상이었다. 순음/어음 청력검사상, 우측 평균 23 dB (decreased high frequency) 소견을 보였고 어음명료도는 100%였으며(그림 1–3), 냉온교대온도안진검사상 우측이 좌측에 비하여 17% 정도 감소되어 있었다. 측두골 MR 영상에서 우측 내이도에 국한된 1.2 × 0.6 cm 크기의 종물 관찰되었으며(그림 1–4), 또한 MR의 Flair image에서 우측 labyrinth의 high signal intensity가 관찰되어, 동반된 우측 전정기관의 기능이상이 의심되었다.

환자와 상의 후에 우선 어지러움에 대한 약물치료하며 종양에 대해 경과관찰을 하기로 하였다. 1년 6개월 후 시행한 MR 상 종양의 크기는 1.6 × 0.9 × 0.8 cm로 증가하였으며(그림 1–5), 순음/어음 청력검사 결과 우측 평균 53 dB, 어음명료도 84%로 악화된 소견 관찰되었다(그림 1–6). 종양의 크기가 증가하여 치료 권유하였으나 환자가 더 기다려보기를 원하여 현재 경과관찰 중이다.

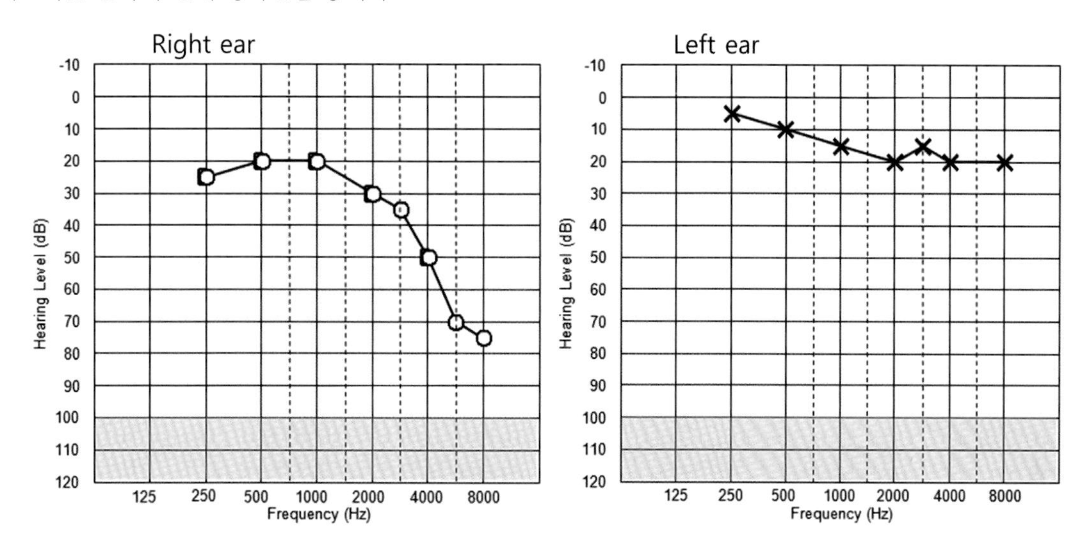

	SRT	Speech discrimination
Right	20 dB	100% at 60 dB
Left	12 dB	100% at 52 dB

그림 1–3 증례 1–2의 진단 당시 순음/어음 청력검사 결과

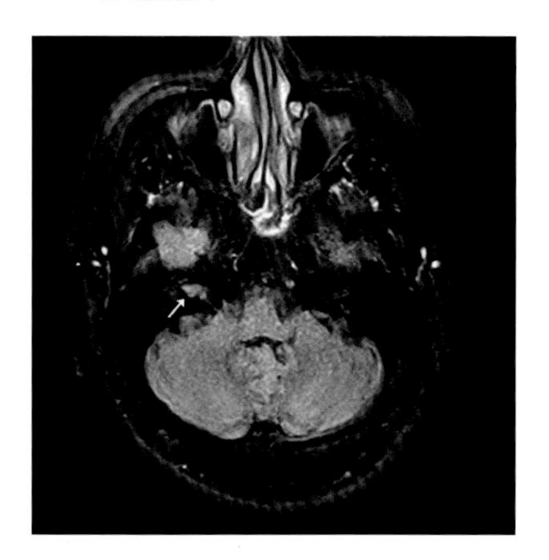

그림 1–4 **증례 1–2의 외부 MR 소견.** T1 조영증강 사진에서 우측 내이도에 국한된 1.2 x 0.6 cm 크기의 종물 관찰됨

증례 1-2 (계속)

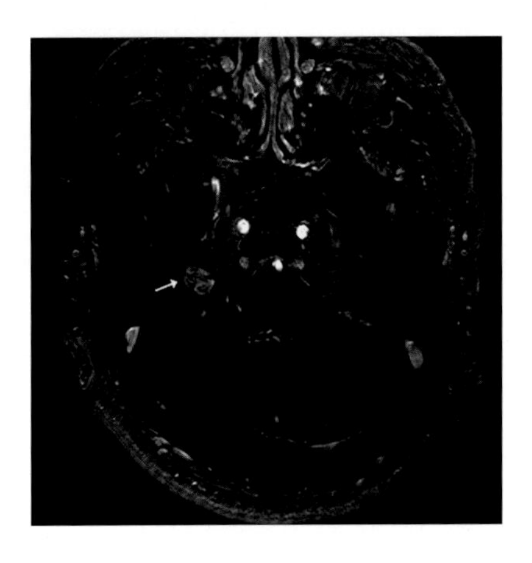

그림 1-5 **증례 1-2의 추적관찰 1년 6개월 후 시행한 MR 소견.** T1 조영증강에서 종양의 크기는 1.6 x 0.9 x 0.8 cm로 증가함

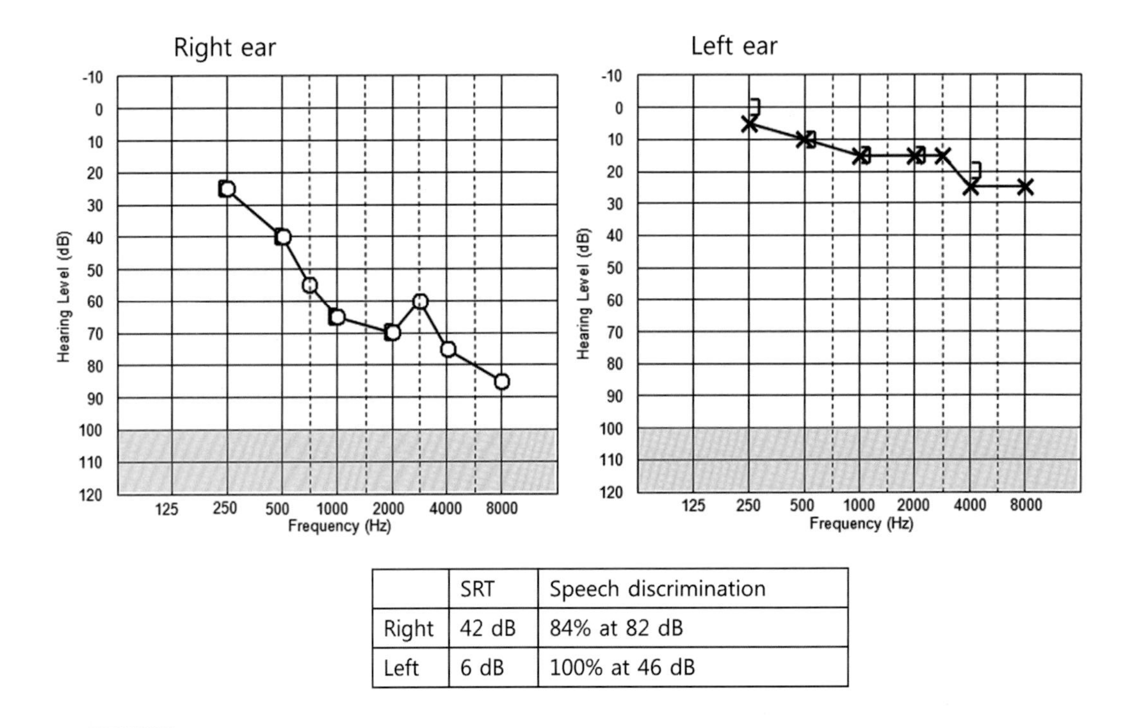

	SRT	Speech discrimination
Right	42 dB	84% at 82 dB
Left	6 dB	100% at 46 dB

그림 1-6 증례 1-2의 추적관찰 1년 6개월 후 시행한 순음/어음 청력검사 결과

증례 1-3

31세 여자. 1개월 전부터 지속되는 회전성 어지러움을 호소하여 검사한 측두골 MR 영상에서 우측 내이도에 국한된 1.1 cm 종양 관찰되어 청신경 종양으로 진단되었다(그림 1-7). 주관적인 난청이나 이명 등의 다른 증상은 호소하지 않았다. 순음/어음 청력검사상, 우측 평균 3 dB, 어음명료도는 100%로 정상 소견이었으며(그림 1-8), 냉온교대온도안진검사도 정상 소견이었다. 환자와 상의 후에 청력보존을 위하여 중두개와 접근법을 통해 수술적 절제를 시행하였다. 수술 소견상 superior vestibular nerve 기원의 1.1 cm 크기의 종양 관찰되었으며(그림 1-9), 병리 소견상 schwannoma로 확진되었다.

수술 직후 House-Brackmann Grade II의 안면 마비 관찰되었으며, 술후 1개월째 안면마비는 호전되었다. 술후 1개월째 시행한 순음청력검사상 우측 3 dB, 어음명료도 100%로 수술 전과 차이 없었다. 술후 1년째 시행한 MR상 종양의 재발 소견 관찰되지 않았다(그림 1-10). 현재 특이증상 없이 경과 관찰 중이다.

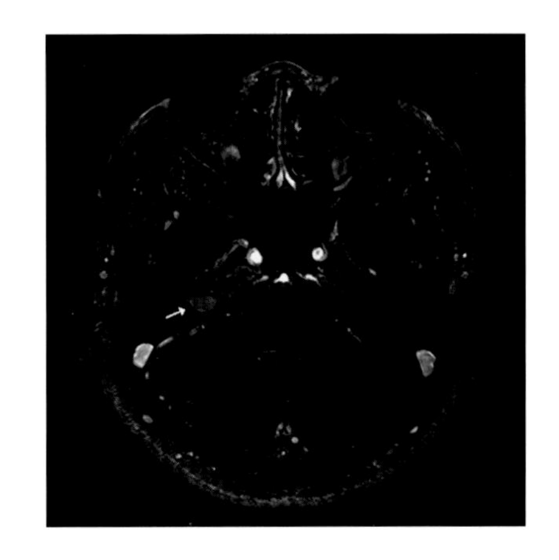

그림 1-7 **증례 1-3의 외부 MR 소견.** T1 조영증강 사진에서 우측 내이도에 국한된 1.1 cm 크기의 종양 관찰됨

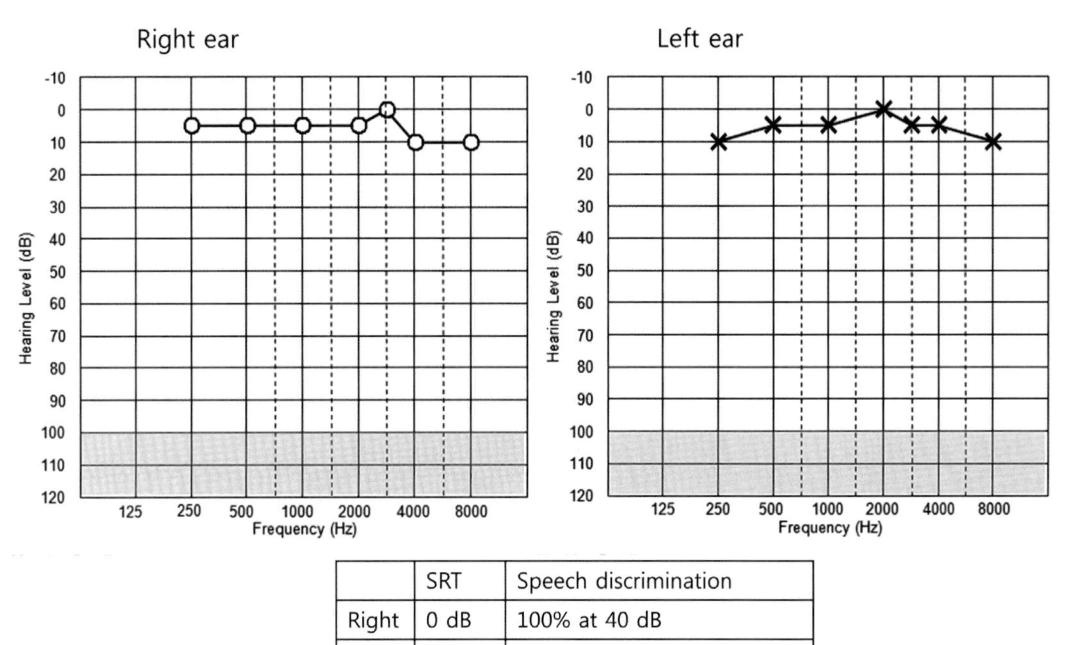

	SRT	Speech discrimination
Right	0 dB	100% at 40 dB
Left	0 dB	100% at 40 dB

그림 1-8 증례 1-3의 진단 당시 순음/어음 청력검사 결과

증례 1-3 (계속)

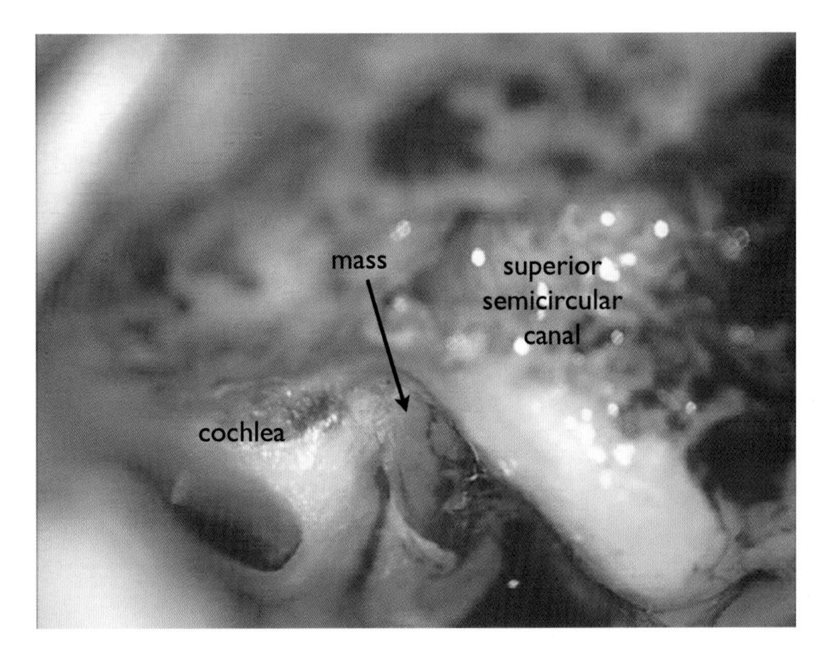

그림 1-9 우측 청신경 종양의 중두개와 접근법을 이용한 수술 소견

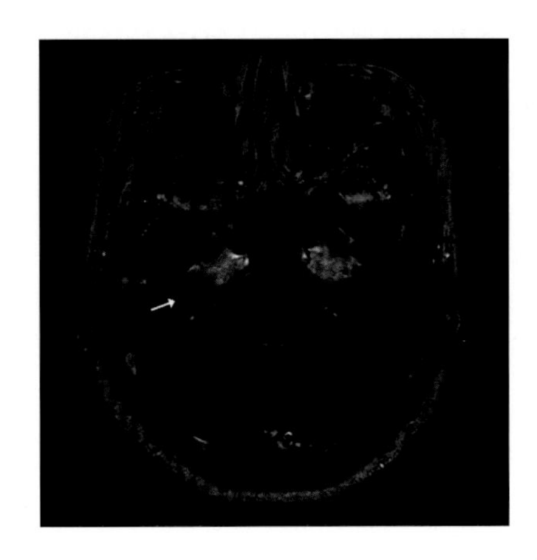

그림 1-10 **증례 1-3의 수술 1년 후 MR 소견.** T1 조영증강 사진에서 재발 소견 관찰되지 않음

증례 1-4

54세 여자 환자. 2년전부터 반복되는 어지럼증을 주소로 시행한 MR 영상에서 청신경 종양으로 진단되었다. 어지러움은 수일 동안 지속되는 회전하는 증상이 몇 개월에 한 번씩 나타나는 양상이었다. 난청은 호소하지 않았으며, 좌측의 간헐적인 이명과 함께 두통을 호소하였다.

Brain MR상 좌측 내이도에 주로 위치해 있으며 소뇌교각부위로 약간 침범되어 있는 1.3 cm 크기의 종양이 관찰되었다(그림 1-11). 냉온교대온도안진검사상 좌측 82% 저하 소견 관찰되었다. 순음/어음 청력검사상, 좌측 평균 7 dB, 어음명료도는 100%로 경도의 고주파수 난청 소견 보였다(그림 1-12).

환자는 감마나이프 수술을 시행받았으며, 수술 이후에도 어지러움과 이명 지속적으로 호소하였다. 수술 1년 후 시행한 추적 Temporal bone MR상 1.2 cm로 약간 크기가 감소하는 양상을 보였으며(그림 1-13), 순음청력검사상 좌측 평균 27 dB로 수술 전에 비해 약간 저하된 결과를 보였다(그림 1-14).

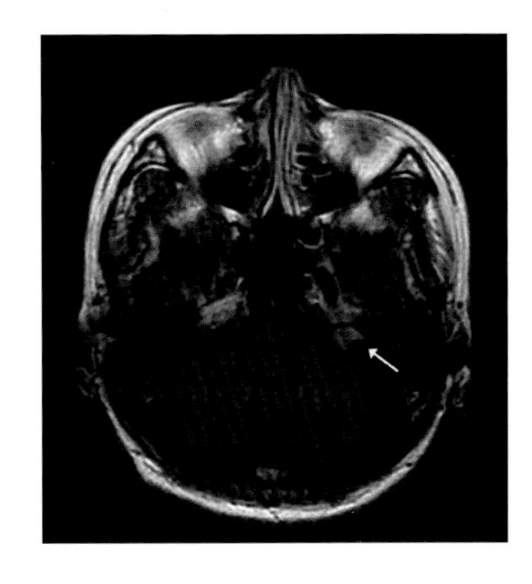

그림 1-11 증례 1-4의 Temporal bone MR 소견. T1 조영증강 사진에서 우측 내이도에서 CPA angle로 extension되어 있는 1.3 cm 크기의 종양 관찰됨

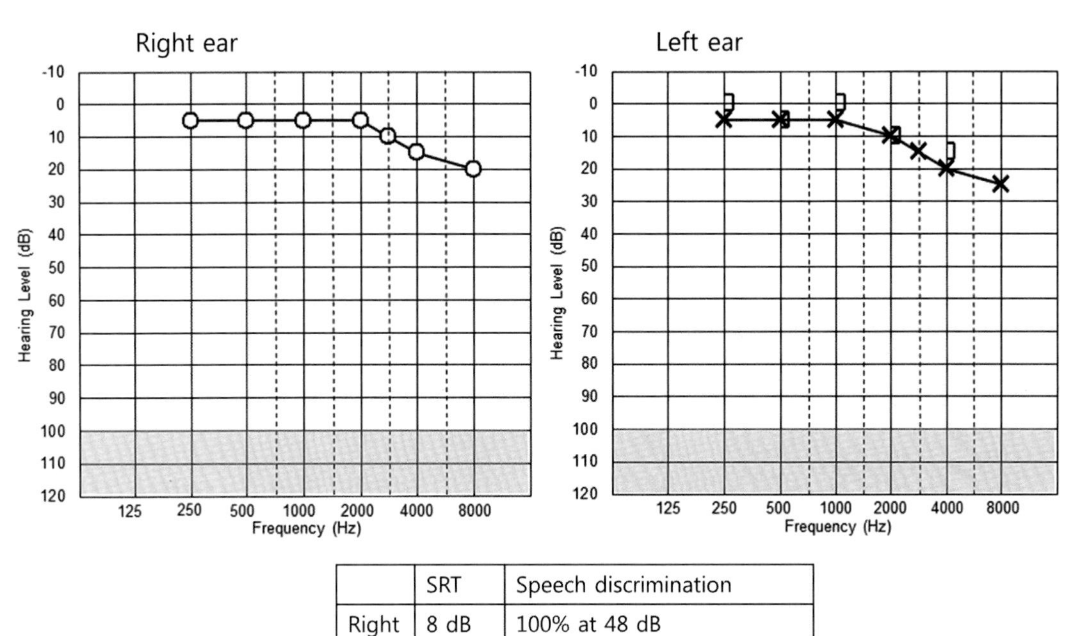

	SRT	Speech discrimination
Right	8 dB	100% at 48 dB
Left	8 dB	100% at 48 dB

그림 1-12 증례 1-4의 진단 당시 순음/어음 청력검사 결과

증례 1-4 (계속)

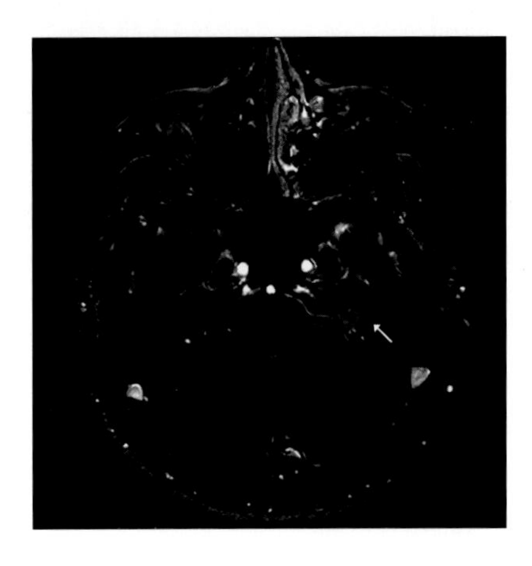

그림 1-13 **증례 1-4의 감마나이프 수술 후 1년째 시행한 Temporal bone MR 소견.** T1 조영증강 사진에서 수술 전 1.3 cm에서 1.2 cm로 크기가 약간 감소하는 소견 보임

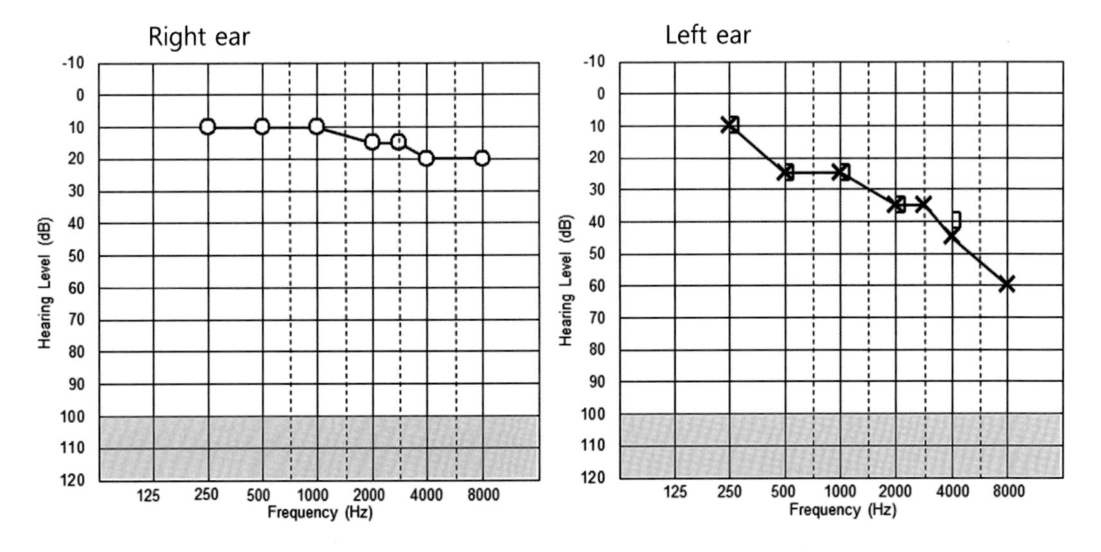

	SRT	Speech discrimintation
Right	10 dB	100% at 50 dB
Left	20 dB	100% at 60 dB

그림 1-14 증례 1-4의 감마나이프 수술 후 1년째 시행한 순음/어음 청력검사 결과

증례 1-5

75세 남자. 2개월 전부터 지속되는 현훈을 주소로 내원하였다. 냉온교대온도안진검사상 우측 기능 저하 소견을 보여 검사한 측두골 MR상 우측 내이도에 1.2 cm 크기의 청신경 종양이 관찰되었다(그림 1-15). 청력검사상 우측 평균 12 dB(고주파 난청)(그림 1-16)으로 우선 경과 관찰하기로 하였다. 1년 후 추적 MR상 1.4 cm로 약간 크기 증가하였다. 추적 2년 째 시행한 MR상 2.3 cm으로 소뇌교각(cerebellopontine angle)으로 진행하는 양상이었으며, 우측 평균 48 dB로 난청 심해지는 양상을 보였다. 당시 냉온교대온도안진검사상 우측 72% 저하 소견이 관찰되었다.

환자는 감마나이프 수술을 시행받았으며, 감마나이프 수술 후 어지러움이 지속되었고, 난청 악화되는 양상이었다. 수술 1년 후 시행한 MR상 1.7 cm로 크기 감소하는 양상 보였으며(그림 1-17), 순음청력검사상 75 dB 평균 보였다. 수술 2년 후 시행한 우측 청력검사상 우측 전농(deaf) 소견 보였다(그림 1-18).

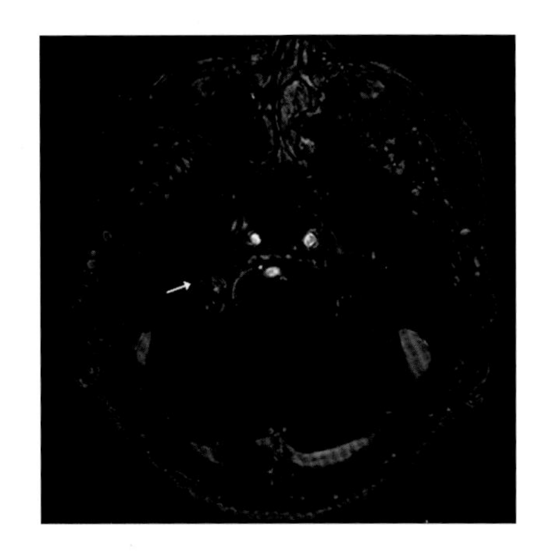

그림 1-15 증례 1-5의 Temporal bone MR 소견. T1 조영증강 사진에서 우측 내이도에 1.2 cm 크기의 종양 관찰됨

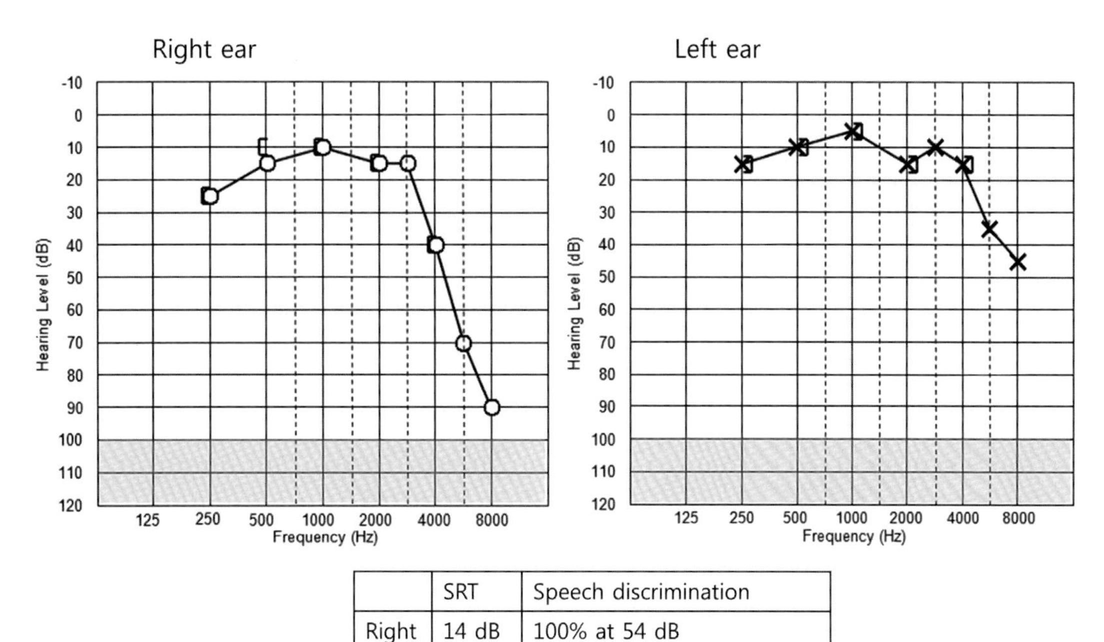

	SRT	Speech discrimination
Right	14 dB	100% at 54 dB
Left	14 dB	100% at 54 dB

그림 1-16 증례 1-5의 진단 당시 순음/어음 청력검사 결과

증례 1-5 (계속)

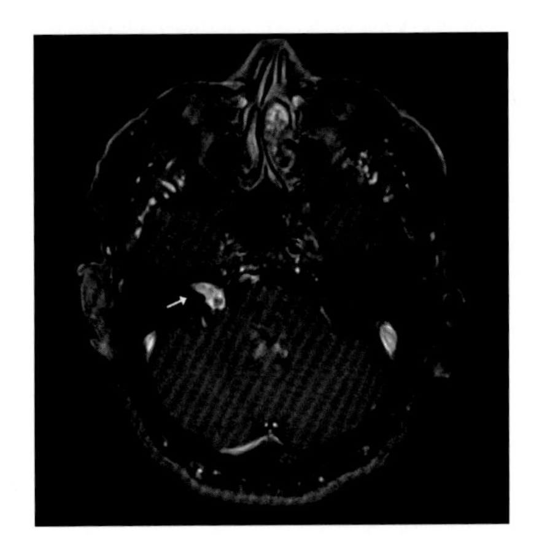

그림 1-17 **증례 1–5의 감마나이프 수술 후 1년째 시행한 Temporal bone MR 소견.** T1 조영증강 사진에서 수술전 2.3 cm에서 1.7 cm로 크기가 감소하는 소견 보임

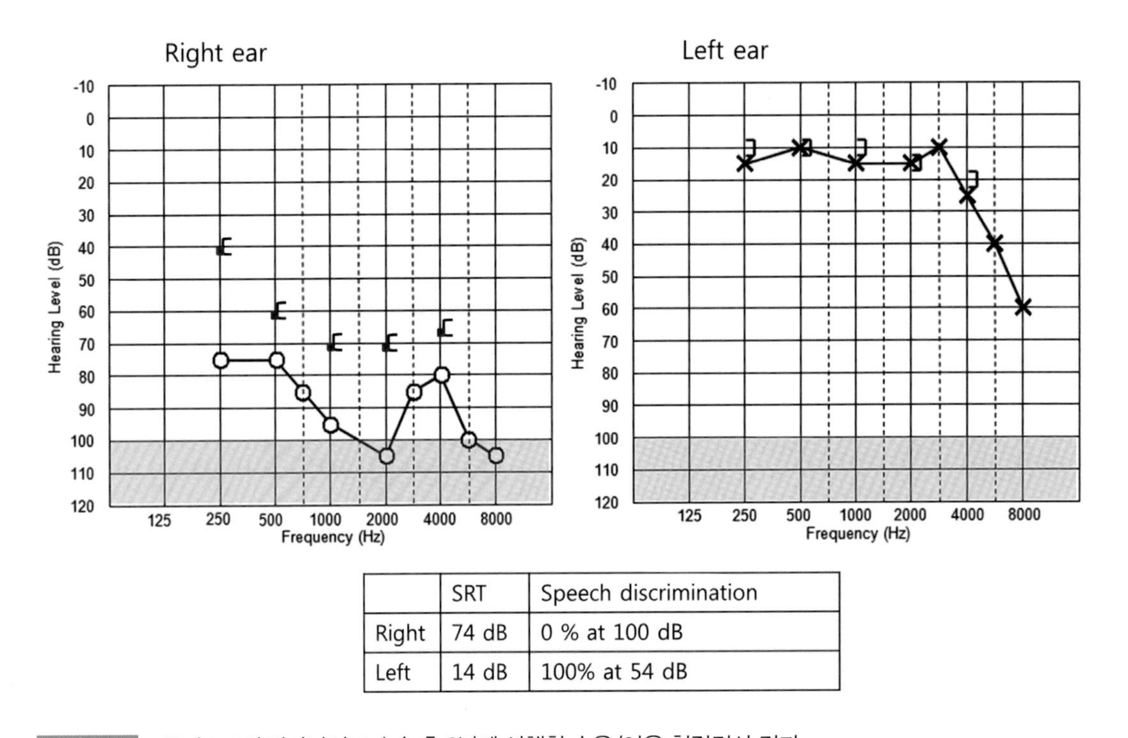

	SRT	Speech discrimination
Right	74 dB	0 % at 100 dB
Left	14 dB	100% at 54 dB

그림 1-18 증례 1–5의 감마나이프 수술 후 2년째 시행한 순음/어음 청력검사 결과

당되어, 내이도의 외측입구를 막은 경우에 청력보존이 힘든 것으로 나타났다.[13]

MRI의 T2WI에서 확인 가능한 내이도 외측입구의 액체저류의 경계가 불분명한 경우, 후횡정맥접근법을 통한 내이도 외측 박리가 더 어렵다. 따라서 내이도의 외측입구로 종양이 연장되는 경우 중두개와접근법을 선호하며, 최근의 연구에서도 내이도 외측입구의 액체 저류의 경계가 분명한 경우(77.6%)가 그렇지 못한 경우(52%)에 비하여 술후 청력 보존이 더 양호한 결과를 보였다.[14]

청력을 보존하는 술식을 사용하는 경우 ABR, ECoG 그리고 8번 뇌신경에 대한 직접적인 모니터링이 수술 중 청력 상태를 확인하는 데에 도움을 주고, 영상유도(image guidance)를 이용하거나 내시경을 이용하는 것이 도움이 될 수 있다.

술후 안면신경의 상태는 의료기관과 술자가 누구냐에 의한 영향이 더 클 수 있으나, 수술 후 1년째 시행한 검사에서 안면신경의 상태는 접근법에 따른 차이를 보이지 않았다.[15-17] 단, 수술 후 수개월 동안에는 중두개와접근법을 사용한 경우가 일시적인 안면기능저하가 더 많이 발생하였다.[15,16,18]

의미있는 청력이 없는 경우 경미로 접근법(translabyrinthine approach)이 선호되고 경미로 접근법으로 수술한 후 뇌척수액이 흘러나오는 것을 막기 위해 유돌동구(aditus ad antrum)를 적절히 폐쇄하여야 하며 때로는 외이도와 이관을 막고 중이관을 완전히 폐쇄시키는 방법이 유용하다.

수술을 하는 경우 난청 발생, 안면 마비 이외에도 신경계, 혈관계 부작용, 뇌척수염, 창상감염, 뇌척수액루, 사망 등의 위험성이 있다. 32,870명의 환자들에 대한 메타분석에 따르면 AN의 크기에 상관없이 전체 사망률은 0.2%였고, 난청과 안면 마비를 제외한 신경계 부작용은 8.6%였으며, 이는 종양의 크기가 작고 경미로 접근법을 사용한 경우 의미있게 줄어들었다.[19]

치료방침 결정요소

Short Form 12 Health Survey 설문을 이용하여, AN에 대해 경과 관찰만 시행한 경우와 방사선 치료를 한 경우, 그리고 미세 수술을 통해 제거한 경우에 있어 현재의 삶의 질(quality of life)을 분석한 결과, 세가지 경우들에 있어서 현재의 삶의 질이 의미있게 차이를 보이지는 않았다.[20] 36-Item Short Form Health Survey 설문을 이용한 연구에서도 경과 관찰한 경우와 방사선 치료를 한 경우는 삶의 질이 안정적으로 유지되며, 3 cm 미만의 종양을 수술로 제거한 환자들에 있어서는 수술 24개월 후 삶의 질이 향상되는 결과를 보였다.[21] 작은 AN에 대한 세 가지 치료 전략을 분석한 Markov 결정분석에 따르면, 즉시 수술이나 방사선 치료를 시행한 경우보다 일정기간 경과관찰을 시행한 경우가 더 높은 전체 수명연장가치(Quality-adjusted life year totals)를 보였다.[22]

위의 내용들은 정리하였을 때 수술적 방법(microsurgery)은 완전제거가 가능하고 심리적 안정(psychological relief)과, 낮은 재발률을 보이는 것이 장점이다.

SRS (SRT)는 전신마취가 필요없고 환자가 가지는 불편함이 적으며 tumor control rate가 높고 cranial neuropathy가 적은 것이 장점이다. 다만 radiated tumor에 대한 수술결과가 좋지 않고 secondary malignancy에 대한 지식이 아직 완전치 않다는 점이 문제이다.

결론

AN의 치료전략은 다양하다. 위의 증례와 논의된 각 전략의 장단점을 파악하고 종양의 크기와 위치, 환자의 불편함을 종합하여 적절한 전략을 적용하여야 한다. 그리고 장기간의 추적관찰이 필수적이며 추적관찰 기간 중 환자 상태, 종양의 크기, 동반증상의 발현 등을 평가하여 전략을 재평가하고 가장 적절한 전략을 적용하도록 해야 할 것이다.

참고문헌

1. Yoshimoto Y. Systematic review of the natural history of vestibular schwannoma. J Neurosurg 2005;103:59-63
2. Nikolopoulos TP, Fortnum H, O'Donoghue G, Baguley D. Acoustic neuroma growth: a systematic review of the evidence. Otol Neurotol 2010;31:478-85
3. Sheth SA, Kwon CS, Barker II FG. The art of management decision making: From intuition to evidence0based medicine. Otolaryngol Clin N Am 2012;45:333-351
4. Smouha EE, Yoo M, Mohr K, Davis RP. Conservative management of acoustic neuroma: a meta-analysis and proposed treatment algorithm. Laryngoscope 2005;115:450-4

5. Whitmore RG, Urban C, Church E, Ruckenstein M, Stein SC, Lee JY. Decision analysis of treatment options for vestibular schwannoma. J Neurosurg 2011;114:400-13
6. Deen HG, Ebersold MJ, Harner SG, Beatty CW, Marion MS, Wharen RE, et al. Conservative management of acoustic neuroma: an outcome study. Neurosurgery 1996;39:260-4; discussion 4-6
7. Nader R, Al-Abdulhadi K, Leblanc R, Zeitouni A. Acoustic neuroma: outcome study. J Otolaryngol 2002;31:207-10
8. Yamakami I, Uchino Y, Kobayashi E, Yamaura A. Conservative management, gamma-knife radiosurgery, and microsurgery for acoustic neurinomas: a systematic review of outcome and risk of three therapeutic options. Neurol Res 2003;25:682-90
9. Bakkouri WE, Kania RE, Guichard JP, Lot G, Herman P, Huy PT. Conservative management of 386 cases of unilateral vestibular schwannoma: tumor growth and consequences for treatment. J Neurosurg 2009;110:662-9
10. Martin TP, Senthil L, Chavda SV, Walsh R, Irving RM. A protocol for the conservative management of vestibular schwannomas. Otol Neurotol 2009;30:381-5
11. Stangerup SE, Caye-Thomasen P, Tos M, Thomsen J. The natural history of vestibular schwannoma. Otol Neurotol 2006;27:547-52
12. Quesnel AM, McKenna MJ. Current strategies in management of intracanalicular vestibular schwannoma. Curr Opin Otolaryngol Head Neck Surg 2011;19:335-40
13. Tringali S, Ferber-Viart C, Fuchsmann C, Buiret G, Zaouche S, Dubreuil C. Hearing preservation in retrosigmoid approach of small vestibular schwannomas: prognostic value of the degree of internal auditory canal filling. Otol Neurotol 2010;31:1469-72
14. Goddard JC, Schwartz MS, Friedman RA. Fundal fluid as a predictor of hearing preservation in the middle cranial fossa approach for vestibular schwannoma. Otol Neurotol 2010;31:1128-34
15. Hillman T, Chen DA, Arriaga MA, Quigley M. Facial nerve function and hearing preservation acoustic tumor surgery: does the approach matter? Otolaryngol Head Neck Surg 2010;142:115-9
16. Staecker H, Nadol JB, Jr., Ojeman R, Ronner S, McKenna MJ. Hearing preservation in acoustic neuroma surgery: middle fossa versus retrosigmoid approach. Am J Otol 2000;21:399-404
17. Sameshima T, Fukushima T, McElveen JT, Jr., Friedman AH. Critical assessment of operative approaches for hearing preservation in small acoustic neuroma surgery: retrosigmoid vs middle fossa approach. Neurosurgery 2010;67:640-4; discussion 4-5
18. Mangham CA, Jr. Retrosigmoid versus middle fossa surgery for small vestibular schwannomas. Laryngoscope 2004;114:1455-61
19. Sughrue ME, Yang I, Aranda D, Rutkowski MJ, Fang S, Cheung SW, et al. Beyond audiofacial morbidity after vestibular schwannoma surgery. J Neurosurg 2011;114:367-74
20. Brooker JE, Fletcher JM, Dally MJ, Briggs RJ, Cousins VC, Smee RI, et al. Quality of life among acoustic neuroma patients managed by microsurgery, radiation, or observation. Otol Neurotol 2010;31:977-84
21. Di Maio S, Akagami R. Prospective comparison of quality of life before and after observation, radiation, or surgery for vestibular schwannomas. J Neurosurg 2009;111:855-62
22. Morrison D. Management of patients with acoustic neuromas: a Markov decision analysis. Laryngoscope 2010;120:783-90

CHAPTER 02

소뇌-뇌교수조의 청신경 종양의 노발리스 방사선수술 치료의 경험

Novalis radiosurgery experiences of acoustic neuroma on the cerebellopontine angle cistern

• 이채혁

서론

소뇌-뇌교수조에 국한된 뇌교를 압박하고 있지 않는 작은 청신경 종양의 경우 필자는 청력에 관계 없이 주로 노발리스 정위방사선수술로 치료를 하여왔기에 그 경험과 결과를 정리하여 발표하고자 한다. 다만 뇌교를 압박하고 수두증까지 생겨서 뇌실복강간 단락술과 수술적 종양제거술 후 소뇌-뇌교수조에 남아 있는 불규칙적인 종양에 대해서도 정위방사선수술이 도움이 되고 있으나 이는 주로 청신경, 안면신경, 그리고 뇌교에 닿아 있는 경우가 많아 분활 방사선치료 개념으로 치료하고 있어서 이런 환자는 제외하고, 수술 후 작게 남아있는 종양을 1회의 정위방사선수술로 치료한 환자는 포함을 하였다.

본론

대상 및 방법

2001년부터 2011년까지 약 11년간 12명의 뇌교를 압박하지 않는 소뇌-뇌교수조에 국한된 청신경 종양환자를 임상증상, 영상, 신경학적검사 등을 분석하였고 이중 추적관찰 되지 않는 한 명의 환자를 제외하고 11명의 환자를 후향적으로 분석하였다.

환자와 종양의 분석

총 11명 환자의 중간값의 나이는 48세(32세~79세)였다. 남자가 6명, 여자가 5명으로 남녀 차이는 없었다. 종양제거 수술 후 방사선수술을 한 경우는 3명이 있었다. 우측이 7명(64%)로 좌측 4명(36%)보다 많았다.

방사선수술 치료

환자는 수술 전날 입원하여 고해상도 가도리니움 조영의 2 mm axial MRI 영상을 포함한 3D 영상을 얻고, 수술 당일 두부고정틀을 부분마취 하에 씌우고 조영증강 CT를 촬영하여, MRI영상과 CT영상을 합성하여 수술계획을 BrainScan Ver 5.31 (Brain LAB) planning software를 사용하여 치료하였다. 종양경계부위에 평균 방사선량은, 80% isodose line으로 평균 13 Gy(범위: 12.5~13.5Gy)이었다. 종양의 평균 부피는 2048 mm^3(범위: 680~5050 mm^3)이었다.

추적관찰

방사선수술 전 자료와 수술 후 자료를 후향적으로 모아서 분석하였다. 필요한 경우 환자의 최근 상태를 전화로 상담한 경우도 있다. 영상학적 관찰은 첫 일년 동안은 6개월마다 한번, 이후 2년간은 매년, 그 이후는 매 2년 마다 검사를 하였으며, 추적관찰 중 증상이 생길 경우 좀더 일찍 검사를 한 경우도 있다. 추적관찰 기간의 중앙값은 5년 5개월(범위: 34.5~161개월)이었다.

통계분석

상용화된 SPSS v21.0 (SPSS, Inc., Chicago, Illinois, United States)을 사용하였다. 무진행 생존기간(PFS)은 Kaplan-Meier 검사로 하였고, 카이검증은 필요한 경우 하였다. p값은 0.05 미만을 통계적 의미가 있는 것으로 하였다.

결과

종양억제

방사선수술 전 종양부피는 평균 2048 mm^3(범위: 680~5050 mm^3)이었고, 8명(73%)에서 종양의 부피가 많이 줄었으며 3명(27%)의 환자에서는 약간 감소한 것으로 나타났다. 약 6개월째 추적영상검사에서 1명을 제외한 대부분 환자에서 cystic 또는 nectrotic 변화가 보였으며, 종양괴사로 보이며 종양의 부피가 증가한 경우는 1명이었고 나머지 10명의 환자에서 부피도 감소하였다. 마지막 추적 관찰한 영상에서 종양의 부피는 872 mm^3 (범위: 180~3701 mm^3)로 약 42.6%의 감소를 보여 노발리스 방사선수술의 효과가 상당히 좋은 것으로 판명되었다. Kaplan-Meier 통계검사에서 3년-종양억제율은 100%이었다.

청력보존

모든 환자에서 종양 발견 시 청력저하가 있었으며, 3명의 환자는 종양적출 수술 후 거의 청력소실이 있었고 수술하지 않은 8명의 환자 중 1명이 거의 청력소실 상태이었고 나머지 7명은 청력저하 상태였다. 외래에서의 추적관찰 문진 시 청력이 감소되어 유지되어 있는 환자가 7명이고 1명에서 청력이 악화된 것으로 나타났다(청력 보존율: 87.5%).

안면신경기능

안면신경기능은 방사선수술 전 종양제거를 시행한 한 명의 환자에서만 기능저하가 있었고 나머지 10명에서는 안면신경기능은 정상이었으며 방사선수술 후 추적관찰에서도 안면신경은 정상으로 유지되었고 안면신경기능의 마비가 있던 환자에서도 더 이상의 기능저하는 없었다.

합병증

모든 환자에서 방사선수술 전후 전신상태(Karnofsky performance status)의 변화는 없었으며, 수두증과 같은 합병증도 발생하지 않았다.

토의

청신경 종양에 대한 치료는 일반적인 현미경적수술제거, 방사선수술, 그리고 경과관찰 하는 경우 등 다양하다. 이 장에서는 청신경 종양이 내이도와 소뇌교각수조에 국한된 그리고 뇌간을 압박하지 않는 종류에 국한해서 연구한 결과를 밝히고자 한다. 이런 경우 수술자의 경험, 환자의 선호도, 종양의 특징과 신경학적 결손여부, 환자의 타 병력 상태 등을 모두 고려하여 치료를 결정하여야겠다. 저자의 경우 경험은 많으나, 신경학적 결손이 거의 없고 약간의 청력저하만 있는 경우, 대부분의 환자가 개두수술 없이 치료하는 방법을 선호하여 약 2 cm 미만의 청신경 종양, 그리고 수술 후 남은 종양은 노발리스 방사선수술을 주로 하고 있다.

이 연구에서, 11명의 환자 모두에서 노발리스 방사선수술 후 추적관찰기간 5년 5개월(범위: 3년~13년) 동안의 종양은 100%에서 효과가 있었다(overall long term tumor control rate). 즉 2 cm 미만의 청신경 종양에서 노발리스 방사선치료가 뇌간이나 청력에 합병증을 발생시키지 않고 종양의 성장을 억제시키고 종양괴사를 시키는 것으로 나타났다.

청신경 종양 치료에 있어서 최근 청력보존이 상당히 중요한 이슈가 되고 있는바, 이 연구에 포함된 11명의 환자 중 노발리스 방사선수술 전 청력이 거의 없는 환자 3명을 제외하고 8명에서 7명이 방사선수술 전 청력이 유지되었고 1명이 청력이 감소되었다(87.5%). 이는 다른 연구에서 발표한 청력보존율 38~94%의 범주에 들기는 하지만 본 연구에서는 종양이 2 cm 미만의 내이도와 소뇌교각수조에 국한되어 있어, 청력보존율이 90% 이상 유지되어야 할 것으로 기대된다.

그 외 두통, 어지러움증, 이명 등의 증상에 있어서는 거의 대부분 두통과 어지러움은 없어졌으나, 이명이 있는 5명의 환자에서 계속 증상은 남아있지만 약간 감소되는 것으로 보였다. 그리고 방사선수술 후 다른 뇌신경의 후유증이나 수두증, 뇌간 부종과 같은 합병증은 전혀 없었다.

최근 전반적인 발전으로 고해상도 용적측정의 MR 영상, 진보된 컴퓨터 소프트웨어 치료계획 시스템(노발리스의 i-plan)을 사용하여 종양의 입체적 모양을 최적화하여 치료할 수 있게 되었다. 그리하여 완전하고 영구적인 종양치료와 주위뇌신경, 뇌간의 기능을 최대한으로 유지할 수 있게 되었다.

청신경 종양은 세포증식지수(proliferative index)가 낮고 늦게 반응하는 조직이어서 linear quadratic formula의 적용을 낮은 α/β값으로 하게 된다.[2,3] 그러므로 이 종양은 방사선생물학적 관점에서 볼 때는 single, highest-possible radiation dose가 가장 종양치료에 적합한 것으로 보인다. 그래서 single dose의 정위방사선수술이 적합한 것이다. 그러므로 2 cm 이하의 소뇌교각수조에 국한된 청신경 종양은 single dose의 정위방사선수술이 수술적 제거보다 더 적합하다고 생각된다. 또한 청력보존을 위해 뇌교-연수경계에 위치하는 배쪽와우핵(ventral cochlear nucleus)과 등쪽와우핵에 방사선량을 적어도 9 Gy 이하로 줄여야 한다.[6] 특히 청신경 종양이 뇌간에 붙어있을 때 배쪽와우핵과 아주 가깝게 위치하게 되어 고선량의 방사선에 노출될 수가 있으므로 이때 뇌간의 배쪽와우핵에 차폐를 하여 방사선량을 줄여야 한다. 방사선이 고선량으로 노출될 경우 음위상배열(tonotopical arrangement)로 인하여 저음영역의 청력이 더 많이 저하된다.

청력보존은 또한 종양의 경계선에 있는 청각신경(cochlear nerve)의 방사선노출 길이 또는 부피와 연관된다. Flickinger의 논문에 의하면 종양경계선에 있는 청각신경의 감마나이프 방사선량이 10~13 Gy 노출될 경우 예상되는 청력보존율은 70~82%이다.[1] 본 연구에서 12.5~13.5 Gy 경계선량이 들어갔으나 87.5% 정도의 좋은 청력보존율을 유지한 것은 종양이 2 cm 미만이어서 청각신경의 방사선노출 길이가 짧아 방사선 노출 정도가 적었기 때문으로 생각된다. 방사선치료 시 T1-weighted, spoiled gradient echo volume sequences,[4] 또는 heavily T2-weighted MR volume acquisition하면서 contrast enhancement를 하는[7] 등의 방법으로 종양과 뇌신경을 구별하여 target volume에서 신경이 포함되지 않도록 하고, 내이도에서도 청각신경과 안면신경이 해부학적으로 앞에 위치하므로 앞쪽 종양경계를 주의하여 결정 하여야 한다.

청력보존을 위해 cochlea에 방사선량을 4 Gy 이하로 유지하는 것이 중요하다.[8] 특히 cochlea의 inferior basal turn과 basal turn의 modiolus가 고선량을 받게 되므로[5] 이 부위의 선량을 항상 확인하여야 한다.

결론

저자들은 약 11년간 12명의 뇌교를 압박하지 않는 소뇌-뇌교수조에 국한된 청신경 종양환자를 노발리스방사선수술을 종양경계부위에 방사선량 80% isodose line으로 평균 13 Gy(범위:12.5~13.5Gy) 치료하여 약 5년 5개월(범위: 34.5~161개월) 추적관찰하여 8명(73%)에서 종양의 부피가 많이 줄었으며 3명(27%)의 환자에서는 약간 감소한 것으로 나타났다. 거의 청력 소실 상태이었고 나머지 7명은 청력저하 상태였다. 외래에서의 청력이 거의 소실된 4명을 제외한 8명의 청력이 감소되어 유지되어 있는 환자에서 추적관찰 결과 7명이 청력이 유지되었고, 1명이 청력이 악화된 것으로 나타나 청력 보존율은 87.5%이었다. 그러므로 2 cm 이하의 청신경 종양은 노발리스 방사선수술로 안전하게 치료할 수 있다고 생각한다.

증례 2-1

좌측 청력감소를 주소로 내원한 42세 남자환자, 최초 청력검사와 1개월 후 청력검사결과 악화되어 MRI를 촬영하였다(그림 2-1, 2-2, 2-3, 2-4).

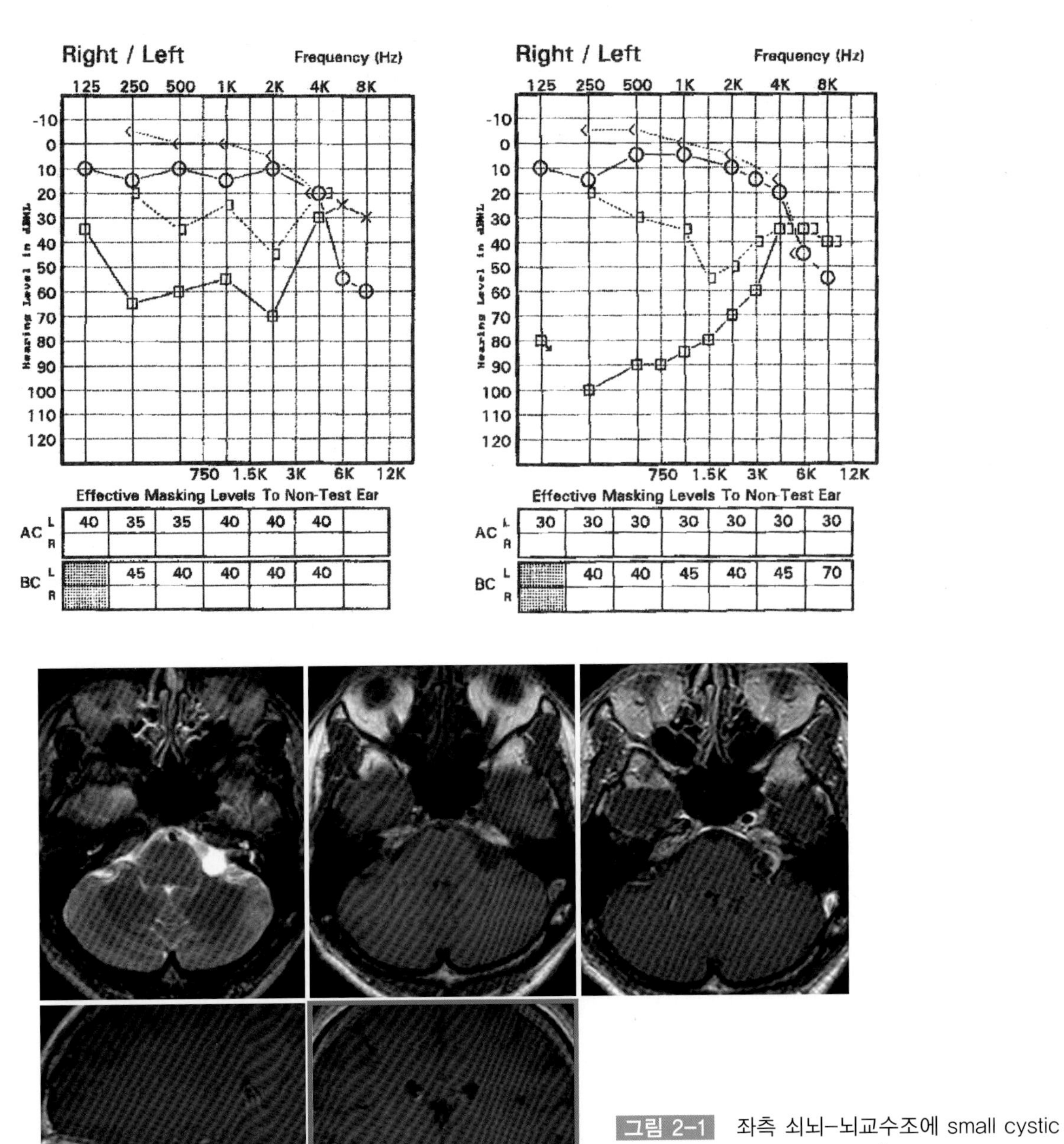

그림 2-1 좌측 쇠뇌-뇌교수조에 small cystic mass 확인되어 volume 1.8 cm²로 marginal dose 13 Gy로 Novalis radiosurgery 시행하였다.
방사선수술 4년 후 청력검사와 7년 후 청력검사와 MRI 검사로 좌측 청력이 약간 감소하였으나 사회생활에는 지장이 없는 상태였으며 영상에서는 종양이 거의 보이지 않는 상태이다.

증례 2-1 (계속)

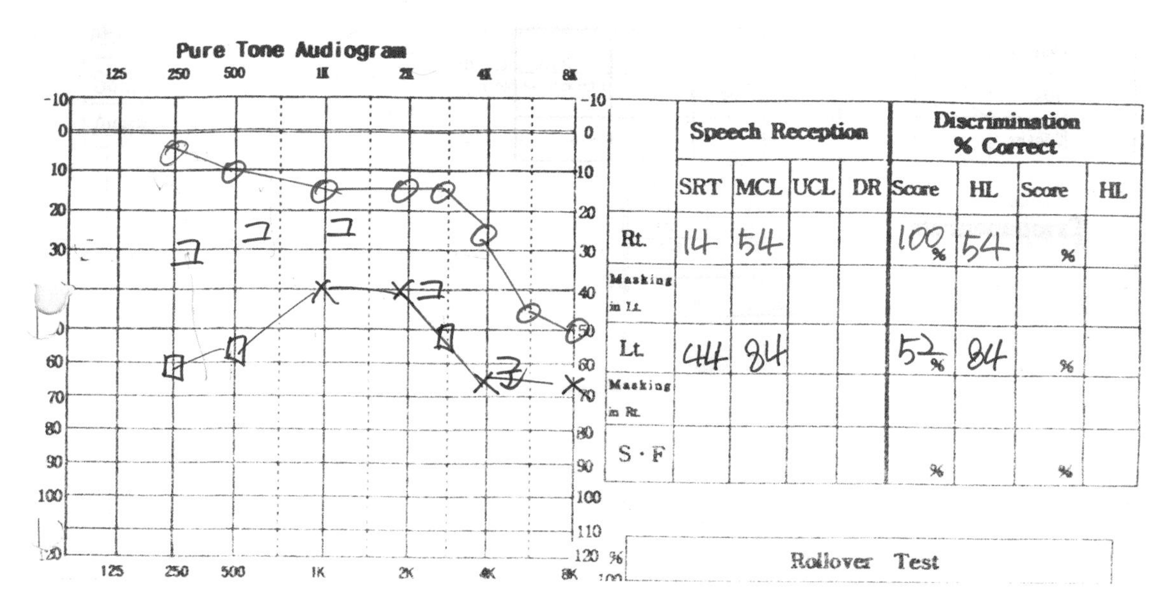

그림 2-2 4년 후 청력검사상 청력이 보존되어 있음을 보여준다.

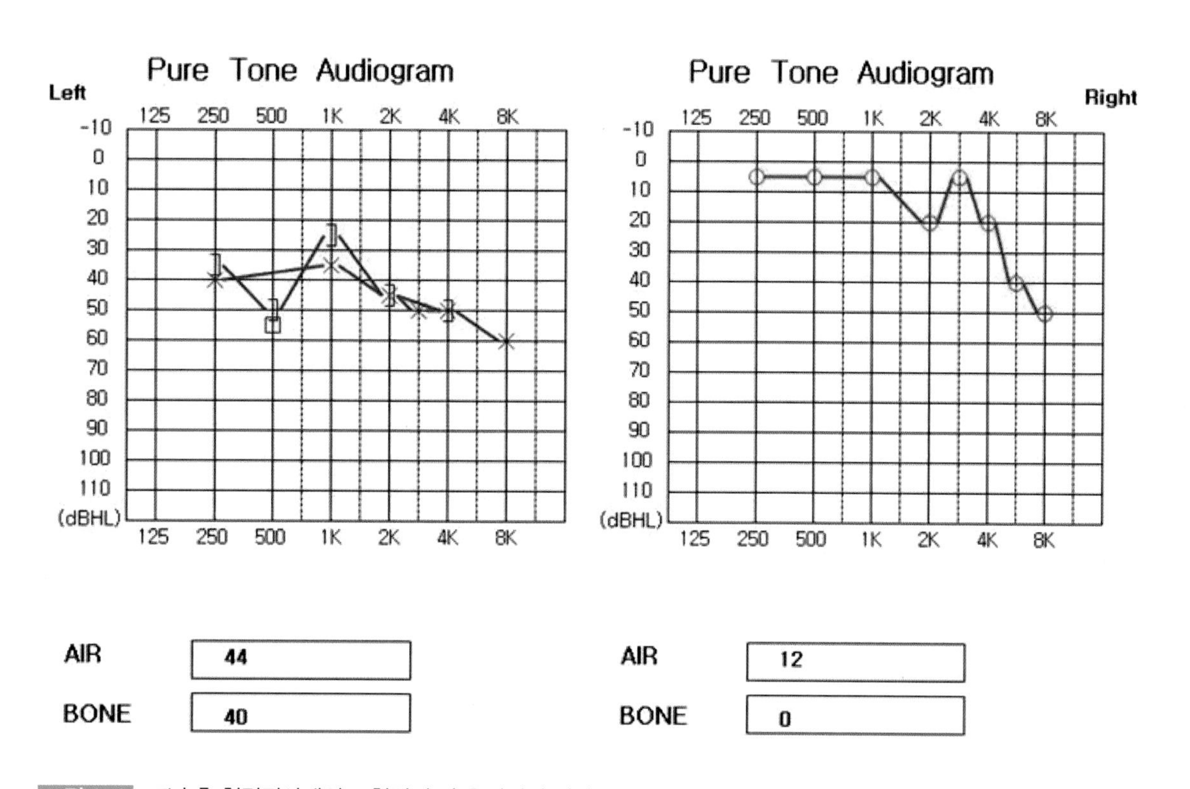

그림 2-3 7년 후 청력검사에서도 청력이 잘 유지되어 있다.

증례 2-1 (계속)

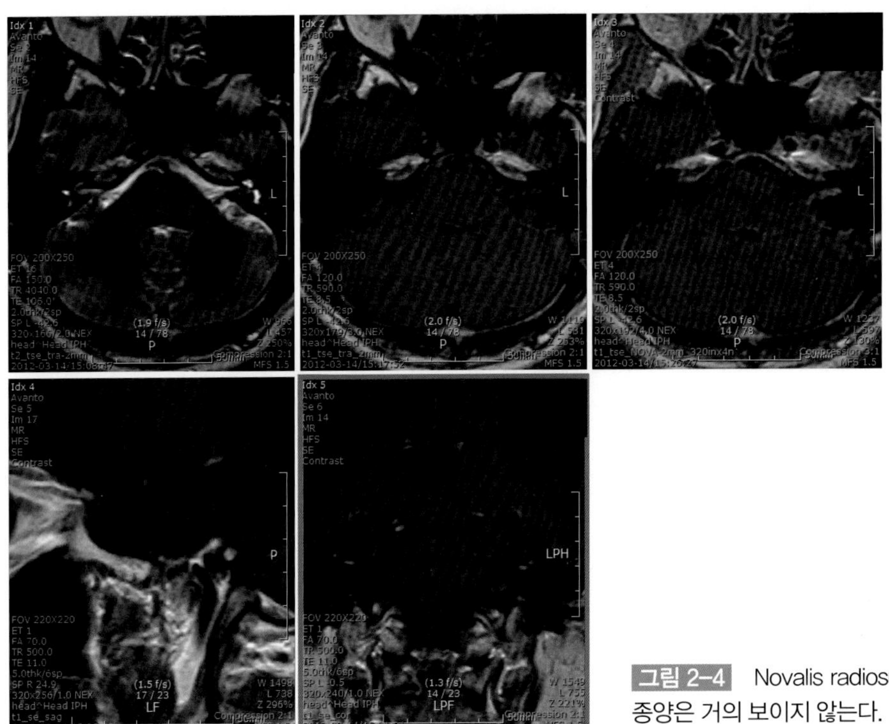

그림 2-4 Novalis radiosurgery 7년 후 MR결과
종양은 거의 보이지 않는다.

증례 2-2

우측 청력감소를 주소로 내원한 79세 여자환자, 최초 청력검사와 MRI(그림 2-5, 2-6, 2-7, 2-8).

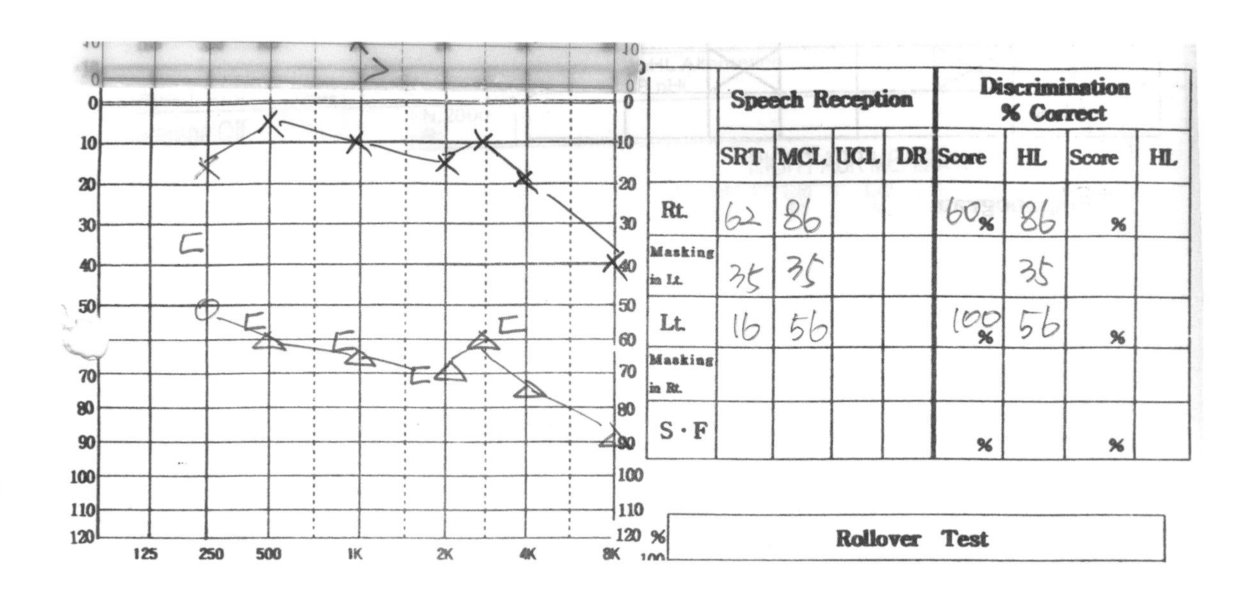

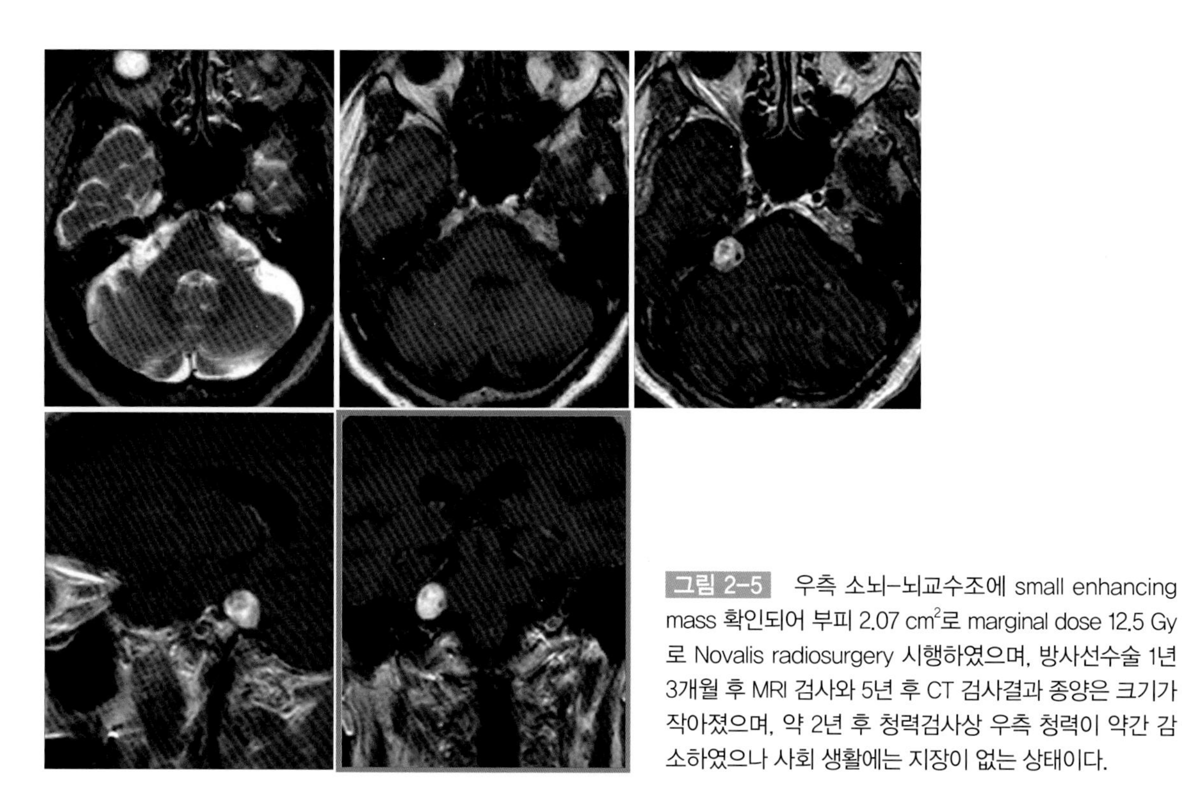

그림 2-5 우측 소뇌-뇌교수조에 small enhancing mass 확인되어 부피 2.07 cm^2로 marginal dose 12.5 Gy로 Novalis radiosurgery 시행하였으며, 방사선수술 1년 3개월 후 MRI 검사와 5년 후 CT 검사결과 종양은 크기가 작아졌으며, 약 2년 후 청력검사상 우측 청력이 약간 감소하였으나 사회 생활에는 지장이 없는 상태이다.

증례 2-2 (계속)

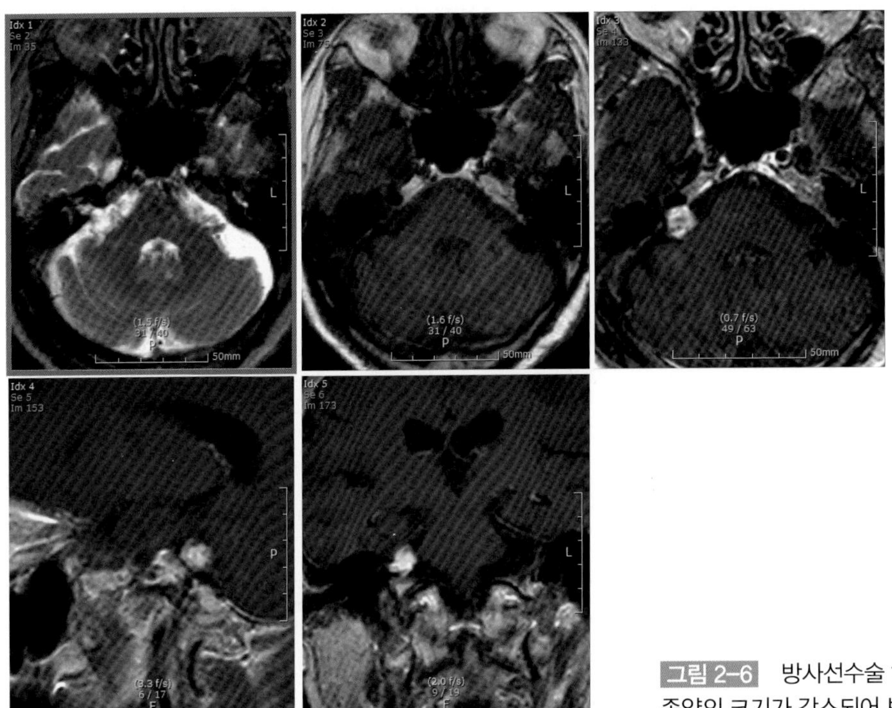

그림 2-6 방사선수술 1년 3개월 후 MRI 검사에서 종양의 크기가 감소되어 보인다.

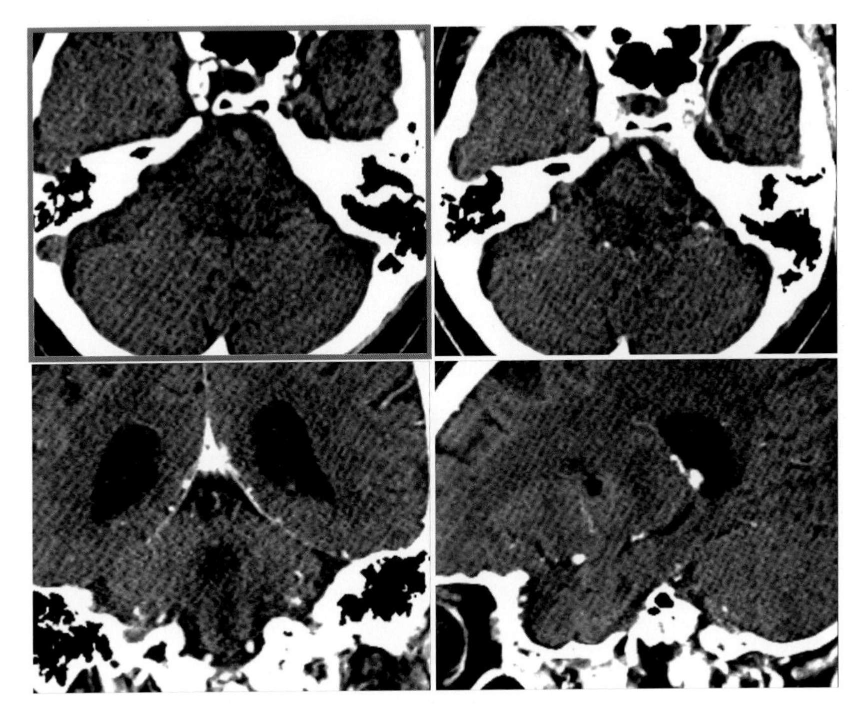

그림 2-7 방사선수술 5년 후 CT 검사에서도 정확하지 않으나 종양의 크기가 감소되어 보인다.

증례 2-2 (계속)

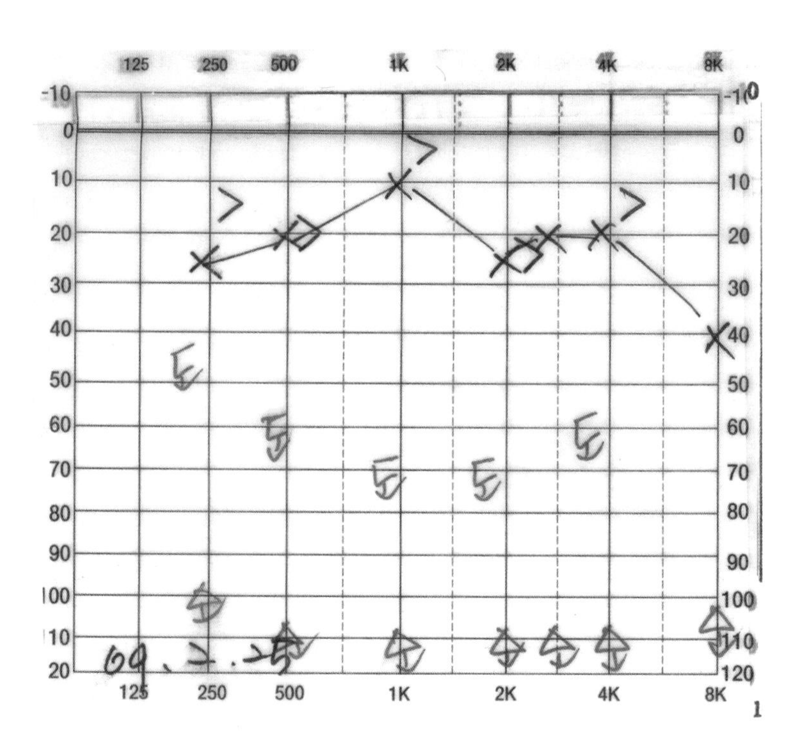

그림 2-8 Novalis 방사선수술 2년 후 청력검사결과 우측 청력이 약간 감소를 보이나 나이를 감안하면 잘 유지되고 있음을 알 수 있다.

참고문헌

1. Flickinger JC, Kondziolka D, Lunsford LD: Dose and diameter relationships for facial, trigeminal, and acoustic neuropathies following acoustic neuroma radiosurgery. Radiother Oncol 41:215-219, 1996
2. Fowler JF: The linear-quadrantic formula and progress in fractionate radiotherapy. Br J Radiolol 62:679-694, 1989
3. Linskey ME: Sterotactic radiosurgery versus stereotactic radiotherapy for patients with vestibular schwannoma: a Lecksell Gamma Kinfe Society 2000debate. J Neurosurg 93(3 Suppl):90-95, 2000
4. Linskey ME: Hearing preservation in vestibular schwannoma stereotactic radiosurgery. J Neurosurg 109:129-136, 2008
5. Linskey ME, Johnstone PA, O'Leary MO, Goetsch S: Radiation exposure of normal temporal bone structures during stereotactically guided gamma knife surgery for vestibular schwannomas. J Neurosurg 98:800-806, 2003
6. Paek SH, Chung HT, Jeong SS, Park CK, Kim CY, Kim JE, et al: Hearing preservation aftre gamma knife radiosurgery of vestibular schwannoma. Cancer 104:580-590, 2005
7. Regis J, David P, Wikler D, Porcheron D, Levrier O: [Stereotactic mapping for radiosurgical treatment of vestibular schwannomas.] Neurochirurgie 50:270-281, 2004
8. Tamura M, Carron R, Yomo S, Arkha Y, Muraciolle X, Porcheron D, et al: Hearing preservation after gamma knife radiosurgery for vestibular schwannomas presenting with high-level hearing. Neurosurgery 64:289-296, 2009

CHAPTER 03

작은 크기의 청신경 종양

Acoustic neuroma with CPA extension without touching the brain stem

장기홍

서론

청신경 종양은 소뇌교각에서 가장 흔히 발생하는 양성 종양이다. 10만명당 약 1명의 발생률을 가질 정도로 드문 질환이나 최근 자기공명영상의 발달과 광범위한 사용으로 이전에는 발견되지 않았던 작은 크기의 종양이 조기 발견되는 경향을 보이고 있다. 과거에는 발견 당시 종양의 크기는 평균 30 mm이었으나 최근에는 10 mm 정도로 작은 종양의 발병률이 증가하고 있어 이에 대한 치료에 관심이 기울이게 되었다.[1] 종양의 치료목적은 종양의 완전제거이나 수술용 현미경 및 수술 중 감시(Intra-operative monitoring) 방법의 발달 등으로 종양의 제거는 물론 안면신경과 청력의 보존이 치료의 주된 관심사가 되었으며 이는 작은 청신경 종양의 경우 더욱 중요해졌다.[2,3]

청신경 종양의 치료에는 경과관찰, 방사선수술 및 미세 수술 등이 있다. 치료 방법을 선택할 때에는 종양의 크기, 환자의 나이, 수술 전 청력상태, 수술 후 안면신경 마비의 위험성, 종양에 대한 환자의 태도, 환자의 경제상태 등 고려해야 할 요인들이 많다.[4,5,6,7] 청신경 종양에 대한 전통적인 치료 방법은 외과적 절제술이었으나 방사선수술의 발전으로 근래 청신경 종양의 치료 방법에 많은 변화가 대두되었다.

청신경 종양의 치료에 방사선수술 등의 비수술적 치료 방법이 많이 사용되고 있지만, 종양을 치료하는 데에 있어 가장 기본적이고 근본적인 방법은 외과적 절제술임을 간과해서는 안 된다.[3,8] 삶의 질에 관한 여러 연구에서 방사선수술은 경과관찰이나 미세 수술보다 단기적으로 삶의 질이 더 우수한 것으로 되어 있다. 그러나 10년 정도의 장기적인 관점에서 보았을 때 경과관찰보다는 방사선수술과 미세 수술이 더 좋은 삶의 질을 보이며, 방사선수술과 미세 수술 간에는 큰 차이는 없다고 한다. 일반적으로 수술 후의 낮은 합병증, 수술 후 안면신경이나 청력의 보존율이 높은 점을 고려해 보았을 때 작은 청신경 종양의 경우 수술이 우선 고려될 수 있으며 전신상태가 불량한 환자의 경우에는 방사선치료가 추천된다.[9]

청신경 종양의 크기별 분류에는 House, Tos, Koose, Sanna, Sami 등의 술자들에 의해 여러 방법들이 제시되었다.[10,11,12] 자기공명영상에서 가장 큰 직경을 측정하는 방법, 내이도의 종양과 이 종양의 소뇌교각으로의 진행을 측정하는 방법, 종양의 단순 크기가 아니라 종양이 부피를 측정하는 방법 등이 있다. 2001년 일본 도쿄에서 개최된 청신경 종양의 consensus meeting에서 종양의 크기는 내이도에 국한된 종양, 그리고 소뇌교각으로 진행한 정도에 따라 small, medium, moderate large, large giant로 구분하였다.[13] 그러나 아직까지 종양의 크기의 분류는 보고자마다 그리고 연구의 목적에 따라 다르게 사용되고 있는 실정이다. 수술적 처치와 이의 결과를 평가하는 경우 작은 크기의 청신경 종양(small sized acoustic neuroma)은 전체 크기가 2 cm 이하로, 보통 내이도를 채우면서 소내교각으로의 진행이 1 cm 이하인 경우를 말하는 것이 일반적이다.

본 장에서는 작은 크기의 청신경 종양의 임상증례를 통해 수술적 치료와 이의 의미에 대해 논하고자 한다.

증례 3-1 좋은 청력을 가진 작은 크기의 청신경 종양의 경우

55세 남자 환자. 특별한 기저질환은 없으며, 내원 1년 전부터 지속되는 우측 귀의 이명 및 점점 심해지는 우측 이충만감 때문에 타병원 내원하여 시행한 뇌 자기공명영상에서 우측 내이도 종양이 발견되어 본원으로 전원되었다. 환자는 우측 이명 및 간헐적 어지럼증은 있었으나 청력에 대해서는 큰 불편함 없이 지냈다고 한다. 순음청력검사 결과 상 좌측 청력은 정상이었으나, 우측은 고음역대에서 청력손실이 심하며 평균 청력 역치가 40 dB였다. 어음분별력은 양측 모두 100%였다(그림 3-1). 뇌 자기공명영상에서 내이도의 일부를 채우고 소뇌교각으로 진행한 12 mm × 7.5 mm 크기의 종양이 보였다(그림 3-2). 환자는 평소 난청이 있다고 인지하지 못한 상태에서 여러 치료 방법에 대한 설명을

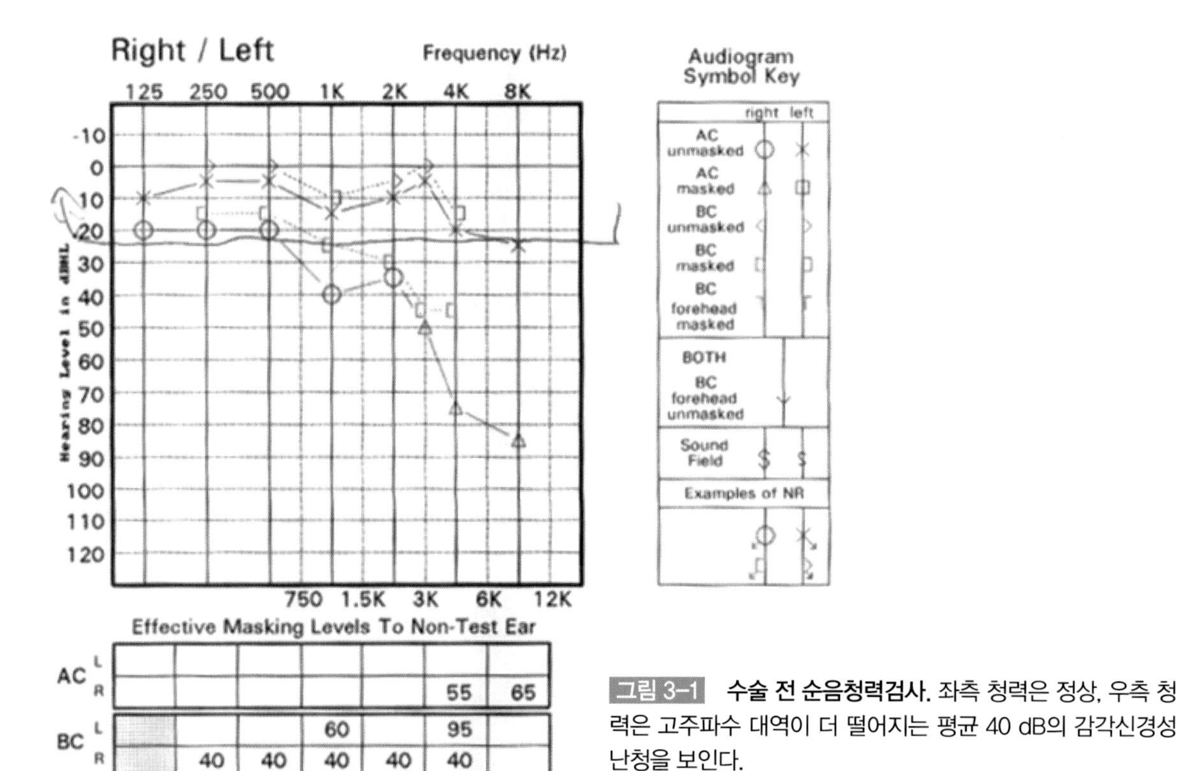

AC	L							
	R						55	65
BC	L				60		95	
	R		40	40	40	40	40	

그림 3-1 수술 전 순음청력검사. 좌측 청력은 정상, 우측 청력은 고주파수 대역이 더 떨어지는 평균 40 dB의 감각신경성 난청을 보인다.

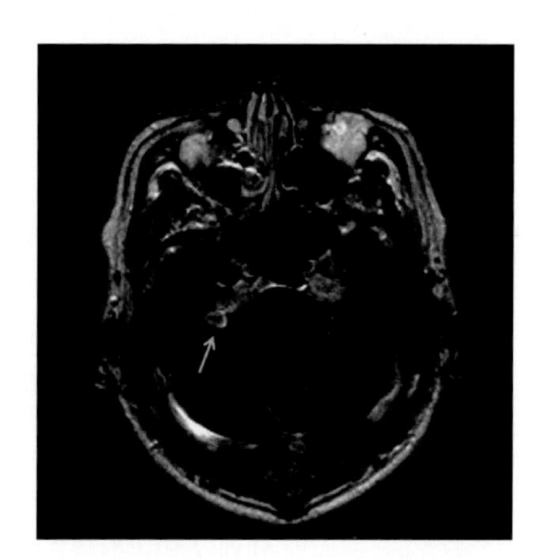

그림 3-2 수술 전 T1 조영증강 자기공명영상. 우측 내이도의 내측 1/3을 차지하고 소뇌교각으로 진행한 12 mm x 7.5 mm 크기의 종양이 관찰됨 (white solid line)

증례 3-1 좋은 청력을 가진 작은 크기의 청신경 종양의 경우 (계속)

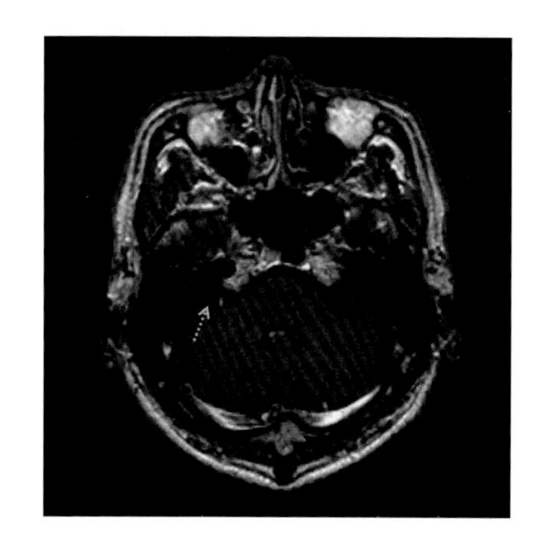

그림 3-3 **수술 후 T1 조영증강 자기공명영상.** 수술 전 보였던 내이도 및 소뇌교각의 종양음영이 소실됨(white dotted line)

듣고 청력을 보존하는 중두개와 접근법을 통해 수술하기로 하였다. 수술 후 청력이 보존된 상태로 종양은 완전히 제거되었으며, 안면신경 마비들의 합병증은 발생하지 않았다.

토의

본 증례는 수술 전 청력이 AAO−HNS class A이며, 내이도를 채우고 있는 종양이 소뇌교각으로의 진행이 크지 않은 청신경 종양 환자의 경우다.

청신경 종양의 수술적 치료 중 하나인 중두개와 접근법은 청력 역치가 50 dB 이하, 어음분별력 50% 이상이며 종양이 내이도에 국한되어 있거나 종양이 내이도에서 소뇌교각으로 1 cm 이내로 진행한 경우에 적용할 수 있다. 최근에는 수술 전 청력 역치가 30dB 이하이며 어음분별력은 70% 이상인 경우로 적응증을 좀더 좁게 잡는 경향이 있다.[13] 종양이 자라는 것이 발견되거나 난청이 진행하는 경우 추적관찰(Wait & Scan) 이외의 처치가 필요하다. 청신경 종양의 치료에 있어 안면신경이나 청력과 같은 기능의 보존이 주된 관심사인데 작은 종양의 경우에도 예측 할 수 없는 종양의 성장으로 인해 기능보존의 시기를 놓칠 수 있는 문제가 있으므로 적극적인 처치를 고려해야 한다.[14,15] 작은 청신경 종양의 경우 전반적으로 방사선수술과 미세 수술 간에 안면신경이나 청력과 같은 기능보존에는 큰 차이는 없는 것으로 알려졌다. 그러나 방사선수술의 경우 오랜 기간 추적관찰이 필요하며, 환자의 추적관찰 실패(follow−up loss)의 문제가 존재한다.[16] 또한 추적관찰 중 종양이 자라는 것이 발견되어 미세 수술을 하는 경우 안면신경의 유착으로 인해 수술 후 안면신경마비의 위험이 증가할 수 있다.[17] 본인의 경우 미세 수술로 인한 병적상태(morbidity)를 최소화할 수만 있다면 종양의 수술적 제거를 선호한다.

증례 3-2 좋은 청력을 가진 작은 크기의 종양이 내이도저(fundus)의 끝까지 침범한 경우

54세 여자환자. 특별한 과거력은 없으며 내원 20일 전부터 발생한 비회전성 어지럼을 주소로 타병원 내원하여 시행한 뇌 자기공명영상에서 좌측 내이도 종양이 발견되었다. 치료 방법으로 감마나이프 치료를 고려했으나 종양이 내이도 외측 끝까지 침범했기 때문에 방사선치료 후에 청력소실의 확률이 크다는 얘기를 듣고 수술적 치료를 위해 전원되었다. 환자는 이명이나 난청과 같은 이과적 증상은 호소하지 않았다. 순음 청력검사 및 어음청력 검사 결과 양측 청력은 정상이었다(그림 3-4). 냉온교대안진검사상 좌측이 우측에 비해 83% 감소된 소견을 보였다. 측두골 자기공명영상에

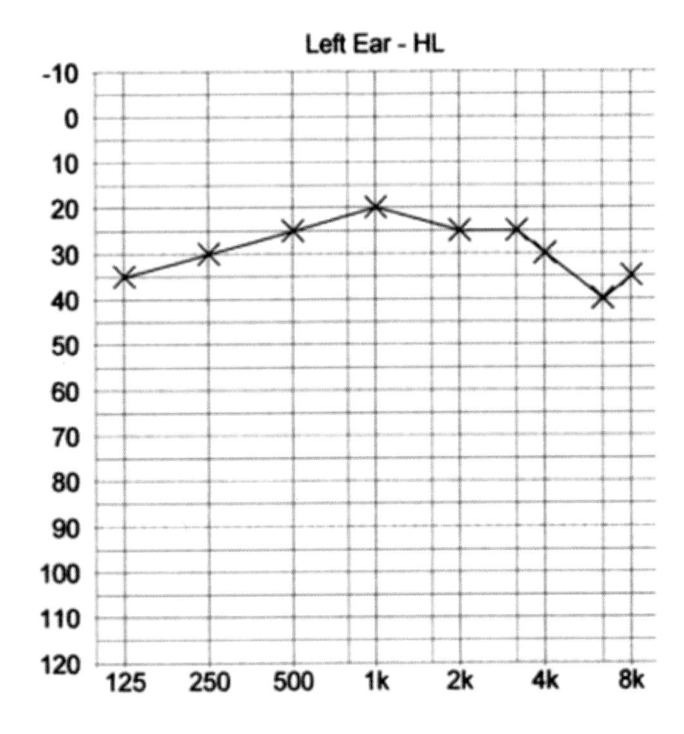

그림 3-4 **수술 전 좌측 순음청력검사.** 좌측 정상 청력을 보임

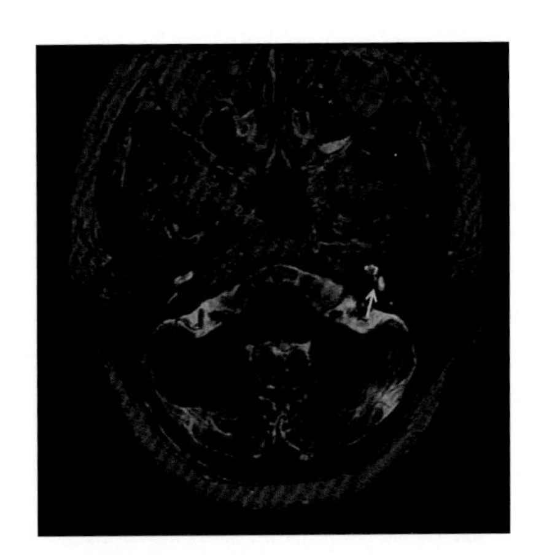

그림 3-5 **수술 전 T2 자기공명영상.** 종양은 내이도저 거의 끝까지 위치했으며 와우(cochlea)와 전정(vestibule) 사이에 뇌척수액이 하얀 초승달 모양으로 나타난다(end of white solid line).

증례 3-2 좋은 청력을 가진 작은 크기의 종양이 내이도저(fundus)의 끝까지 침범한 경우 (계속)

서 종양의 크기는 약 1.3 cm이었으며 소뇌교각으로의 진행은 3.5 mm였고 내이도저(fundus)의 끝부분을 거의 채우는 양상이었다(그림 3-5, 3-6). 환자는 청력보존을 위해 중두개와 접근법을 이용하여 종양을 제거하기로 하였다. 종양은 완전제거(total removal)가 가능했으며 수술 후 청력은 보존되었다(그림 3-7).

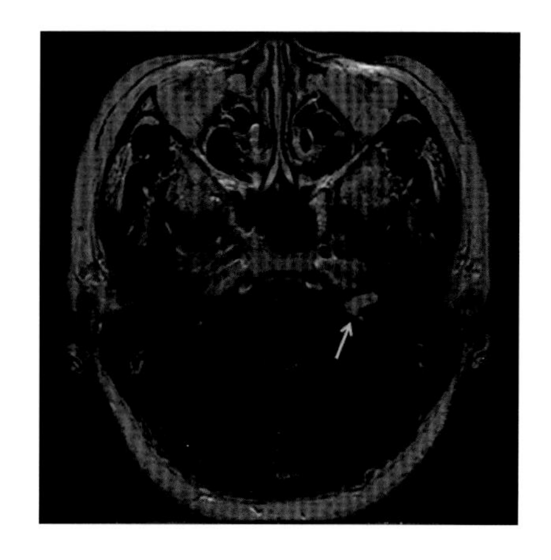

그림 3-6 **수술 전 T1 조영증강 자기공명영상.** 조영증강이 잘 되는 약 1.3 cm 크기의 종양이 내이도를 거의 채우고 있으며 소뇌교각으로 3 mm 정도 진행하고 있다(white solid line).

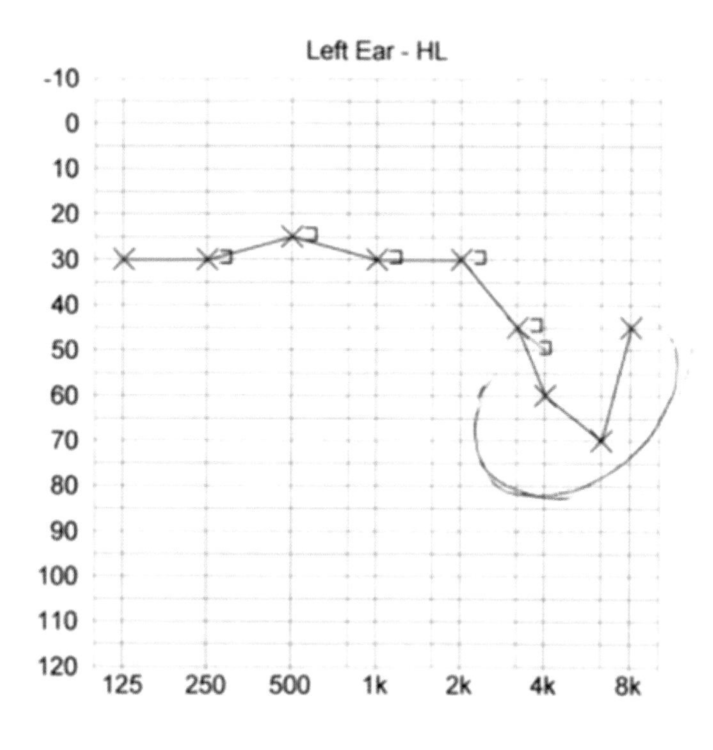

그림 3-7 수술 후 일부 4 KHz 이상의 고주파수 대역에서 난청이 발생하였으나 대부분 회화음역에서의 청력은 보존되었다.

증례 3-2 좋은 청력을 가진 작은 크기의 종양이 내이도저(fundus)의 끝까지 침범한 경우 (계속)

토의

본 증례는 수술 전 청력이 AAO–HNS class A이며, 소뇌교각으로의 진행이 크지 않은 작은 크기의 청신경 종양이지만 내이도저(fundus)의 외측 끝까지 종양이 침범한 경우다.

종양의 위치를 고려해 보았을 때 추적관찰 할 경우 향후 청력소실이 발생할 가능성이 높았으므로 적극적인 치료를 계획하였다. 우선 감마나이프와 같은 방사선수술을 고려했지만 종양의 위치상 와우(cochlea)가 방사선조사 범위에 노출되어 치료 후 난청이 발생할 가능성이 매우 크기 때문에 수술을 고려했다.[18] 수술 후 청력보존에 영향을 미치는 요소에는 종양의 크기, 수술 전 청력상태 등이 가장 중요하며 이외에도 종양의 위치가 또한 중요하다. 과거에는 내이도의 반을 넘어 외측으로 진행한 경우 중두개와 접근법의 금기였으나 최근에는 수술 중 청력감시장비(Intraoperative monitoring)의 발달로 이에 대한 한계는 극복할 수 있는 것으로 인정되고 있다.[19,20] 본 증례에서도 종양이 외측 끝까지 진행했지만 내이도저(fundus)의 충분한 노출과 전기와우도(electrocochleography)를 이용한 수술 중 청력감시를 통해 수술 후 청력을 보존할 수 있었다. 미세 수술에는 경미로 접근법, 중두개와 접근법, 후두하 접근법 등이 있는데 이 중 중두개와 접근법과 후두하 접근법은 청력을 보존할 기회가 있는 술식인데 비해 경미로 접근법은 수술 후 청력소실이 필수적으로 발생한다. 사회적응청력(Serviceable hearing)이 있는 경우 중두개와 접근법과 후두하 접근법을 이용할 수 있는데 후두하 접근법은 종양이 내이도저(fundus)를 침범한 경우 노출에 제한이 있으며 두개내에서 드릴을 하므로 수술 후 두통이 발생하는 문제가 있다. 이에 반해 중두개와 접근법은 수술시야에서 종양을 분리 시 안면신경에 손상을 줄 수 있으므로 조심해야 하며 종양이 소뇌교각을 깊이 침범한 경우 넓은 수술시야를 확보하는 데 제한이 있다.[21] 청력의 보존에는 후두하 접근법보다는 중두개와 접근법의 결과가 좋은 것으로 알려져 있다.[2]

증례 3-3 불량한 청력이면서 종양의 크기가 뇌간에 거의 닿아 있는 경우

45세 여자환자. 2012년 9월 초부터 갑작스럽게 시작된 좌측 이명 및 청력감소로 타병원 내원하여 시행한 청력검사 상 좌측 돌발성 난청이 의심되어 스테로이드를 포함한 약물치료를 받았으나 호전은 없었으며 치료 중 시행한 측두골 자기공명영상에서 좌측 소내교각 청신경 종양이 의심되어 전원되었다. 경한 어지럼증 이외에 다른 특이소견은 없었다. 순음청력검사에서 우측 청력은 정상이었으나, 좌측은 고주파수 대역에서 전농 소견을 보인 평균 88 dB의 감각신경성 난청 소견(그림 3-8)을 보였으며 어음청력검사상 어음분별력은 우측 100%, 좌측 52%였다. 냉온교대안진검사상 좌측이 우측에 비해 29% 감소된 소견을 보였다. 측두골 자기공명영상 상 1.6 × 1.2 cm 크기의 종양이 내이도의 일부를

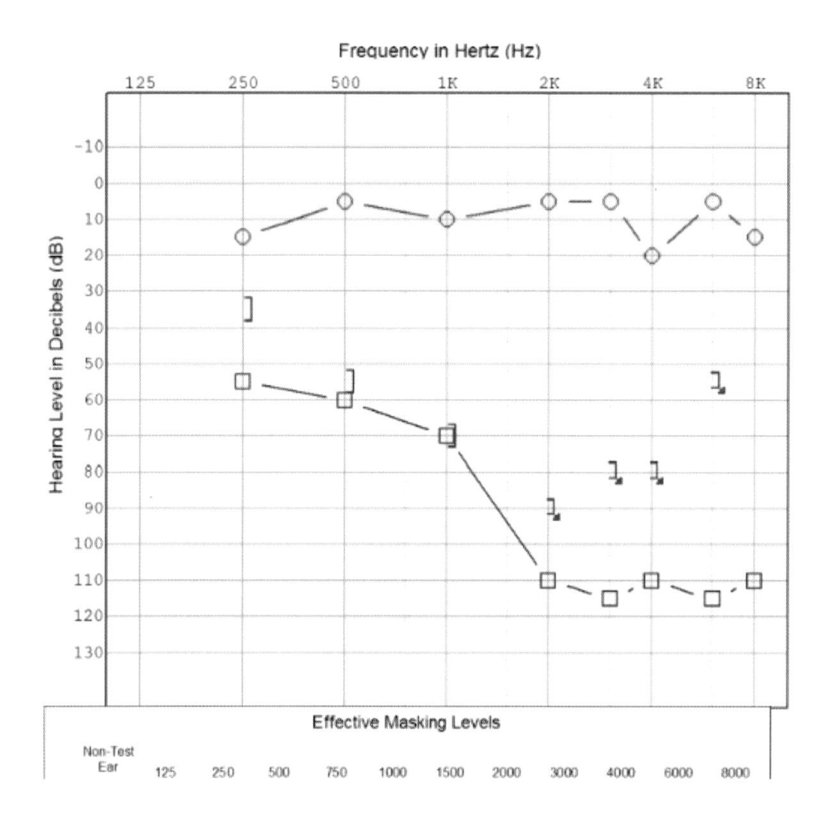

그림 3-8 수술 전 순음청력검사. 우측은 정상, 좌측은 고주파수 대역에서 전농 소견을 보인 평균 88 dB의 감각신경성 난청을 보임

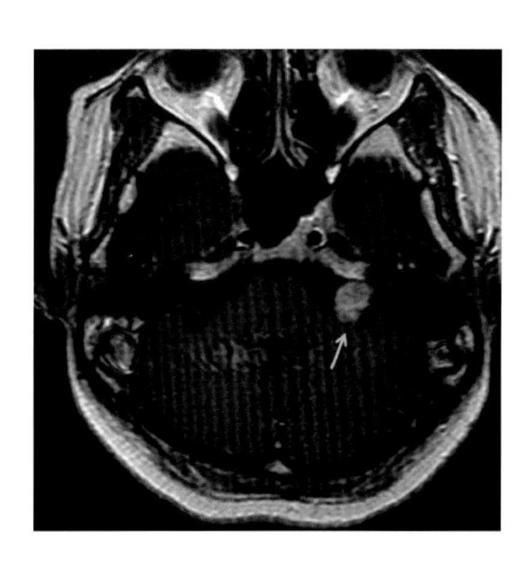

그림 3-9 수술 전 T1 조영증강 자기공명영상. 조영증강이 잘되는 1.6 x 1.2 cm 크기의 종양(white solid line)이 내이도와 소뇌교각에 걸쳐있으나 뇌간을 압박하지는 않았다.

증례 3-3 불량한 청력이면서 종양의 크기가 뇌간에 거의 닿아 있는 경우 (계속)

그림 3-10 **수술 후 T1 조영증강 자기공명영상.** 수술 전 보였던 내이도 및 소뇌교각의 종양음영이 소실되었으며(white dotted line) 내이도 외측의 측두골은 지방으로 채워졌다(white star).

채우고 소뇌교각으로 진행했으나 뇌간을 압박하지는 않았다(그림 3–9). 환자의 좌측 청력과 종양의 크기 등을 고려하여 환자와 상의 후 경미로 접근법을 통한 종양제거술을 계획하였다. 종양은 완전제거(total removal)가 가능했으며(그림 3–10) 수술 후 안면신경마비는 없었다.

토의

본 증례는 수술 전 청력이 AAO–HNS class D이며, 종양은 소뇌교각으로의 진행하여 뇌간에 이를 정도지만 전체 크기가 2 cm 이하인 청신경 종양 환자의 경우다. 경미로 접근법은 소뇌교각에 가장 최단거리로 도달할 수 있는 술식이며,[7] 소뇌의 견인도 최소화할 수 있고 이비인후과 의사들에게는 친숙한 수술 부위이므로 이비인후과 의사들이 선호하는 방법이다. 환자의 청력은 저주파수 대역에서 일부 잔청이 있으나 전체적으로 전농에 가까웠으므로 사회적응청력(Serviceable hearing)이 없는 경우 안면신경의 보존율도 우수하고 내이도 노출에도 제한이 없는 경미로 접근법을 이용하는 것이 적절하다고 판단하였다.[22]

증례 3-4 좋은 청력이지만 종양이 소뇌교각을 지나 뇌간 쪽에 닿아있는 경우

56세 여자환자. 수년 전부터 우측 이명이 있었으나 내원 직전 발생한 우측 돌발성 난청을 주소로 개인의원에서 방문하여 약물치료하였다. 청력회복은 거의 되었으나 치료 중 시행한 측두골 자기공명영상상 우측 소뇌교각에 종양 소견 보여 전원되었다. 특이 기저질환은 없었으며, 순음청력검사상 우측 청력역치는 20 dB, 좌측 청력역치는 10 dB이었고 어음청력검사상 어음분별력은 양측 100%였다(그림 3-11). 청성뇌간유발반응검사상 우측 40 dB, 좌측 30 dB에서 V파가 잘 관찰되었으나 이간 V파 잠복기(interaural V wave latency) 차이가 0.6 ms로 후미로병변을 시사하였다(그림 3-12). 냉온교대안진검사상 우측이 좌측에 비해 71% 감소된 소견을 보였다. 측두골 자기공명영상상 1.8 cm × 1.4 cm 크기의 종양이 우측 내이도의 대부분을 채우고 소뇌교각을 넘어 뇌간 부위까지 진행했다(그림 3-13). 종양은 경미로 접근법을 이용하여 안면신경에 유착이 심한 일부 종양은 남긴 채 종양의 거의 완전제거(near total removal)가 가능했으며 수술 후 HB grade II의 안면신경마비가 발생하였다. 추적 촬영한 측두골 자기공명영상상 소뇌교각 전방으로 종양이 일부 남아있는 소견을 보여 추적관찰 중이다(그림 3-14).

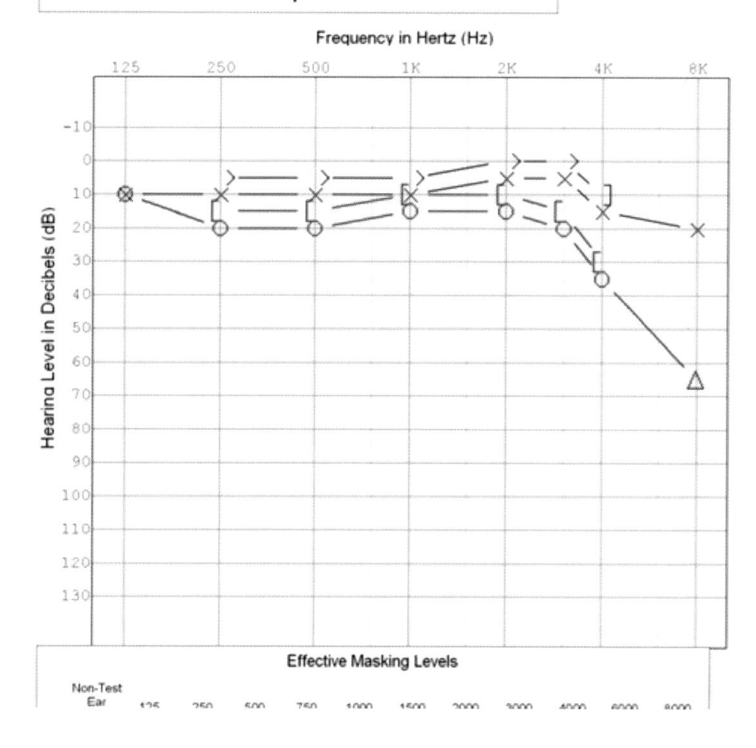

그림 3-11 수술 전 순음청력검사. 우측 고주파수 대역의 난청이 일부 있으나 전체적으로 양측 청력은 정상범위를 보임

증례 3-4 좋은 청력이지만 종양이 소뇌교각을 지나 뇌간 쪽에 닿아있는 경우 (계속)

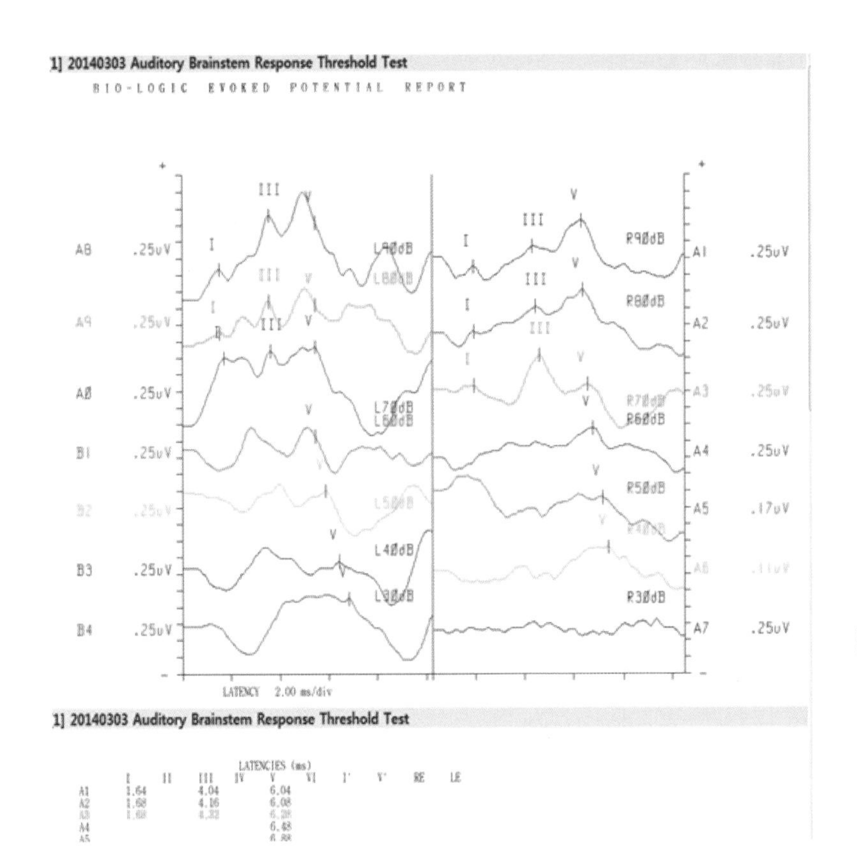

그림 3-12 **수술 전 청성뇌간유발반응검사.** 우측 40 dB, 좌측 30 dB에서 V파가 잘 관찰되었으며 양측 V파 잠복기(interaural V wave latency) 차이는 0.6 ms로 정상보다 지연되었다.

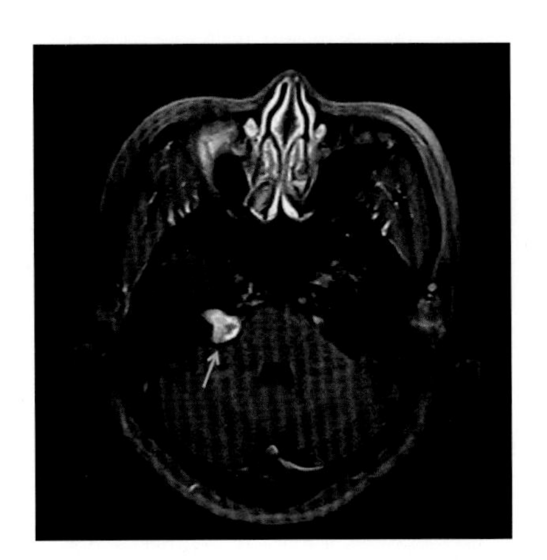

그림 3-13 **수술 전 T1 조영증강 자기공명영상.** 표주박 모양의 1.8 cm × 1.4 cm 크기의 종양(white solid line)이 우측 내이도의 대부분을 채우고 소뇌교각을 넘어 뇌간 부위까지 진행했으나 뇌간압박 소견은 보이지 않는다.

증례 3-4 좋은 청력이지만 종양이 소뇌교각을 지나 뇌간 쪽에 닿아있는 경우 (계속)

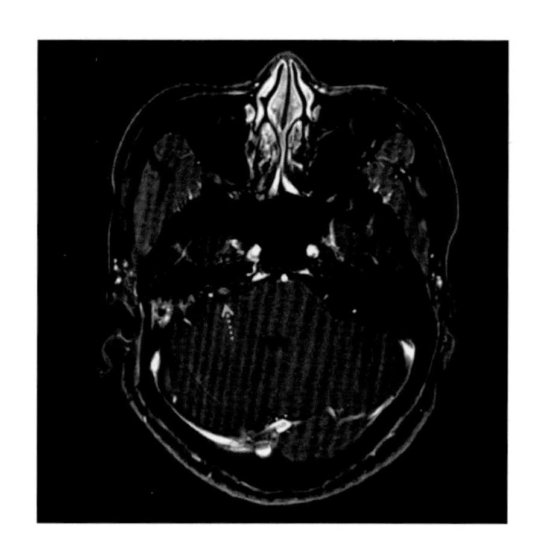

그림 3-14 **수술 후 조영증강 자기공명영상.** 수술 후 내이도와 소뇌교각에 있던 종양음영은 대부분 소실됐으나 소뇌교각의 앞쪽에 잔존 종양으로 의심되는 조영증강이 일부 보인다(white dotted line).

토의

수술 전 청력이 AAO-HNS class A이며, 내이도를 채우고 있는 종양이 소뇌교각으로 진행하였으나 뇌간에는 닿지 않은 청신경 종양 환자의 경우다.

미세 수술의 청력보존율은 전체적으로 52% 정도라고 알려져 있으며 종양의 크기가 1.5 cm 미만인 경우는 61%~64%인데 비해 종양의 크기가 증가하면 청력보존율은 30% 정도로 급격히 떨어진다.[2] 일반적으로 청력의 보존에는 후두하 접근법 보다는 중두개와 접근법의 결과가 좋은 것으로 알려져 있다. 안면신경은 경미로 접근법, 후두하 접근법, 중두개와 접근법 순으로 보존율이 높은 것으로 알려져 있으나 작은 종양의 경우 큰 차이는 보이지 않는다는 보고도 많다.[23] 상기 환자의 경우 수술 전의 돌발성 난청은 거의 정상으로 회복되었으나 종양에 의한 돌발성 난청의 기왕력과 종양의 크기 등을 고려해 보았을 때 향후 난청이 악화될 가능성이 높으며, 청력을 보존하는 술식인 중두개와 접근법이나 후두개와 접근법으로는 청력을 보존할 확률이 매우 적으리라 예견되어 종양의 제거 정도, 수술 후 청력의 완전소실 그리고 수술 후 안면신경의 예후 등을 환자와 상의 후 경미로 접근법을 수술 방법으로 결정하였다.[24]

결론

작은 청신경 종양의 경우 종양의 제거(control rate)라는 측면에서 미세 수술이나 방사선수술의 결과는 매우 우수하다. 그러나 안면신경, 청력과 같은 기능적 보존의 결과는 술자마다 다양하게 보고하고 있다. 추적관찰(Wait & Scan)과 같은 보존적 요법 이외에 치료 방법(방사선수술 혹은 미세 수술)을 선택할 때에는 환자가 중요하게 생각하는 사항(종양의 제거, 안면신경의 보존 혹은 청력의 보존)을 바탕으로 각 치료 방법에 수반되는 위험요소를 제어할 수 있도록 하여, 일반적인 원칙을 따르기 보다는 각 개인의 상황에 따라 치료방향을 조정하는 것이 중요하다.

참고문헌

1. Stangerup SE, Tos M, Thomsen J, Caye-Thomasen P. True incidence of vestibular schwannoma? Neurosurgery 2010; 67:1335–40
2. Sughrue ME, Yang I, Aranda D, Kane AJ, Parsa AT. Hearing preservation rates after microsurgical resection of vestibular schwannoma. J Clin Neurosci. 2010;17(9):1126-9
3. Gal TJ, Shinn J, Huang B. Current epidemiology and management trends in acoustic neuroma. Otolaryngol Head Neck Surg. 2010;142(5):677-81
4. Angeli S. Middle fossa approach: indications, technique, and results. Otolaryngol Clin North Am 2012;45(2):417-38
5. Bennett M, Haynes DS. Surgical approaches and complications in the removal of vestibular schwannomas. Otolaryngol Clin North Am 2007;40(3):589-609
6. Backous DD, Pham HT. Guiding patients through the choices for treating vestibular schwannomas: balancing options and ensuring informed consent. Otolaryngol Clin North Am 2007;40(3):521-40
7. Briggs RJ, Fabinyi G, Kaye AH. Current management of acoustic neuromas: review of surgical approaches and outcomes. J Clin Neurosci 2000;7(6):521-6
8. Pollock BE1, Lunsford LD, Kondziolka D, Flickinger JC, Bissonette DJ, Kelsey SF, et al. Outcome analysis of acoustic neuroma management: a comparison of microsurgery and stereotactic radiosurgery. Neurosurgery 1995;36(1):215-24
9. Pollock BE, Driscoll CL, Foote RL, Link MJ, Gorman DA, Bauch CD, et al. Patient outcomes after vestibular schwannoma management: a prospective comparison of microsurgical resection and stereotactic radiosurgery. Neurosurgery2006;59(1):77-85
10. House JW, Brackmann DE. Facial nerve grading system. Otolaryngol Head Neck Surg 1985;93:146-47
11. Samii M, Matthies C. Management of 1000 vestibular schwannomas (acoustic neuromas): the facial nerve--preservation and restitution of function. Neurosurgery 1997;40(4):684-94
12. Rabelo FM, Russo A, Sequino G, Piccirillo E, Sanna M. Analysis of hearing preservation and facial nerve function for patients undergoing vestibular schwannoma surgery: the middle cranial fossa approach versus the retrosigmoid approach--personal experience and literature review. Audiol Neurootol 2012;17(2):71-81
13. Kazanki J, Tos M, Sanna M, Mofat DA. New and modified reporting systems from the consensus meeting on systems of reporting results in vestibular schwannoma. Otol Neurotol 2003;10;642-49
14. Raut VV, Walsh RM, Bath AP, Bance ML, Guha A, Tator CH, et al. Conservative management of vestibular schwannomas - second review of a prospective longitudinal study. Clin Otolaryngol Allied Sci. 2004;29(5):505-14
15. Martin TP, Tzifa K, Kowalski C, Holder RL, Walsh R, Irving RM. Conservative versus primary surgical treatment of acoustic neuromas: a comparison of rates of facial nerve and hearing preservation. Clin Otolaryngol. 2008;33(3):228-35
16. Hajioff D, Raut VV, Walsh RM, Bath AP, Bance ML, Guha A, et al. Conservative management of vestibular schwannomas: third review of a 10-year prospective study. Clin Otolaryngol. 2008 Jun;33(3):255-9
17. Roche PH, Khalil M, Thomassin JM, Delsanti C, Régis J. Surgical removal of vestibular schwannoma after failed gamma knife radiosurgery. Prog Neurol Surg 2008;21:152-7
18. Bush ML, Shinn JB, Young AB, Jones RO. Long-term hearing results in gamma knife radiosurgery for acoustic neuromas. Laryngoscope 2008;118(6):1019-22
19. Colletti V, Fiorino FG, Mocella S, Policante Z. ECochG, CNAP and ABR monitoring during vestibular Schwannoma surgery. Audiology 1998;37(1):27-37
20. Battista RA, Wiet RJ, Paauwe L. Evaluation of three intraoperative auditory monitoring techniques in acoustic neuroma surgery. Am J Otol 2000;21(2):244-8
21. Seo JH, Jun BC, Jeon EJ, Chang KH. Predictive factors influencing facial nerve outcomes in surgery for small-sized vestibular schwannoma. Acta Otolaryngol 2013;133(7):722-7
22. Coelho DH, Roland JT Jr, Rush SA, Narayana A, St Clair E, Chung W, et al. Small vestibular schwannomas with no hearing: comparison of functional outcomes in stereotactic radiosurgery and microsurgery. Laryngoscope 2008;118(11):1909-16
23. Satar B, Jackler RK, Oghalai J, Pitts LH, Yates PD. Risk-benefit analysis of using the middle fossa approach for acoustic neuromas with >10 mm cerebellopontine angle component. Laryngoscope 2002;112(8 Pt 1):1500-6
24. Sanna M, Zini C, Mazzoni A, Gandolfi A, Pareschi R, Pasanisi E, et al. Hearing preservation in acoustic neuroma surgery. Middle fossa versus suboccipital approach. Am J Otol 1987;8(6):500-6

CHAPTER 04

거대 내측 청신경 종양: 확장 경미로 접근법을 통한 제거

Giant medial acoustic neuroma : Resection through extended translabyrinthine approach

김한규

서론

청신경 종양(Acoustic neuroma: AN, Vestibular schwannoma: VS)은 전정신경(vestibular nerve: VIII)에서 기시하며 후두개와의 소뇌교각 수조(cerebellopontine angle cistern)에 가장 흔히 생기는 종양이다.[1] 청신경 종양은 오랜 치료 역사를 가지고 있다. 1900년대 초반의 치료는 사망률 없이 수술하는 것이 주 관심사였으나 그 이후로 현미경을 수술에 사용하면서 여러 수술 방법이 개발 되었고, 또한, 획기적인 정위적 방사선수술(stereotactic radiosurgery: SRS)의 발달로 치료 방법에 많은 변화를 가져오게 되어 점차적으로 수술 보다는 방사선수술 등의 비수술적 방법을 선호하는 경향으로 바뀌어 왔다.[2,3] 청신경 종양의 치료에 대한 현재의 주 관심사는 종양제어(tumor control)와 함께 신경, 특히, 안면신경(facial nerve: VII) 및 청신경(cochlear nerve: VIII)의 기능을 보존하는 것이다.[4] 이와 같은 현재의 목적에 부합하기 위해 제시되고 있는 치료 방법으로는 “wait and scan”, 방사선수술 및 수술들이 있고,[10] 대표적인 수술 방법으로는 retrosigmoid approach, translabyrinthine approach, middle fossa approach 등이 있다.[8] 치료 방법이나 수술 방법의 선택에 영향을 미치는 요소에는 여러 가지가 있을 수 있으나 가장 중요한 요소는 내이도(internal acoustic canal: IAC)를 기준으로 한 종양의 위치와 종양의 크기이다. 이론적으로 가장 확실한 치료 방법은 신경학적 결손 없이 수술로 종양을 완전히 제거하는 것이며 실제로도 아직까지는 수술이 가장 주된 치료 방법이다. 하지만 종양의 크기가 클수록 완전 제거(complete resection)에 따른 신경기능보존(functional nerve preservation)의 확률이 떨어지므로[4] 이를 극복해 보기 위해 여러 치료 방법의 융합 치료법(combined treatment)이 제시되고 있다.[5] 이론의 여지없이, 청신경종양의 국제종양크기등급표(표 4-1)에 따른 등급 4, 5인 크기가 3 cm 이상의 큰 종양(large tumor) 또는 거대종양(giant tumor)의 치료로는 수술이 가장 적합하다. 하지만 완전 제거에 따른 안면 마비의 확률이 높아[5,25] Near total resection (NTR)이나 Subtotal resection (STR)(표 4-2) 후에 방사선수술을 시행하거나 또는 추적관찰을 하는 병합치료법의 우월성이 꾸준히 제기되어 왔다.[7,10] 안면신경의 기능보존을 위한 종양의 의도적 부분절제술

표 4-1 International grading of size of acoustic schwannoma

Grade		Size, mm
0	Intrameatal tumor	No extension out of the IAC
1	Small	≤10
2	Medium	11–20
3	Moderately large	21–30
4	Large	31–40
5	Giant	≥41

IAC, internal auditory canal

표 4-2 Definitions of VS resections

Extent of resection	Definition
GTR	total (100%) tumor clearance as evident from the surgeon's subjective observation & on 1-yr postop MRI
NTR	<2% of the tumor or tumor capsule is left behind during surgery as evident from the surgeon's subjective observation & if 1) it is manifest or 2) absent on 1-yr postop MRI
STR	2-5% of the tumor left behind during surgery as noted by the surgeon & evident on 1-yr postop MRI
PR	>5% of the tumor left behind during surgery as noted by the surgeon & evident on 1-yr postop MRI

(preplanned subtotal resection)과 병합하여 추적 관찰이나 방사선수술을 시행하는 치료 전략이 완전제거 전략보다는 안면신경 보존의 확률이 의미있게 높다는 그동안의 보고를 통해 이와 같은 병합 치료 전략이 최근의 치료 경향으로 간주되고 있다.[8-11]

거대 청신경 종양

거대 청신경 종양(giant vestibular schwannoma)은 전체 청신경 종양의 약 2% 정도를 차지한다.[12] 이들은 소뇌교각 지주막 강 내의 크기가 4 cm 이상으로 커서 VII, VIII 뇌신경뿐만 아니라 주위의 뇌간이나 삼차 신경, 하부뇌신경(lower cranial nerve), 제4뇌실 등을 눌러 다양한 임상 증상을 유발한다. 4 cm 이하의 일반 청신경 종양과는 다르게 거의 전 환자에서 청력 감퇴(hypoacusis)나 소실을 보이고 안면 마비의 빈도도 훨씬 높다.[12] 또한 안면감각이상, 연하곤란, 운동실조, 수두증 증세 등 일반적으로는 보이지 않는 증세들이 나타난다.[12,13] 거대 청신경 종양에서는 낭성종양(cystic tumor)의 빈도가 높다.[1,14] 낭 형성(cyst formation)의 기전에는 이론들이 있으나 종양이 커짐에 따라 혈류공급의 부족으로 퇴행성 변화(degeneration)와 괴사(necrosis)가 생겨 형성된다는 의견과[15] 종양내의 출혈이 원인이라고 하는 의견들이 있다.[14] 낭이 형성되면 삼투압으로 인해 낭의 크기가, 종양 증식의 속도를 넘어, 빠르게 커지게 되어 이로 인한 비 특이적 임상 증세가 나타나게 되고, 또한 출혈이나 괴사는 주위 뇌나 신경 조직에 염증성 반응으로 인한 유착을 일으켜 종양 적출을 대단히 힘들게 한다.[1,15]

거대 청신경 종양의 가장 적절한 치료 방법은 수술이다.[12-14,16,17] 거대 청신경 종양의 적출에 사용되는 대표적인 수술 방법들은 고식적인 retrosigmoid approach (RSA)[12,13,17]와 enlarged translabyrinthine approach-transapical extension (ETLA-TA)[16,18]이다. 익숙하게 되면 RSA나 ETLA-TA로 종양의 적출율이나 VII, VIII 뇌신경 보존율에서 대단히 좋은 결과를 얻을 수 있으며 이를 위한 수술 중 감시 장치의 사용은 필수이다.[4,19] 종양의 문측 노출(rostral exposure)이 필요한 상황이면 저자가 제안하는 extended translabyrinthine approach가 좋은 선택이 될 수 있다. 수술의 궁극적 목적은 신경학적 결손 없이 종양을 완전 적출하는 것이다. 하지만 종양의 크기가 커질수록 이 목적에 부합하도록 수술하기가 쉽지 않다. 거대 청신경 종양의 수술에서 현재의 가장 큰 관심사는 안면신경의 보존이다. 안면 마비는 환자의 사회생활에 막대한 지장을 초래한다. 종양을 완전 적출하고 안면 마비를 감수할 것이냐 아니면 부분 적출 하더라도 안면 마비를 배제할 것이냐의 결정에는 갈등이 있을 수 있다.[10] 수술 후 House-Brackmann (HB)의 안면 등급 I 또는 II의 확률은 완전 적출 때 보다 부분 적출 예들에서 훨씬 높다.[11] 최근의 보고에 의하면 부분 적출 후의 종양 잔류물은 혈류 차단으로 인해 대부분에서 없어졌고 재성장(regrowth)으로 인해 수술을 하거나 방사선수술을 시행한 경우는 드문 것으로 조사되었다고 한다.[20] 또한, 방사선수술로의 종양 제어율(tumor control rate)이 93~94%이고 안면 기능 보존율은 94~99%에 달한다고 한다.[5,21] 향후 더 조사가 진행되어야 하겠지만 최근의 보고들에 의한다면 안면신경 기능을 보존 시키는 방법으로 종양을 부분 적출한 후 방사선수술을 바로 하거나, 우선 추적 관찰을 하고 종양이 커질 때 방사선수술을 시행하는 전략도 거대 청신경 종양의 치료 방법 중 중요한 선택 사항의 하나가 될 수 있으리라고 생각된다.

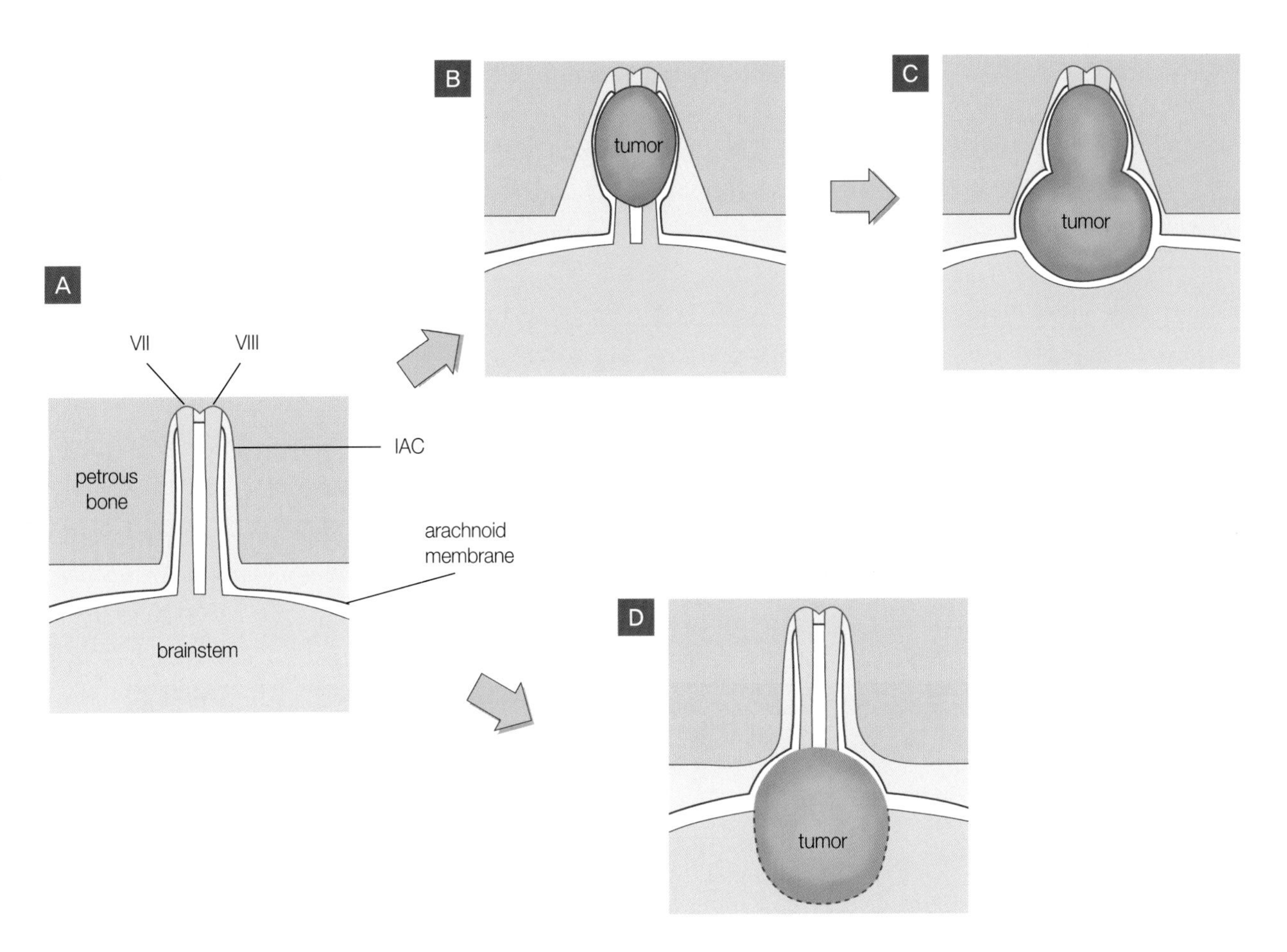

그림 4-1 A. Normal IAC and arachnoid space in the IAC. B. Epiarachnoidal origin of vestibular schwannoma pushes the arachnoidal sac to make a double layer of arachnoid around the tumor. C. After contact of the tumor to the brainstem, the double arachnoid layer is making the dissection plane. D. Medial vestibular schwannomas do not make double arachnoidal layer and have no arachnoid dissection plane.

거대 청신경 종양을 수술하는데 있어 한 가지 더 고려해야 할 사항은 종양이 내이도 안에서 기시하지 않고 내이도 밖에서 기시하는, 소위, 내측 청신경 종양(medial acoustic neuroma)을 인지하고 이들의 특이성에 대처하는 것이다.[22,23] 내측 청신경 종양은 내이도 밖, 즉 내이도 내측의 청신경에서 기시하여 지주막 하 공간(subarachnoid space) 내로 자라기 때문에 보통의 청신경 종양에서 볼 수 있는 내이도의 확장이 없다. 내이도 안의 지주막 하 공간은 두 개강 내의 지주막 하 공간과 연결되어 내이도 바닥(fundus)까지 연장되어 있다(그림 4-1A). 보통의 청신경 종양은 내이도 안의 지주막 하 공간 밖에서 생겨 내이도 지주막을 내 측으로 밀면서 자라기 때문에 종양 주위로 두 겹의 지주막 층(double arachnoid layer)을 형성한다(그림 4-1B).[24] 종양이 커져서 뇌간과 접촉하면서 이 중복 지주막 층은 뇌간과 종양 사이에 위치하여 지주막 박리 면(arachnoid dissection plane)을 형성한다(그림 4-1C). 하지만 내측 청신경 종양에서는 종양이 내이도 내측의 지주막 공간 내에서 기시하여 중복 지주막 층이 형성되지 않고, 종양이 지주막 공간 없이 뇌간과 직접 접촉되므로 박리가 어려운 상황이 된다(그림 4-1D). 종양이 커질수록 유착 면이 넓어져 수술은 더 힘들어진다. 실제로 내측 청신경 종양은 거대 종양으로 성장하는 빈도가 높고 흔히 종양 내 낭 형성을 하며 혈관과다(hypervascularity)인 경우가 많아 수술하기가 대단히 어렵다.[22]

증례 4-1

41세 된 여자 환자로 내원 2년 전부터 서서히 심해진 우측 청력 소실로 내원하였다. 내원 당시 두통, 청력 감소 및 안면 감각이상을 호소하였고 검사 상 우측 청력이 완전히 소실 되었고 삼차 신경 감각 감소 외에 다른 신경학적 결손은 없었다. MRI 검사에서 우측 소뇌 교각에 44.9 cm × 46.6 cm × 43.5 cm 크기의 다낭성(multicystic) 종양이 발견되었다(그림 4-2). T2 weighted image에서 종양-뇌간 간의 박리 면이 소실되어 있었고(그림 4-3) CT 검사에서는 내이도의 확장 소견이 없었다(그림 4-4). 종양이 소뇌 교각 보다는 추체 사대 부위(petroclival area)에 주로 위치하고 뇌간과의 유착 부위가 넓어, 안전한 수술을 위해서는 추체 사대 부위를 포함한 보다 광범위한 노출이 필요할 것으로 생각되어 extended translabyrinthine approach로 수술 방법을 결정하였다.

전신 마취 후 환자를 똑바로 눕히고 고개는 왼쪽으로 30° 돌렸으며 두정(vertex)은 바닥과 평행하게 하였다(그림 4-5). 이렇게 position을 잡은 이유는, translabyrinthine approach를 위한 mastoidectomy를 하기 위해서는 오른 쪽으로 약 10° 더 돌려 머리 위치를 20°로 하고, anterior petrosectomy를 위해서는 머리를 왼쪽으로 약 15° 더 돌려 위치를 45°로 맞추기 위해서였다. 머리의 위치를 45°로 하고 vertex를 바닥과 평행하게 하여야 anterior petrosectomy

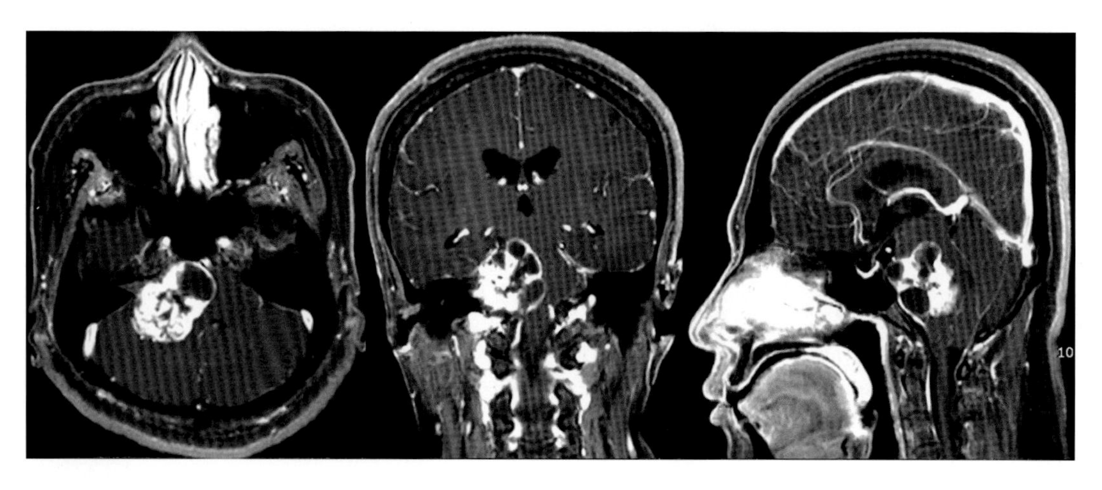

그림 4-2 Preoperative MRI

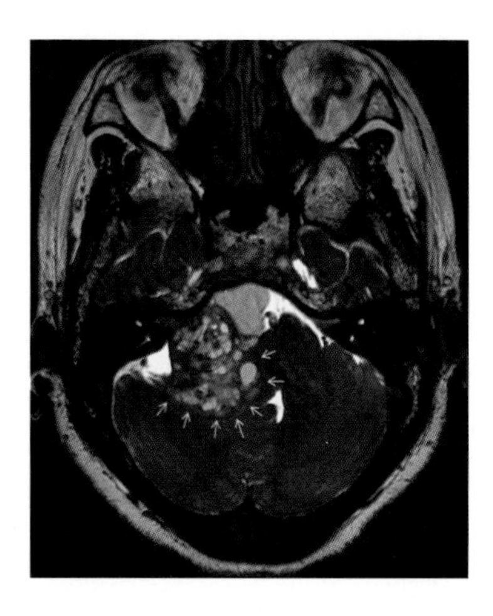

그림 4-3 T2 weighted image shows no arachnoidal dissection plane (yellow arrows)

증례 4-1 (계속)

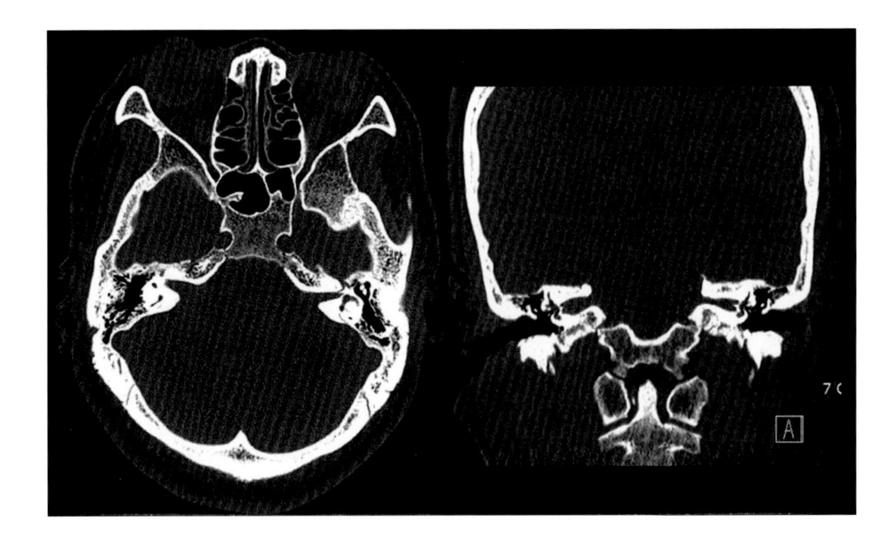

그림 4-4 Preoperative temporal bone CT shows no dilatation of IAC

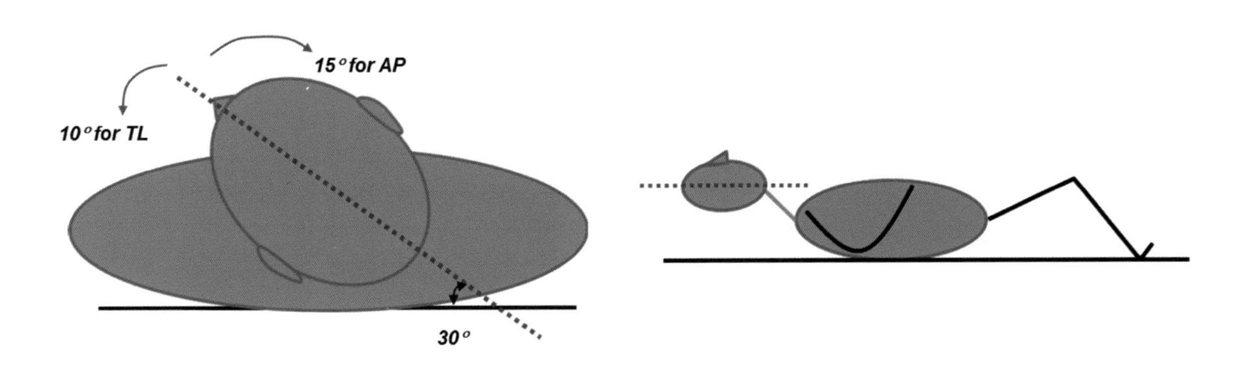

그림 4-5 **Patient is placed in supine position without vertex down.** Initial head position is contralateral rotation in 30° and the position is adjusted as ipsilateral 15° more for anterior petrosectomy and contralateral 10° more for mastoidectomy.

를 위한 지표(landmark)를 정확히 잡을 수 있고 편한 수술 자세에서 anterior petrosal surface를 잘 보며 수술할 수 있다(그림 4-6). 두피 절개는 coronal incision을 뒤로 연장하여 mastoid tip 아래 쪽까지 가도록 하였다(그림 4-7). Key burr hole과 함께 asterion과 squamosal-parietomastoid suture 접합부의 중간쯤에서 위로 약 5 mm 정도 되는 위치에 만든 burr hole을 이용하여 sigmoid sinus를 flanking하고 zygomatic osteotomy와 함께 fronto-temporo-occipital craniotomy를 시행하였다(그림 4-8). 머리 위치를 45°로 두고 cochlear line을 이용하여 anterior petrosectomy를 한 후(그림 4-9) 뒤쪽으로 translabyrinthine approach를 연장하여 extended translabyrinthine approach를 완성 하였다(그림 4-10). 경막 절개는 sigmoid sinus 앞에서, 이에 평행하게 절개하여 sinodural angle까지 연장하고, 다시 앞으로 superior petrosal sinus 아래의 subtentorial dura를 절개하여 inferior petrosal sinus까지 연장하였다. 앞쪽 경막 절개각에서 다시 앞쪽 위로 연장하여 porus trigeminus를 열었다(그림 4-11).

증례 4-1 (계속)

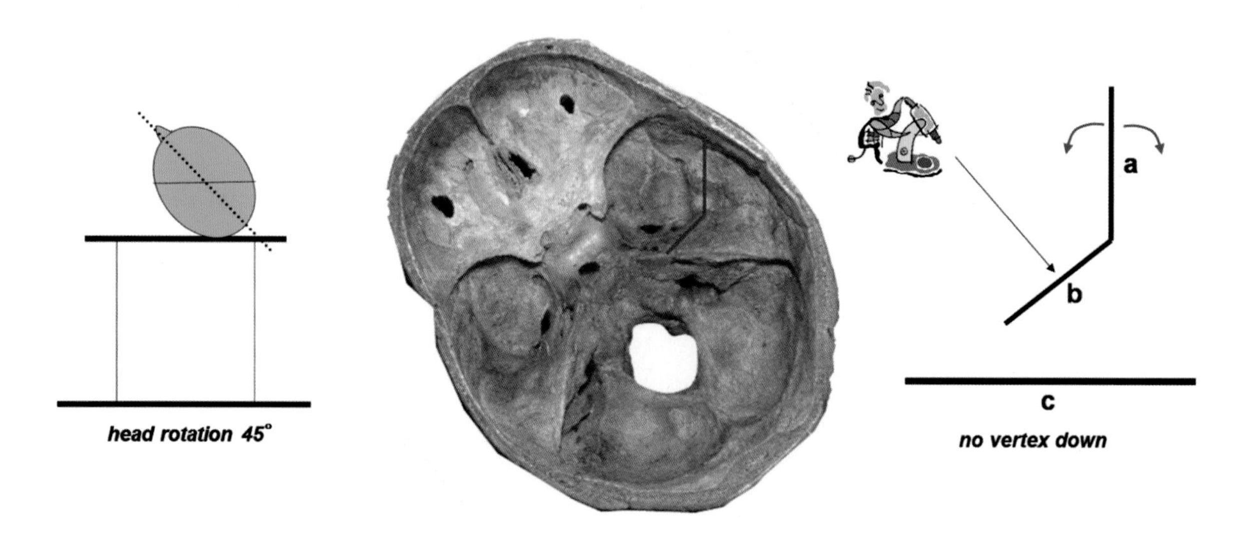

그림 4-6 For proper execution of anterior petrosal approach, head is rotated 45° contralaterally to make the petrous ridge parallel to the floor. And the vertex must not be down to see the anterior surface of the petrous bone in comfortable microscope angle.

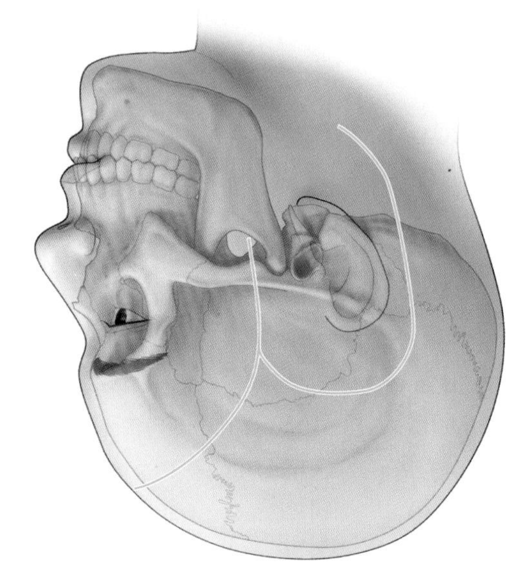

그림 4-7 Skin incision

증례 4-1 (계속)

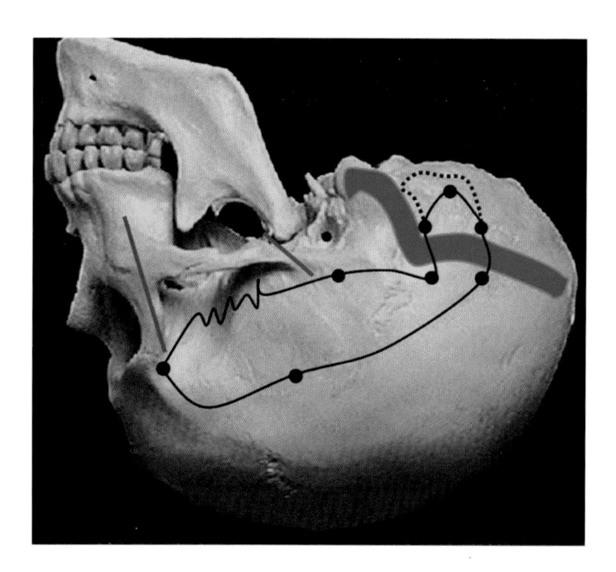

그림 4-8 **Craniotomy with zygomatic osteotomy is planned.** The burr hole flanking the lateral sinus is made 5 to 10 mm above the midpoint between the asterion and squamosal–parietomastoid suture junction.

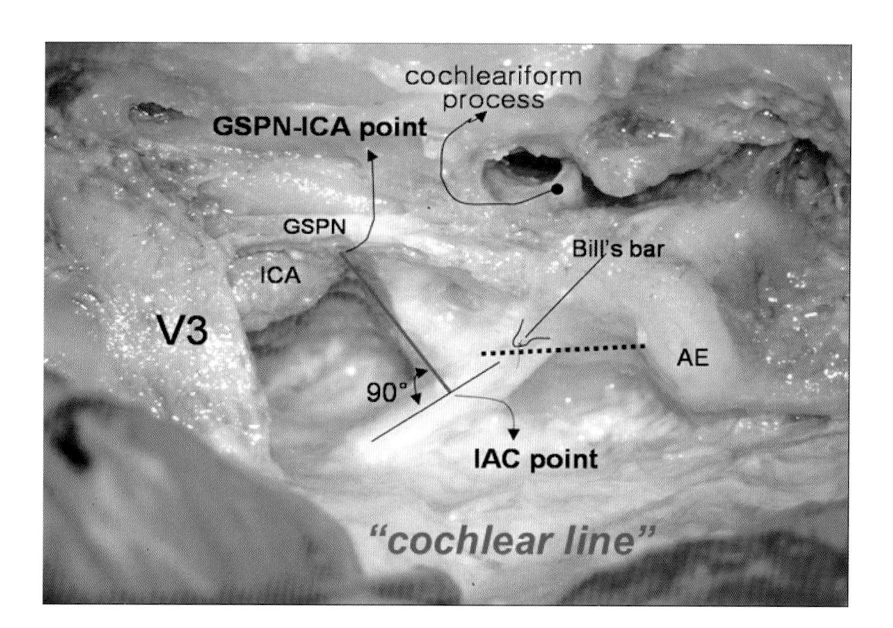

그림 4-9 **The cochlear line is a landmark line for maximum safe removal of anterior petrous bone preserving the cochlea.** It is the line drawn right angle from the point meeting the ICA and GSPN (GSPN–ICA point) to the line drawn over the apex of the IAC dura.

증례 4-1 (계속)

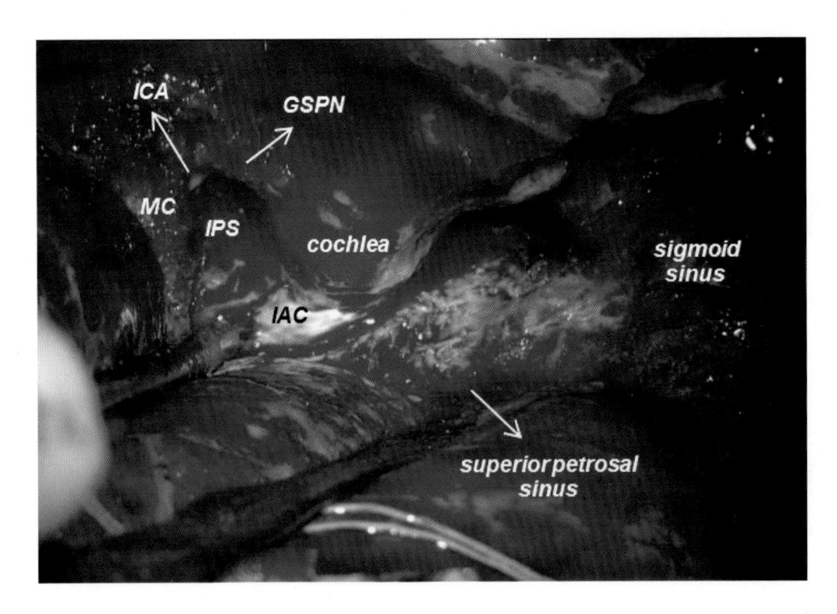

그림 4-10 Translabyrinthine approach is extended anteriorly by using the cochlear line

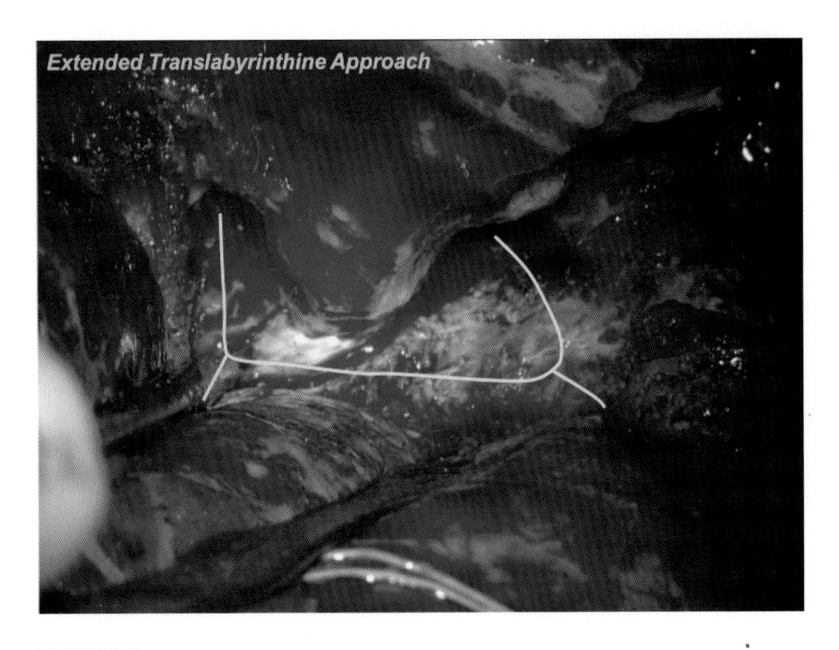

그림 4-11 Dural incision in extended translabyrinthine approach

증례 4-1 (계속)

우선 porus trigeminus를 열고 rostral tumor cyst를 노출(exposure)시켜 터뜨려서 종양을 감압(decompression)시켰다(그림 4-12). Brainstem perforator들을 종양으로부터 분리시키고(그림 4-13) 종양의 rostral part를 노출 시

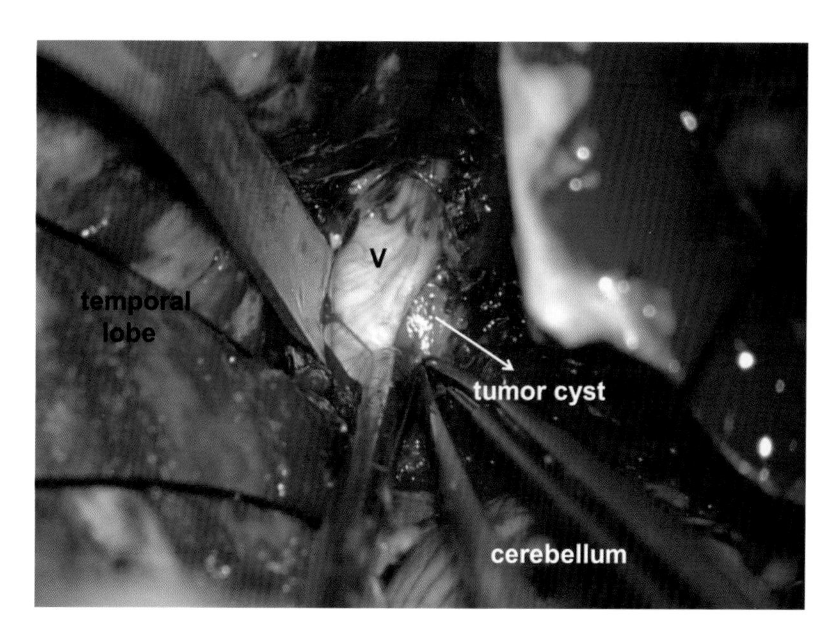

그림 4-12 In opening the dura, the porus trigeminus is opened exposing the trigeminal root and cystic part of the tumor under it.

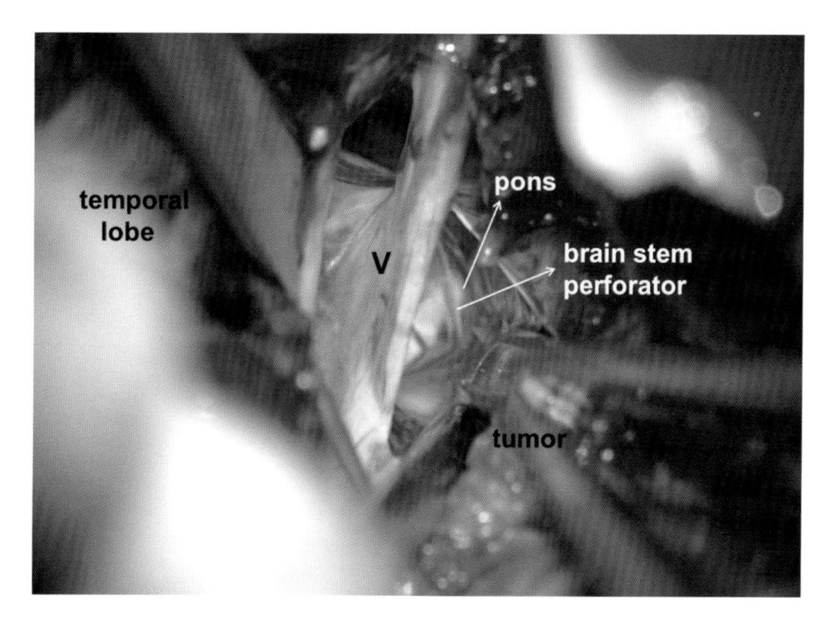

그림 4-13 After the cyst decompression, pons is exposed. The brainstem perforator is attached to the tumor which is carefully dissected and preserved.

증례 4-1 (계속)

켰다(그림 4−14). 종양의 전 dimension을 확인한 다음에(그림 4−15) 종양의 후 측면에서 안면신경 monitor로 안면 신경의 위치를 확인 하였다(그림 4−16). 이 환자의 안면신경 위치는 흔하지 않게 종양의 뒤쪽 상부에 위치하였다(그

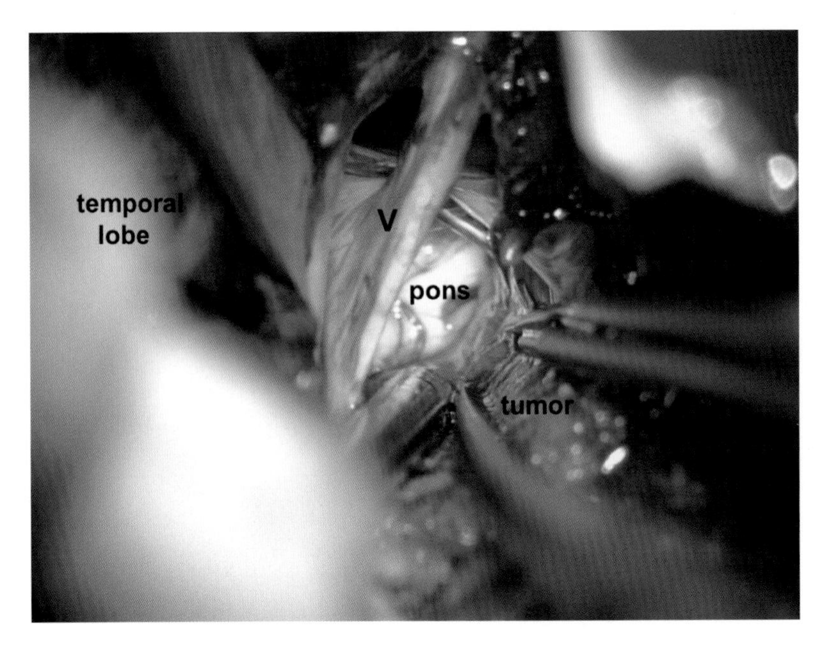

그림 4−14 Rostral part of tumor and its surroundings are widely exposed which enables the safe dissection of the widely adhered tumor to the brainstem and preservation of important neural structures.

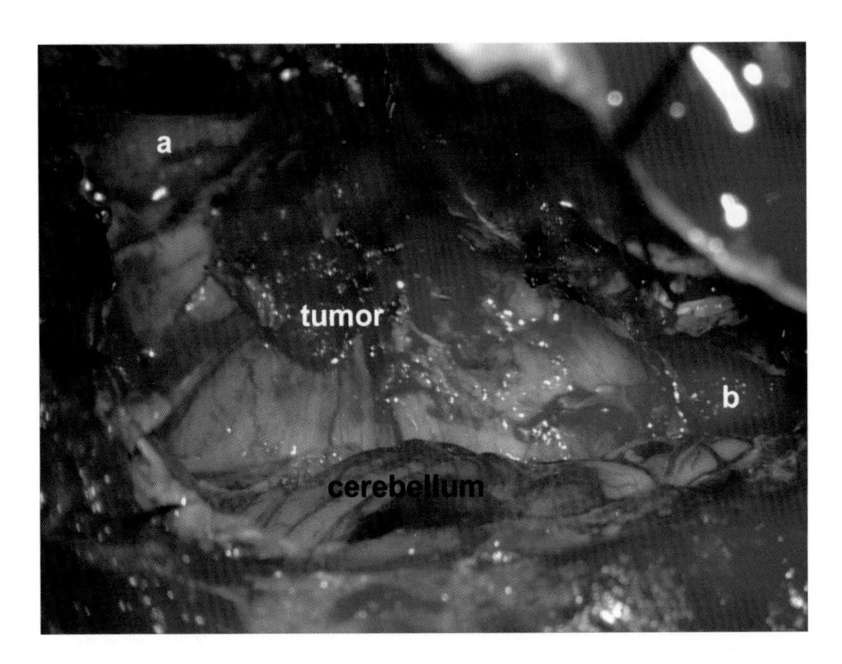

그림 4−15 Tumor is widely exposed. a & b: wet gelfoam is packed into the decompressed and dissected rostral and caudal part of the tumor, respectively.

증례 4-1 (계속)

림 4-17). 종양의 capsule을 소작시키고(그림 4-18) CUSA로 종양을 감압시켰다(그림 4-19). 안면신경을 주의하면서 종양의 감압과 제거(removal)를 조심스럽게 반복하여 중요 구조를 노출시키고 보전하였다. 종양의 caudal part

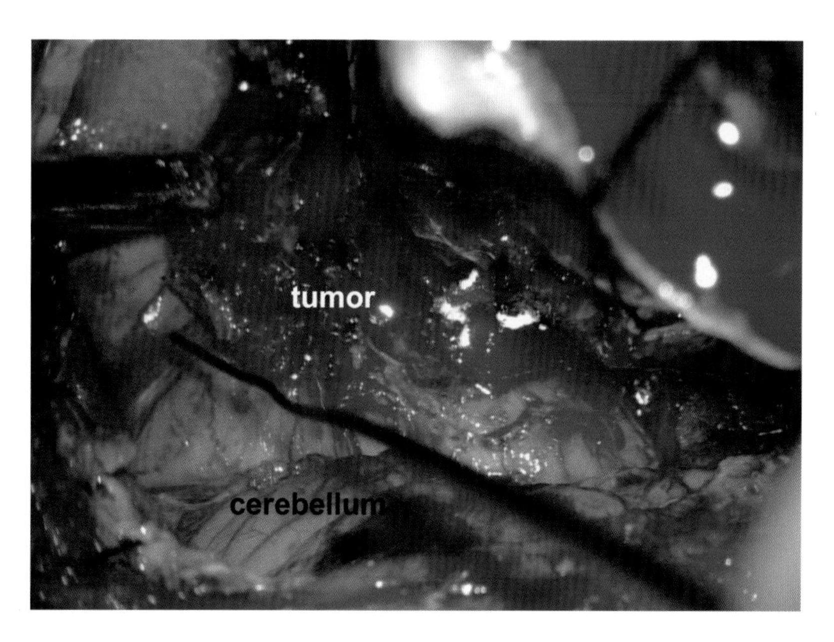

그림 4-16 **Facial nerve is monitored on the surface of the tumor.** The VII nerve is displaced posterorostrally which is unusual compared to common tumors. The pointing area of monitor is the area of response.

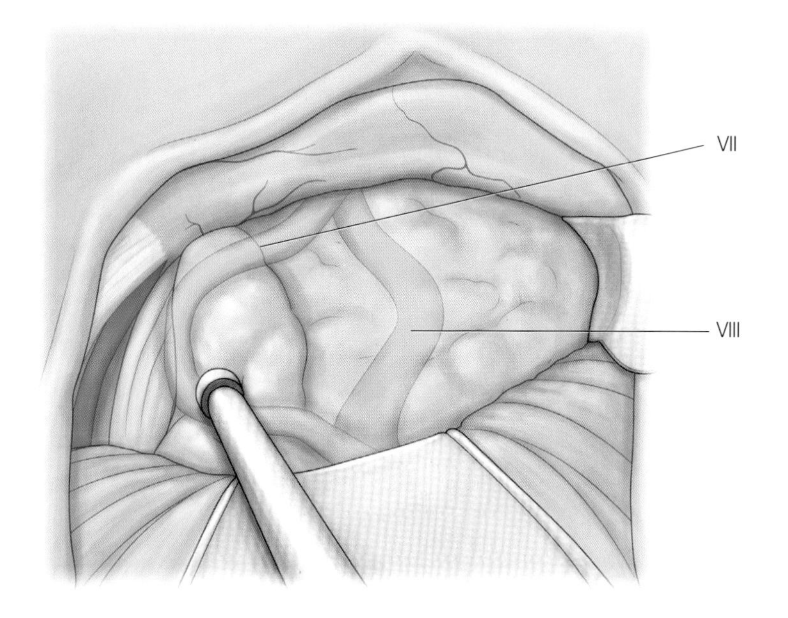

그림 4-17 Schematic drawing of facial nerve displacement in this patient

증례 4-1 (계속)

에서는 연수(medulla oblongata)와 하부뇌신경 (lower cranial nerves)을 박리하고 보전 시켰으며(그림 4-20) 종양의 rostral part에서는 V, VI 신경, 기저동맥, 뇌교를 확인하고 조심스럽게 보전시키며 종양제거를 계속하였다(그림

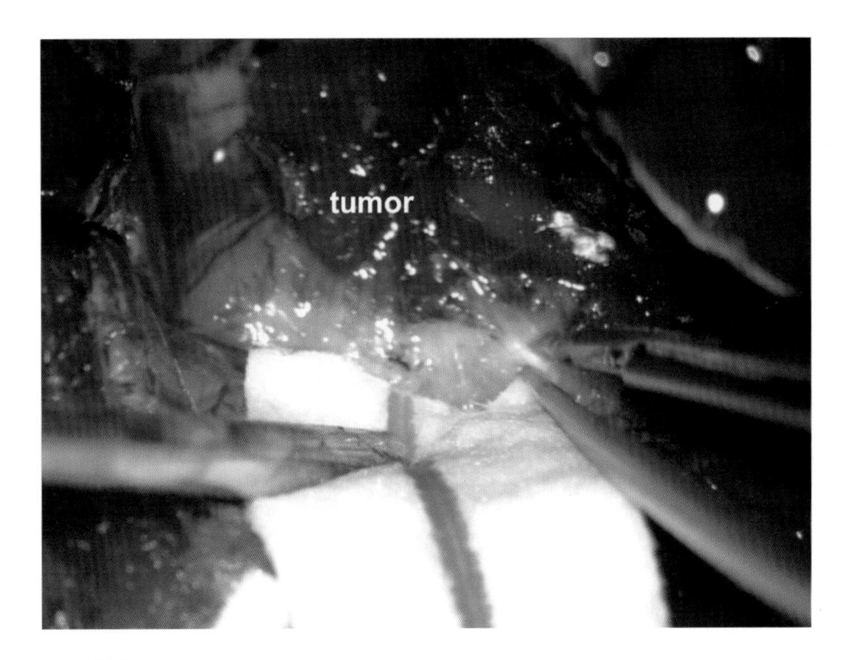

그림 4-18 The capsule is coagulated at the posterolateral part of tumor

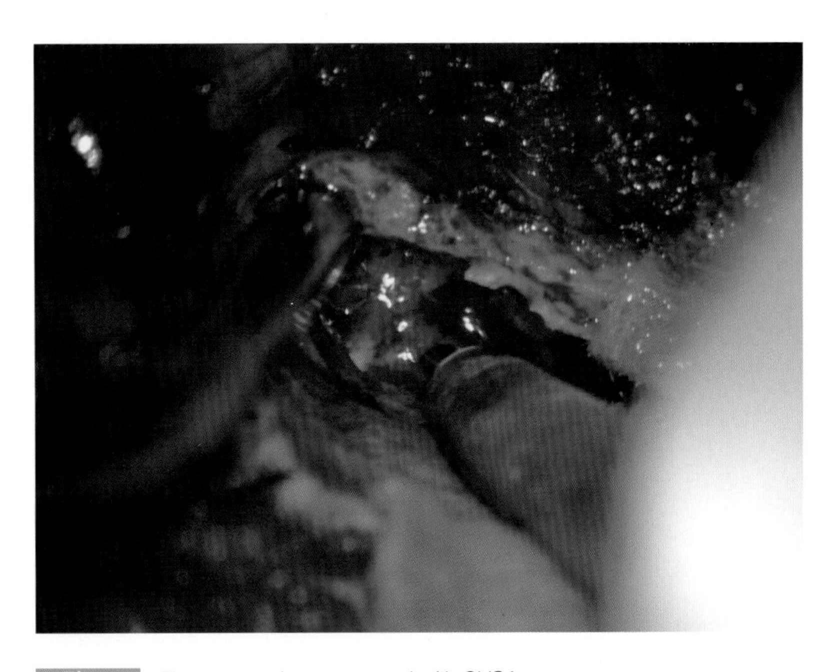

그림 4-19 Tumor was decompressed with CUSA

증례 4-1 (계속)

4-21). 안면신경의 기능적 보전을 목표로 하였기에 무리하게 종양과 박리하지 않았으며(그림 4-22) 박리 면이 불확실한 뇌간 부위의 종양도 무리하게 제거하지 않았다(그림 4-23). CSF leakage 방지를 위한 조치를 충분히 하고 수술

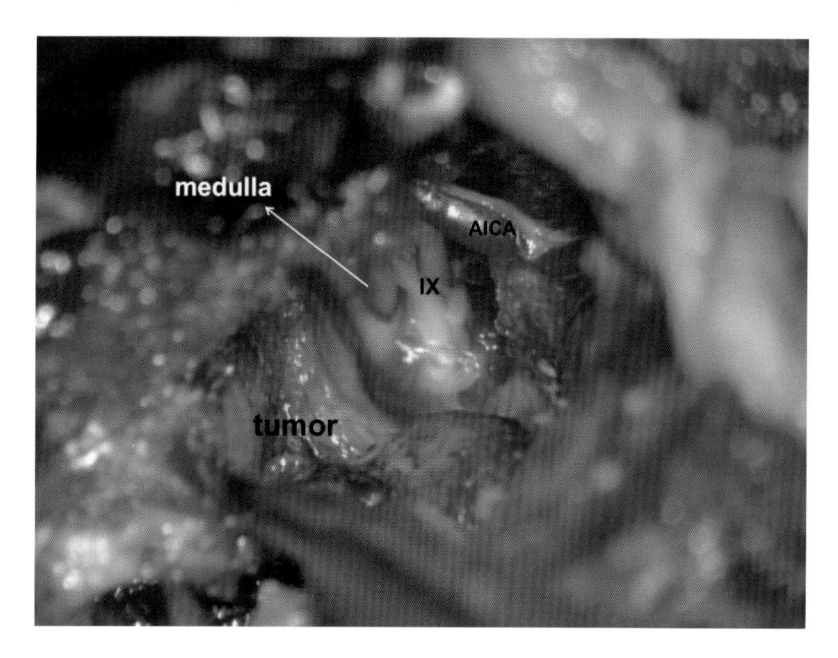

그림 4-20 After decompression and removal of the tumor, the caudal part of tumor is dissected away from the lower cranial nerves.

그림 4-21 Caudal part of tumor is removed remaining the adhered portion of the tumor to the medulla. VII nerve is in the tumor capsule. The rostral part of tumor is dissected away from the V and VI nerve, basilar artery and the pons.

증례 4-1 (계속)

그림 4-22 **Rostral and caudal parts of tumor are removed all except portions of the tumor adhering to the brainstem and VII nerve.** VII nerve is maintained in the tumor capsule. The decompression is demonstrated by passing the dissector under the VII nerve into the empty space where the tumor was residing.

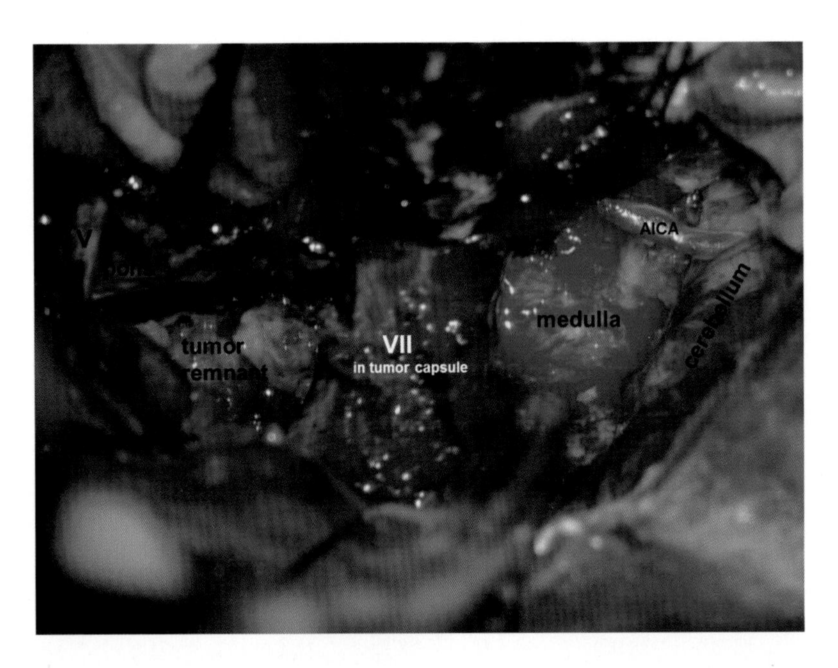

그림 4-23 **Final view of the decompressed tumor space.** VII nerve is preserved in the thin tumor capsule and thin sheath of adhered tumor is remained at the brainstem

증례 4-1 (계속)

을 마쳤다(그림 4-24). 수술 후 약한 HB II의 안면마비가 의심되었으나 한 달 내에 정상으로 돌아왔다(그림 4-25). 수술 후 즉시 찍은 MRI와 3달 후의 영상에서 잔존 종양은 안면신경과 뇌간을 따라 thin sheath로 남아 있는 NTR 이었으며(그림 4-26) 현재 7개월 째 추적관찰 중이나 재발의 징후는 없다.

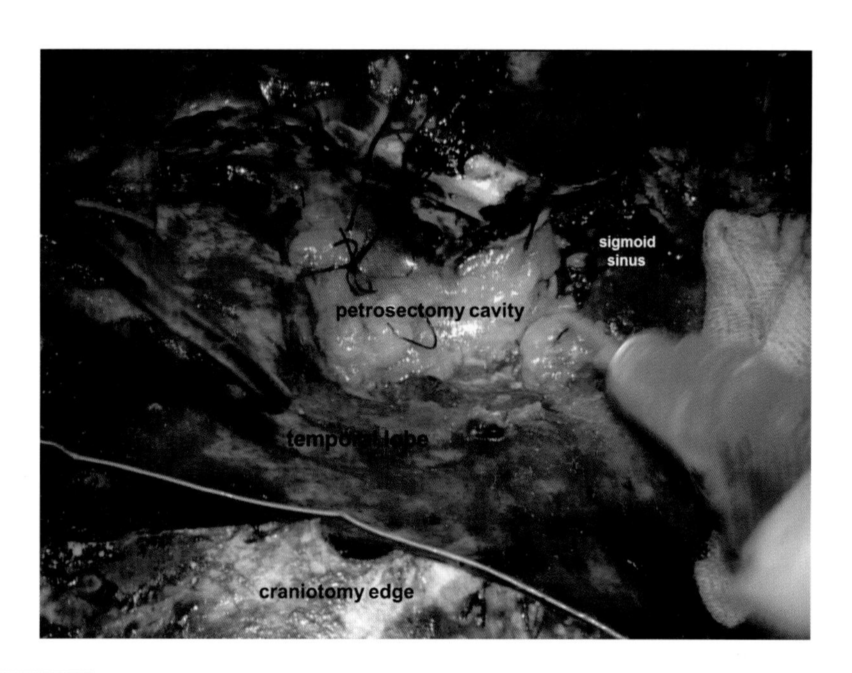

그림 4-24 The petrosectomy cavity is filled with fat and glue to prevent the CSF leakage

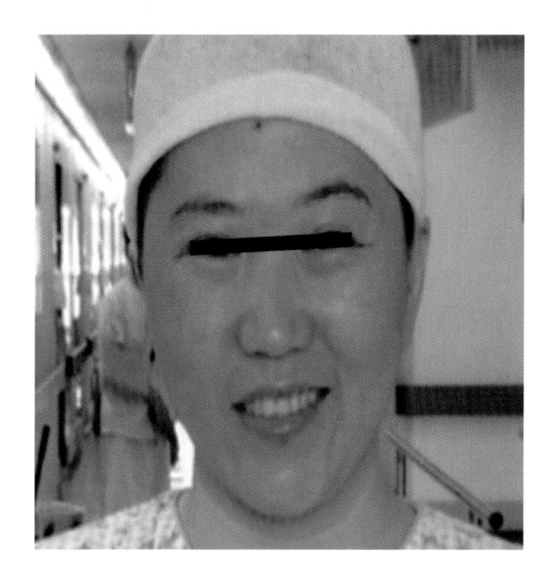

그림 4-25 HB II facial weakness after surgery which became HB I very soon.

증례 4-1 (계속)

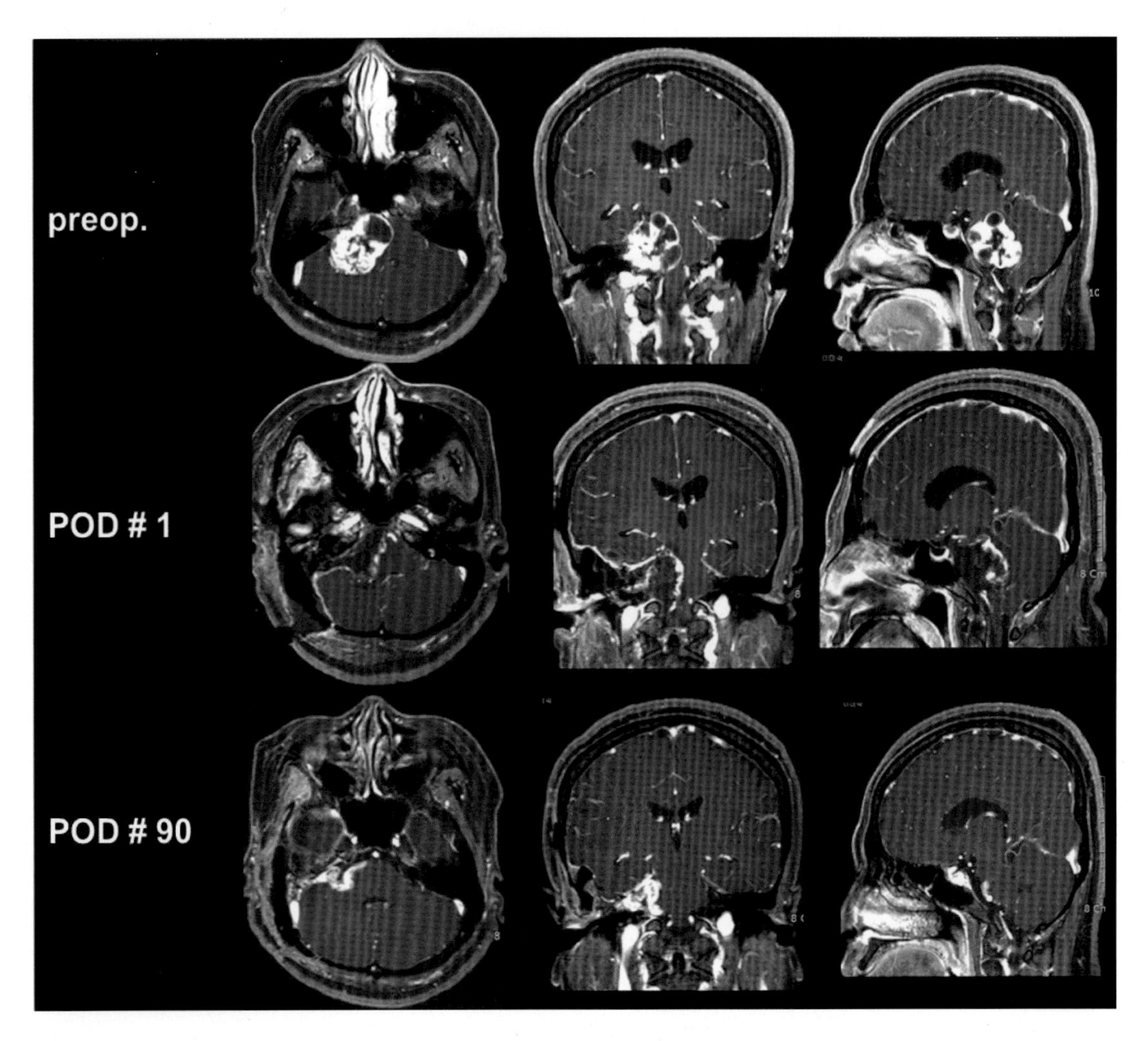

그림 4-26 Immediate postoperative MRI reveals enough decompression of tumor remaining only thin sheath of remnant tumor less than 5 mm in thickness which denotes the NTR. After 3 months, the thin sheath of tumor coalesced as if the thickened nerve.

증례 4-2

5세 된 여자 환자로 두통과 청력 소실을 주소로 내원하였다. 임상 검사상 청력 소실 외에는 특이소견 없었으며 MRI에서 56.4 cm × 50.1 cm × 34.6 cm의 거대 청신경 종양이 발견되었다(그림 4-27). CT 검사에서 내이도의 확장이 없어(그림 4-28) 내측 거대 청신경 종양으로 생각하고 extended translabyrinthine approach를 시행하였다. 조심스럽게 GTR을 시도하였으나 수술 중 뇌간 천공동맥의 손상으로 수술 후 좌 반신 부전마비가 발생하였다. 안면신경을 해부학적으로 보전하였지만 임상 결과는 HB IV로 나빠졌다. 수술 후 3달에 촬영한 MRI에서 GTR을 확인하였고(그림 4-29) 현재 재활 치료 중이며 반신마비에는 호전이 있으나 안면마비에는 큰 변화가 없다.

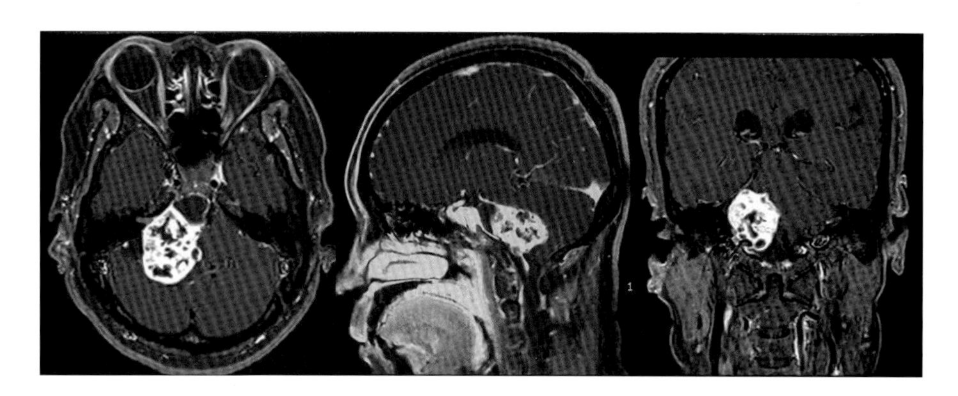

그림 4-27 Giant multicystic medial acoustic neuroma

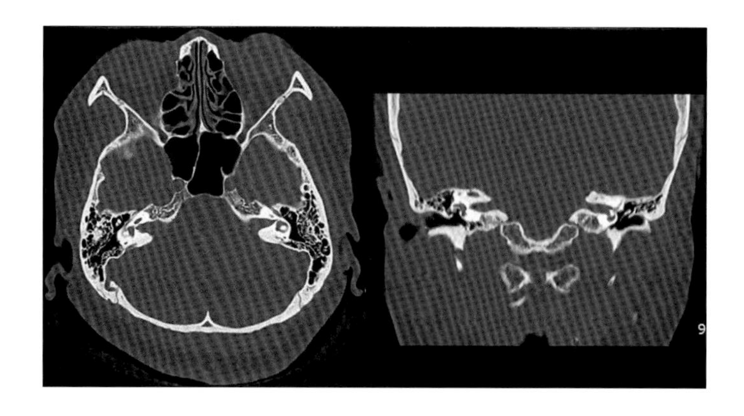

그림 4-28 Temporal bone CT reveals no IAC widening

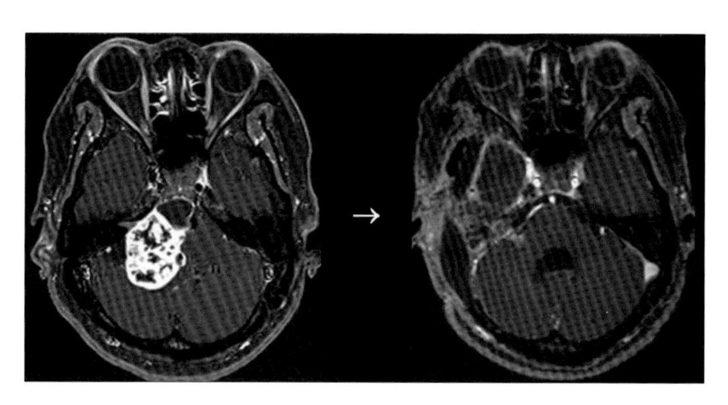

그림 4-29 MRI taken 3 months after re-moval of tumor, shows GTR

결론

거대 청신경 종양의 치료는 수술로부터 시작되어야 하겠다. 이 종양에 대한 최근의 관심사는 안면신경의 기능적 보존이다. GTR이냐 아니면 NTR이나 STR 등의 부분 적출이냐 하는 데는 아직 논란이 있다. 물론 모든 예에서 GTR을 시도하여야겠지만 dissection plane이 좋지 않은 경우에는 굳이 무리하지 않는 것이 좋을 듯 하다. 저자의 경험이나 최근의 문헌 보고들에 의하면 부분 적출 후의 안면 기능의 예후는 GTR 때보다 훨씬 좋다. 부분 적출 후 잔여 종양의 예후도 그렇게 나쁘지 않은 것으로 보고[20,21]되고 있는 것으로 봐서 부분 적출 후에 추적 관찰을 하거나 필요할 때 방사선수술을 시행하는 것도 나쁘지 않은 치료 방안일 수 있겠다.

거대 청신경 종양의 수술에서 내측 청신경 종양(medial acoustic neuroma : MAN)의 인지 여부는 수술의 예후에 영향을 줄 수 있으리라고 생각된다. 흔치 않은 종양이기는 하나 거대 MAN을 만났을 때는 종양-뇌간 간 또는 종양-안면신경 간의 유착이 심할 것이라는 것을 고려해야 하고 과다 출혈이나 안면신경의 비정상적 전이(displacement)도 염두에 두어야 하겠다. 수술의 방법은 개인적인 경험이나 익숙한 정도에 따라 결정해야 할 문제이다.[3] 다만 MAN이 의심될 때는 유착이나 출혈 등 보통의 초종보다는 비 정의적 주변상황일 경우가 많을 것으로 예측되므로 될 수 있으면 넓은 시야에서 수술할 수 있는 방법을 모색해 보는 것이 좋겠다. 두개저 수술법도 좋은 적응증이 되리라고 생각된다.

참고문헌

1. Yashar, P., et al., Extent of resection and early postoperative outcomes following removal of cystic vestibular schwannomas: surgical experience over a decade and review of the literature. Neurosurg Focus, 2012. 33(3): p. E13.
2. Patel, J., et al., The changing face of acoustic neuroma management in the USA: analysis of the 1998 and 2008 patient surveys from the acoustic neuroma association. Br J Neurosurg, 2014. 28(1): p. 20-4.
3. Rivas, A., et al., A model for early prediction of facial nerve recovery after vestibular schwannoma surgery. Otol Neurotol, 2011. 32(5): p. 826-33.
4. Nakatomi, H., et al., Improved preservation of function during acoustic neuroma surgery. J Neurosurg, 2014: p. 1-10.
5. Brokinkel, B., et al., Gamma Knife radiosurgery following subtotal resection provides tumor growth control and excellent clinical outcomes in vestibular schwannoma. J Clin Neurosci, 2014.
6. Raftopoulos, C., et al., Microsurgical results with large vestibular schwannomas with preservation of facial and cochlear nerve function as the primary aim. Acta Neurochir (Wien), 2005. 147(7): p. 697-706; discussion 706.
7. Yamakami, I., S. Ito, and Y. Higuchi, Retrosigmoid removal of small acoustic neuroma: curative tumor removal with preservation of function. J Neurosurg, 2014. 121(3): p. 554-63.
8. Zou, P., et al., Functional outcome and postoperative complications after the microsurgical removal of large vestibular schwannomas via the retrosigmoid approach: a meta-analysis. Neurosurg Rev, 2014. 37(1): p. 15-21.
9. Chen, Z., et al., The behavior of residual tumors and facial nerve outcomes after incomplete excision of vestibular schwannomas. J Neurosurg, 2014. 120(6): p. 1278-87.
10. Lemee, J.M., et al., Post-surgical vestibular schwannoma remnant tumors: What to do? Neurochirurgie, 2014. 60(5): p. 205-15.
11. Anaizi, A., et al., Facial Nerve Preservation Surgery for Koos Grade 3 and 4 Vestibular Schwannomas. Neurosurgery, 2014.
12. Samii, M., V.M. Gerganov, and A. Samii, Functional outcome after complete surgical removal of giant vestibular schwannomas. J Neurosurg, 2010. 112(4): p. 860-7.
13. Silva, J., et al., Surgical removal of giant acoustic neuromas. World Neurosurg, 2012. 77(5-6): p. 731-5.
14. Mehrotra, N., et al., Giant vestibular schwannomas: focusing on the differences between the solid and the cystic variants. Br J Neurosurg, 2008. 22(4): p. 550-6.
15. Xia, L., et al., Fluid-fluid level in cystic vestibular schwannoma: a predictor of peritumoral adhesion. J Neurosurg, 2014. 120(1): p. 197-206.
16. Angeli, R.D., et al., Enlarged translabyrinthine approach with transapical extension in the management of giant vestibular schwannomas: personal experience and review of literature. Otol Neurotol, 2011. 32(1): p. 125-31.
17. Kulwin, C.G. and A.A. Cohen-Gadol, Technical nuances of resection of giant (> 5 cm) vestibular schwannomas: pearls for success. Neurosurg Focus, 2012. 33(3): p. E15.
18. Sanna, M., et al., Transapical extension in difficult cerebellopontine angle tumors. Ann Otol Rhinol Laryngol, 2004. 113(8): p. 676-82.
19. Haque, R., et al., Efficacy of facial nerve-sparing approach in patients with vestibular schwannomas. J Neurosurg, 2011. 115(5): p. 917-23.
20. Hahn, C.H., S.E. Stangerup, and P. Caye-Thomasen, Residual tumour after vestibular schwannoma surgery. J Laryngol Otol, 2013. 127(6): p. 568-73.
21. Morcos, J.J., Vestibular schwannomas. J Neurosurg, 2013. 118(3): p. 550-3; discussion 553-6.
22. Dunn, I.F., et al., Medial acoustic neuromas: clinical and surgical implications. J Neurosurg, 2014. 120(5): p. 1095-104.
23. Strauss, C., et al., Hearing preservation in medial vestibular schwannomas. J Neurosurg, 2008. 109(1): p. 70-6.
24. Lescanne, E., et al., Vestibular schwannoma: dissection of the tumor and arachnoidal duplication. Otol Neurotol, 2008. 29(7): p. 989-94.
25. Talfer, S., et al., Surgical treatment of large vestibular schwannomas (stages III and IV). Eur Ann Otorhinolaryngol Head Neck Dis, 2010. 127(2): p. 63-9.

CHAPTER 05

거대 청신경 종양 수술례

Acoustic neuroma with cerebellopontine angle and supratentorial extension with severe displace the brain stem

홍창기, 이규성

서론

거대 청신경 종양은 수술적으로 제거하기 매우 어려운 종양 중 하나이다. 거대 청신경 종양은 청신경 증상뿐만 아니라 안면신경 그리고 하위뇌신경 증상까지 일으킬 수 있고 뇌간 압박증상 또는 뇌압상승 소견까지 유발할 수 있다. 거대 청신경 종양의 치료는 수술적으로 완전 절제를 하거나 부분 절제를 한 후 방사선수술하는 방법이 있다. 환자의 삶의 질을 향상시키기 위해 부분 절제 후 방사선수술을 하는 경향이 점차로 늘고 있으나 완전 절제만이 거대 청신경 종양을 완치시킬 수 있는 유일한 치료 방법이다. 이러한 청신경 종양을 제거하기 위한 수술적 접근법은 매우 다양하며 여러 가지 요인을 고려하여 수술 접근법을 선택하게 된다. 환자의 나이, 내과적 상태, 청력의 손상 정도, 종양의 크기, 성장 방향 등을 고려해야 하는데 이중에서도 청신경 종양의 크기와 성장 방향은 매우 중요한 요소이다. 종양의 크기는 환자의 예후와 functional outcome을 결정하는 중요한 예후인자 중 하나이다.

Donlin M. Long 등은 청신경 종양을 크기에 따라 3등급으로 나눴는데 Grade I은 2.5 cm 이하, Grade II는 2.5~4 cm, Grade III는 4 cm 이상으로 분류를 하였다. Koos[1] 등은 종양의 크기를 내이도를 침범한 정도에 따라 4등급으로 분류하였고(표 5-1) Samii M.[2] 등은 종양의 크기와 침범한 정도에 따라 4단계로 분류하였다(표 5-2). 크기가 큰 청신경 종양은 대부분 retrosigmoid lateral suboccipital approach로 제거할 수 있으며 4 cm가 넘어가는 거대 청신경 종양도 retrosigmoid lateral suboccipital approach로 접근하여 제거할 수 있다. 하지만 거대 청신경 종양이 뇌간 쪽으로 커지게 되면 retrosigmoid approach만으로는 제거하기 위험하다. 종양을 노출시켜 제거하기 위해서는 소뇌를 많이 견인해야 하는 위험이 따르기 때문이다. 종양 주변의 뇌수조에서 뇌척수액을 배액시킨다 하더라도 소뇌를 견인하는 것을 피하기 어렵다. 그러므로 위의 두 분류에서 종양의 크기가 4 cm이거나 T4B이면서 종양의 성장 방향이 뇌간을 향해

표 5-1 청신경 종양의 크기와 확장에 따른 Koos 등급표[1]

Grade	Tumor size and extension
Grade I	Intracanalicular tumor with a longitudinal diameter of 1~10 mm
Grade II	Intracanalicular and intracisternal tumor with a longitudinal diameter up to 20 mm
Grade III	Intrameatal and intracisternal tumor with a longitudinal diameter up to 30 mm
Grade IV	Intrameatal and intracisternal tumor with a longitudinal diameter more than 30 mm

표 5-2 청신경 종양 확장에 따른 Hannover 분류 시스템[2]

Class	Tumor size and extension
T1	Intrameatal tumor
T2	Intrameatal and extrameatal tumor
T3A	Tumor filling the cerebellopontine cistern
T3B	Tumor reaching the brainstem
T4A	Tumor compressing the brainstem
T4B	Tumor severely displacing the brainstem and compressing the fourth ventricle

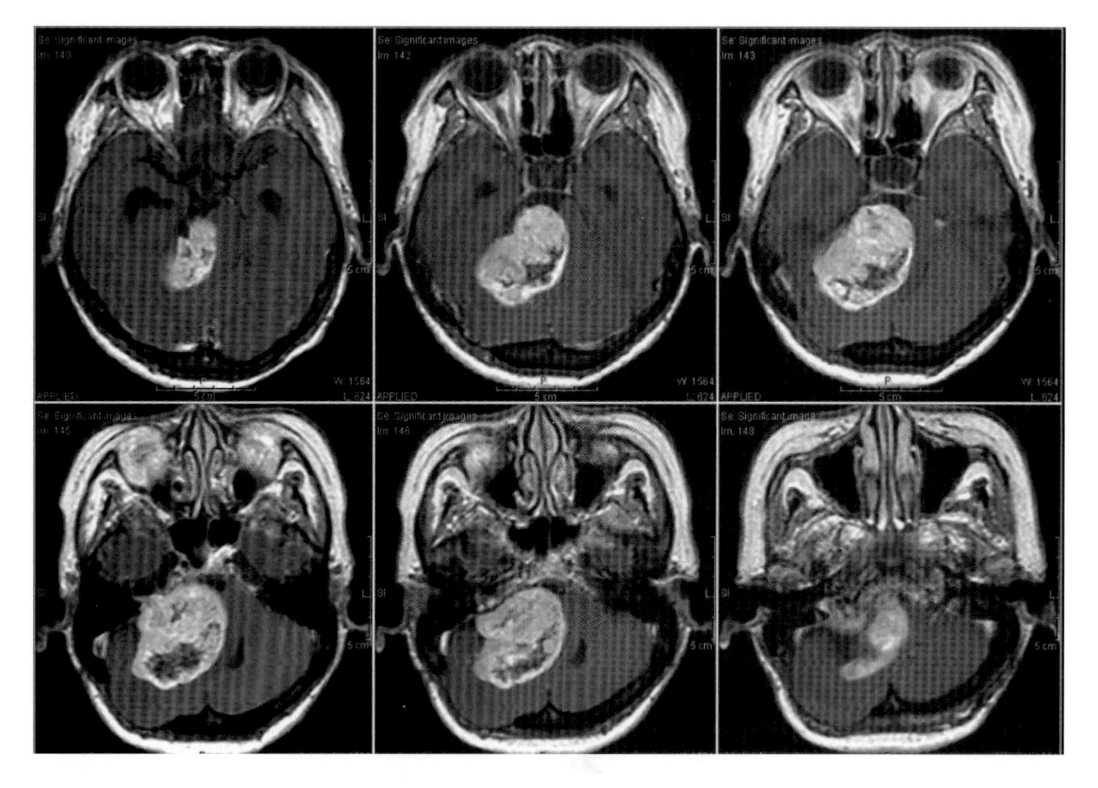

그림 5-1

중심 쪽으로 자라면 presigmoid approach를 동반하는 것이 좋다. 같은 크기의 종양이라 할지라도 이렇게 뇌간 쪽으로 커지며 소뇌에 의해 둘러 싸이게 되면 일반적인 retrosigmoid approach로 접근하기에는 한계가 있다(그림 5-1). 그림 5-1에서는 보는 것처럼 뇌간으로 자라게 되면 소뇌를 많이 견인해야 하는 위험을 감수하기 보다는 presigmoid approach로 종양을 debulking 한 후 뇌간과 종양이 접한 면을 먼저 제거하는 것이 안전하다. 이렇게 종양의 위 부분을 제거한 뒤 아래쪽으로 extension 된 부분은 retrosigmoid approach를 통해 제거하면 된다. Quinones-Hinojosa[3] 등은 4 cm 넘는 거대 청신경 종양을 extended retrosigmoid approach로 접근하여 제거하였고 그 결과가 매우 좋음을 보고하였다. Extended retrosigmoid approach는 sigmoid sinus를 skeletonization 시킨 뒤 골편을 완전히 제거하여 sinus를 노출시켜 좀더 외측으로 견인할 수 있도록 하는 것이다(그림 5-2). 이렇게 하면 좀 더 넓은 시야를 확보할 수 있을뿐 아니라 소뇌의 견인을 최소화할 수 있는 장점이 있다. 하

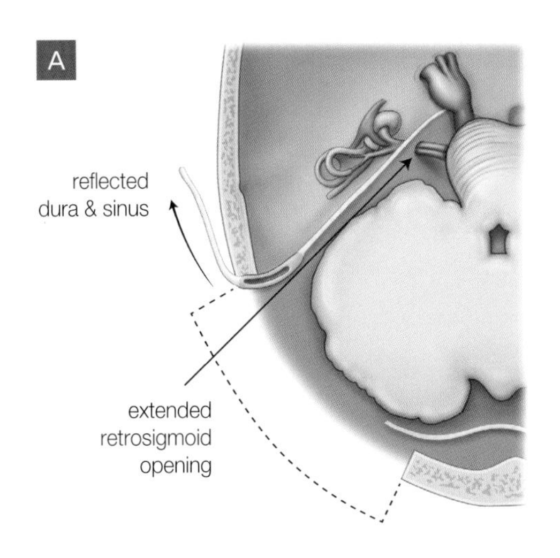

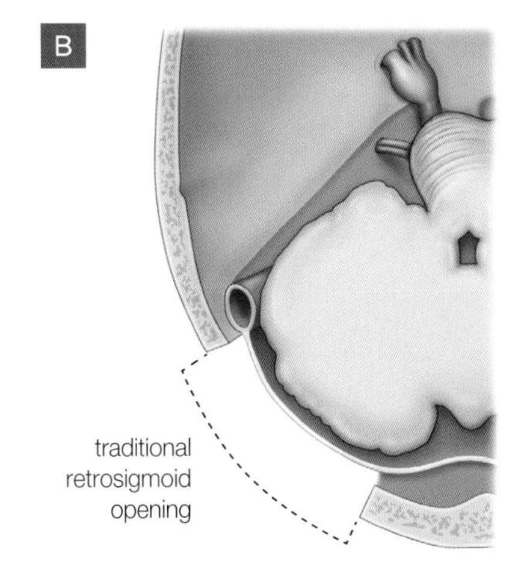

그림 5-2

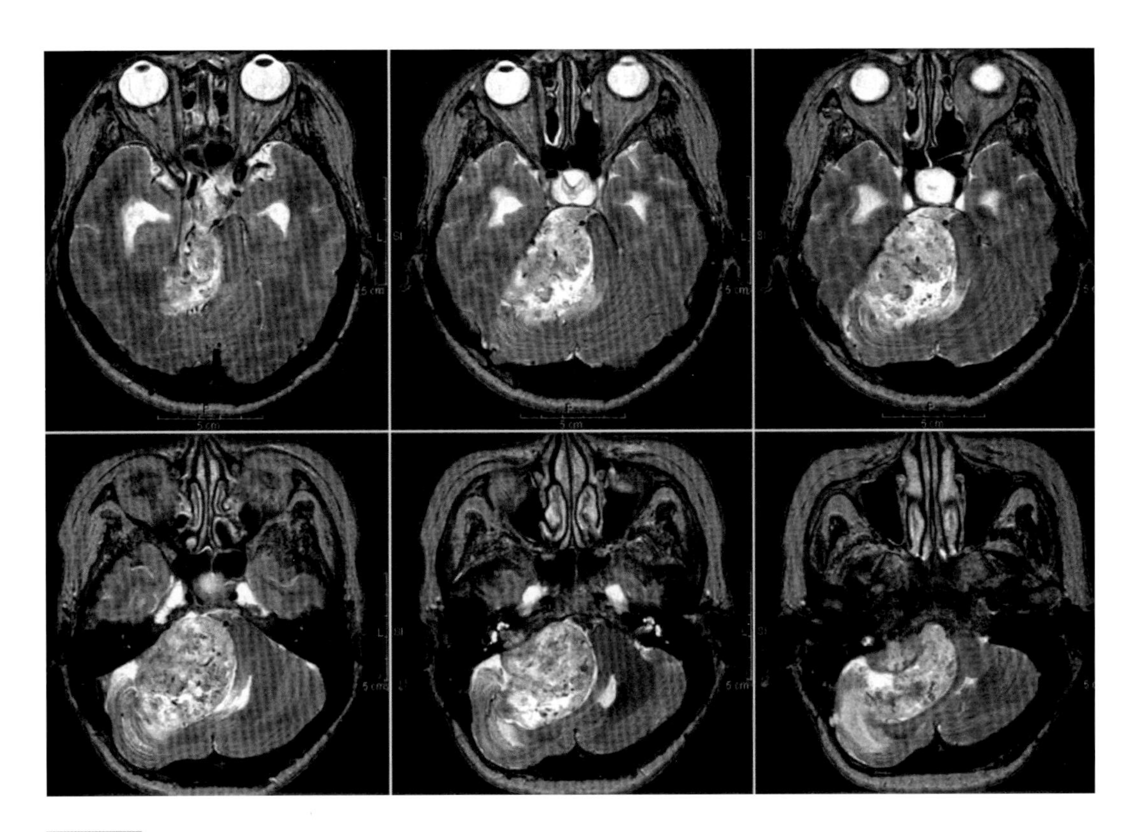

그림 5-3

지만 역시 뇌간쪽으로 커지며 tentorium으로 많이 올라간 종양에는 retrosigmoid approach의 단점이 그대로 적용된다. 다음 증례는 장축의 길이가 6 cm에 이르며 천막을 밀고 상당히 윗부분까지 종양이 올라가 있고 종양이 cerebellar convexity로 나와 있는 것이 아니라 뇌간 쪽으로 자라 뇌간을 압박하고 있다. 이러한 경우 일반적인 retrosigmoid approach로 접근할 경우 뇌척수액을 배액 시킨다 하여도 소뇌를 상당히 많이 견인해야 한다. 그림 5-3에서 보이는 것처럼 소뇌부종까지 동반된 경우 수술 공간을 확보하기가 더 어려워진다. 소뇌를 견인한다 해도 종양과 뇌간이 접한 면을 확인하기가 쉽지 않다. 수술 후 소뇌부종이나 출혈이 발생할 수 있는 가

증례 5-1

44세 여자 환자로 점점 진행하는 청력감소, 안면 감각 이상과 보행장해를 주소로 타 병원에서 전원 되었다. 환자는 수년 전부터 청력 소실이 있었으나 특별한 검사나 치료는 하지 않았고 최근 ataxia, facial pain 그리고 House-Brackman grade II의 안면마비도 동반되어 병원을 방문하게 되었다. 수술 전 안면신경전도 검사에서 80%로 감소된 소견을 보이고 있었으며 speech discrimination과 pure tone audiometry에서 80 DB의 청력저하를 보이고 있었다. MRI에서 6 cm에 이르는 종괴가 소뇌교각부에 있어 뇌교를 심하게 편위 시키고 있었다. 또한 천막을 위로 밀고 있었다(그림 5-3). 종양의 크기가 크지만 낭종성 병변을 포함하고 있으며 내이도를 확장시키고 있어 청신경 종양을 진단하기는 어렵지 않았다.

1. 수술 전 평가(Preoperative Evaluation)

청신경 종양을 수술을 위해서는 speech discrimination, pure tone audiometry, brainstem auditory evoked potentials (BAEPs) 등의 뇌신경 검사와 CT, MRI 같은 방사선 검사가 모두 중요하다. 1 mm 단층의 고해상도 CT는 jugular bulb의 높이뿐 아니라 labyrinth와 lymphatic duct 등의 위치를 알 수 있어 도움이 된다. 3등급 이상의 큰 청신경 종양이 뇌교를 압박하고 있을 때 MRI T2 영상에서 얻을 수 있는 정보가 많다. 조영 증강된 MRI보다 주위 혈관과의 관계를 확인하기가 쉬우며 소뇌와 뇌간의 부종 확인에도 도움이 된다. 최근에는 MRI proton density를 많이 활용하며 뇌신경을 확인하는데 특히 유용하다. 이미 뇌교와 소뇌에 부종이 와 있는 경우는 수술 후에도 부종이 지속되거나 심화될 수 있어 특히 주의를 기울여야 한다. 이러한 경우 수술 전에 마니톨, 스테로이드 등을 이용하여 뇌압강하 및 부종감소를 위한 치료를 한 뒤 수술하는 것도 좋은 방법이다. cerebral angiography는 뇌수막종과 달리 청신경 종양에서는 필수적인 검사는 아니나 종양이 클 경우에는 추골동맥과 PICA, AICA 등의 관계를 보는데 도움이 될 수 있다.

2. 접근(Approach)

본 증례에서는 전술한 바와 같이 종양이 소뇌 피질에 덮히면서 뇌간을 누르며 중심부로 자라있어 presigmoid route로 접근하여 소뇌를 견인하지 않고도 종양을 debulking 할 수 있었다. 뇌간에 인접한 종양과 천막으로 확장된 종양을 제거한 뒤 다시 retrosigmoid approach를 병행하여 하위 뇌신경쪽으로 확장된 종양을 제거하였고 내이도를 드릴하여 열고 종양의 시작 부위까지 모두 제거 하였다.

1) 술식(Surgical procedure)

(1) 환자의 자세(Position)

환자의 수술 position은 modified park bench position을 한 뒤 머리는 유양돌기가 가장 높게 위치하게 한 뒤 어깨를 좀 더 앞쪽으로 회전시킨다. 이렇게 해야만 retrosigmoid approach로 제거할 때 술자의 손이 어깨에 걸리지 않고 자유롭게 수술을 진행할 수 있다. 종양이 tentorium쪽으로 많이 올라가 있기 때문에 retrosigmoid approach만으로 수술할 때는 목을 굴곡을 시키는 것이 유리하므로 환자의 머리를 가슴 쪽으로 flexion을 시킨다. 과도하게 목을 굴곡시키면 airway pressure가 올라가고 venous return이 안 되어 수술 시 뇌부종이 진행되어 위험할 수 있다. 심지어는 종양이 연수를 압박하여 신경학적 결손을 유발할 수도 있다. 하지만 presigmoid approach를 병행하므로 환자의 목을 많이 굴곡 시키지 않아도 천막에 있는 부분의 종양을 어렵지 않게 제거할 수 있다. 환자의 뒤쪽에서 봤을 때 경추 배열이 아래쪽으로 너무 쳐지지 않게 spinous process의 연장선과 inion이 일치하도록 해준다. 이러한 자세를 수술 전 병실에서 환자에게 취해보도록 하는 것도 좋은 방법이다. 같은 자세를 취한 상태에서 정맥압이 올라가지는 않는지,

증례 5-1 (계속)

신경학적 증상이 악화되는지를 관찰해 보는 것이다. 종양이 tentorium쪽으로 많이 올라가 있으므로 vertex를 조금 다운시키는 것이 종양의 위쪽 경계를 확인하는데 유리하다. 수술을 시작하기 전에 intraoperative monitoring에서 amplitude가 감소하지 않는지 확인한 후 수술하는 것이 좋다. 종양이 커서 목을 굴곡 시키는 것만으로도 뇌간에 대한 압박이 증가할 수 있기 때문이다.

(2) 피부 절개(Skin incision)

Skin incision은 presigmoid route와 retrosigmoid route를 모두 이용해야 하므로 zygoma의 중간에서부터 귀 위를 감싸고 retroauricular sulcus에서 후방 4~5 cm 뒤쪽으로 해서 S 모양으로 midline 쪽으로 절개한다(그림 5-2). 피부 절개 후 측두근막을 가능한 크게 얻어 나중에 경막 봉합 후 뇌척수액 누출 예방을 위해 사용한다. 후경부 근육을 layer by layer로 박리하여 가능한 넓은 부위의 후두개골을 노출한다.

(3) 개두술과 유돌절제술(Craniotomy and mastoidectomy)

먼저 유양돌기의 함기화 세포를 완전히 제거하여 presigmoid dura와 sinudural angle을 노출 시킨다. Transverse sinus와 sigmoid sinus는 골격화 시켜서 노출시킨다. Lateral suboccipital bone은 외측은 sigmoid sinus까지 아래쪽은 foramen magnum까지 연장하여 골편을 제거한다. 골편을 제거한 뒤 foramen magnum의 cistern에서 CSF를 누출시켜 brain을 relaxation 시킨다. retrosigmoid approach를 할 때 sinus의 손상을 줄까 두려워 craniotomy를 너무 적게 하면 그림 5-4처럼 소뇌 노출면이 작아지게 되어 소뇌를 더욱 많이 견인해야 한다(그림 5-4). 그러므로 sinus가 노출되도록 craniotomy를 충분히 한다. 그림 5-4는 잘못된 수술례로 종양을 거의 제거하지 못했다.

(4) 종양의 제거와 안면신경박리(Tumor removal and facial nerve dissection)

오랜 기간 동안 종양에 눌려 있던 뇌신경과 뇌 피질은 매우 약해져 있기 때문에 세심한 조작이 필요하다. 특히 안면신경은 종양에 눌려 매우 가늘어진 채로 부챗살 모양으로 펼쳐지며 위축이 오게 된다. 그러므로 약간의 조작에 의해서도 기능이 저하될 수 있으므로 박리할 때 더욱 주의를 기울여야 한다. 뇌압이 상승되거나 뇌수두증이 동반되어 있는 경우는 대후두공에서 뇌척수액을 배액 시키는 것이 우선되어야 한다. 이를 통해 소뇌를 적절히 완화시켜 뇌 손상이 오는 것을 예방하고 종양을 안전하게 박리할 수 있다.

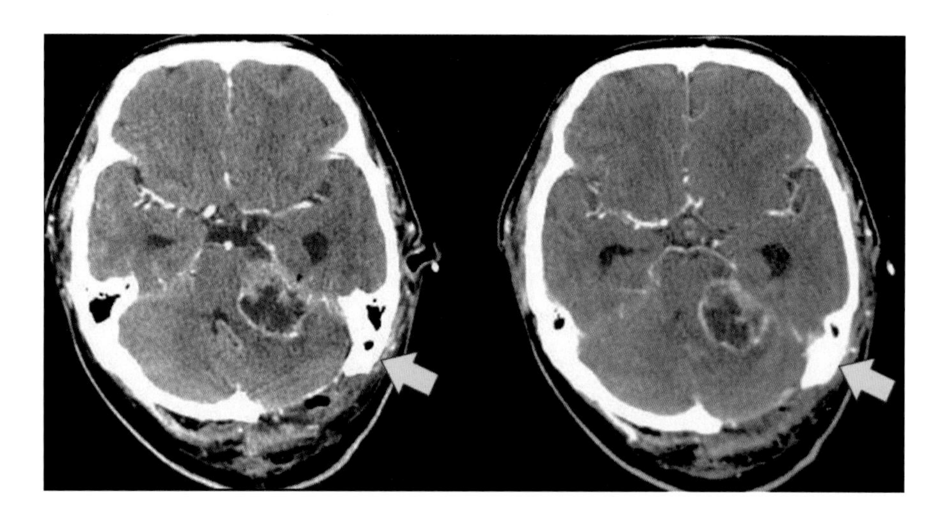

그림 5-4

증례 5-1 (계속)

Presigmoid approach를 위해서 먼저 sinus 앞쪽의 경막을 sigmoid sinus를 따라 절개하면 천막의 아래쪽으로 종양이 보이게 된다. facial nerve를 확인한다. Facial nerve는 해부학적 위치에 따라 종양의 앞쪽에 위치하는 경우가 가장 많다. Koos 등에 따르면 grade III 이상의 큰 종양일 경우 안면신경이 종양의 앞쪽에 위치하는 경우가 70% 정도라 보고하였다(그림 5-4). 그 외에도 종양의 상방에 위치하는 경우가 10%, 하방에 위치하는 경우가 13%이고 종양의 뒤쪽에 위치하는 경우도 7%나 되기 때문에 종양을 제거하기 전에 electrode로 안면신경을 확인한 뒤 종양을 central debulking을 시작해야 한다. 종양에 눌린 안면신경은 보통 세가지 형태를 이루게 되며 가장 많은 경우는 flatten되면서 현미경하에서 신경다발이 확인되는 경우이다. 두 번째는 원형을 비교적 유지하면서 밀려있기 때문에 수술자에게는 가장 유리한 형태이다. 하지만 종양이 커질수록 이러한 경우는 흔하지 않다. 마지막으로 신경다발이 넓게 벌어지며 중간에 펼친 손가락처럼 간격이 생기는 경우이다. 가장 어려운 형태로 신경을 박리하면서 안면신경이 절단될 수 있으므로 종양의 캡슐을 남겨 놓고 박리하는 것이 좋다.

종양의 중심부부터 제거해 부피를 줄인 뒤 주위 구조물들을 박리한다. 안면신경의 직접 손상이 없더라도 labyrinthine a. 등이 손상 받아도 안면마비가 올 수 있으므로 혈관을 보존하는 것에도 신경을 써야 한다. 종양이 큰 경우에는 petrosal vein이 유착되어 압박되는 경우도 흔하므로 정맥이 손상되지 않도록 주의를 기울여 박리해야 한다. Sami M. 등은 종양이 4 cm 이상이 되면 petrosal vein이 협착되어 그 기능을 상실하고 주위에 새로운 측부정맥이 발생되어 수술 도중 잘라도 된다고 하였다. 하지만 이는 매우 주의를 기울여야 한다. 측부정맥이 발달하지 않은 상태에서 petrosal vein을 절제하였다가는 소뇌 혹은 뇌간에 매우 심각한 정맥성 출혈이 발생할 수 있기 때문이다.

(5) 봉합(Closure)

청신경 종양을 제거한 후 흔한 합병증 중 하나가 뇌척수액 누출이다. 그러므로 봉합을 철저히 해야 한다. 일부 저자들은 water-tight하게 경막을 봉합하지 않아도 뇌척수액 누출의 빈도가 적다고 하지만 일단 뇌척수액 누출이 되면 쉽게 해결되지 않는 경우도 있으므로 주의해야 한다. 경막을 닫을 때는 tachosil을 이용하여 sandwich technique으로 경막 안쪽과 바깥쪽에서 접착면이 마주보도록 대주면 뇌척수액 누출되는 것을 막을 수 있다. 수술 후 촬영한 MRI상 종양은 모두 제거되었고 소뇌의 이상 소견은 보이지 않는다(그림 5-5).

증례 5-1 (계속)

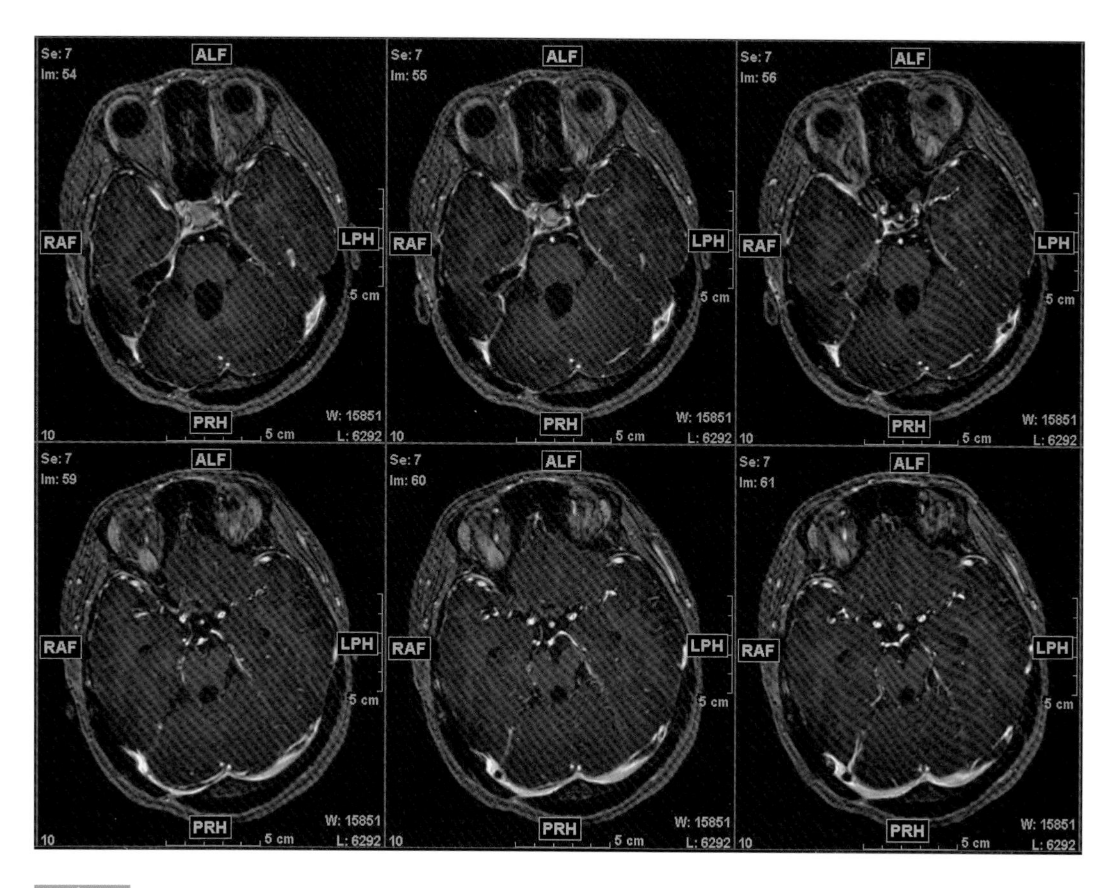
Se: 7
Im: 54
ALF
RAF
LPH
5 cm
PRH
W: 15851
L: 6292
10
Se: 7
Im: 55
ALF
RAF
LPH
5 cm
PRH
W: 15851
L: 6292
10
Se: 7
Im: 56
ALF
RAF
LPH
5 cm
PRH
W: 15851
L: 6292
10
Se: 7
Im: 59
ALF
RAF
LPH
5 cm
PRH
W: 15851
L: 6292
10
Se: 7
Im: 60
ALF
RAF
LPH
5 cm
PRH
W: 15851
L: 6292
10
Se: 7
Im: 61
ALF
RAF
LPH
5 cm
PRH
W: 15851
L: 6292
10

그림 5-5

능성이 높다. 게다가 천막에 인접한 부분을 제거하는 데도 많은 어려움이 따르게 된다. 그러므로 이러한 경우 처음부터 retrosigmoid approach로 종양에 접근하기보다는 유양돌기를 제거한 뒤 presigmoid approach로 접근하여 종양을 central debulking한 뒤 다시 retrosigmoid approach로 접근하는 것이 안전하다. 본 증례에서는 presigmoid approach와 retrosigmoid approach를 병행하여 종양을 제거하였다. 이렇게 하면 소뇌를 많이 견인하지 않고 종양을 제거할 수 있다.

결론

거대 청신경 종양을 수술할 때 신경학적 기능을 보존하면서 새로운 deficit을 발생하지 않도록 하는 것이 가장 중요하지만 항상 가능한 것은 아니다. 오랜 기간 동안 종양에 눌려 있던 뇌신경과 뇌 피질은 매우 약해져 있기 때문이다. 특히 안면신경은 종양에 눌려 매우 가늘어진 채로 부챗살 모양으로 펼쳐져 위축이 오게 된다. 그러므로 약간의 조작에 의해서도 기능이 저하될 수 있으므로 매우 세심한 dissection이 필요하다.

참고문헌

1. Koos WT, Day JD, Matula C, Levy DI : Neurotopographic considerations in the microsurgical treatment of small acoustic neurinomas. J Neurosurg 88 : 506-512, 1998
2. Matthies C, Samii M : Management of 1000 vestibular schwannomas (acoustic neuromas): clinical presentation. Neurosugery 40 : 1-10, 1997
3. Quinones-Hinojosa A, Chang EF, Lawton MT : The extended retrosigmoid approach: an alternative to radical cranial base approached for posterior fossa lesions. Neurosurgery 58 : 208-214, 2006

CHAPTER 06

양측성 청신경 종양(신경섬유종증 2형)의 치료

Treatment of bilateral acoustic neuroma (Neurofibromatosis type II)

김성권, 백선하

치료 목적 및 치료 시 고려할 사항

Neurofibromatosis type II (NF II)는 상염색체 우성 유전 질환으로, 양측성 청신경 종양을 특징으로 한다. NF II 관련 양측성 청신경 종양 환자에서 청신경 종양에 대한 치료는 NF II의 분자생물학적 발생기전에 초점을 둔 치료약제에 대한 연구가 진행 중이지만, 아직까지 뚜렷한 치료법은 없으며 종양에 의해 발생하는 임상증상의 완화에 초점을 맞추고 있다. 양측성 청신경 종양 환자에서 치료 방법을 결정할 때는 치료의 목표를 항상 염두에 두어야 한다. (1) 뇌간을 압박하는 종양을 최대한 감압하여 환자의 생명을 보존하며, (2) 가능한 기능적인 청력의 보존기간을 연장하고, (3) 안면신경을 비롯한 여러 뇌신경의 기능을 보존하는 것이 양측성 청신경 종양 환자에서 치료의 목표이다. 하지만 NF II 관련 양측성 청신경 종양의 경우 산발적으로 발생하는 청신경 종양과 다른 특징을 가지므로 이러한 치료 목표와 함께 치료전략을 세우는데 있어 고려해야 할 사항들이 많다.

양측성 청신경 종양 환자의 치료 방침 결정에 있어 고려해야 할 점들은 (1) 환자의 연령 및 증상 유무, (2) 남아있는 청력수준, (3) 양측 종양의 크기, (4) 경과관찰 중 청력감소 정도 및 종양성장의 속도, (5) NF II phenotype (Wishart form vs. Gardner form)[1], (6) 집도의 수기, 경험 및 치료 철학, (7) 환자 및 보호자의 질병에 대한 이해와 치료에 대한 기대수준 등이 있다. 현재까지 NF II 관련 양측성 청신경 종양의 치료에 있어 명확히 알려진 치료 가이드라인은 없지만, 이 모든 것을 충분히 감안하여 개개의 환자에 맞는 최선의 치료 방법을 선택하는 것이 중요하다.

치료 방법에 대한 고찰

대부분의 NF II 환자에서 치료는 병변이 몸의 여러 부위에 걸쳐 발생하므로 전 생애에 걸쳐 이루어지는데, 양측성 청신경 종양에 대한 치료 방법으로는 종양에 대한 수술적 절제, gamma knife surgery (GKS)와 같은 정위적 방사선수술, 그리고 bevacizumab 등을 이용한 약물치료가 있다. 앞서 언급한 바와 같이 산발적으로 발생하는 청신경 종양과는 다른 특징을 가지므로 치료 시 다음과 같은 사항들을 고려하여야 한다.

산발적으로 발생하는 일측성의 청신경 종양은 주로 단일 세포에서 기원하여 porus acusticus 근처의 superior vestibular nerve에서 발생하는데, 대부분 종양이 자라면서 arachnoid membrane으로 둘러싸여 주위조직과 잘 경계를 이루고 안면신경을 비롯한 주변 뇌신경을 밖으로 밀어내며 압박하게 된다. 그러나 NF II 환자에서 나타나는 양측성 청신경 종양의 경우, (1) 성장양상이 cochlear nerve fiber 사이사이를 침습하여 커져가므로 cochlear nerve와 facial nerve가 종양 내부에 위치하게 되고, (2) 여러 개의 세포에서 다발성으로 기원하기 때문에 여러 개의 소엽을 형성하면서(multilobular) 성장하고, 그 사이사이로 facial nerve와 cochlear nerve가 통과하므로 수술 시 신경손상의 발생위험이 높아지게 된다.[2,3] 따라서 수술 시에는 이 각각의 소엽을 따로따로 internal debulking하여 종양을 제거해야 하며, 이 소엽의 사이마다 nerve stimulator를 이용하여 facial nerve의 손상을 최대한 방지하는 것이 중요하다.

GKS를 포함한 방사선수술은 산발적으로 발생하는 청신경 종양에서 일차적인 치료법의 하나로서 그 치료 효과와 역할을 인정받고 있다.[4-6] 최근 NF II 관련 양측성 청신경 종양의 치료 경향이 소뇌를 비롯한 뇌신경 기능의 유지를 통한 삶의 질 보존에 초점을 맞추게 되면서 GKS는 NF II 관련 양측성 청신경 종양 환자에서도 널리 이용되고 있으며 그 역할이 점차 넓어지고 있다. 현재까지 보고된 연구에 따르면, NF II 관련 양측성 청신경 종양에서 GKS의 치료 효과는 종양 조절 및 청력 보존과 관련하여 산발적으로 발생하는 청신경 종양에서의 치료 성적에 비해 다소 떨어지는 것으로 보고되었다. 이는 NF II의 병태생리학적 특징에 기인할 것으로 여겨지고 있다.[7] 하지만 산발적으로 발생하는 청신경 종양에 관한 연구에서 밝혀진 바와 같이, 12~13 Gy 정도의 저선량 방사선수술이 청력보존에 더 좋은 영향을 줄 것으로 기대되며, Fractionated stereotactic radiotherapy (FSRT)가 cochlear nerve를 비롯한 뇌신경 손상을 줄일 수 있는 대안으로 고려 될 수 있겠다. 그리고 현재까지 보고된 NF II 관련 양측성 청신경 종양에 관한 GKS의 치료 결과에 따르면 치료 전 기능적인 청력 수준이 정상일수록 (Gardner–Robertson grade 1) 치료 후 청력 보존의 가능성이 높으며 성인에 비해 소아 환자에서 방사선수술의 종양 조절 효과가 낮은 것으로 알려져 있으므로 치료 방법 선택 시 이에 대해 고려가 이루어져야 한다.[7,8]

NF II 관련 양측성 청신경 종양의 치료 시 수술적 제거를 비롯한 여러 치료기법을 적절히 병행하여 오랜 시간 삶의 질을 유지할 수 있도록 개개인에 맞춘 치료의 선택이 중요하다. 이를 위해서는 치료의 시기를 결정하는 것이 매우 중요한데 단순히 양측성 청신경 종양의 존재만이 치료의 적응증이 될 수는 없다. 일반적으로 NF II 관련 청신경 종양은 매년 0.3~0.7 cm^3 정도 크기가 증가하는 것으로 알려져 있기 때문에 경과 관찰 중 뚜렷한 증상 없이 크기가 증가할 경우 수술 등의 치료적 처치 없이 정기적인 경과 관찰을 고려할 수 있다.[7] 증례 1과 2는 청신경 종양 진단 당시 무증상이었던 증례들로 경과 관찰 중 크기는 약간씩 증가하였지만 현재까지도 양쪽 청력 모두 정상 소견이며 특별한 증상 없이 경과 관찰 중이다. 하지만 일반적인 크기 증가 수준이 아닌 빠른 종양의 증가를 보이거나 청력 검사상 청력 감소 소견이 관찰될 경우 즉각적인 치료를 고려하여야 한다. NF II의 임상 형태 중 Gardner form이 장기적인 예후가 좋고 증상 발현이 적은 형태로서 치료 계획 수립 시 NF II의 정확한 임상 양상을 파악하여 Gardner form의 경우, 보다 보존적인 경과 관찰을 권유해 볼 수 있겠다.[9] 그와 반대로 다수의 뇌, 척수 종양을 특징으로 빠른 종양의 성장을 보이며 양측 청력 소실의 위험도가 높은 것으로 알려져 있는 Wishart form의 경우, 보다 초기에 적극적인 치료를 고려하는 것이 필요하다. 또한 정확한 가족력 청취를 통한 가족간 phenotype 분석이 양측성 청신경 종양 진단 당시 환자의 예후 예측과 치료 방향 결정에 도움이 될 수 있다.

증례 6-1 진단 당시 무증상의 NF II 양측성 청신경 종양 증례 1

15세(진단 당시) 여자 환자로 NF II 가족력으로 시행한 뇌 MRI상 양측성 청신경 종양이 발견되었다. 진단 당시 순음청력역치와 어음명료도는 우측 8 dB/100%, 좌측 8 dB/100%로 정상 소견을 보였으며 증상의 발현이 없이 정기적인 영상 검사 통한 추적 관찰을 시행하였다. 진단 후 5년 지난 현재 순음청력역치와 어음명료도는 우측 18 dB/100%, 좌측 14 dB/100%로 특별한 증상 없이 정상적인 생활을 하고 있다.

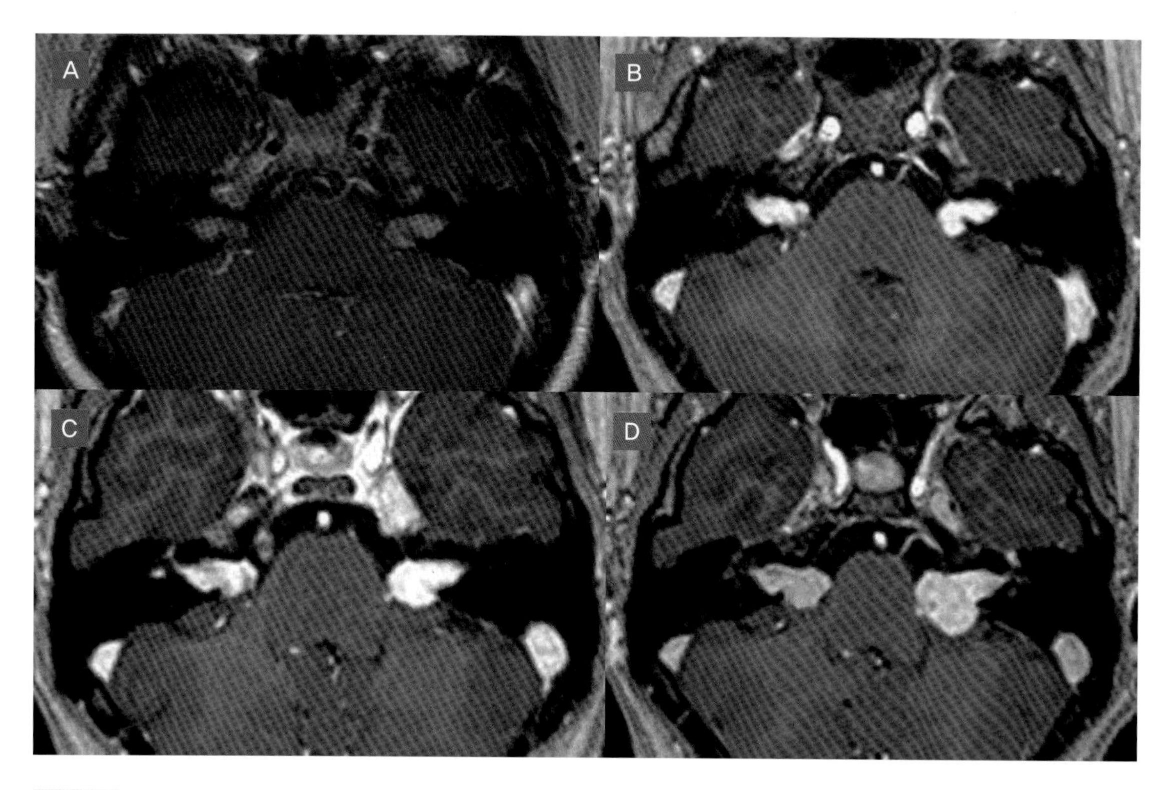

그림 6-1 A. 진단 당시. B. 1년 후. C. 2년 후. D. 5년 후 촬영한 조영증강 뇌 MRI 소견. 양측 internal auditory canal (IAC)를 침범하는 균질적인 조영증강을 보이는 종괴가 관찰되고 있으며, 연속적인 경과 관찰 영상 소견상 크기 증가를 보이고 있다(직경 A: 우측 1.5 cm, 좌측 1.6 cm → D: 우측 2.2 cm, 좌측 2.6 cm).

증례 6-2 진단 당시 무증상의 NF II 양측성 청신경 종양 증례 2

11세(진단 당시) 남자 환자로 뇌성마비 의심 소견으로 시행한 뇌 MRI상 양측성 청신경 종양이 발견되었다. 진단 당시 종양과 관련된 증상 없던 상태로 정기적인 영상 검사를 통한 추적 관찰을 시행하였다. 진단 후 3년 지난 현재 순음 청력역치와 어음명료도는 우측 10 dB/100%, 좌측 10 dB/100%로 경과 관찰 중이다.

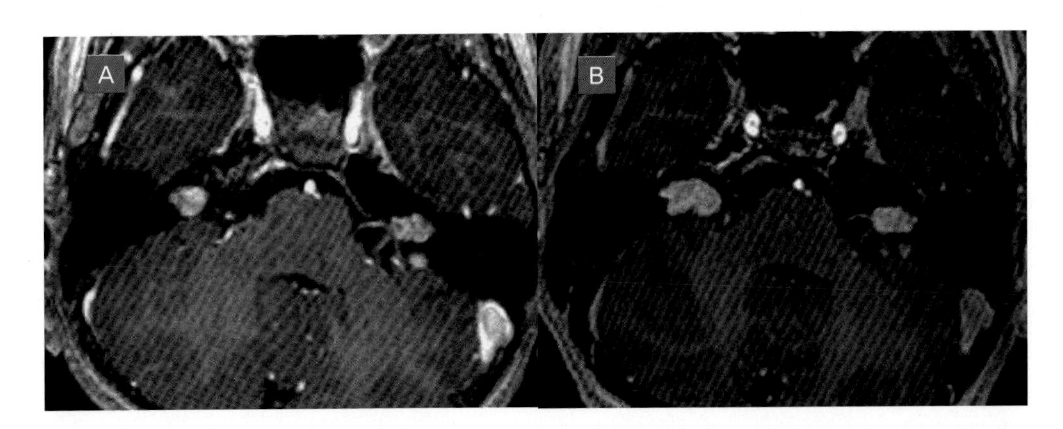

그림 6-2 A. 진단 당시. B. 3년 후 촬영한 조영증강 뇌 MRI 소견. 양측 IAC를 침범하는 균질적인 조영증강을 보이는 종괴가 관찰되고 있으며 경과 관찰 영상 소견상 크기 증가를 보이고 있다(직경 A: 우측 1.1 cm, 좌측 1.2 cm → B: 우측 1.7 cm, 좌측 1.3 cm) (IAC: internal auditory canal).

치료 전략

NF II 관련 양측성 청신경 종양의 치료 전략 수립에 있어서 반드시 고려해야 할 두 가지 요소는 종양의 크기 및 성장 속도와 청력의 소실 정도이다.

종양의 크기 및 성장 속도

산발적으로 발생하는 일측성 청신경 종양의 치료에 있어 종양의 크기가 직경 2 cm 미만일 경우 청력 보존을 기대해 볼 수 있으나 일반적으로 수술적 치료 시 성공적 청력 보존을 위한 종양의 크기는 직경 1.5 cm 미만으로 보고 있다. 하지만 NF II 관련 양측성 청신경 종양의 경우는 앞서 언급한 바와 같이 종양의 발생 및 성장 과정에서 보다 침습적 양상을 보이므로 수술 후 청력을 보존할 수 있는 가능성은 같은 크기의 산발적으로 발생하는 일측성 청신경 종양에 비해 많이 낮은 것을 알아야 한다.

또한 뇌 MRI의 추적 검사상 종양 크기의 변화가 없는 경우에는 조심스럽게 임상 증상의 변화를 관찰하면서 주기적 청력검사 및 방사선학적 경과 관찰을 하는 것이 좋다. 물론 앞서 살펴본 증례 6-1, 6-2와 같이 뇌 MRI 추적검사상 종양 크기가 증가 하더라도 무증상의 경과를 보이는 경우가 있으므로 환자에 따른 여러 다양한 상황과 환자나 가족들의 희망, 집도의의 철학이나 경험 등을 모두 고려하여 그 환자에 가장 적합한 치료 전략을 세우는 것이 중요하다.

양측의 청력 소실 정도

일측성 청신경 종양의 수술에 있어 수술 후 청력보존을 기대할 수 있는 기준은 일반적으로, (1) 수술 전 청력검사상 순음평균청력이 50 dB 미만이고 어음명료도가 50% 이상인 경우를 말하는데, 이상적으로는 순음평균청력이 30 dB 미만, 어음명료도가 70% 이상이어야 한다. 또한 (2) 뇌간 유발반응검사(auditory brainstem response, ABR)상 나타나는 파형의 형태와, (3) 전기안진도검사(electronystagmography, ENG) 상에서 볼 수 있는 칼로리 검사(caloric test)의 결과도 수술 후 청력 보존 정도를 예견하는 데 도움이 된다. ABR 상 제1번, 제2번, 제5번 파형이 잘 형성되지 않는 경우 수술 후 청력보존의 가능성이 더 떨어지고, 칼로리 검사상에서 정상반응을 보일 경우 inferior vestibular nerve에서 기원한 것을 의미하므로 수술 후 청력보존의 가능성은 더 떨어질 수 있다. 그 외 (4) 종양이 내이도 내에서 fundus쪽, 즉 외측으로 자라나간 경우에도 수술 후 청력보존이 어려워짐을 알고 치료 전략을 세워야 한다. NF II 관련 양측성 청신경 종양의 치료 전략 수립에 있어서도 상기와 같은 사항을 평가하여 청력 보존의 가능성을 높여야 할 것이다.

증례 분석

정상 청력의 NF II 양측성 청신경 종양

진단 당시 양쪽 청력이 모두 정상 소견이거나 Gardner-Robertson grade 1~2의 serviceable hearing을 보일 경우 우선적으로 평가해야 할 것은 종양과 관련된 증상의 유무이다. 종양으로 인한 뇌간 압박 증상을 비롯한 주변 뇌신경 자극증상이 동반될 경우 치료를 고려해야 한다. 종양의 크기가 커서 종괴효과로 인해 증상이 발생할 경우 수술적 감압을 시도한다. 종양의 크기가 작을 경우 감마나이프 치료 등 정위적 방사선수술을 고려할 수 있으며 앞서 언급한 바와 같이 이는 환자의 나이, 종양의 크기, 수술 전 청력 정도를 평가하여 결정하여야 한다(증례 6-3).

한쪽 청력 부전을 보이는 NF II 양측성 청신경 종양

진단 당시 한쪽 청력만 정상이거나 Gardner-Robertson grade 1~2의 serviceable hearing을 보이는 경우에는 증상 유무를 확인하고 어느 쪽 종양에 의해 신경학적 증상이 유발 되는지를 잘 파악하여야 한다. 한쪽 청력 부전이 있는 경우 정상 측 청력을 최대한 오랫동안 보존할 수 있는 치료 계획을 세우는 것이 중요하며 환자 개개인에 따른 치료 전략 수립이 더욱더 요구된다.

증례 6-3 진단 당시 정상 청력의 NF II 양측성 청신경 종양 증례

11세(진단 당시) 여자 환자로 NF II 가족력으로 시행한 뇌 MRI 상 양측성 청신경 종양이 발견되었다. 진단 당시 순음청력역치와 어음명료도 우측 8 dB/100%, 좌측 10 dB/100%로 정상 청력 소견 보였으며 무증상 상태로 정기적인 영상 검사 통한 추적 관찰 시행하였다. 경과 관찰 중 4년째 종양의 크기가 증가하였고 좌측 안면 통증이 발생하였다. 이에 좌측 종괴에 대해 GKS (Volume 5.7 cc, Dose 12 Gy at 50%)를 시행하였다. GKS 시행 당시 청력은 정상 소견을 보였다. GKS 시행 후 좌측 안면 통증은 호전되었으며 특별한 증상 없이 경과 관찰하였다. GKS 후 3년째 청력 검사상 순음청력역치와 어음명료도 우측 14 dB/100%, 좌측 40 dB/60%로 serviceable hearing을 보였다. 최근(GKS 후 4년째) 우측 청력 감소를 주소로 내원하였고, 청력 검사상 순음청력역치와 어음명료도 우측 32 dB/52%, 좌측 44 dB/68% 소견 보여 아직 serviceable hearing 소견을 보이고 있으나 우측 종괴에 대한 치료를 조심스럽게 고려 중이다.

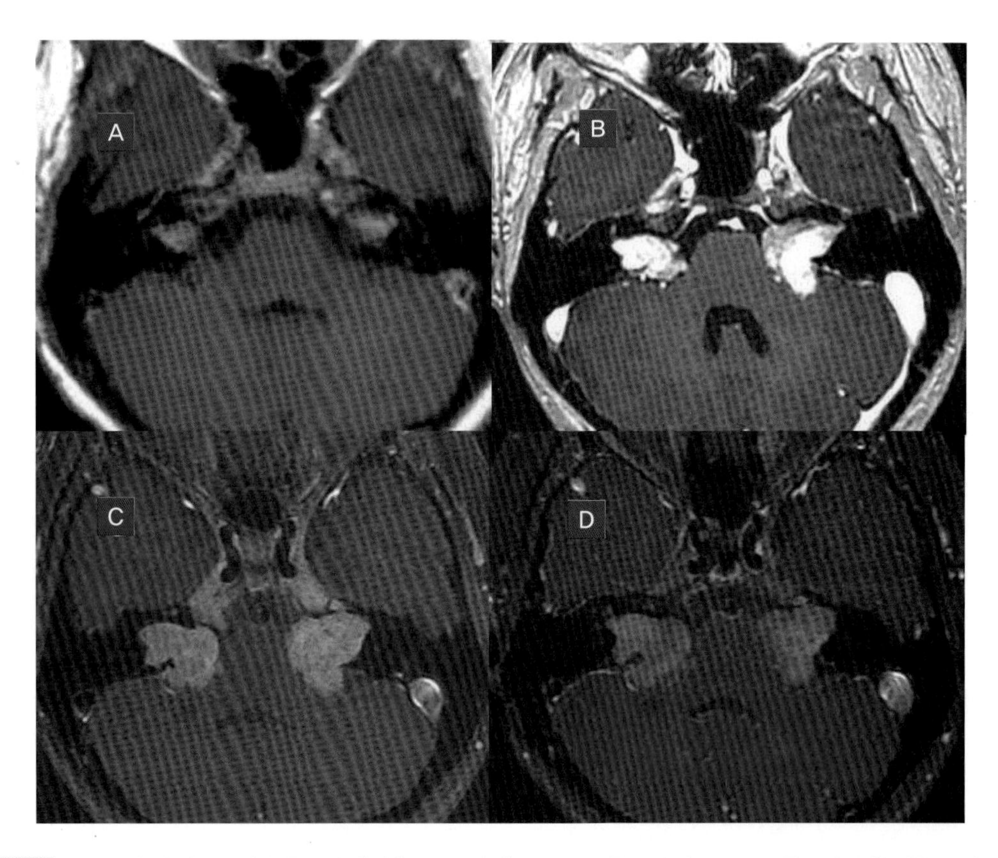

그림 6-3 A. 진단 당시. B. 진단 후 4년째(좌측 GKS 시행). C. GKS 후 3년째. D. GKS 후 4년째 촬영한 조영증강 뇌 MRI 소견. 진단 당시 양측 IAC를 침범하는 균질적인 조영증강을 보이는 종괴가 관찰되고 있으며 진단 후 4년째 MRI 상 양쪽 종괴의 크기 증가 소견(우측: 직경 1.3 cm → 2.2 cm, 좌측: 직경 1.5 cm → 2.4 cm)이 관찰된다. GKS 후 3년째 양쪽 종괴의 크기가 다소 증가(우측: 직경 2.2 cm → 2.5 cm, 좌측: 직경 2.5 cm → 2.6 cm)하였고 GKS 후 4년째 MRI 상 우측 종괴의 크기 증가(직경 2.5 cm → 2.8 cm)가 관찰된다(GKS: gamma knife surgery).

청력이 소실된 측의 종양이 신경학적 증상을 유발할 경우

종양의 크기가 크고 이로 인한 종괴효과로 인해 뇌간 압박 증상 등이 나타날 경우, 수술적 치료가 가능하다면 신경학적 결손이 진행되기 이전에 수술을 시행하여 완전 제거를 시도할 필요가 있다. 수술 후 잔여 병변에 대해 방사선수술을 고려할 수 있으며, 종양이 직경 3 cm 미만에 성인 환자에서 수술과 관련된 위험도가 높은 경우에는 방사선수술을 우선적으로 고려해 볼 수 있다. 앞서 언급한 바와 같이 소아환자에서는 방사선수술의 효과가 성인에 비해 낮은 것으로 알려져 있으므로 이에 대한 신중한 고려가 필요하다.

청력이 정상인 측의 종양이 신경학적 증상을 유발할 경우

종양의 크기가 큰 경우 수술적 치료를 우선적으로 고려하게 되는데 청력 보존을 위한 수술적 접근법을 고려한다. 종양의 완전 제거를 위한 중두개와 접근법(middle fossa approach)과 후유양돌기 접근법(retromastoid suboccipital approach)이 있으며, 종양의 완전제거가 어려울 경우 청력 보존만을 위한 내이도 감압술(decompression of the internal auditory canal)과 종양의 반복적 부분절제술 등을 고려할 수 있다. 청력이 정상인 측의 종양에 대해 방사선수술을 고려할 수도 있으나 이 경우 12~13 Gy 정도의 저선량 방사선수술이나 FSRT를 적극적으로 고려하여야 할 것이다.

한쪽 청력 부전 외에 다른 증상이 없는 경우

만약 한쪽 청력 부전 외에 다른 종양과 관련된 증상이 없다면 경과 관찰을 고려하거나 청력 부전을 보이는 쪽의 종양 크기에 따라 수술적 제거나 방사선수술을 먼저 시행해 볼 수 있다. 이 경우 치료로 인한 새로운 신경학적 후유증상이 발생할 수 있으므로 치료 전 환자 및 보호자와 충분한 상의를 거쳐 치료를 진행하여야 한다.

증례 6-4 진단 당시 한쪽 청력 부전을 보인 NF II 양측성 청신경 종양 증례 1

49세(진단 당시) 남자 환자로 청력 감소를 주소로 시행한 뇌 MRI에서 양측 청신경 종양이 발견되었다. 진단 당시 청력은 순음청력역치와 어음명료도 우측 32 dB/78%, 좌측 76 dB/4% 소견으로 우측만 serviceable hearing 소견을 보였다. non-serviceable hearing을 보인 좌측에 대하여 GKS (Vol: 4.1 cc, Dose: 12 Gy at 50%)를 시행하였고, 경과 관찰 중 GKS 후 4년째 시행한 청력 검사상 순음청력역치와 어음명료도 우측 60 dB/40%, 좌측 90 dB/4% 소견으로 우측 청력 저하 소견 관찰되었고, 시행한 MRI상 기존에 GKS를 시행한 좌측 종괴는 크기가 감소하였으나 우측 종괴는 크기 증가 소견을 보였다. 이에 환자 및 보호자와 상의하여 우측 종괴에 대해서도 GKS (Vol: 5.8 cc, Dose: 12 Gy at 50%)를 시행하였다. 그 후 경과 관찰 중 우측 안면 통증 및 두통 발생하였고 시행한 MRI상 우측 종괴의 크기 증가 소견 관찰되었다. 이에 후유양돌기 접근법을 통한 종양 부분제거술을 시행하였다. 수술 소견은 청신경에서 기원한 청신경 종양에 합당한 소견이었으며 병리학적 소견상 신경초종의 전형적인 소견을 보였다. 현재 양측 청력은 non-serviceable hearing상태이나 잔여 종양의 크기 증가는 없는 상태로 경과 관찰 중이다.

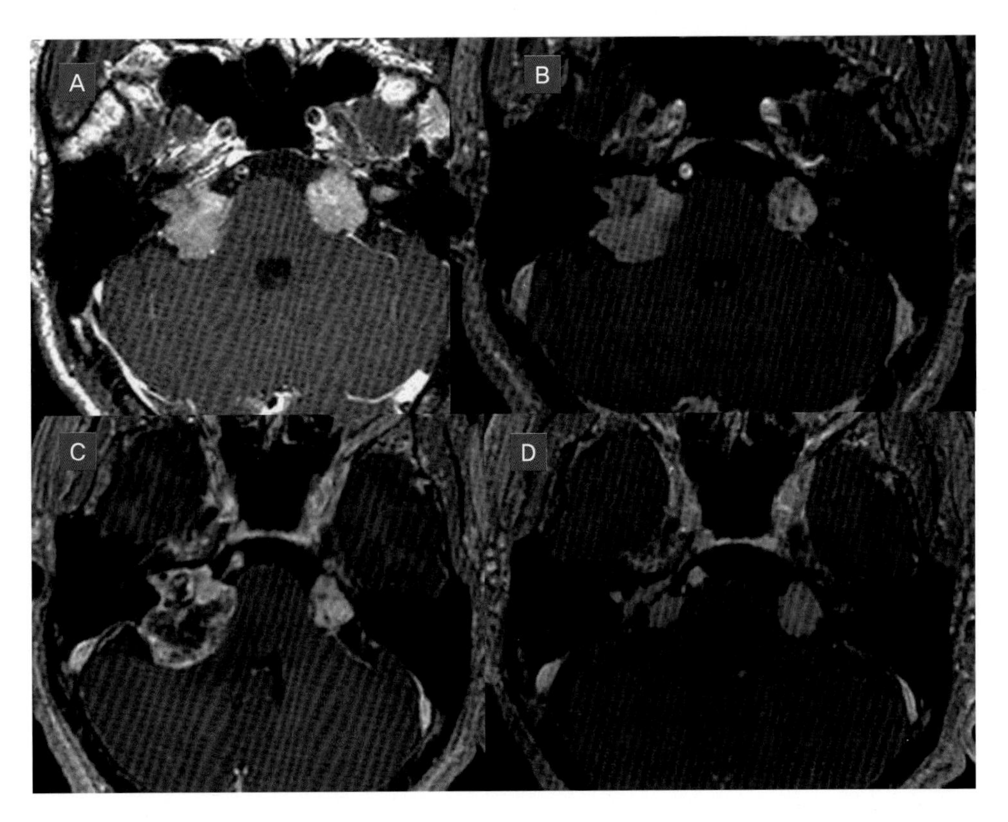

그림 6-4 A. 진단 당시(좌측 GKS 시행). B. GKS 후 4년째(우측 GKS 시행). C. 우측 GKS 후 1년째(우측 종양제거 수술 시행). D. 수술 후 5년째 최근 촬영한 조영증강 뇌 MRI 소견. 진단 당시 양측 IAC를 침범하는 균질적인 조영증강을 보이는 종괴가 관찰되고 있으며, 좌측 GKS 시행 후 좌측 종괴는 크기가 감소(직경 1.5 cm → 1.2 cm)하였으나 우측 종괴는 크기 증가(직경 2.3 cm → 2.6 cm)를 보이고 있다. 우측 종괴에 대해 GKS 후 1년째 시행한 영상 소견상 우측 종괴 내부의 necrotic change및 크기 증가(직경 2.6 cm → 3.0 cm)를 보이고 있다. 최근 시행한 영상 소견상 우측의 잔여 종괴 및 좌측 종괴 관찰 되고 있으며 크기 증가는 없는 상태이다. (GKS: gamma knife surgery, IAC: internal auditory canal)

증례 6-5 진단 당시 한쪽 청력 부전을 보인 NF II 양측성 청신경 종양 증례 2

20세(진단 당시) 남자 환자로 청력 감소 및 이명을 주소로 시행한 뇌 MRI에서 양측 청신경 종양이 발견되었다. 진단 당시 청력은 순음청력역치와 어음명료도 우측 34 dB/56%, 좌측 56 dB/8% 소견으로 우측만 serviceable hearing 소견을 보였다. 종양의 크기가 큰 편이었으나 종괴효과로 인한 증상은 없던 상태로 non-serviceable hearing을 보인 좌측에 대하여 GKS (Vol: 8.5 cc, Dose: 12 Gy at 50%)를 시행하였다. GKS 후 5년 뒤 우측 종괴의 크기 증가와 함께 청력저하, 보행장애, 두통 등이 발생하였고 우측 종괴에 대한 종양 제거 수술을 계획하였다. 수술 전 시행한 검사상 우측 청력 또한 non-serviceable hearing 상태로 Translabyrinthine approach를 통한 종양 제거 수술을 시행하였다. 수술 소견 상 NF II 청신경 종양에 합당한 multilobulated mass로 최대한 부분적 종양 제거 및 감압을 시행하였고 뇌간과 인접한 부위의 종양을 남기고 수술을 종료하였다. 이후 수술 시 시야가 좋지 않았던 상부 뇌간에 인접한 종양에 대해 2차 수술을 계획하고, subtemporal approach를 통해 tentorium을 자르고 접근하여 잔여 종양을 추가로 제거하였다. 이후 남아 있는 우측 종괴에 대하여 GKS (Volume 25.5 cc, Dose 10.5 Gy at 50%)를 시행하였고 양측 종괴 모두 안정적인 상태로 경과 관찰 중이다. 현재 환자는 양측 청력 모두 non-serviceable hearing state로 수화, 순독 기술을 익히고 거의 정상적인 생활을 영위하고 있다.

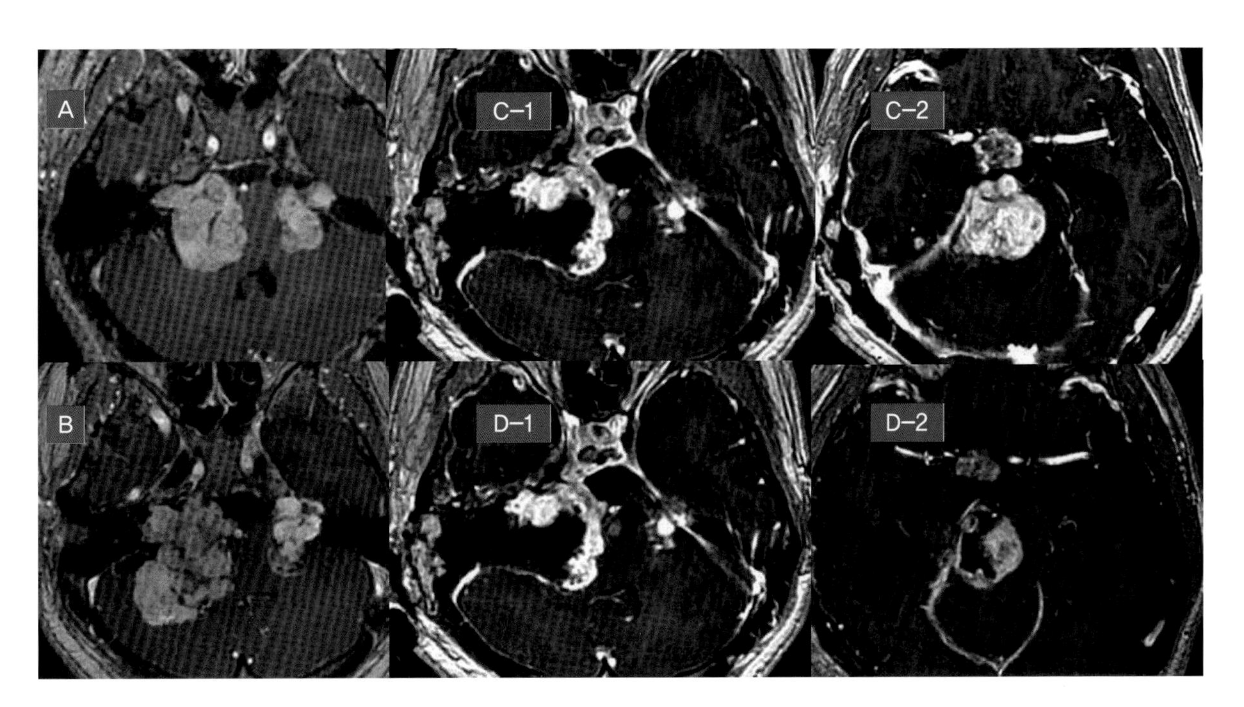

그림 6-5 A. 진단 당시(좌측 GKS 시행). B. GKS 후 5년째(우측 종양제거 수술 시행). C. 1차 수술 후. D. 2차 수술 후 촬영한 조영증강 뇌 MRI 소견. 진단 당시 양측 IAC를 침범하는 균질적인 조영증강을 보이는 종괴가 관찰되고 있으며 좌측 GKS 시행 후 좌측 종괴는 크기가 감소하였다. GKS 후 5년째 우측 종괴의 크기 증가 소견 관찰되었고 수술적 제거 시행하였다. 1차 수술 후 midbrain, pons에 인접한 잔여 종양(C-2)이 관찰되며 이에 대해 2차 제거 수술을 시행하였다. (GKS: gamma knife surgery, IAC: internal auditory canal)

참고문헌

1. Hoa M, Slattery WH, 3rd. Neurofibromatosis 2. Otolaryngol Clin North Am. 2012;45(2):315-32
2. Ferner RE. Neurofibromatosis 1 and neurofibromatosis 2: a twenty first century perspective. Lancet Neurol. 2007;6(4):340-51
3. Samii M, Matthies C, Tatagiba M. Management of vestibular schwannomas (acoustic neuromas): auditory and facial nerve function after resection of 120 vestibular schwannomas in patients with neurofibromatosis 2. Neurosurgery. 1997;40(4):696-705
4. Chan AW, Black P, Ojemann RG, Barker FG 2nd, Kooy HM, Lopes VV, et al. Stereotactic radiotherapy for vestibular schwannomas: favorable outcome with minimal toxicity. Neurosurgery. 2005;57(1):60-70
5. Kondziolka D, Lunsford LD, McLaughlin MR, Flickinger JC. Long-term outcomes after radiosurgery for acoustic neuromas. N Engl J Med. 1998;339(20):1426-33
6. Pollock BE, Driscoll CL, Foote RL, Link MJ, Gorman DA, Bauch CD, et al. Patient outcomes after vestibular schwannoma management: a prospective comparison of microsurgical resection and stereotactic radiosurgery. Neurosurgery. 2006;59(1):77-85
7. Choi JW, Lee JY, Phi JH, Wang KC, Chung HT, Paek SH, et al. Clinical course of vestibular schwannoma in pediatric neurofibromatosis Type 2. J Neurosurg Pediatr. 2014;13(6):650-7
8. Phi JH, Kim DG, Chung HT, Lee J, Paek SH, Jung HW. Radiosurgical treatment of vestibular schwannomas in patients with neurofibromatosis type 2: tumor control and hearing preservation. Cancer. 2009;115(2):390-8
9. Maniakas A, Saliba I. Neurofibromatosis type 2 vestibular schwannoma treatment: a review of the literature, trends, and outcomes. Otol Neurotol. 2014;35(5):889-94

CHAPTER 07

청신경 종양에서 안면신경의 위치 및 주행경로

The location and course of the facial nerve in acoustic neuroma

이은정, 김창진

서론

청신경 종양 수술에서 안면신경을 해부학적 및 기능적으로 보존하기 위해서는 안면신경의 위치와 주행 경로를 잘 이해하는 것이 매우 중요하다. 종양의 크기가 작을 경우에는 수술 초기 단계에서 종양의 노출과 함께 안면신경이 보이기 때문에 그 위치와 주행 경로를 어렵지 않게 알 수 있으나, 종양의 직경이 2 cm 이상으로 큰 경우에는 안면신경이 종양에 가려져서 그 위치와 주행 확인이 용이하지 않고 여러 변이가 존재한다. 저자들은 청신경 종양을 수술하면서 안면신경의 해부학적 위치 및 주행을 관찰하여, 이들을 다음과 같이 4가지 유형으로 분류하였다.[1,2]

1) 종양에 대하여 안면신경이 종양의 복측에 있으며 상부로 주행하는 유형(ventral and superior type),
2) 종양의 복측에 위치하며 가운데로 주행하는 유형(ventral and central type),
3) 종양의 복측에 위치하며 하부로 주행하는 유형(entral and inferior type),
4) 종양의 배측에 위치하는 유형(dorsal type)

안면신경의 microsurgical anatomy

현미경 시야에서 먼저 9, 10, 11번 뇌신경, foramen of Luschkas의 choroid plexus 및 flocculus가 확인되고, 이들은 7, 8번 뇌신경 복합체의 중요한 landmark가 된다. 7, 8번 뇌신경은 pontomedullary sulcus의 외측 말단에서 나오며, 그 위치는 9번 뇌신경 기시부의 2~3 mm 상방에 있고 flocculus의 아래에 있다. 6번 뇌신경은 pontomedullary sulcus의 내측에서 나온다. Anterior inferior cerebellar artery는 뇌기저동맥에서 나와 7, 8번 뇌신경 복합체의 주행을 따라서 hairpin 구조를 이룬다(그림 7-1). 뇌간에서 기시한 7, 8번 뇌신경 복합체는 상방을 향해 비스듬하게 주행하여 내이도로 들어간다. 내이도 내에서 안면신경 및 전정와우 신경의 위치 관계는 다음과 같다: 안면신경이 복측 상방, 와우신경이 복측 하방, 상전정신경이 배측 상방, 그리고 하전정신경이 배측 하방에 있다(그림 7-2). transverse crest가 안면신경과 상전정신경을 그 아래에 위치한 와우신경 및 하전정신경과 분리시키며, Bill's bar라고 불리우는 vertical crest에 의해 전 · 후 공간이 구획된다.

청신경 종양에서 안면신경의 위치와 주행

우선 종양의 dorsal surface를 관찰하여 안면신경이 배측에 위치하고 있지는 않은지 자세히 관찰하고 안면근육 전기검사로 이를 확인한다. 전술한 바와 같이 안면신경의 근위부는 정상 anatomy를 참고로 pontomedullary sulcus의 외측 말단에서, 9번 뇌신경의 2~3 mm 상방

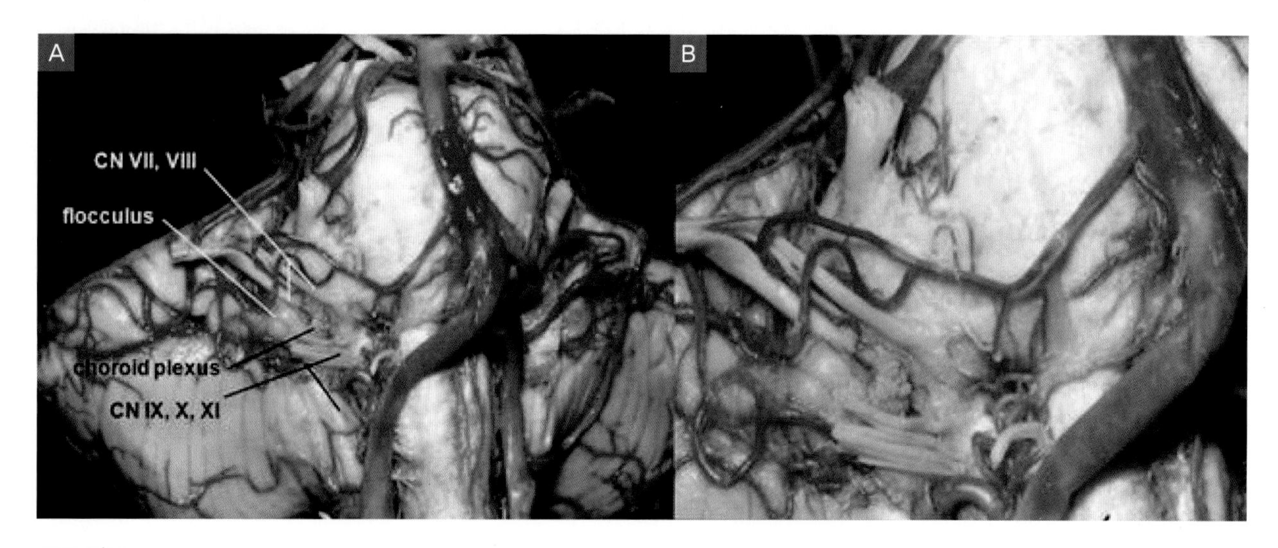

그림 7-1 안면신경은 pontomedullary sulcus의 외측 말단에서 기시하며, 9번 뇌신경인 혀인두 신경의 2~3 mm 상방 또는 flocculus 및 choroid plexus (from the foramen of Luschka)의 전상방부(anterosuperior)에 위치한다.

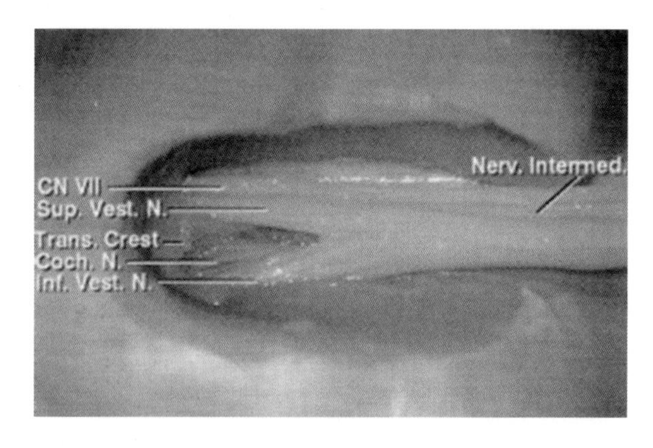

그림 7-2 내이도 내에서 안면신경 및 전정와우 신경의 위치 관계. Transverse crest를 기준으로 위로는 안면신경과 상전정 신경이, 아래로는 와우신경과 하전정신경이 위치하며, vertical crest를 기준으로 전방(복측)에 안면신경과 와우신경이, 후방(배측)에 상전정신경과 하전정신경이 위치한다.

또는 flocculus 및 choroid plexus (from the foramen of Luschka)의 전상방부(anterosuperior)에서 찾는다. 또는 9번 뇌신경의 주행을 따라가거나 AICA의 주행을 따라 facial EMG를 확인하면서 그 위치를 찾는다. 안면신경의 원위부는 내이도 부근에서 찾는다. 근위부 및 원위부에서는 신경의 위치가 일정하고 전위가 적으며 종양과 유착이 심하지 않아 어렵지 않게 안면신경을 찾을 수 있다.[1,3] 다음으로 지속적인 EMG 감시와 함께 안면신경의 근위부에서 원위부로 신경 주행을 따라가면서 종양을 박리해 나간다. 내이도에서 안면신경은 복측 상방에 존재한다.

2005년부터 2012년까지 청신경 종양으로 진단받아 본 저자에게 종양절제술을 받은 338명의 환자 중, 종양의 직경이 2 cm 이상인 310명의 환자를 대상으로 안면신경의 위치와 주행경로를 분석하였다. 안면신경의 위치 및 주행은 4가지 유형으로 분류되었고(그림 7-3)[1,2,4], 복측 상형이 183명(59.0%), 복측 중앙형 94명(30.3%), 복측 하형 30명(9.7%), 배측형 3명(1.0%)이었다(그림 7-4, 7-5, 7-6, 7-7, 7-8). 복측 상형(ventral superior type)은 안면신경이 종양의 복측에 있고 삼차신경 쪽으로 위쪽로 주행하여 내이도의 복측 상방으로 들어가는 유형이다. 복측 중앙형(ventral central type)은 안면신경이 종양의 복측에 있고 가운데를 가로질러 비스듬히 내이도를 향해 올라가는 유형으로, 결국 내이도의 복측 상방으로 들어간다. 복측 하형(ventral inferior type) 유형은 안면신경이 종양의 복측에 있으며, 아래극(inferior pole)으로 내려갔다가 위로 방향을 선회해 결국에는 내이도의 복측 상방으로 들어간다. 배측형(dorsal type)은 안면신경이 종양의 배측에 있으며 내이도의 복측 상방으로 들어가는 유형이다.

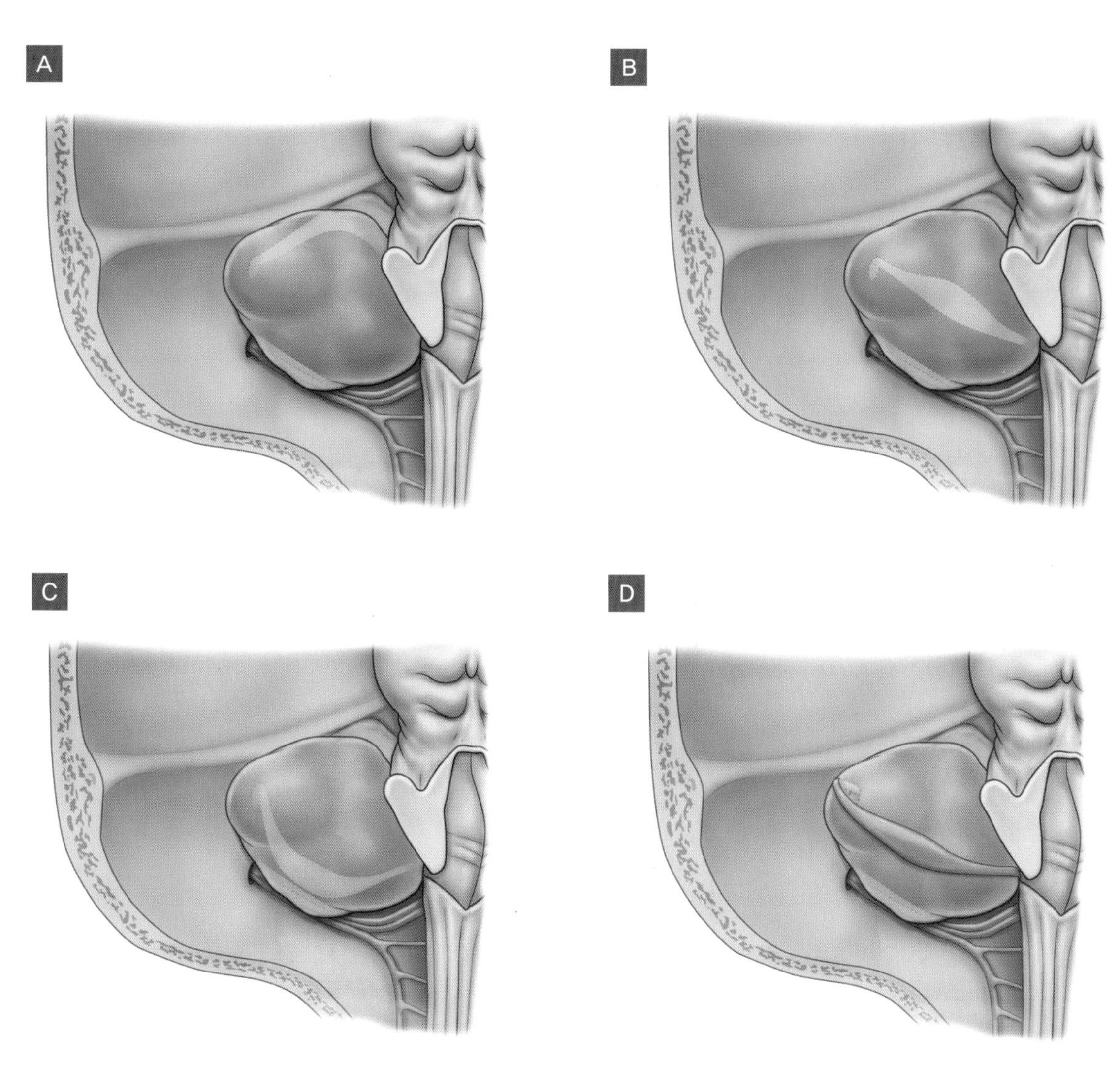

그림 7-3 **청신경 종양에서 안면신경의 위치와 주행에 따른 분류.** 안면신경이 종양의 복측에 있으며 상부로 전위되어 주행하는 유형(A); 복측에 위치하며 가운데로 주행하는 유형(B); 복측에 있으며 하부로 전위되어 주행하는 유형(C); 종양의 배측에 위치하는 유형(D).

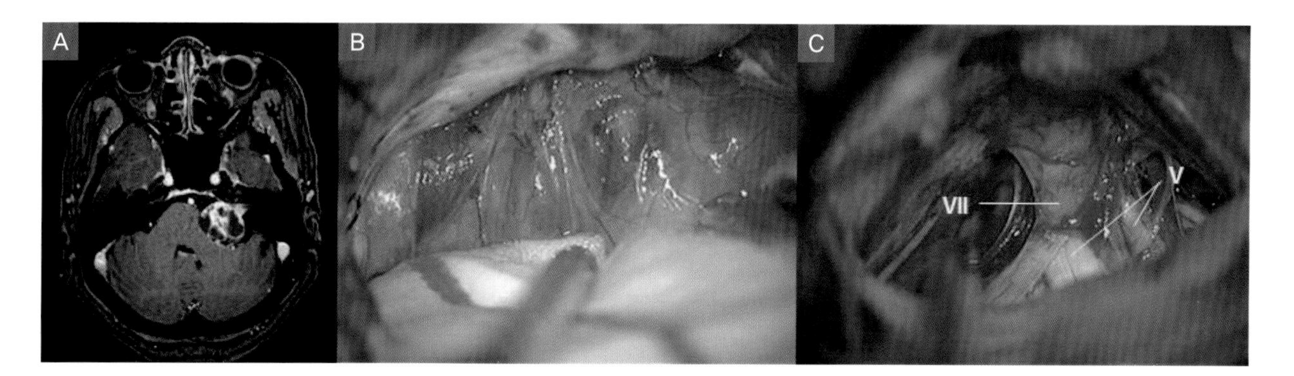

그림 7-4 **안면 신경이 종양의 복측에 위치하며 상부로 전위되어 주행하는 유형의 예.** A. 수술 전 MR 영상. B. 종양 절제 전. 종양의 배측 표면에서 안면신경은 관찰되지 않는다. C. 종양 절제 후. 납작해진 안면신경이 상방으로 전위되어 주행하다 내이도로 들어가는 것이 관찰된다.

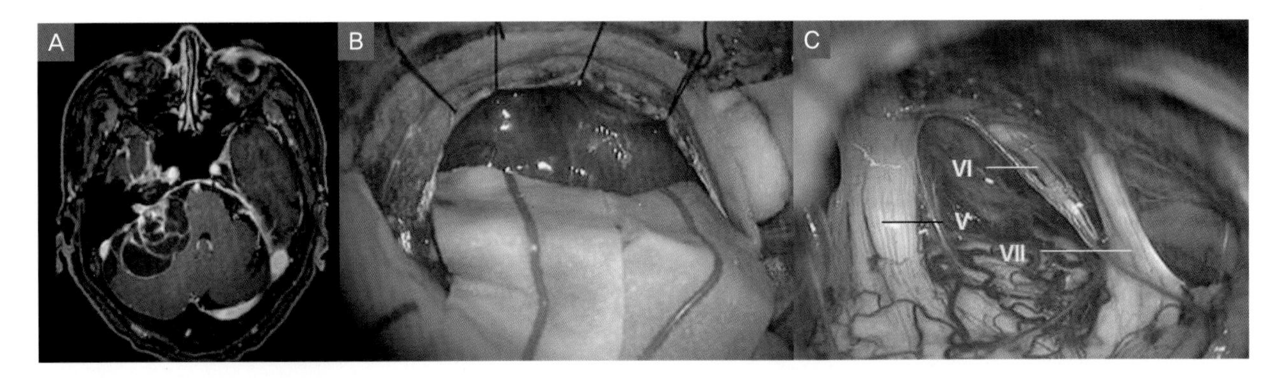

그림 7-5 **안면 신경이 종양의 복측에 위치하며 가운데로 주행하는 유형의 예.** A. 수술 전 MR 영상. B. 종양 절제 전. 종양의 배측 표면에서 안면신경은 관찰되지 않는다. C. 종양 절제 후. Pontomedullary sulcus의 외측 끝에서 기시한 안면 신경이 내이도를 향해 곧장 주행하는 것이 관찰된다.

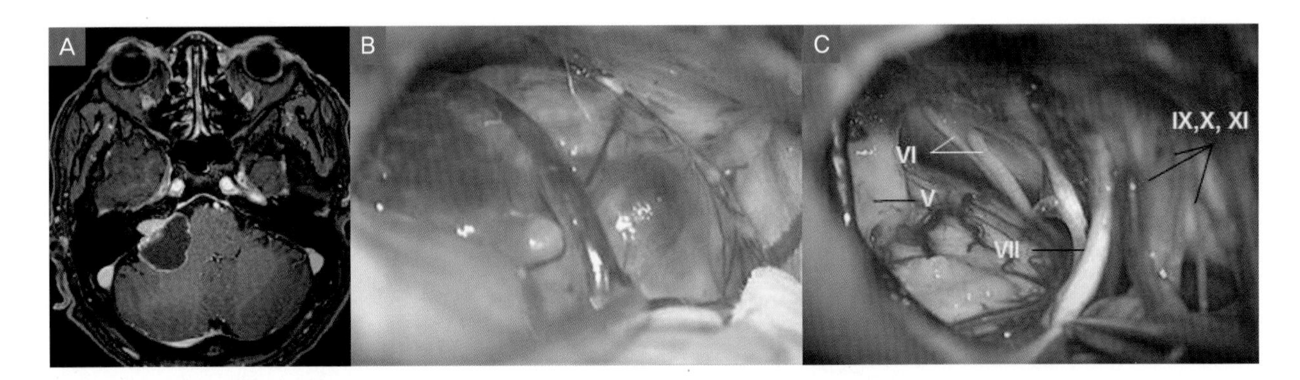

그림 7-6 **안면 신경이 종양의 복측에 위치하며 하부로 주행하는 유형의 예.** A. 수술 전 MR 영상. B. 종양 절제 전. 종양의 배측 표면에서 안면신경은 관찰되지 않는다. C. 종양 절제 후. 안면신경이 하방으로 전위되어 주행하다가 결국 내이도로 들어가는 것이 관찰된다.

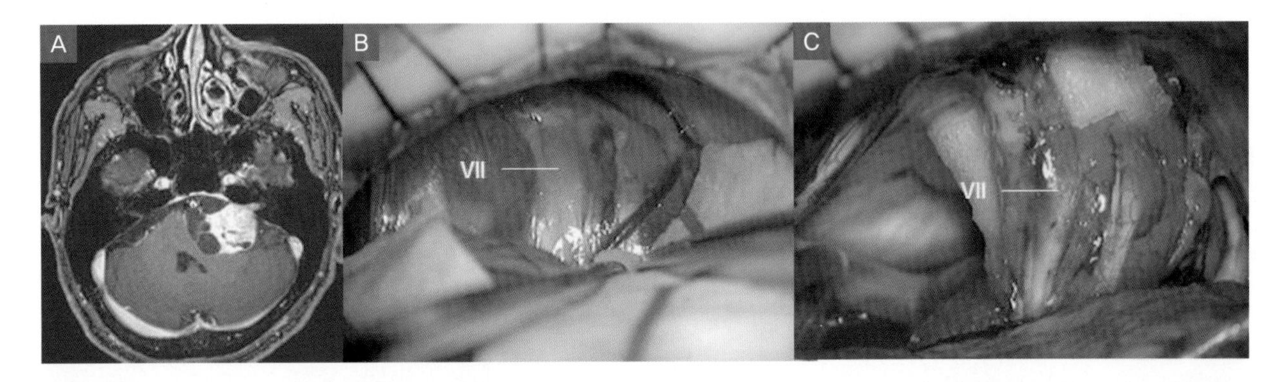

그림 7-7 **안면신경이 종양의 배측에 위치하는 유형의 예.** A. 수술 전 MR 영상. B. 종양 절제 전. 노출된 종양의 배측 표면에 안면신경이 관찰된다. C. 종양 부분 절제 후. 안면신경이 종양의 배측 표면을 따라 주행해 내이도로 들어가는 것이 확인된다.

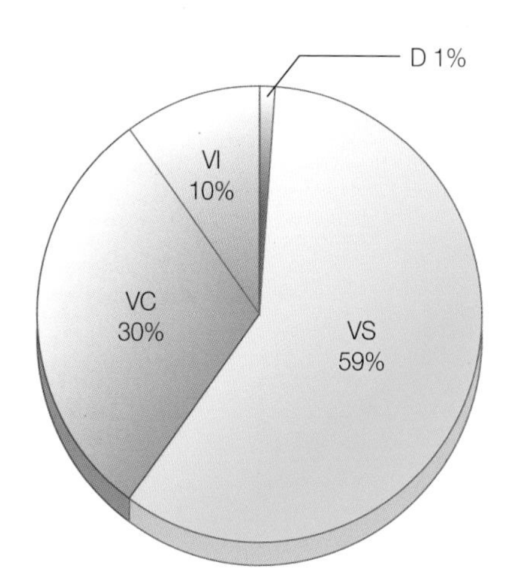

그림 7-8 안면신경의 위치와 주행에 따른 분포도.
D, dorsal; VC, ventral and central; VI, ventral and inferior; VS, ventral and superior

고찰

안면신경이 뇌간에서 기시하여 내이도에 이르기까지 종양의 표면에서 어떻게 주행하는지를 이해하는 것이 성공적인 청신경 종양 수술의 핵심이 된다. 본 저자들의 연구에서는 2 cm 이상 크기의 청신경 종양일 경우, 안면신경은 대부분(99%) 복측으로 전위되는 것을 보였다. 복측 상 전위(ventral and superior displacement)가 가장 흔하며(59%), 다음으로 복측 중앙(ventral central)(30.3%), 복측 하(ventral inferior)(9.7%) 전위 순이었다. 배측 전위는 1.0%로 매우 드물었다. Sampath[2] 등의 연구에서도 복측 전위가 97.9%로 대부분을 차지하였으며, 그 중 복측 상이 48.4%로 가장 흔하였고 복측 중앙(41.4%), 복측 하(7.7%), 배측(2.1%) 순으로 본 저자들의 결과와 유사하였다. 그러나 Sampath[2] 등의 연구와 비교했을 때 저자들의 결과는 안면신경의 복측 상 전위 비율이 높고 복측 중앙 비율 낮음을 알 수 있었다. 저자들의 경우 2 cm 이상의 크기가 큰 청신경 종양만을 대상으로 하여, 종양에 의한 안면신경의 전위가 보다 많이 발생하였던 것으로 사료된다.[2,4]

■ 참고문헌

1. Samii M, Matthies C. Management of 1000 vestibular schwannomas (acoustic neuromas): surgical management and results with an emphasis on complications and how to avoid them. Neurosurgery 1997; 40(1): 11-21; discussion -3
2. Sampath P, Rini D, Long DM. Microanatomical variations in the cerebellopontine angle associated with vestibular schwannomas (acoustic neuromas): a retrospective study of 1006 consecutive cases. Journal of neurosurgery 2000; 92(1): 70-8
3. Rhoton AL, Tedeschi H. Microsurgical Anatomy of Acoustic Neuroma. Otolaryng Clin N Am 1992; 25(2): 257-94
4. Bae CW, Cho YH, Hong SH, Kim JH, Lee JK, Kim CJ. The anatomical location and course of the facial nerve in vestibular schwannomas: A study of 163 surgically treated cases. J Korean Neurosurg S 2007; 42(6): 450-4

CHAPTER 08

미세 현미경 수술과 방사선수술의 비교

Comparison of microsurgery and radiosurgery

장우열, 정 신

치료 전략의 동향(Trend of therapeutic strategy)

보존적 치료 대 정위적 방사선수술

(Conservative management vs. Stereotactic radiosurgery)

작은 크기의 청신경 종양에 대한 보존적 치료 배경은 종양의 성장이 비교적 느리고 장기간 추적 검사 시에도 종양의 크기가 큰 변화가 없다는 점이다. 그러나 보존적 치료 후 추가적인 치료(감마나이프 치료 혹은 미세 수술)가 필요한 경우는 15~74%까지 보고된다.[1] 또한 경과 관찰 기간에 청력이 소실되는 경우가 3년에 25%, 4년 48%, 5년에 59%에 이르고 있어(5년 이상의 장기 추적 보고에서 평균 8.67년 기간 동안 43.8%의 청력 보존율) 최근에는 보존적 치료 보다는 적극적인 치료를 권유하는 보고들이 많다.[1,2] 최근의 한 보고에 따르면 청신경 종양에 대한 경과 관찰 기간 중에 72.1%에서 크기 증가가 보이지 않았으나 감마나이프 치료 후에는 96.1%에서 크기 증가가 없었고, 청력 보존의 경우에도 보존적 치료의 경우 58.5%였으나 감마나이프 치료 후에는 73.3%로 큰 차이를 보이고 있어 보존적인 치료보다는 감마나이프 치료 등 적극적인 치료 전략이 필요하다.[2]

물론 청신경 종양의 자연 성장률을 고려해 봤을 때는 이러한 적극적인 치료 전략은 70세 미만의 환자가 대상이 되며 고령의 환자가 증상이 없는 작은 크기의 청신경 종양을 가지고 있을 때는 보존적 치료가 더 효과적일 수 있다. 따라서 보존적 치료와 적극적인 치료를 결정함에 있어 증상과 환자의 연령, 기저 질환 등에 대한 고려가 반드시 필요하다.

미세 수술 대 정위적 방사선수술

(Microsurgery vs. Stereotactic radiosurgery)

전통적으로 미세 수술이 청신경 종양의 가장 이상적인 치료이다. 특이 두개저 수술 술기와 수술 장비의 발전으로 인하여 미세 수술 치료 성적은 기존과 비교하여 월등히 좋아졌다. 그러나 여전히 수술 후 합병증, 특히 뇌신경 기능의 보존 문제는 환자의 삶의 질과 관련하여 심각한 문제를 유발한다. 미세 수술과 비교하여 그 역사는 비교적 짧지만 감마나이프를 이용한 청신경 종양의 치료는 간단하고 합병증 발생률이 매우 낮으며 치료 결과 또한 우수하여 감마나이프 치료에 대한 연구가 많이 진행되고 있다. 미국 Nationwide Inpatient Sample (NIC)와 Acoustic neuroma association (ANA)의 보고에 따르면 최근 10년 사이 청신경 종양의 미세 수술은 40.8%(연간 178건)의 감소를 보이고 있으며 감마나이프 치료는 1998년 5%에 불과했으나 2007년에는 12%까지 증가되고 있다.[3] 즉, 치료의 용이성과 기능적 보존율, 수술 후 합병증, 종양의 제어 등을 고려하여 전반적인 치료의 추세는 미세 수술에서 감마나이프 치료로 이행하는 경향이다.

일반적으로 진단 당시 종양의 크기가 클 경우에는 미세 수술이 우선시 된다. 그러나 환자가 고령이거나 전신상태가 좋지 않아 전신마취의 부담이 큰 경우에는 감마나이프도 좋은 대체 치료로 이용된다. 그러나 종양에 의한 뇌간 압박 증상이나 뇌수두증, 종양 주변 부종이 심한 경우, 낭성 변화가 동반되어 있거나 출혈이 있는 경우에는 감마나이프 치료를 피해야 한다. 반면 진단 당시 종양의 크기가 작은 경우에는 미세 수술뿐만 아니라 감마나이프 치료도 일차 치료로 사용되고 있고 재발한 경우나 수술 후 종양이 남아 있는 경우에도 추가 치료로 사용된다. 이러한 적응증을 바탕으로 수술 후 삶을 질을 고려하여 종양의 크기와 증상에 따라 미세 수술 또는 감마나이프의 적절한 선택이 필요하다.

25 mm 이하의 작은 청신경 종양

(Small to medium sized or intracanalicular acoustic neuroma, ≤25 mm)

청력이 보존되어 있는 경우

청신경치료의 가장 이상적인 방법은 미세 수술이다. 수술 후 합병증에 대한 위험성이 있으나 특히 크기가 작은 청신경 종양의 경우에는 종양의 전적출 및 뇌신경 보존율이 높다. 뇌신경 보존에 대한 최근의 보고에 따르면 middle fossa approach 수술 후 안면신경과 청력 보존율은 각각 88~100%, 52~73%였고 retrosigmoid approach 수술 후 안면신경과 청력 보존율은 각각 90~100%, 50~77%였다.[4]

청신경 종양에서 청력을 보존하는 수술적 치료는 술자의 경험과 술기 및 수술 중 감시장치에 의해 많은 영향을 받고 learning curve 또한 상당히 길다. 따라서 각 술자의 미세 수술 치료 성적을 바탕으로 치료 방법을 선택해야 하겠다(증례 8-1, 8-2).

작은 크기의 청신경 종양에서 감마나이프의 치료 성적은 매우 좋아서 최근 보고된 바에 따르면 종양의 성장 조절률(control rate)은 93~100%이며 청력 보존율도 60~70%로 높게 보고되고 있다.[5] 반면 안면 마비나 감각둔화와 같은 신경병증의 발생률은 0~3%로 매우 낮아 감마나이프 방사선수술은 작은 크기의 청신경 종양 치료에 효과적이다. 특히 감마나이프 치료 후 청력 보존 가능성이 높은 예후인자를 파악하고 치료하는 것이 중요한데 잘 알려진 예후 인자로서 Gardner-Robertson class I hearing, 60세 미만의 연령, Intracanalicular tumor location, 0.75 cm^3 미만의 작은 종양 등이 있으며 central cochlear로의 방사선량이 4.2 Gy 이하일 때 더 좋은 청력 보존을 기대할 수 있다.[6] 그러나 감마나이프 치료는 미세 수술과는 달리 점진적인 청력 감소가 발생하며 감마나이프 치료 후 5년째 57~74%의 청력 보존율은 10년째 24~44%까지 감소된다는 보고도 있어 치료를 결정함에 있어 장기적인 치료 결과에 대한 고찰과 반대편 청력에 대한 평가도 필요할 것으로 생각된다.[7]

청력이 보존되어 있는 작은 크기의 청신경 종양의 경우에는 미세 수술이나 감마나이프 치료 모두 효과적인 치료 방법이다. 치료 방법을 선택할 때는 장기적인 청력 보존율 또는 합병증 발생률에 대한 비교가 필요하며 미세 수술을 선택할 경우에는 그 치료 성적이 감마나이프 치료와 동등하거나 더 나을 때 고려해야 한다.

CNUHH (Chonnam National University Hwasun Hospital)에서는 작은 크기의 청신경 종양에 대해서 미세 수술과 감마나이프 두 가지 치료 방법을 모두 사용하고 있으며 미세 수술에서 안면신경의 기능 보존율(H-B Grade I & II)과 청력 보존율은 각각 87.8%, 78.9%에 이르고 있으며 감마나이프 치료에서는 안면신경 마비는 없었고 3년 기준 청력 보존율은 65.8%를 보이고 있다.

청력이 소실된 경우

진단 당시 청력이 이미 소실되어 있는 경우에 치료 방법을 결정하는 데 있어서는 종양의 재발과 치료 후의 합병증, 특히 안면신경 마비에 대한 고려가 우선시 되어야 한다. 미세 수술의 경우 완전 적출에 따른 종양의 재발은 막을 수 있다는 점이 큰 장점일 수 있으나 수술 후 안면신경 마비 발생률은 감마나이프의 결과에 비해 높다. 작은 크기의 청신경 종양에 대한 감마나이프 치료 후 종양 조절률(tumor control rate)은 96.1%로 수술적 치료 후 재발률과 비교하여 동등한 수준을 유지하면서 수술 후 안면신경 마비 발생률은 0~1.5%로 수술적 치료 후 0~12% 의 안면신경 마비가 발생하는 것과 비교해서 우위를 보이고 있다.[2] 따라서 청력의 소실이 있는 작은 크기의 청신경 종양의 경우 환자의 삶의 질을 고려해 봤을 때는 일차적인 치료로 감마나이프 치료를 고려해 보는 것이 좋겠다(증례 8-3).

증례 8-1

50세 남자환자로 우측 청력 저하를 주소로 내원하여 시행한 MRI상 우측 IAC 및 CPA cistern으로 2.1 cm 크기의 icecream cone shape의 enhanced mass 발견되었으며 청력 검사상 serviceable hearing (Gardner–Robertson class I) 소견이다.

수술 중 감시장치(BAEP & EMG) 하에 lateral retrosigmoid suboccipital approach 통한 미세 수술을 시행하였으며 수술 중 facial nerve 및 cochlear nerve를 보존하였고 수술 후 안면신경 마비 없으면서 청력 또한 보존되었다.

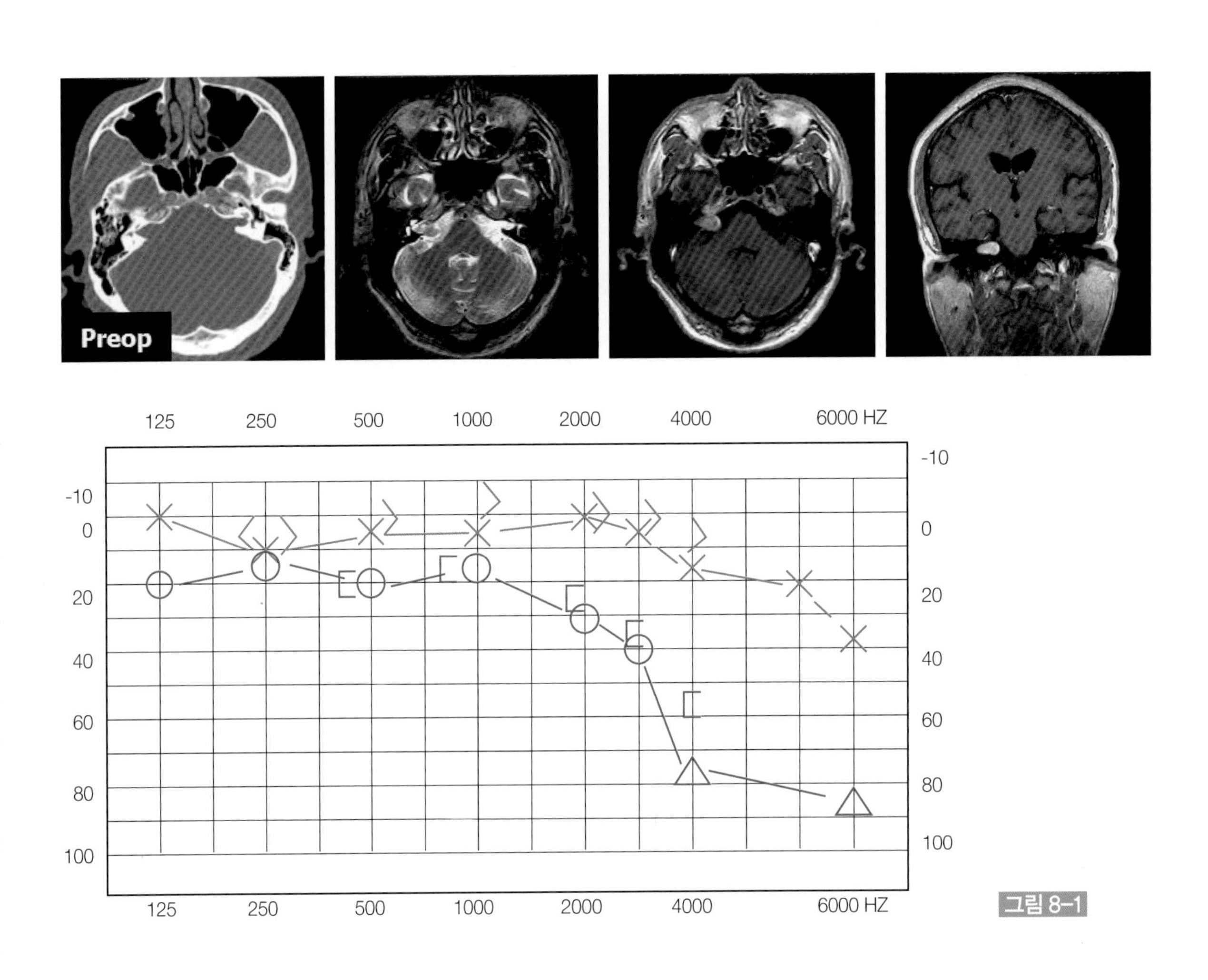

그림 8-1

증례 8-1 (계속)

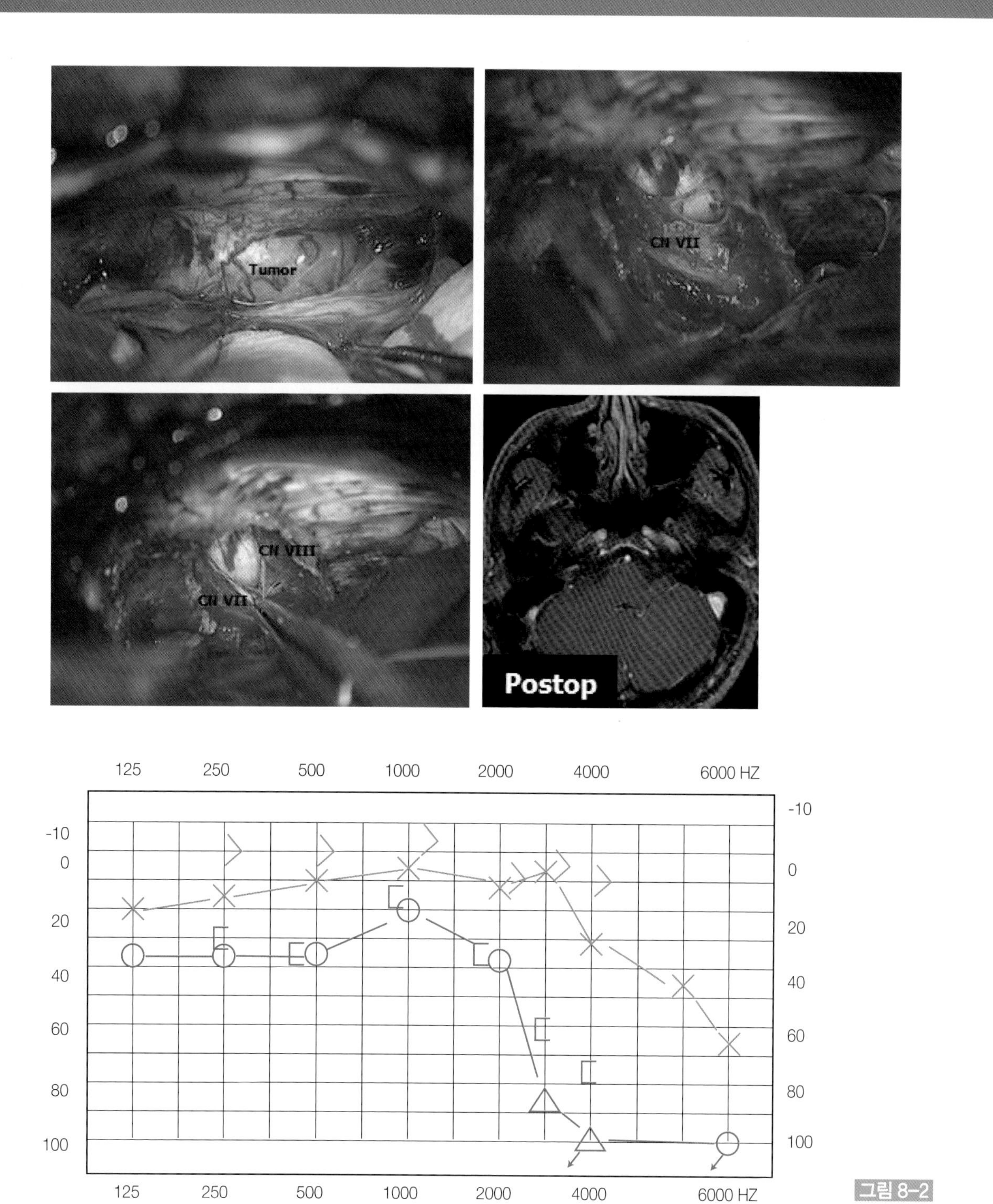
Tumor
CN VII
CN VIII
CN VII
Postop
125
250
500
1000
2000
4000
6000 HZ
-10
0
20
40
60
80
100

그림 8-2

증례 8-2

73세 여자환자로 어지러움을 주소로 내원하여 시행한 MRI상 우측 IAC 내로 1.2 cm 크기의 bony widening을 동반 enhanced mass 발견되었으며 청력 검사상 serviceable hearing (Gardner−Robertson class II) 소견을 보이고 있었다.

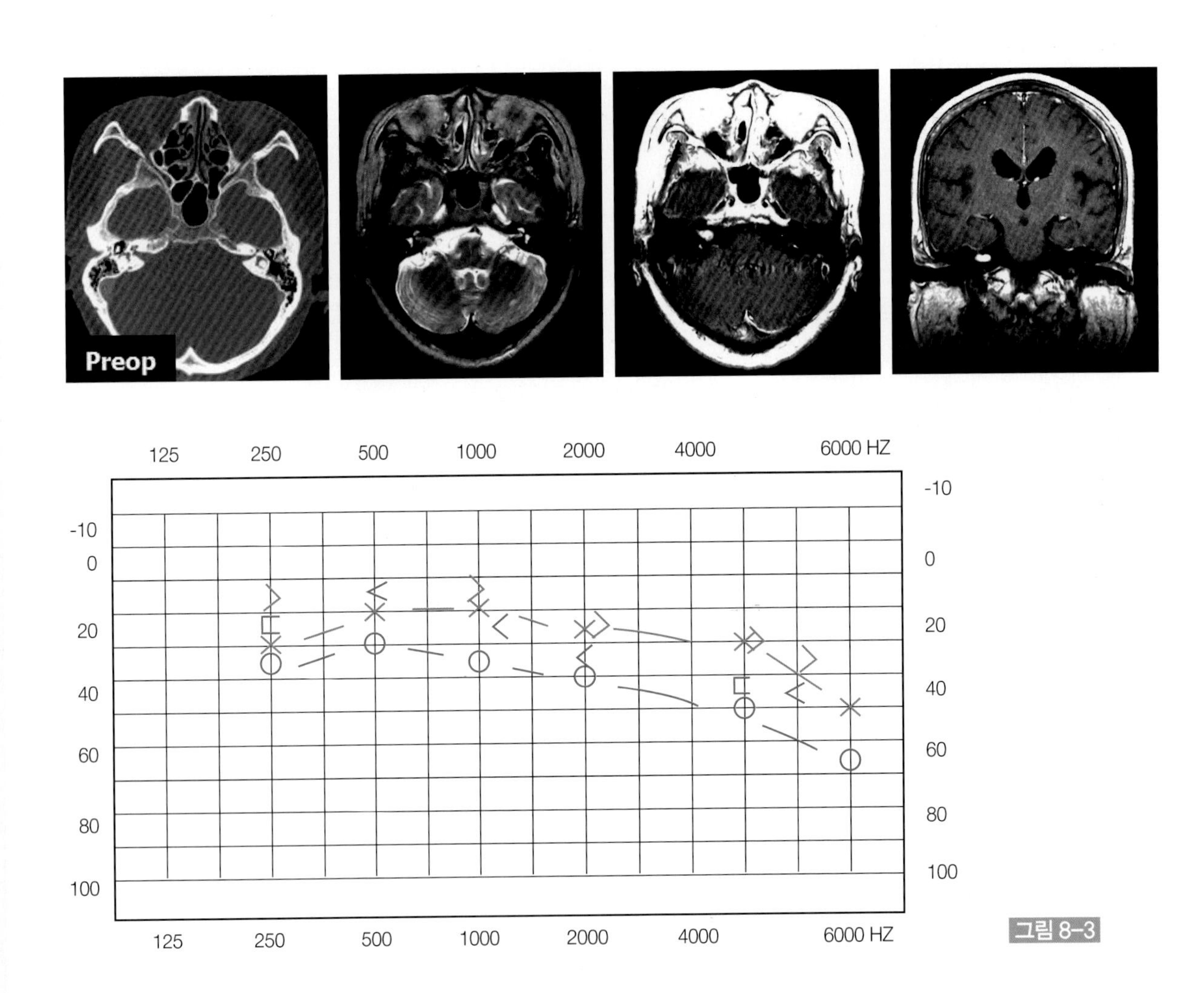

그림 8-3

증례 8-2 (계속)

Prescription dose 12 Gy, Cochlear dose < 4 Gy로 감마나이프 시행하였으며 5년 추적 관찰에서 종양의 크기는 감소되고 청력은 보존된 상태를 유지하였다.

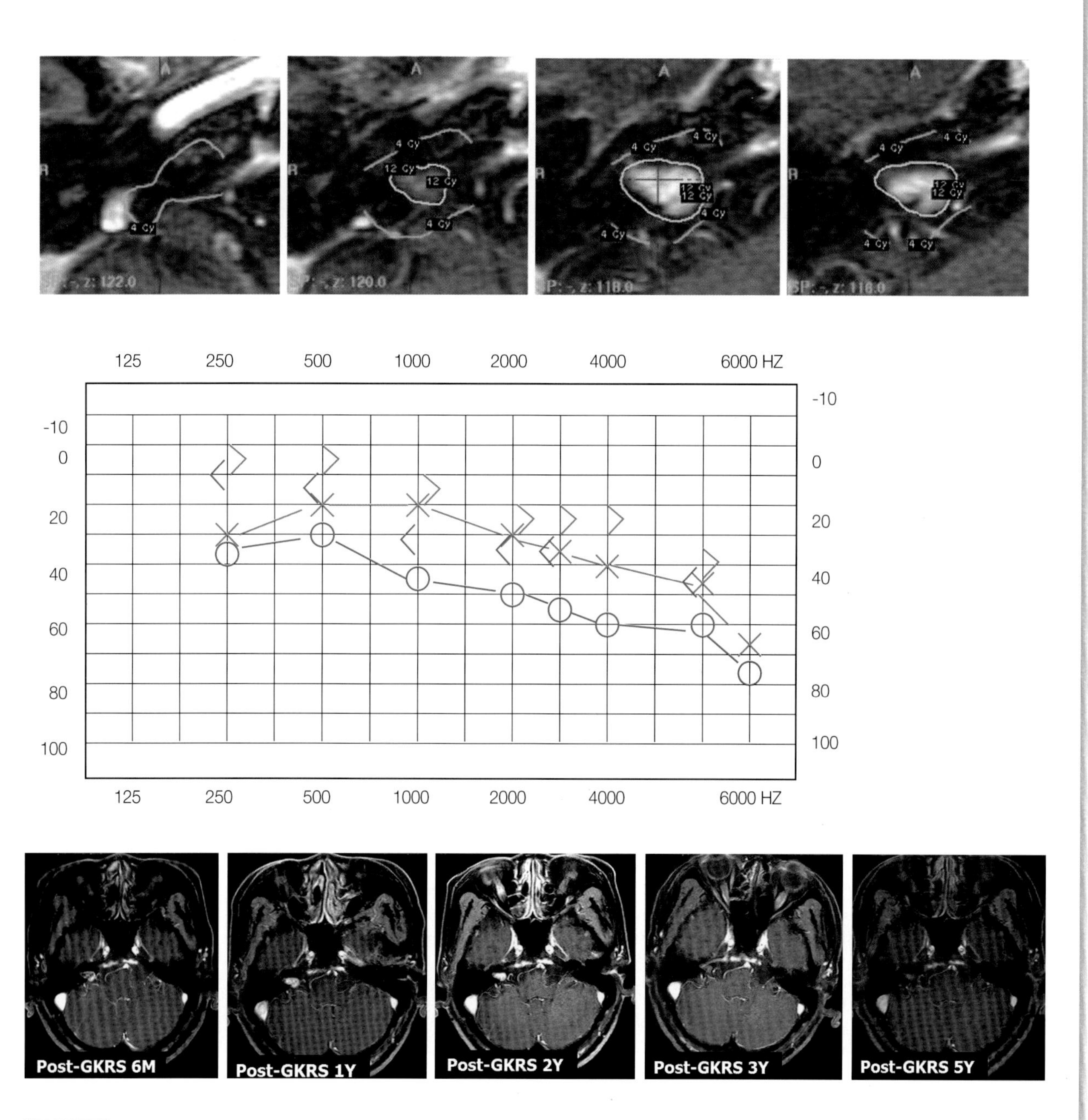

그림 8-4

증례 8-3

68세 여자환자로 두통 및 우측 청력 저하를 주소로 내원하여 시행한 MRI상 우측 CPA cistern에서 IAC로 extension 된 1.7 cm 크기의 enhanced mass 발견되었으며 진단 당시 청력은 소실된 상태였다.

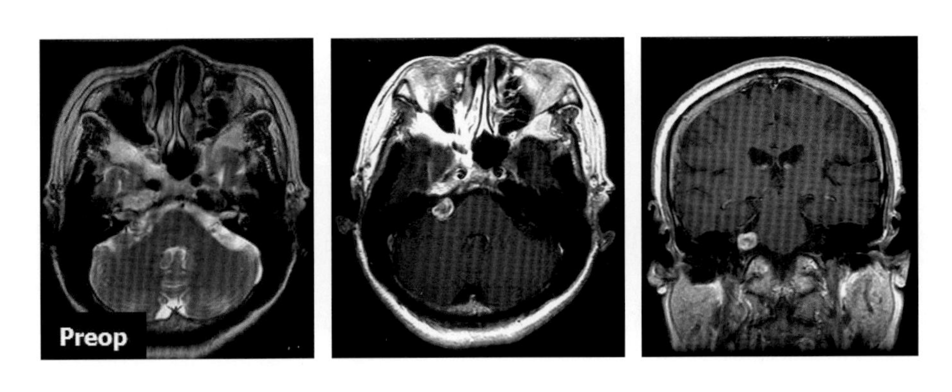

그림 8-5

Prescription dose 12 Gy로 감마나이프 시행하였으며 10년 추적 관찰에서 종양의 크기는 감소되고 radiation-induced toxicity 발생하지 않았다.

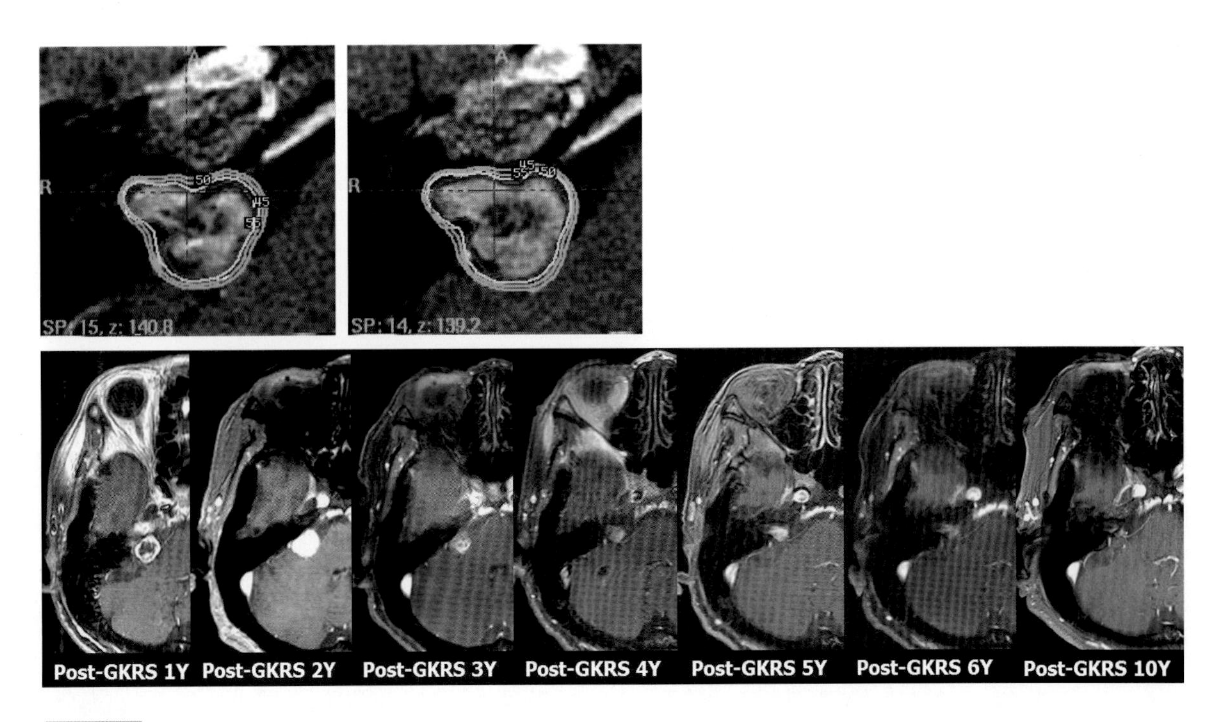

그림 8-6

크기가 큰 (25~40mm) 청신경 종양
(Large sized acoustic neuroma)

큰 크기의 청신경 종양에 대한 치료는 미세 수술이다. 최소 3 cm 이상의 청신경 종양에 대한 미세 수술 보고들은 분석한 결과 종양의 전적출은 79.1%에서 가능하였고 안면신경은 해부학적으로는 88%에서 보존을 하였으나 실제 임상적으로는 62.9%에서 House-Brackmann grade I-II 수준으로 보존이 가능하였다. 또한 수술 장비와 술기의 발달로 인하여 수술 후 사망률은 0.87%까지 낮아졌다.[8] 미세 수술의 경우 해부학적 안면신경의 보존이 수술 후 임상적인 안면신경의 보존을 결정하기 때문에 안면신경의 주행을 올바르게 파악하고 수술 중 신경감시장치를 이용하여 지속적인 feedback을 하면서 신경의 손상 없이 종양을 박리하는 것이 필요하다.

CNUHH에서 큰 청신경 종양에 대한 미세 수술 결과 안면신경은 1년 이상 추적검사상에서 68.9%에서 HB grade I-II의 기능적 보존을 보였으며 34.6%에서 청력을 보존할 수 있었다(증례 8-4, 8-5).

그러나 기저 질환에 따른 수술의 위험성이 높은 환자나 환자의 선호도에 의해 선택적으로 감마나이프가 차선 치료로 시행될 수 있다. 최근 감마나이프 치료를 이용한 큰 크기의 청신경 종양에 대한 치료 결과가 많이 보고되고 84~100%의 종양 조절률과 68~100%의 안면신경 보존율의 좋은 성적을 나타내고는 있지만 대부분은 3년 미만의 단기간 추적 검사 결과로서 좀 더 장기적인 치료 결과에 대한 분석이 필요하다.[9]

크기가 큰 청신경 종양의 감마나이프 치료는 추후 치료의 실패로 인한 수술적 치료와 같은 추가 치료의 필요성이 21%까지 보고되고 있으며 단일 감마나이프(single-session SRS)의 경우 종양 조절을 위한 충분한 방사선량의 조사가 힘들고 또 고용량이 조사되었을 때 발생할 수 있는 뇌부종(radiation-induced brain stem or cerebellum edema), 뇌신경의 손상(cranial nerve neuropathy), 종 양의 악성변화(malignant transformation)이나 소뇌경색, 뇌출혈이나 수두증의 악화 등에 대한 고찰이 필요하다.[10]

단일 감마나이프 치료에 대한 보완책으로 최근에는 분할 정위방사선치료(FSRT)에 대한 시도가 보고되고 있다. 분할 치료를 통해서 종양에 조사되는 치료방사선 용량을 높여 종양 조절률을 최대화하면서 안면신경을 포함한 뇌신경과 주변의 정상 뇌실질에 대한 방사선 용량을 줄여 방사선 유발 독성(radiation-induced toxicity)을 최소화한다는 치료의 근거다. 분할 정위방사선 치료는 종양의 조절률이 53개월간 추적 검사상 95.8%에 이르고 있고 2007-2008 Acoustic Neuroma Association (ANA) survey에 따르면 청력 보존율은 약 49%로 단일 방사선수술에 보여지는 20%에 비해 좋다고 보고되고 있다.[11] 또한 2010년 Mandl은 3 cm 이상의 청신경 종양에 대한 25 Gy의 maximum dose (5 Gy fractions)의 분할 감마나이프에 대한 치료 성적을 보고하였는데 이에 따르면 5년 종양 조절률과 안면신경 보존율은 각각 82%, 80%에 이르렀다.[12]

그러나 아직 분할 정위방사선치료에 대한 meta-analysis가 부족하고 장기간의 추적 검사 결과에 대한 고찰이 필요하며 용량 및 횟수에 대한 정립이 아직까지는 이루어지지 않았다.

결국 큰 청신경 종양의 가장 좋은 치료는 미세 수술이다. 다만 미세 수술에 따른 위험성이 높은 경우에는 선택적으로 감마나이프 치료를 시행해 볼 수 있으며 장기적인 치료 결과에 대한 고찰이 필요하겠지만 분할치료를 이용하여 더 효과적인 결과를 기대해 볼 수 있다.

40 mm가 넘는 거대 청신경 종양
(Extralarge sized acoustic neuroma, > 40 mm)

거대한 크기의 종양에서 청력의 보존되어 있는 경우는 매우 드물기 때문에 치료 방법을 선택함에 있어 청력에 대한 고려는 비교적 적다. 오히려 종양에 의해 안면신경뿐만 아니라 하부뇌신경까지 압박되는 경우가 흔하기 때문에 수술 후 안면신경과 함께 하부뇌신경의 기능까지 보존하고 재발을 막는 것이 치료의 목적이다. 종양의 크기와 감마나이프 치료 결과에 대한 반비례적인 결과를 봤을 때 거대 청신경 종양의 치료는 미세 수술이다. 400여 거대 청신경 종양 수술에 대한 최근의 한 보고에 따르면 종양의 전적출은 93%에서 가능하였고 안면신경의 해부학적 보존은 91.75%였지만 임상적인 보존율은 62.75%에 머물렀다. 하부뇌신경 기능의 악화는 4.5%에서 나타났고 수술 후 출혈로 인한 재수술이 2.25%에서

증례 8-4

46세 여자환자는 두통 및 어지러움을 주소로 내원하여 시행한 MRI상 좌측 CPA cistern으로 3.5 cm 크기의 large enhanced mass 발견되었으며 IAC lateral까지 extension되는 양상을 보였다. 진단 당시 청력 검사상 좌측 청력은 serviceable hearing (Gardner−Robertson class I)이었다.

수술 중 감시장치(BAEP & EMG) 하에 lateral retrosigmoid suboccipital approach 통한 종양적출술 시행하였으며 수술 후 청력을 보존하였다.

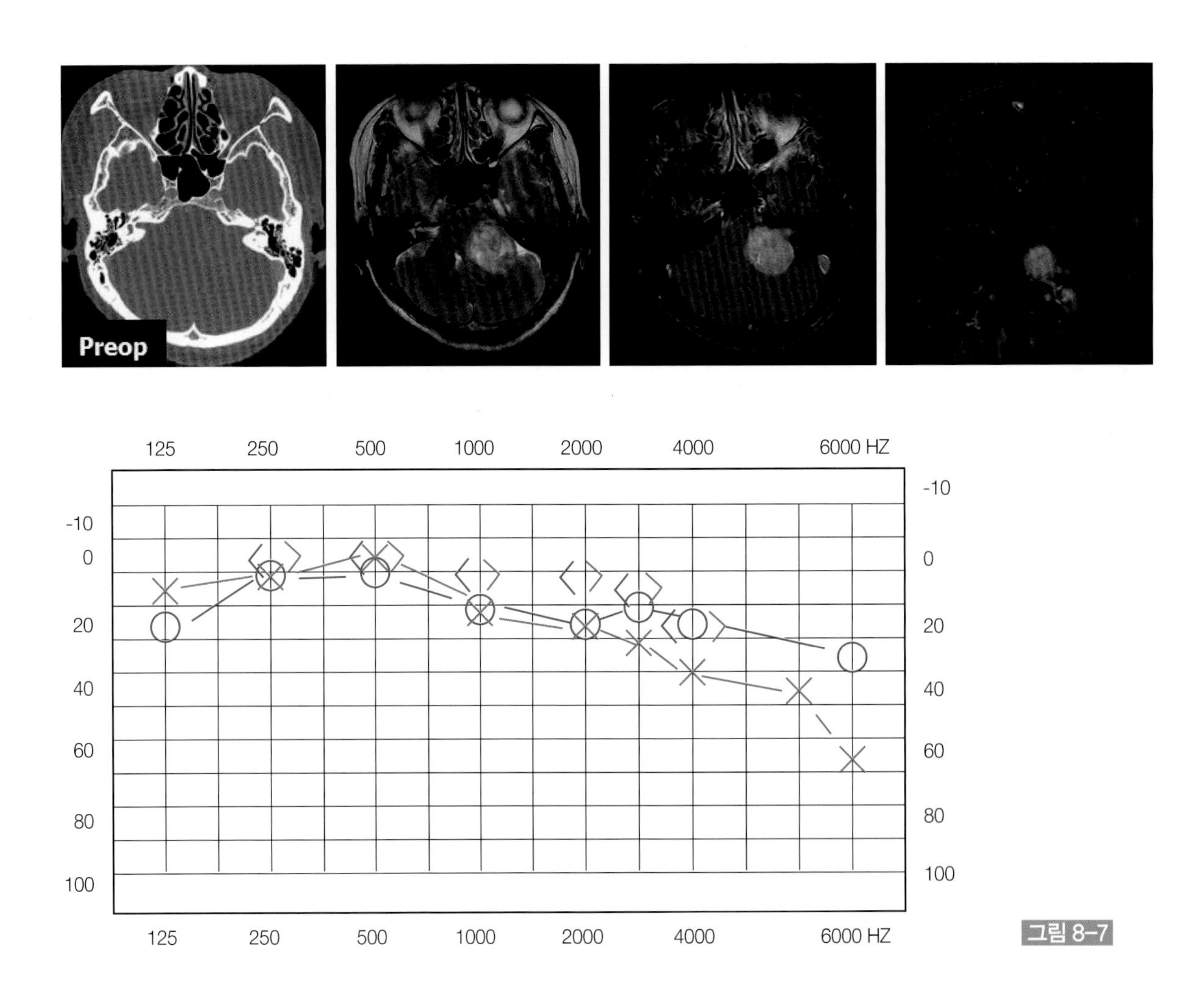

그림 8-7

증례 8-4 (계속)

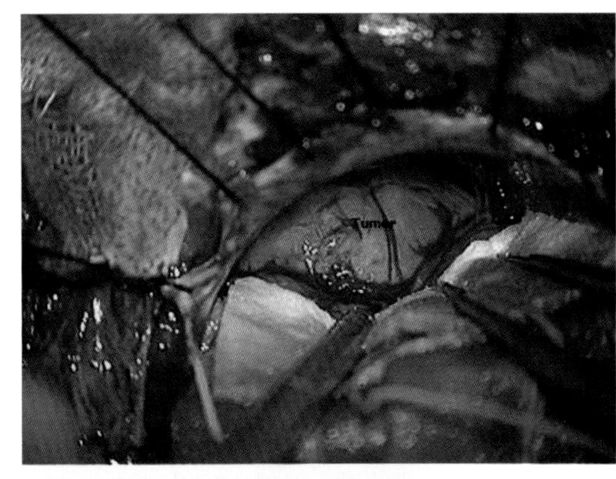
Tumor

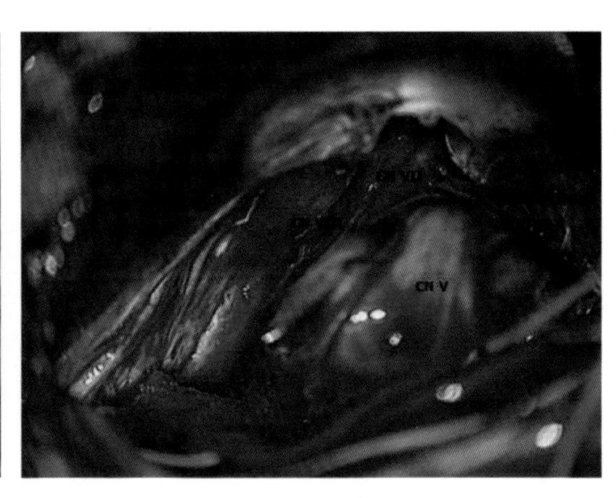
CN VII
CN V

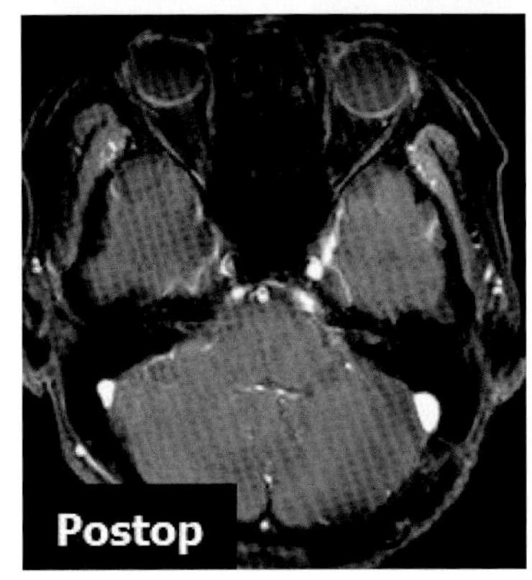
Postop

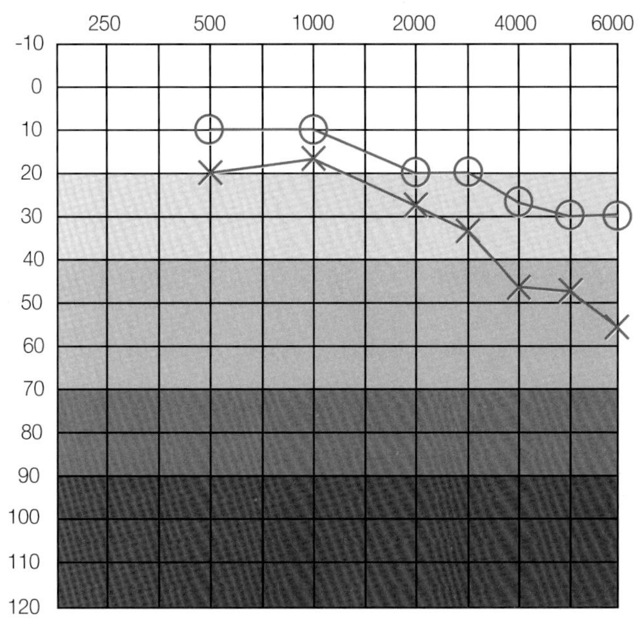
250
500
1000
2000
4000
6000
-10
0
10
20
30
40
50
60
70
80
90
100
110
120

그림 8-8

증례 8-5

61세 여자환자는 두통을 주소로 내원하여 시행한 MRI상 좌측 CPA cistern으로 3.5 cm 크기의 large enhanced mass 발견되었으며 진단 당시 청력 검사상 좌측 청력은 non-useful hearing이었다.

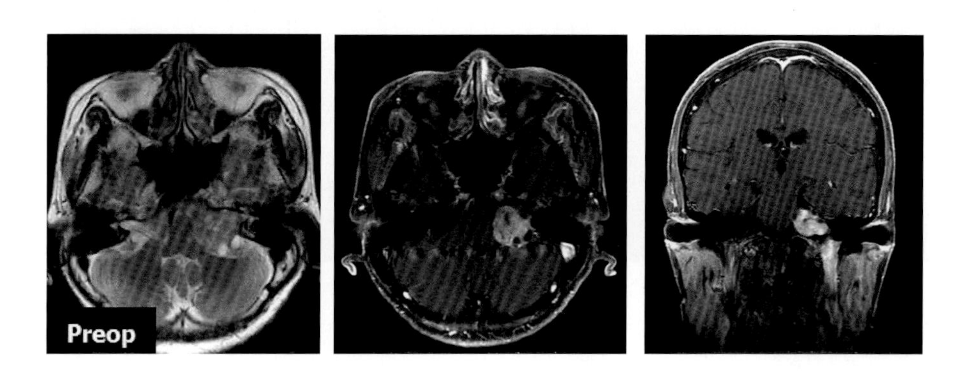

그림 8-9

술전 검사상 확장성 심근병증 및 중등도의 승모판 역류 소견 보여 수술 위험성 높은 상태로 Prescription dose 7.5 Gy로 2차례 분할 감마나이프 시행하였으며 3년 추적 관찰에서 종양의 크기는 감소되고 radiation-induced edema나 cranial nerve neuropathy 등의 합병증은 발생하지 않았다.

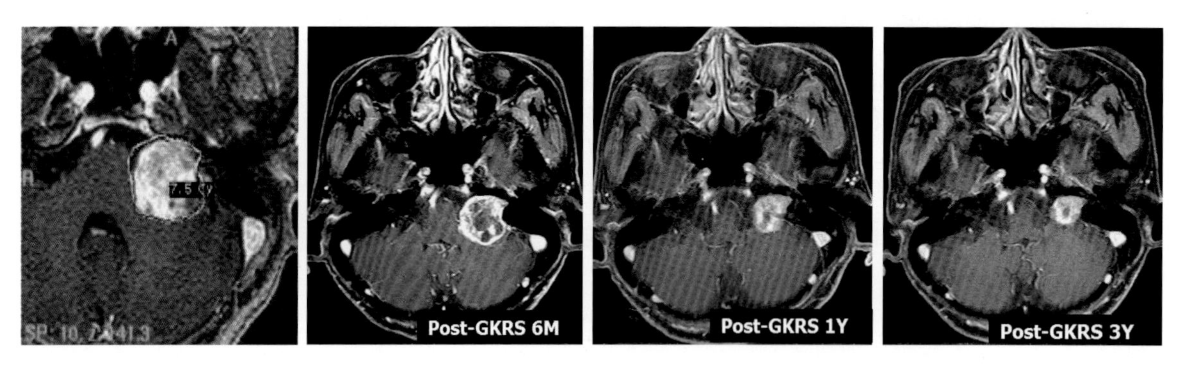

그림 8-10

증례 8-6

52세 남자환자는 우측 청력감소를 주소로 내원하여 시행한 MRI상 우측 CPA cistern으로 5.8 cm 크기의 extralarge enhanced mass 발견되었으며 내부로 internal necrosis 및 cystic change 동반한 상태였음. 진단 당시 청력 우측 청력은 소실된 상태였으며 안면신경 마비 증상은 없었다.

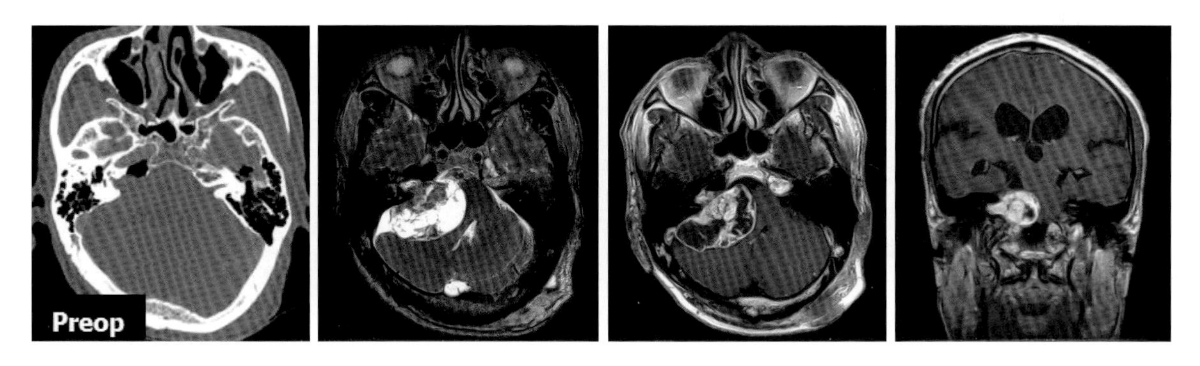

그림 8-11

수술 중 감시장치(EMG) 하에 lateral retrosigmoid suboccipital approach 통한 종양적출술 시행하였으며 수술 후 안면신경 마비는 발생하지 않았다.

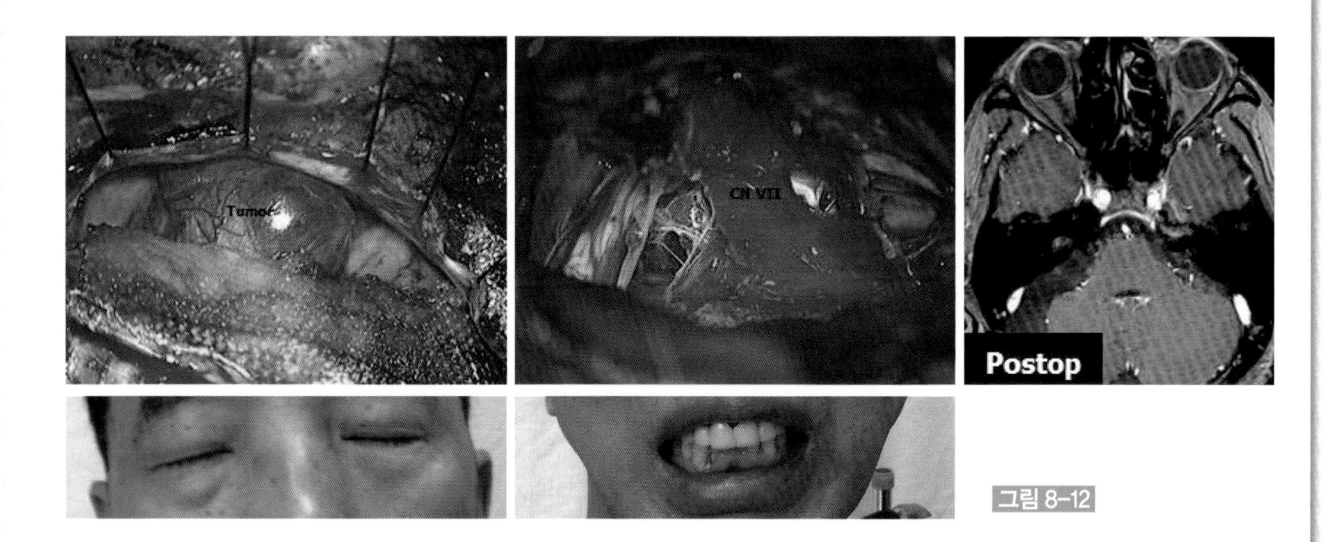

그림 8-12

증례 8-7

32세 남자환자는 우측 청력감소를 주소로 내원하여 시행한 MRI상 우측 CAP cistern으로 4.8 cm 크기의 extralarge enhanced mass 발견되었으며 lateral cystic portion 동반된 상태였다. 진단 당시 청력 우측 청력은 소실된 상태였으며 안면신경 마비 증상은 없었다.

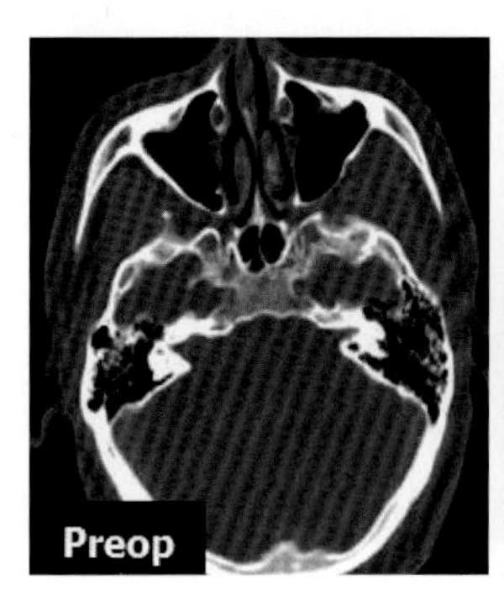

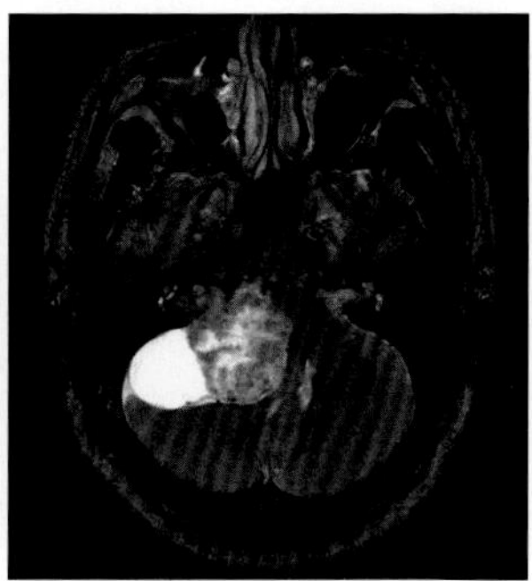

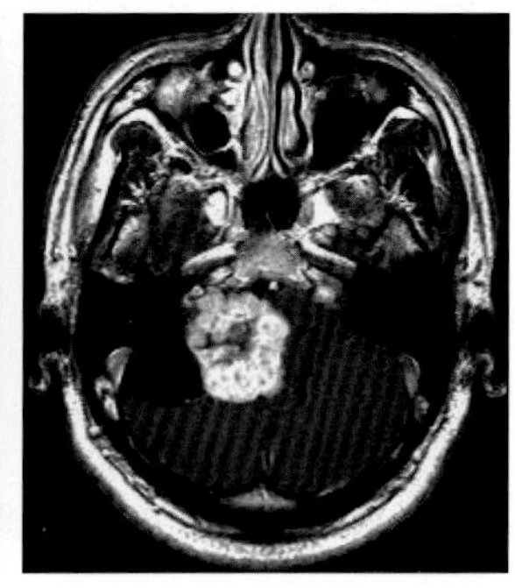

그림 8-13

수술 중 감시장치(EMG) 하에 lateral retrosigmoid suboccipital approach 통한 종양적출술 시행하였으며 수술 소견상 안면신경 및 뇌간과의 유착이 심한 상태로 전 적출술 시 심각한 후유 장애가 예상되어 부분적출술 시행하고 수술 후 marginal dose 12 Gy 감마나이프 치료를 시행하였다. 수술 후 안면신경 마비는 없었으며 3년 추적 검사상 종양의 크기 증가 없이 안정적인 상태가 유지되고 있다.

증례 8-7 (계속)

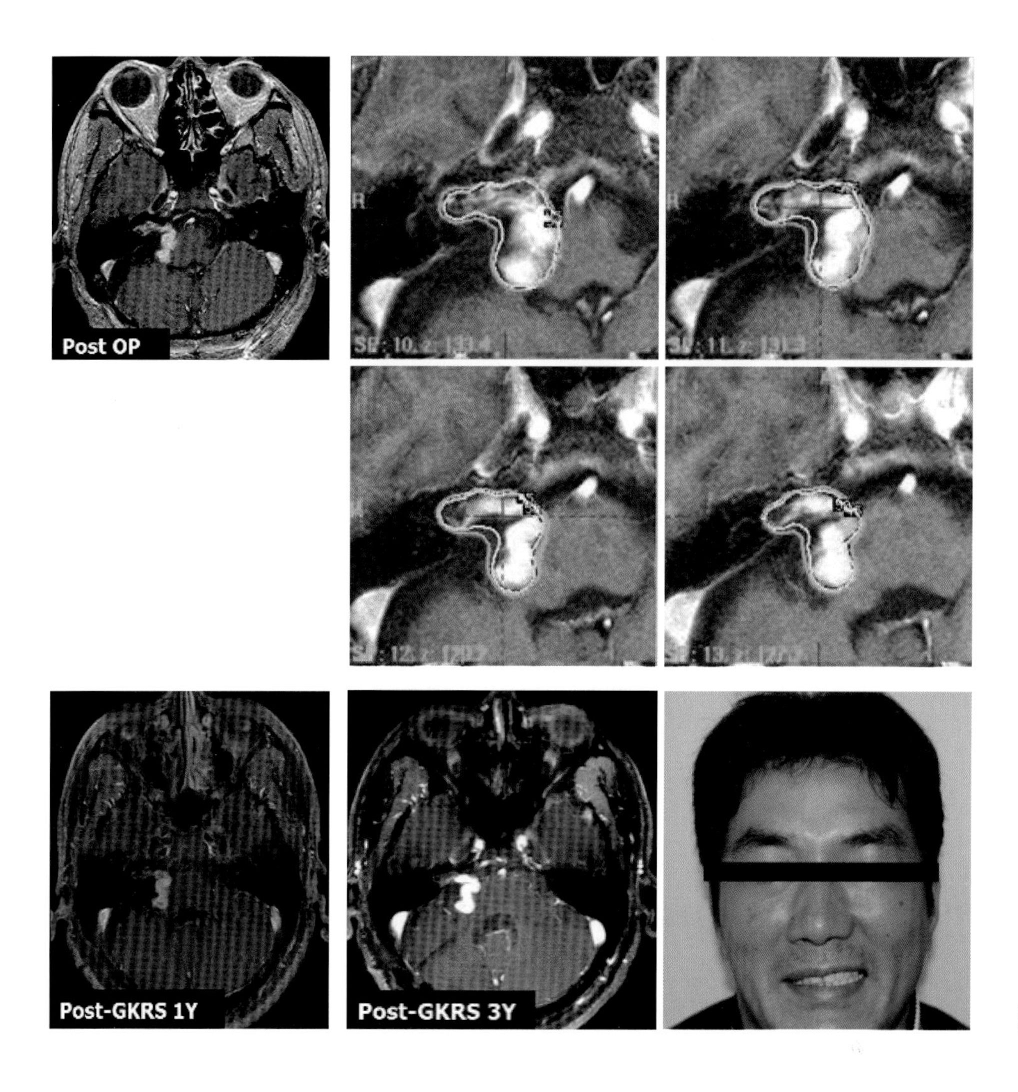

그림 8-14

발생하였다(증례 8-6, 8-7).[13]

종양이 크면 그만큼 뇌신경 특히 안면신경 마비의 가능성이 높고 기타 수술 합병증 발생률이 높아진다. 최근에는 수술 후 환자의 삶의 질에 대한 관심이 높아지면서 종양의 완전 적출이 아닌 부분 적출을 통한 안면신경의 기능 보존에 대한 시도가 이루어지고 있으며 이를 보완하기 위하여 수술 후 감마나이프 치료가 함께 이용되고 있다. 실제로 2011년 langenberg의 보고에 따르면 종양의 부분 적출 후 감마나이프 치료는 92%의 종양 조절률을 보였으며 H-B class II 이하의 안면신경 보존은 94%에서 이룰 수 있었다고 한다.[14]

따라서 거대 청신경 종양의 경우에는 미세 수술을 통해 종양의 전적출을 시도해야 한다. 그러나 수술 중 안면신경의 손상 가능성이 높다면 선택적으로 종양의 부분 적출술 후 감마나이프 치료를 시행하는 것도 환자의 삶의 질을 고려해 봤을 때 좋은 치료법이다.

치료 전략

새로 진단된 small~medium 크기의 청신경 종양의 경우 관찰, 미세 수술 또는 감마나이프 방사선수술이 치료로 제안될 수 있으며 특히 진단 당시 청력이 보존된 경우에는 특별한 치료 없이 관찰 중 수년 내에 청력 악화 경우가 많아 보존적 치료보다는 조기에 적극적인 미세 수술이나 감마나이프 치료를 시행하는 것이 청력 보존의 기회가 더 높다. 청각이 소실된 small~medium 크기의 청신경 종양의 치료에서는 미세 수술도 유용할 수 있으나 수술합병증이나 수술숙련도 등을 고려할 때 감마나이프 치료도 좋은 선택이다.

Large 크기의 청신경 종양의 치료는 미세 수술이 가장 적절하다. 감마나이프 치료는 종양의 크기가 클수록 치료 결과가 좋지 않고 치료 실패 시 추가적인 치료가 어렵다는 점을 고려해야만 한다. 최근에서 분할 감마나이프 치료법이 소개되고 있으나 장기적인 치료 성적에 대한 고찰이 필요하다.

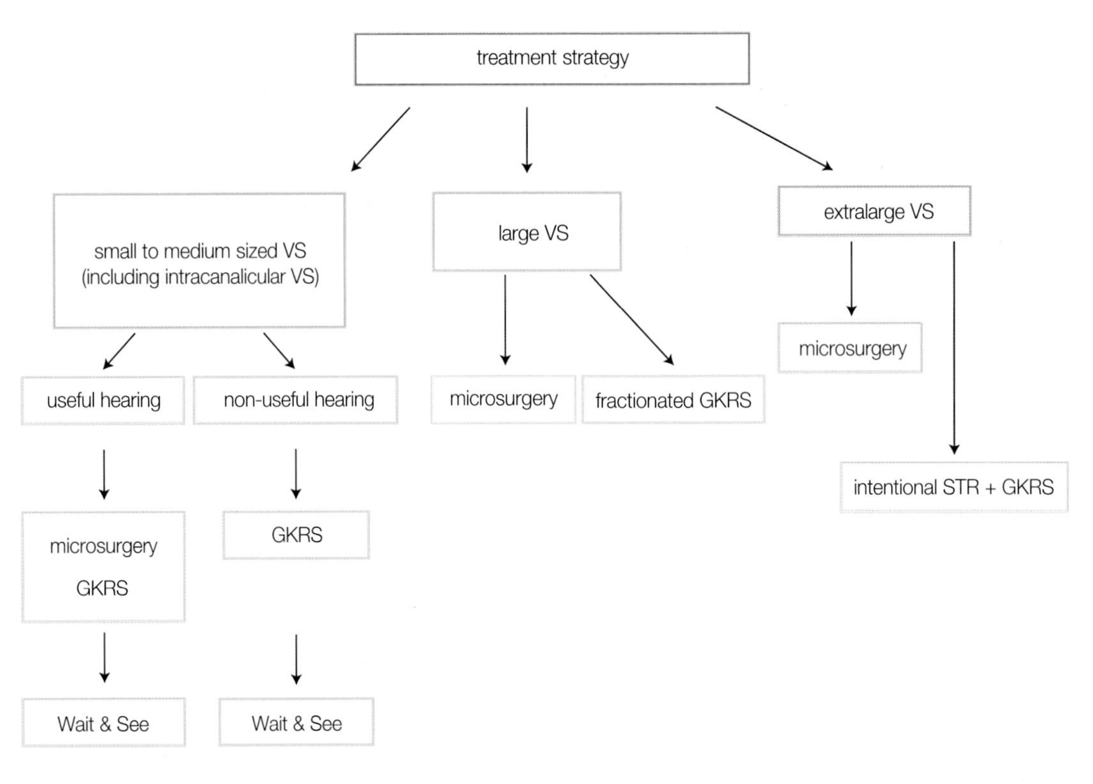

그림 8-15 (Management algorithm in CNUHH)

Extralarge 크기의 청신경 종양의 치료 역시 미세 수술이 최우선이다. 최근 미세 수술을 통한 계획된 아전적출술 후 작은 크기의 잔여종양에 대한 감마나이프 치료 방법도 소개되고 있다.

청신경 종양의 치료는 보존적 치료보다는 적극적인 치료가 효과적이며 종양의 크기와 수술 전 청력 상태를 평가하여 미세 수술과 감마나이프 치료를 적절히 선택하는 치료 전략이 필요하겠다(그림 8-15).

■ 참고문헌

1. Regis J, Carron R, Park MC, Soumare O, Delsanti C, Thomassin JM, et al.: Wait-and-see strategy compared with proactive Gamma Knife surgery in patients with intracanalicular vestibular schwannomas: clinical article. Journal of neurosurgery 119 Suppl: 105-111, 2013
2. Maniakas A, Saliba I: Conservative management versus stereotactic radiation for vestibular schwannomas: a meta-analysis of patients with more than 5 years' follow-up. Otology & neurotology : official publication of the American Otological Society, American Neurotology Society [and] European Academy of Otology and Neurotology 33: 230-238, 2012
3. Patel S, Nuno M, Mukherjee D, Nosova K, Lad SP, Boakye M, et al.: Trends in Surgical Use and Associated Patient Outcomes in the Treatment of Acoustic Neuroma. World neurosurgery 80: 142-147, 2013
4. Yamakami I, Ito S, Higuchi Y: Retrosigmoid removal of small acoustic neuroma: curative tumor removal with preservation of function. Journal of neurosurgery 121: 554-563, 2014
5. Jason P. Sheehan, Gerszten PC: Controversies in stereotactic radiosurgery; best evidence recommandations
6. Kano H, Kondziolka D, Khan A, Flickinger JC, Lunsford LD: Predictors of hearing preservation after stereotactic radiosurgery for acoustic neuroma: clinical article. Journal of neurosurgery 119 Suppl: 863-873, 2013
7. Roos DE, Potter AE, Brophy BP: Stereotactic radiosurgery for acoustic neuromas: what happens long term? International journal of radiation oncology, biology, physics 82: 1352-1355, 2012
8. Zou P, Zhao L, Chen P, Xu H, Liu N, Zhao P, et al.: Functional outcome and postoperative complications after the microsurgical removal of large vestibular schwannomas via the retrosigmoid approach: a meta-analysis. Neurosurgical review 37: 15-21, 2014
9. Chung WY, Pan DH, Lee CC, Wu HM, Liu KD, Yen YS, et al.: Large vestibular schwannomas treated by Gamma Knife surgery: long-term outcomes. Journal of neurosurgery 113 Suppl: 112-121, 2010
10. van de Langenberg R, Hanssens PE, Verheul JB, van Overbeeke JJ, Nelemans PJ, Dohmen AJ, et al.: Management of large vestibular schwannoma. Part II. Primary Gamma Knife surgery: radiological and clinical aspects. Journal of neurosurgery 115: 885-893, 2011
11. Sheehan JP, Gerszten PC: Controversies in stereotactic radiosurgery best evidence recommendations; single-session radiosurgery for acoustic neuromas, New York: Stuttgart, 2014, pp 28
12. Mandl ES, Meijer OW, Slotman BJ, Vandertop WP, Peerdeman SM: Stereotactic radiation therapy for large vestibular schwannomas. Radiotherapy and oncology : journal of the European Society for Therapeutic Radiology and Oncology 95: 94-98, 2010
13. Yang X, Zhang Y, Liu X, Ren Y: [Microsurgical treatment and facial nerve preservation in 400 cases of giant acoustic neuromas]. Zhongguo xiu fu chong jian wai ke za zhi = Zhongguo xiufu chongjian waike zazhi = Chinese journal of reparative and reconstructive surgery 28: 79-84, 2014
14. van de Langenberg R, Hanssens PE, van Overbeeke JJ, Verheul JB, Nelemans PJ, de Bondt BJ, et al.: Management of large vestibular schwannoma. Part I. Planned subtotal resection followed by Gamma Knife surgery: radiological and clinical aspects. Journal of neurosurgery 115: 875-884, 2011

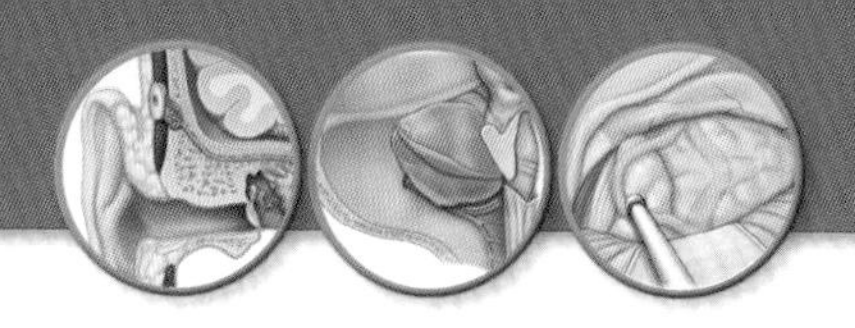

찾아보기

한글

영어